LES APOPHTEGMES DES PÈRES

SOURCES CHRÉTIENNES

N° 498

LES APOPHTEGMES DES PÈRES

COLLECTION SYSTÉMATIQUE

CHAPITRES XVII-XXI

TEXTE CRITIQUE, TRADUCTION, ET NOTES

par

† **Jean-Claude GUY, s.j.**

*Ouvrage publié avec le concours
de l'Œuvre d'Orient*

LES ÉDITIONS DU CERF, 29, Bd La Tour-Maubourg, PARIS 7ᵉ
2005

*La publication de cet ouvrage a été préparée avec le concours
de l'Institut des «Sources Chrétiennes»
(U.M.R. 5189 du Centre National de la Recherche Scientifique)*
http://www.mom.fr/sources_chretiennes

RÉFÉRENCES MARGINALES

Collection alphabético-anonyme

Abr	Abraham	Ép	Épiphane
Ach	Achillas	Ephr	Ephrem
Aga	Agathon	Eul	Euloge
Alô	Alônios	Eup	Euprépios
Amm	Ammonas	Év	Évagre
Ammoès	Ammoès	Fél	Félix
Amou	Amoun de Nitrie	Gél	Gélase
An	Anoub	Gér	Gérontios
And	André	Gré	Grégoire
Ant	Antoine	Hel	Helladios
Ap	Apphy	Hér	Héraclide
Ar	Arès	Hil	Hilarion
Ars	Arsène	Hyp	Hypéréchios
Ben	Benjamin	Is	Isaac
Bes	Bessarion	Isa	Isaïe
Car	Carion	IsC	Isaac des Cellules
Cas	Cassien	Isch	Ischyrion
Cho	Chomai	Isi	Isidore le Prêtre
Cop	Coprès	IsiS	Isidore de Scété
Cro	Cronios	IsT	Isaac le Thébain
Cyr	Cyros	J	Pièces anonymes
Dan	Daniel		du *Sinaïticus*
Dio	Dioscore		*Graecus 448*
Dou	Doulas	Jac	Jacques
Él	Élie	JnC	Jean Colobos

JnCe	Jean des Cellules	Pap	Paphnuce
JnP	Jean le Perse	PCo	Paul le Cosmète
JnPa	Jean de Paul	PGr	Paul le Grand
JnT	Jean le Thébain	Phi	Philagrios
JoP	Joseph de Panépho	Pio	Pior
JoT	Joseph le Thébain	PiP	Pierre le Pionite
Lon	Longin	Pis	Pistamon
Luc	Lucius	Poe	Poemen
Mac	Macaire l'Égyptien	Ps	Pistos
MacC	Macaire le Citadin	PSim	Paul le Simple
Mar	Marcien	Rom	Un Romain
Mat	Matoès	Ruf	Rufus
McÉ	Marc l'Égyptien	Sar	Sarra
McSil	Marc de Silvain	Sarm	Sarmatas
Még	Mégéthios	Sér	Sérapion
Mil	Milésios	Sil	Silvain
Miôs	Miôs	Sim	Simon
Mos	Moïse	Sis	Sisoès
Môt	Môtios	So	Sopratos
N	Pièces anonymes du *Parisinus Coisl. 126*	Syn	Synclétique
		ThE	Théodore de l'Ennaton
Nat	Natêra	ThEleuth	Théodore d'Éleuthéropolis
Nic	Nicon		
Nicet	Nicétas	Théd	Théodote
Nil	Nil	Theo	Théonas
Nis	Nisthérôos le Cénobite	Thp	Théophile
		ThP	Théodore de Phermé
NisGr	Nisthérôos le Grand		
		Tim	Timothée
Oly	Olympios	Tit	Tithoès
Or	Or	Xan	Xanthias
Ors	Orsisios	Xoi	Xoios
Pal	Palladios	Zac	Zacharie
Pam	Pambo	Zén	Zénon

Autres sources

Bas *GR* = Basilius Caesariensis, *Asceticon magnum* (*CPG* 2875)

Cas *Coll* = Cassianus, *Collationes*

Dia *Cap. gn.* = Diadochus Photicensis, *Capita centum de perfectione spirituali* (*CPG* 6106)

Ev *Pract.* = Evagrius Ponticus, *Practicus* (*CPG* 2430)

Ev *Rer. mon.* = Evagrius Ponticus, *Rerum monasticarum rationes* (*CPG* 2441)

Hist. Mon. = *Historia monachorum in Aegypto* (*CPG* 5620), éd. Festugière

Hyp *Adhort.* = Hyperechius, *Adhortatio ad monachos* (*CPG* 5618)

Isa + chiffres arabes = Isaias Gazaeus, *Asceticon* (*CPG* 5555), éd. Schoinas

Isa + chiffres romains = Isaias Gazaeus, *Asceticon* (*CPG* 5555), version syriaque, éd. Draguet

Mc *Op.* = Marcus Eremita, *Opuscula* (*CPG* 6090-6094)

Nil *cap. par.* = Nilus Ancyranus (Ps-), *Capita paraenetica* (cf. *CPG* 2443 et 6583)

Pall *HL* = Palladius Helenopolitanus, *Historia Lausiaca* (*CPG* 6036), éd. Butler

VSyn = Athanasius Alexandrinus (Ps.-), *Vita sanctae Syncleticae* (*CPG* 2293)

SIGLES ET ABRÉVIATIONS

H	Ambrosianus C 30-Inf	XIIe s.
M	Parisinus Coislin. 282	XIe s.
O	Mosquensis Bibl. Syn. 452 (Vlad. 344)	XIIe s.
Q	Parisinus gr. 917	XIIe s.
R	Parisinus gr. 914	XIIe s.
S	Marcianus gr. 346	XIe s.
T	Atheniensis Bibl. Nat. 500	XIIe s.
V	Vaticanus Ottobon. gr. 174	X^e-XIe s.
W	Athous Lavra B 37	970
Y	Athous Protaton 86	IXe s.
Z	Parisinus gr. 1600	XIe s.

Alph. série alphabétique des *Apophtegmes*

l   version latine de Pélage et Jean, *PL* 73, 855-1022; 1060-1062

Car   Athous Caracallou 38 (pour le prologue seulement)   XIIIe s.

Par   Parisinus gr. 1629 (pour le prologue seulement)   1681

TEXTE ET TRADUCTION

XVII

Περὶ ἀγάπης

1 Εἶπεν ἀββᾶ Ἀντώνιος · Ἐγὼ οὐκέτι φοβοῦμαι τὸν Θεόν,
ἀλλ' ἀγαπῶ · «Ἡ γὰρ ἀγάπη ἔξω βάλλει τὸν φόβον[a].»

2 Εἶπε πάλιν ὅτι · Ἐκ τοῦ πλησίον ἡμῖν ἐστιν καὶ ἡ ζωὴ
καὶ ὁ θάνατος · ἐὰν γὰρ κερδήσωμεν τὸν ἀδελφὸν τὸν
Θεὸν κερδαίνομεν, ἐὰν δὲ σκανδαλίσωμεν τὸν ἀδελφὸν εἰς
Χριστὸν ἁμαρτάνομεν.

3 Ἀββᾶ Ἀμὼν ὁ τῆς Νιτρίας παρέβαλε τῷ ἀββᾶ Ἀντωνίῳ
καὶ εἶπεν αὐτῷ · Ὁρῶ ὅτι πλείονά σου κόπον ἔχω, καὶ
πῶς τὸ ὄνομά σου ἐμεγαλύνθη ἐν ἀνθρώποις ὑπὲρ ἐμέ;
Λέγει αὐτῷ ἀββᾶ Ἀντώνιος · Ἐπειδὴ κἀγὼ τὸν Θεὸν
5 ἀγαπῶ ὑπὲρ σέ.

4 Παρέβαλεν ἀββᾶ Ἱλαρίων ἀπὸ Παλαιστίνης πρὸς τὸν
ἀββᾶ Ἀντώνιον εἰς τὸ ὄρος, καὶ λέγει αὐτῷ ἀββᾶ
Ἀντώνιος · Καλῶς ἦλθες ὁ ἑωσφόρος ὁ πρωὶ ἀνατέλλων.
Καὶ ἀποκριθεὶς εἶπεν αὐτῷ ἀββᾶ Ἱλαρίων · Εἰρήνη σοι,
5 ὁ στῦλος τοῦ φωτός, ὁ τὴν οἰκουμένην βαστάζων.

Tit. YOQRTMSVH*l*
περὶ τῆς εἰς Θεὸν καὶ τὸν πλησίον ἀγάπης V
1 YOQRTMSVH*l*
2 YOQRTMSVH*l*
1 ἡμῖν : ἡμῶν H ‖ καὶ *om.* QT*l* ‖ 2 ἐὰν γὰρ : καὶ ἐὰν QT ‖ 3 *post*
ἀδελφὸν *add.* τὸν θεὸν σκανδαλίζομεν καὶ H ‖ 4 χριστὸν MS*l* *cf. Alph.* :
θεὸν *cett.*
3 YOQRTMSVH*l*

XVII

De la charité

PG 65

1   Abba Antoine dit : «Moi, je ne crains plus Dieu, mais je l'aime, car *l'amour chasse la crainte*[a].» Ant 32 (85 C)

2   Il dit encore : «De notre prochain dépendent et la vie et la mort. En effet, si nous gagnons notre frère, nous gagnons Dieu; mais si nous scandalisons notre frère, nous péchons contre le Christ.» Ant 9 (77 B)

3   Abba Amoun de Nitrie se rendit auprès d'abba Antoine et lui dit : «Je vois que je peine plus que toi; comment ton nom est-il plus grand que le mien parmi les hommes?» Abba Antoine lui dit : «C'est parce que moi j'aime Dieu plus que toi.» Amou 1 (128 B)

4   Abba Hilarion se rendit de Palestine chez abba Antoine sur la montagne, et abba Antoine lui dit : «Bienvenue à toi, porte-lumière qui fais lever l'aurore!» Et abba Hilarion lui répondit : «Paix à toi, colonne de lumière qui portes le monde!» Hil 1 (241 C)

---

1 ἀμὼν YOH ammon *l* : ἀμοῦν [ἀμμοῦν] *cett.* ‖ τῆς νιτρίας Y *cf. Alph.* de loco nitrionis *l* : νιτριώτης *cett.* ‖ 2 πλεῖον Y ‖ 3 ἐν ἀνθρώποις : ἐν οὐρανοῖς V *om.* QRT ‖ 4 *post* κἀγὼ *add.* πλείονα QRH

4 YOQRTMSVH*l*

3 ἦλθες : ἦλθεν TMSV ‖ 4 ἀποκριθεὶς *om.* O *cf. Alph.* ‖ 5 βαστάζων : φωτίζων Q[pc] *cf. Alph.*

---

a. 1 Jn 4, 18

5   Τρεῖς τῶν πατέρων εἶχον ἔθος ὑπάγειν κατ᾽ ἐνιαυτὸν
πρὸς τὸν μακάριον ἀββᾶ ᾿Αντώνιον. Καὶ οἱ μὲν δύο ἠρώτων
αὐτὸν περὶ τῶν λογισμῶν καὶ περὶ σωτηρίας ψυχῆς. Ὁ
δὲ εἷς πάντοτε ἐσιώπα μηδὲν ἐρωτῶν. Μετὰ δὲ πολὺν
5 χρόνον λέγει αὐτῷ ἀββᾶ ᾿Αντώνιος · ᾿Ιδοὺ τοσοῦτον χρόνον
ἔχεις ἐρχόμενος ὧδε, καὶ οὐδέποτε ἠρώτησάς μέ τι. Ὁ
δὲ ἀποκριθεὶς εἶπεν · ᾿Αρκεῖ μοι μόνον τὸ βλέπειν σε, πάτερ.

6   Dixit abbas Marcus abbati Arsenio: Quare nos fugis?
Et dicit ei senex: Scit Deus, quia diligo uos; sed non
possum esse cum Deo et cum hominibus; superiorum
enim uirtutum millia et millium millia unam uoluntatem
5 habent, homines autem multas uoluntates. Non possum
ergo dimittere Deum et uenire, et esse cum hominibus.

7   ῎Ελεγέ τις τῶν πατέρων ὅτι · Καθημένων ἡμῶν ποτε
καὶ λαλούντων περὶ ἀγάπης, ἔλεγεν ἀββᾶ ᾿Ιωσήφ · Ἡμεῖς
οἴδαμεν τί ἐστιν ἀγάπη; Καὶ εἶπεν περὶ τοῦ ἀββᾶ
᾿Αγάθωνος ὅτι εἶχε σμιλάριον καὶ ἦλθεν ἀδελφὸς πρὸς
5 αὐτὸν καὶ εἶπεν αὐτῷ ὅτι · Καλὸν σμιλάριον ἔχεις · καὶ
οὐκ ἀφῆκεν αὐτὸν εἰ μὴ ἔλαβεν αὐτό.

8   Εἶπεν ἀββᾶ ᾿Αγάθων ὅτι · Οὐδέποτε ἐκοιμήθην ἔχων
κατά τινος, οὐδὲ ἀφῆκά τινα κοιμηθῆναι ἔχοντα κατ᾽ ἐμοῦ
κατὰ τὴν δύναμίν μου.

9   Εἶπεν ἀββᾶ ῾Ησαίας · Ἡ ἀγάπη ἀδολεσχία ἐστὶν πρὸς
τὸν Θεὸν μετὰ ἀδιαλείπτου εὐχαριστείας, τῇ δὲ εὐχαριστείᾳ
χαίρει ὁ Θεός · σημεῖον δέ ἐστιν τῆς ἀναπαύσεως.

5 YOQRTVH
2 μακάριον om. QRTH ǁ ἠρώτων QTVH ǁ 3 post τῶν add. ἰδίων Q ǁ
4 πάντοτε : πάντα Q ǁ 6 τι om. VH del. O
6 l
7 YOQRTMSV
1 πατέρων : ἀδελφῶν OMSV ǁ ἡμῶν om. TMSV ǁ 2 post ἀγάπης
add. τῶν γερόντων RMS ǁ 4-6 εἶχε ad fin. om. R ǁ 6 post αὐτὸν add.
ὁ γέρων ἐξελθεῖν OMS ǁ εἰ μὴ : ἕως οὗ QT

5 Trois pères avaient coutume d'aller chaque année chez le bienheureux abba Antoine. Les deux premiers l'interrogeaient sur leurs pensées et sur le salut de l'âme ; mais l'autre gardait toujours le silence, ne posant aucune question. Au bout d'un long temps, abba Antoine lui dit : « Voilà bien longtemps que tu viens ici, et jamais tu ne m'as interrogé. » L'autre répondit : « Une seule chose me suffit, Père, c'est de te voir. »

Ant 27
(84 C-D)

6 Abba Marc dit à abba Arsène : « Pourquoi nous fuistu ? » Le vieillard lui dit : « Dieu sait que je vous aime ; mais je ne puis être avec Dieu et avec les hommes. Les chiliades et les myriades de puissances d'en haut n'ont qu'une seule volonté, tandis que les hommes en ont beaucoup ; je ne puis donc laisser Dieu et venir pour être avec les hommes. »

Ars 13
(92 A)

7 L'un des pères disait : « Une fois que nous étions assis et parlions de la charité, abba Joseph dit : Nous, savons-nous ce qu'est la charité ? Et il dit à propos d'abba Agathon qu'il avait un petit couteau et qu'un frère vint chez lui et lui dit : Tu as un beau petit couteau. Et il ne le laissa pas partir sans l'emporter. »

Aga 25
(116 B-C)

8 Abba Agathon dit : « Jamais je ne me suis couché avec un grief contre quelqu'un ; et, autant que je pouvais, je n'ai pas laissé quelqu'un se coucher avec un grief contre moi. »

Aga 4
(109 B)

9 Abba Isaïe dit : « La charité, c'est s'adresser à Dieu dans une incessante action de grâces ; car Dieu se réjouit de l'action de grâces : elle est le signe du repos. »

---

8 YOQRTMSVH*l*
1 εἶπεν – ὅτι *om.* R ‖ 1-2 ἐκοιμήθη … ἀφῆκε R ‖ 2 *post* οὐδὲ *add.* ἐγὼ QTMS ‖ ἐμοῦ : αὐτοῦ R ‖ 3 μου : αὐτοῦ R *om.* Y
9 YOQRTMSV
1 ἀββᾶ ἠσαίας : πάλιν YQT ἀββᾶ ἀγαθῶν R

10 Ἀναβαίνοντός ποτε τοῦ ἀββᾶ Ἰωάννου ἀπὸ Σκήτεως
μετὰ καὶ ἄλλων ἀδελφῶν ἐπλανήθη ὁ ὁδηγῶν αὐτοὺς τὴν
ὁδόν. Ἦν γὰρ νύξ. Λέγουσιν οἱ ἀδελφοὶ τῷ ἀββᾶ Ἰωάννῃ ·
Τί ποιοῦμεν, ἀββᾶ, ὅτι ἐπλανήθη ὁ ὁδηγὸς τὴν ὁδόν,
5 μήπως ἀποθάνωμεν πλανώμενοι; Λέγει αὐτοῖς ὁ γέρων ·
Ἐὰν εἴπωμεν αὐτῷ λυπεῖται καὶ αἰσχύνεται · Ἀλλ' ἰδοὺ
ποιῶ ἐμαυτὸν ἀσθενοῦντα καὶ λέγω · Οὐ δύναμαι ὁδεῦσαι,
ἀλλὰ μένω ὧδε πρωΐ. Καὶ ἐποίησεν οὕτως. Καὶ οἱ λοιποὶ
δὲ εἶπον · Οὐδὲ ἡμεῖς ὑπάγομεν ἀλλὰ καθήμεθα μετὰ σοῦ.
10 Καὶ ἐκάθησαν ἕως πρωΐ, καὶ τὸν ἀδελφὸν οὐκ ἤλεγξαν.

11 Γέρων τις ἦν ἐν Αἰγύπτῳ πρὸ τοῦ ἐλθεῖν τοὺς περὶ
τὸν ἀββᾶ Ποιμένα, καὶ εἶχε πολλὴν γνῶσιν καὶ τιμήν.
Ὡς οὖν ἀνέβησαν οἱ περὶ τὸν ἀββᾶ Ποιμένα ἀπὸ Σκήτεως,
ἀφῆκαν τὸν γέροντα οἱ ἄνθρωποι καὶ ἤρχοντο πρὸς τὸν
5 ἀββᾶ Ποιμένα. Καὶ ἐφθόνει ὁ γέρων καὶ ἐκακολόγει αὐτούς.
Ἤκουσεν οὖν ἀββᾶ Ποιμὴν καὶ ἐθλίβη. Καὶ λέγει τοῖς
ἀδελφοῖς αὐτοῦ · Τί ποιήσωμεν τῷ μεγάλῳ γέροντι τούτῳ
ὅτι εἰς θλῖψιν ἡμᾶς ἐνέβαλον οἱ ἄνθρωποι καταλείποντες
τὸν γέροντα καὶ ἡμῖν μηδὲν οὖσιν προσέχοντες; Πῶς οὖν
10 δυνάμεθα θεραπεῦσαι αὐτόν; Καὶ λέγει αὐτοῖς · Ποιήσατε
μικρὰ βρώματα καὶ λάβετε σαΐτην οἴνου, καὶ ἄγωμεν πρὸς
αὐτὸν γευσώμεθα ὁμοῦ · τάχα ἐν τούτῳ δυνησόμεθα
θεραπεῦσαι αὐτόν. Ἐβάστασαν οὖν τὰ βρώματα καὶ
ἀπῆλθον. Καὶ ὡς ἔκρουσαν τὴν θύραν, ὑπήκουσεν ὁ μαθητὴς
15 αὐτοῦ λέγων · Τίνες ἐστέ; Οἱ δὲ εἶπαν · Λάλησον τῷ ἀββᾶ
ὅτι · Ποιμήν ἐστι θέλων εὐλογηθῆναι ὑπὸ σοῦ. Καὶ τοῦτο
τοῦ μαθητοῦ ἀπαγγείλαντος τῷ γέροντι, ἐδήλωσεν αὐτοῖς
λέγων · Ὑπάγετε, οὐ σχολάζω. Οἱ δὲ ὑπέμειναν εἰς τὸ
καῦμα λέγοντες · Οὐκ ἀναχωροῦμεν ἐὰν μὴ ἀξιωθῶμεν τοῦ

10 YOQRTMSVH*l*
2-3 τὴν ὁδόν *om.* Q ‖ 4 ὁ ὁδηγῶν O ‖ 6 καὶ αἰσχύν. *om. l* ‖ 7 post
λέγω *add.* ὅτι ἀσθενῶ καὶ QRT ‖ 9 μετὰ σοῦ : μετ' αὐτοῦ Q ‖
10 ἤλεγξεν O
11 YOQ[T]MSVH*l*
2 *et postea* ποιμήν YO ‖ 5 ἐφθόνει] *hic des.* T ‖ αὐτοὺς : αὐτοῖς MS ‖

10   Un jour qu'abba Jean montait de Scété avec d'autres   JnC 17
frères, leur guide perdit son chemin, car il faisait nuit.   (209 C-D)
Les frères dirent à abba Jean : «Que faire, abba, pour
ne pas mourir en errant, car le guide a perdu son
chemin?» Le vieillard leur dit : «Si nous lui parlons, il
sera triste et honteux; aussi vais-je simuler la maladie et
dire : Je ne puis plus marcher, mais je reste ici jusqu'à
l'aurore.» Ainsi fit-il; et les autres dirent : «Nous non
plus nous ne poursuivons pas, mais nous demeurons avec
toi.» Et ils demeurèrent jusqu'à l'aurore et ne confon-
dirent pas le frère.

11   Il y avait un vieillard en Égypte, avant que n'y vienne   Poe 4
le groupe d'abba Poemen, qui jouissait d'une notoriété   (317 C-
et d'une estime considérables. Lors donc que le groupe   320 A)
d'abba Poemen monta de Scété, on abandonna le vieillard
pour aller chez abba Poemen. Et le vieillard, jaloux, disait
du mal d'eux. Abba Poemen l'apprit, s'en affligea et dit
à ses frères : «Que faire pour ce grand vieillard, car les
gens nous ont mis dans l'affliction en l'abandonnant et
en s'attachant à nous qui ne sommes rien? Comment
pouvons-nous donc le guérir?» Et il leur dit : «Préparez
un peu de nourriture et prenez une outre de vin, et
allons chez lui manger ensemble; peut-être ainsi pourrons-
nous le guérir.» Ils se chargèrent donc de nourriture et
partirent. Lorsqu'ils frappèrent à la porte, le disciple
répondit : «Qui êtes-vous?» Ils lui dirent : «Dis à l'abba :
c'est Poemen qui désire être béni par toi.» Le disciple
ayant rapporté cela au vieillard, il leur fit savoir : «Allez-
vous-en, je suis occupé.» Mais eux, ils persévérèrent
malgré la chaleur, disant : «Nous ne partirons pas avant

---

6 ἐθλίβετο OMSVH ‖ 7 τούτῳ om. Q ‖ 8 ἐνέβαλον Y : ἔβαλον cett. ‖
11 σαΐτιον MSH ‖ 12 δυνησόμεθα Y : δυνάμεθα cett. ‖ 13-14 ἐβάστασαν
– ὡς : καὶ ὡς ἀπῆλθον καὶ Q ‖ 16 ὑπὸ Y : ἀπὸ O παρὰ cett. per uos
l ‖ 18 ὑπέμενον MS ‖ 19 ἐὰν μὴ : ἕως οὗ MSVH

20 γέροντος. Τότε ὁ γέρων ἰδὼν τὴν ὑπομονὴν αὐτῶν καὶ τὴν ταπείνωσιν, κατανυγεὶς ἤνοιξεν αὐτοῖς. Καὶ εἰσελθόντες ἐγεύσαντο μετ' αὐτοῦ. Ἐσθιόντων δὲ αὐτῶν ἔλεγεν ὁ γέρων · Ἐπ' ἀληθείας οὔκ εἰσι μόνα ἃ ἤκουσα περὶ ὑμῶν, ἀλλ' ἑκατονταπλασίονα εἶδον ἐν τῷ ἔργῳ ὑμῶν. Ἐγένετο 25 δὲ αὐτῶν φίλος ἀπὸ τῆς ἡμέρας ἐκείνης.

12 Εἶπεν ἀββᾶ Ποιμήν · Ποίησον τὴν δύναμίν σου μὴ κακοποιῆσαί τινα τὸ σύνολον, καὶ ἁγνὴν τήρησον τὴν καρδίαν σου μετὰ παντὸς ἀνθρώπου.

13 Εἶπε πάλιν · «Μεῖζον ταύτης τῆς ἀγάπης οὐκ ἔστιν ἵνα τις τὴν ψυχὴν αὐτοῦ θῇ ὑπὲρ τοῦ πλησίον[b].» Ἐὰν γάρ τις ἀκούσῃ λόγον λυπηρὸν καὶ δυνάμενος καὶ αὐτὸς τὸν ὅμοιον εἰπεῖν ἀγωνίσηται βαστάσαι τὸν κόπον καὶ μηδὲν 5 λαλήσῃ, ἢ καὶ πλεονεκτούμενός τις εἰς πρᾶγμα βαστάσῃ τὴν βίαν μὴ ἀποδοῦναι τῷ λυπήσαντι, ὁ τοιοῦτος τὴν ψυχὴν αὐτοῦ τίθησιν ὑπὲρ τοῦ πλησίον.

14 Ἐγένετο ποτε τὸν ἀββᾶ Παμβὼ ὁδεύειν μετὰ ἀδελφῶν εἰς τὰ μέρη τῆς Αἰγύπτου. Καὶ ἰδὼν κοσμικοὺς καθημένους λέγει αὐτοῖς · Ἀναστάντες ἀσπάσασθε τοὺς ἀδελφούς, ἵνα εὐλογηθῆτε · συνεχῶς γὰρ τῷ Θεῷ λαλοῦσι καὶ τὰ στόματα 5 αὐτῶν ἅγιά ἐστιν.

15 Ἔλεγον περὶ τοῦ ἀββᾶ Παφνουτίου ὅτι οὐ ταχέως ἔπινεν οἶνον. Ποτὲ δὲ ὁδεύων ηὑρέθη ἐπάνω κολληγίου λῃστῶν

20 τότε ὁ : ὁ δὲ O ‖ 22 μετ' αὐτοῦ : ὁμοῦ MS ‖ αὐτῶν : μετ' αὐτῶν O μετ' αὐτοῦ MS ‖ 24 εἶδον : ἴδων Y ‖ ἐν τῷ ἔρ. ὑμ. : τὰ ἔργα αὐτοῦ [ὑμῶν S] MS ‖ 24-25 ἐγένετο ad fin. om. M ‖ 25 αὐτῶν : αὐτὸς αὐτῶν Q αὐτοῦ S αὐτοῖς VH ‖ post ἐκείνης add. μέγας Q
12 YOQRMSV/
2 τήρησον Q serua /: ποίησον cett.
13 YOQRMSV/
5 λαλῆσαι ORMSV ‖ 7 τίθησι : θῇ M
14 YOQRMSV/
1 τὸν YOR : τῷ cett.
15 YOQRMSVH/

d'avoir obtenu de rencontrer le vieillard.» Alors le vieillard, voyant leur endurance et leur humilité, en fut confus et leur ouvrit. Ils entrèrent et mangèrent avec lui. Et tandis qu'ils mangeaient, le vieillard dit : «En vérité, dans votre pratique, je ne vois pas seulement ce que j'ai entendu dire de vous, mais le centuple.» Et à partir de ce jour-là il devint leur ami.

12 Abba Poemen dit : «Fais ton possible pour ne faire aucun mal à personne et garde ton cœur pur avec tout homme.»

J 712

13 Il dit encore : «*Il n'y a pas d'amour plus grand que de donner sa vie pour le prochain*[b]. En effet, si quelqu'un entend une parole attristante et, bien que pouvant répliquer de même, lutte pour supporter la peine sans rien dire; ou encore lorsqu'on lui a fait violence pour quelque chose, s'il supporte la violence sans se venger de celui qui l'a peiné, un tel homme donne sa vie pour son prochain.»

Poe 116
(352 B-C)

14 Il arriva une fois qu'abba Pambo marchait avec des frères pour se rendre dans les régions d'Égypte. Voyant des séculiers assis, il leur dit : «Levez-vous, saluez les frères afin d'être bénis, car ils parlent sans cesse à Dieu et leurs bouches sont saintes[1].»

Pam 7
(369 C)

15 On disait d'abba Paphnuce qu'il ne buvait pas facilement de vin. Sur la route, il se trouva un jour en présence d'une bande de voleurs en train de boire. Or le

Pap 2
(377 C-
380 A)

---

b. Jn 15, 13

---

1. Ce récit, qui tend à accréditer le moine comme l'interlocuteur direct de la divinité, est unique dans l'ensemble de la collection; il ne peut donc suffire à étayer la brillante théorie développée par P. BROWN, *Genèse de l'Antiquité tardive*, trad. fr., Paris 1983, concernant les origines du monachisme (cf. introduction, t. 1, *SC* 387, p. 13-16).

καὶ ηὗρεν αὐτοὺς πίνοντας. Ἐγνώρισε δὲ αὐτὸν ὁ
ἀρχιληστὴς καὶ ᾔδει ὅτι οὐ πίνει οἶνον. Καὶ θεωρήσας
5 αὐτὸν ἀπὸ πολλοῦ κόπου ὄντα, ἐγέμισε τὸ ποτήριον οἴνου
καὶ λαβὼν τὸ ξίφος ἐν τῇ χειρὶ αὐτοῦ λέγει τῷ γέροντι·
Ἐὰν μὴ πίῃς φονεύω σε. Καὶ γνοὺς ὁ γέρων ὅτι ἐντολὴν
Θεοῦ θέλει πληρῶσαι βουλόμενος αὐτὸν κερδῆσαι ἔλαβε
καὶ ἔπιεν. Ὁ δὲ ἀρχιληστὴς μετενόησεν αὐτῷ λέγων·
10 Συγχώρησόν μοι, ἀββᾶ, ὅτι ἔθλιψά σε. Καὶ λέγει αὐτῷ ὁ
γέρων· Πιστεύω τῷ Θεῷ ὅτι διὰ τὸ ποτήριον τοῦτο ποιεῖ
μετὰ σοῦ ἔλεος καὶ ἐν τῷ νῦν αἰῶνι καὶ ἐν τῷ μέλλοντι.
Λέγει αὐτῷ ὁ ἀρχιληστής· Πιστεύω τῷ Θεῷ ὅτι ἀπὸ
τοῦ νῦν οὐ μὴ κακοποιήσω τινά. Καὶ ἐκέρδησεν ὁ γέρων
15 ὅλον τὸ κολλήγιον ἀφεὶς τὸ θέλημα αὐτοῦ διὰ τὸν Θεόν.

16 Εἶπεν ἀββᾶ Ὑπερέχιος· Ῥῦσαι τὸν πλησίον ἀπὸ ἁμαρτιῶν
χωρὶς ὀνειδισμοῦ ὅση σοι δύναμίς ἐστιν· ὁ Θεὸς γὰρ τοὺς
ἐπιστρέφοντας οὐκ ἀποθεῖται. Ῥῆμα δὲ κακίας καὶ πονηρίας
μὴ αὐλιζέσθω ἐν τῇ καρδίᾳ σου κατὰ τοῦ ἀδελφοῦ σου
5 ἵνα δυνατὸς ᾖς τοῦ λέγειν· «Ἄφες ἡμῖν τὰ ὀφειλήματα
ἡμῶν ὡς καὶ ἡμεῖς ἀφίομεν τοῖς ὀφειλέταις ἡμῶν^c.»

17 Ἀσκητής τις ἑωρακώς τινα δαιμονιῶντα μὴ δυνάμενον
νηστεύειν τῇ τοῦ Θεοῦ ἀγάπῃ κινούμενος καὶ μὴ τὸ ἑαυτοῦ
ἀλλὰ τὸ τοῦ ἑτέρου ὄφελος ζητῶν ηὔξατο μετελθεῖν εἰς
ἑαυτὸν τὸν δαίμονα κἀκεῖνον ἐλευθερωθῆναι. Καὶ δὴ τῆς
5 δεήσεως αὐτοῦ ὑπήκουσεν ὁ Θεός. Ἀντὶ ἐκείνου τοίνυν
βαρυνθεὶς ὁ ἀσκητὴς ὑπὸ τοῦ δαίμονος ἐπέτεινε τὴν
νηστείαν τῇ προσευχῇ καὶ τῇ ἀσκήσει σχολάσας· τὸ δὲ

5 ἀπὸ om. H ‖ 6 λαβὼν om. OMSVH ‖ 7 φονεύσω MSVH ‖ 11 τοῦ
ποτηρίου τούτου O ‖ 13 post θεῷ add. μου M ‖ 14 οὐ μὴ : οὐ O ‖
τινά : τινί Q ‖ 15 ἀφεὶς τὸ θέλ. αὐτοῦ : se dimisit uoluntati eorum l ‖
Θεόν : κύριον Y
16 YQRMSVH*l*
1 τὸν πλησίον σου MSV ‖ 4 τὸν ἀδελφόν M ‖ 6 ὡς καὶ ad fin.
om. V
17 YOQRTMSH
1 [ἀσκητής hic inc. T ‖ τις om. YOTMS ‖ μὴ : καὶ μὴ QT ‖ 4 δή :

chef de la bande le connaissait et savait qu'il ne buvait pas de vin. Voyant sa grande fatigue, il remplit une coupe de vin et, tenant l'épée dans sa main, il dit au vieillard : « Si tu ne bois pas, je te tue. » Et le vieillard, sachant que sa volonté était d'accomplir le commandement de Dieu en voulant le gagner, prit la coupe et but. Alors le chef des voleurs lui fit la métanie en disant : « Pardonne-moi, abba, car je t'ai affligé. » Le vieillard lui dit : « J'ai confiance en Dieu qu'à cause de cette coupe il te fera miséricorde et maintenant et dans le siècle à venir. » Le chef des voleurs lui dit : « J'ai confiance en Dieu que désormais je ne ferai plus de mal à personne. » Et le vieillard gagna toute la bande en renonçant à sa volonté à cause de Dieu.

16   Abba Hyperéchios dit [1] : « Arrache ton prochain de ses péchés sans lui faire de reproche, autant que tu en es capable ; car Dieu ne rejette pas ceux qui se convertissent. Qu'une parole de malice ou de méchanceté ne trouve pas place en ton cœur contre ton frère, afin que tu puisses dire : *Pardonne-nous nos offenses comme nous-mêmes nous pardonnons à nos offenseurs* [c]. »   Hyp 117-118

17   Un ascète ayant vu quelqu'un qui, possédé par le démon, ne pouvait pas jeûner, mû par l'amour de Dieu et cherchant non son profit personnel mais celui de l'autre, demanda que passe en lui le démon et que l'autre soit libéré. Et Dieu répondit à sa demande. Aussi, accablé à la place de l'autre par le démon, l'ascète intensifia le jeûne, se consacrant à la prière et à l'ascèse. Finalement,   N 354

διὰ T ‖ 5 ὑπήκουσεν : ἐπήκ- OMSH ‖ ἀντὶ ἐκ. τοίνυν : καὶ ἀντ᾿ ἐκείνου QRT ‖ 6 βαρυνθεὶς : βαρηθεὶς. QR

---

c. Mt 6, 12

---

1. Repris de Hyp *Adhort*. 117-118 (*PG* 79, 1484 D).

πλεῖστον διὰ τὴν ἀγάπην αὐτοῦ εἴσω ὀλίγων ἡμερῶν ὁ
Θεὸς ἀπήλασεν ἀπ' αὐτοῦ τὸν δαίμονα.

18   Δύο ἀδελφοὶ ἦσαν εἰς τὰ Κελλία. Ἦν δὲ ὁ εἷς γέρων
καὶ παρεκάλει τὸν νεώτερον λέγων · Μείνωμεν ὁμοῦ, ἄδελφε.
Ὁ δὲ λέγει αὐτῷ · Ἐγὼ ἁμαρτωλός εἰμι καὶ οὐ δύναμαι
μετὰ σοῦ, ἀββᾶ. Ὁ δὲ παρεκάλει αὐτὸν λέγων · Ναί,
5 δυνάμεθα. Ἦν δὲ ὁ γέρων καθαρὸς καὶ οὐκ ἤθελεν ἀκοῦσαι
ὅτι μοναχὸς εἶχε λογισμὸν πορνείας. Καὶ λέγει ὁ ἀδελφός ·
Ἔασόν με ἑβδομάδα, καὶ πάλιν λαλοῦμεν. Ἦλθεν οὖν ὁ
γέρων μετὰ τὴν ἑβδομάδα, καὶ θέλων ὁ νεώτερος δοκιμάσαι
αὐτὸν ἔλεγεν · Εἰς μέγαν πειρασμὸν ἐνέπεσα τὴν ἑβδομάδα
10 ταύτην, ἀββᾶ · ἀπελθὼν γὰρ εἰς τὴν κώμην εἰς διακονίαν
ἔπεσα μετὰ γυναικός. Λέγει ὁ γέρων · Ἔστι μετάνοια;
Λέγει ὁ ἀδελφός · Ναί, ναί. Εἶπε δὲ ὁ γέρων · Ἐγὼ
βαστάζω μετὰ σοῦ τὸ ἥμισυ τῆς ἁμαρτίας. Τότε λέγει ὁ
ἀδελφός · ἄρτι δυνάμεθα εἶναι ὁμοῦ. Καὶ ἔμειναν μετ'
15 ἀλλήλων ἕως τῆς τελευτῆς αὐτῶν.

19   Εἶπέ τις τῶν πατέρων · Ἐάν τίς σε αἰτήσῃ πρᾶγμα καὶ
βιάσῃ παρασχεῖν αὐτὸ καὶ εὐδοκήσῃ καὶ ὁ λογισμὸς εἰς
τὸ διδόμενον. Καθὼς γέγραπται ὅτι· «Ἐάν τίς σε
ἀγγαρεύσῃ μίλιον ἕν, ὕπαγε μετ' αὐτοῦ δύο[d] ·» τοῦτο δέ
5 ἐστιν ἐάν τίς σε αἰτήσῃ πρᾶγμα δὸς αὐτὸ ἀπὸ ὅλης ψυχῆς.

20   Ἔλεγον περί τινος ἀδελφοῦ ὅτι σπυρίδας ποιήσας καὶ
βαλὼν τὰ ὠτία αὐτῶν ἤκουσε τοῦ γείτονος ἀδελφοῦ
λέγοντος · Τί ποιήσω ὅτι ἡ ἀγορὰ ἐγγύς, καὶ οὐκ ἔχω
ὠτία βαλεῖν εἰς τὰ σπυρίδια; Καὶ ἀπελθὼν ἔλυσε τῶν

8 εἴσω : ἔντος QRT
18 YOQRTMSVH*l*
4 αὐτὸν *om.* R ‖ 5 *post* δυνάμεθα *add.* ἐὰν θέλῃς QRT ‖ 6 λογισμοὺς
RMSV ‖ 9 ἔπεσα QV ‖ 11 μετὰ γυν. : εἰς γυναῖκα V ‖ 12 ναί *semel*
OMSVH*l* ‖ 13 τότε λέγει : λέγει οὖν O
19 YOQRTMSVH*l*
1 *post* πρᾶγμα *add.* δὸς αὐτῷ ἀπὸ ὅλης ψυχῆς M ‖ καὶ : καὶ μὴ

à cause de sa charité, Dieu chassa de lui le démon au bout de quelques jours.

18   Il y avait deux frères aux Cellules. Le premier, un N 346 vieillard, demanda au plus jeune : «Demeurons ensemble, frère.» Mais il lui dit : «Je suis un pécheur et je ne puis être avec toi, abba.» Mais l'autre insistait disant : «Si, nous le pouvons.» Or le vieillard était pur et ne voulait pas entendre dire d'un moine qu'il avait une pensée de fornication. Le frère dit : «Laisse-moi une semaine, et nous reparlerons.» Le vieillard vint donc au bout d'une semaine, et le frère lui dit pour le mettre à l'épreuve : «Je suis tombé dans une grande tentation cette semaine, abba; car allant au village pour une diaconie, j'ai péché avec une femme.» Le vieillard dit : «En as-tu du repentir?» Le frère dit : «Oui, oui.» Et le vieillard dit : «Moi, je vais porter avec toi la moitié de la faute.» Alors le frère dit : «Désormais, nous pouvons être ensemble.» Et ils demeurèrent l'un avec l'autre jusqu'à leur mort.

19   L'un des pères dit : «Si quelqu'un te demande une N 345 chose et te contraint à la fournir, même ta pensée doit se complaire dans ce don, selon ce qui est écrit : *Si quelqu'un te force à faire un mille, fais-en deux avec lui* [d], c'est-à-dire si quelqu'un te demande quelque chose, donne-la-lui de toute ton âme.»

20   On disait d'un frère que, fabriquant des corbeilles, il N 347 y mettait des anses lorsqu'il entendit son voisin dire : «Que faire? Le marché est bientôt, et je n'ai pas d'anse à mettre à mes corbeilles.» Alors il alla défaire les anses

---

M ‖ 2 αὐτὸ : αὐτῷ O ‖ καὶ[l] Y : ὅπως M *om. cett.* ‖ 4-5 τοῦτο δὲ *ad fin. om.* M
20 YQRTMSVH*l*
4 *post* σπυρίδια *add.* μου R*l*

d. Mt 5, 41

5 ἑαυτοῦ σπυρίδων τὰ ὠτία καὶ ἤνεγκε τῷ ἀδελφῷ λέγων·
Ἰδοὺ ταῦτα περισσὰ ἔχω, λαβὲ βάλε αὐτὰ εἰς τὰ σπυρίδιά
σου. Καὶ ἐποίησε τὸ ἔργον τοῦ ἀδελφοῦ προχωρῆσαι, τὸ
δὲ ἴδιον ἀφῆκεν.

21   Ἔλεγον περί τινος γέροντος εἰς Σκῆτιν ὅτι ἠσθένησε
καὶ ἤθελε φαγεῖν μικρὸν ἄρτον νεαρόν. Ἀκούσας δέ τις
τῶν ἀγωνιστῶν ἀδελφῶν ἔλαβε τὴν μηλωτὴν ἑαυτοῦ καὶ
ἐν αὐτῇ ἄρτους ξηροὺς καὶ ἀπῆλθεν εἰς Αἴγυπτον καὶ
5 ἀλλάξας τὰ ψωμία ἤνεγκε τῷ γέροντι καὶ ἰδόντες αὐτὰ
θερμὰ ἐθαύμασαν. Ὁ δὲ γέρων οὐκ ἤθελε γεύσασθαι λέγων
ὅτι· Τὸ αἷμα τοῦ ἀδελφοῦ μού ἐστιν. Καὶ παρεκάλεσαν
αὐτὸν οἱ γέροντες λέγοντες· Διὰ τὸν Κύριον φάγε ἵνα μὴ
εἰς κενὸν γένηται ἡ θυσία τοῦ ἀδελφοῦ. Καὶ οὕτως
10 παρακληθεὶς ἔφαγεν.

22   Ἀδελφὸς ἠρώτησε γέροντα λέγων· Δύο εἰσὶν ἀδελφοί,
ὁ εἷς ἡσυχάζει ἐν τῷ κελλίῳ αὐτοῦ ἕλκων τὰς ἕξ, καὶ
πολὺν κάματον ἑαυτῷ παρέχων, ὁ δὲ ἄλλος ἀσθενοῦντι
ὑπηρετεῖ· τίνος οὖν πλέον δέχεται τὸ ἔργον ὁ Θεός; Λέγει
5 ὁ γέρων· Ἐὰν ὁ ἕλκων ἀδελφὸς τὰς ἐξ κρεμάσῃ ἑαυτὸν
διὰ τῶν ῥινῶν οὐ δύναται ἴσος εἶναι τῷ ὑπηρετοῦντι τῷ
ἀσθενοῦντι.

23   Ἠρώτησέ τις γέροντα λέγων· Πῶς εἰσί τινες ἄρτι
κοπιῶντες ἐν ταῖς πολιτείαις καὶ οὐ λαμβάνουσι τὴν χάριν
ὡς οἱ ἀρχαῖοι; Λέγει ὁ γέρων· Τότε ἀγάπη ἦν, καὶ
ἕκαστος τὸν πλησίον αὐτοῦ εἷλκεν ἄνω, νῦν δὲ ψυγείσης
5 τῆς ἀγάπης, ἕκαστος τὸν πλησίον αὐτοῦ ἕλκει κάτω, καὶ
διὰ τοῦτο οὐ λαμβάνομεν τὴν χάριν.

5 σπυριδίων QRT ‖ 6 ἰδοὺ – ἔχω om. M ‖ βάλε : λαβὲ M om. QRT
21 YQRTVH*l*
3 ἑαυτοῦ Y : αὐτοῦ cett. ‖ 4 ἀπῆλθεν : ἀνῆλθε QR ἐξῆλθε VH ‖ 7 μου
om. QRH*l* ‖ 8 κύριον : deum *l* ‖ post φάγε add. ἴσως γὰρ καὶ ὠφελοῦσί
σε V

de ses propres corbeilles et les apporta au frère en disant :
« Voici des anses que j'ai en trop ; prends-les et mets-les
à tes corbeilles. » Et il fit progresser le travail de son
frère et laissa le sien.

21   On disait d'un vieillard à Scété que, malade, il désira   N 348
manger un peu de pain frais. L'apprenant, l'un des frères
combattants prit sa mélote, y mit des pains secs, partit
en Égypte et échangea les morceaux de pain qu'il apporta
au vieillard. Les voyant encore chauds, on admira. Mais
le vieillard refusa d'en manger disant : « C'est le sang de
mon frère. » Et les vieillards le supplièrent : « Par le Seigneur, mange afin que le sacrifice du frère ne soit pas
vain. » Et sur cette supplication, il mangea.

22   Un frère interrogea un vieillard disant : « Il y a deux   N 355
frères : l'un vit recueilli dans sa cellule jeûnant pendant
six jours et se donnant beaucoup de peine ; l'autre est
au service d'un malade. Duquel Dieu accepte-t-il plus
volontiers l'œuvre ? » Le vieillard dit : « Le frère jeûnant
pendant six jours, même s'il se suspendait par les narines,
ne pourrait être l'égal de celui qui sert le malade. »

23   Quelqu'un interrogea un vieillard disant : « Comment se   N 349
fait-il que certains aujourd'hui peinent dans leur façon de
vivre mais ne reçoivent pas la grâce comme les anciens ? »
Le vieillard dit : « Alors, c'était la charité et chacun attirait
en haut son voisin ; mais aujourd'hui que la charité se
refroidit, chacun attire en bas son voisin ; et à cause de
cela nous ne recevons pas la grâce. »

---

22 YOQRTMSVH*l*
  1 δύο εἰσὶν ἀδελφοὶ *add. in marg.* O ‖ 1-2 εἰσιν ... ἡσυχάζει : ἦσαν ...
ἡσύχαζεν H ‖ 3 ἑαυτὸν R ‖ 6 τοῦ ὑπηρετοῦντος OH
  23 YOQRTMSVH*l*
  1 ἡρώτ. τις : ἀδελφὸς ἡρώτ. M ‖ τινες *om.* QR ‖ 4 ψυχήσῃς H ‖
6 *post* χάριν *add.* τοῦ θεοῦ T

24   Ἀπῆλθόν ποτε τρεῖς ἀδελφοὶ εἰς θερισμόν, καὶ ἔλαβον
ἑαυτοῖς ἑξήκοντα ἀρούρας. Ὁ δὲ εἷς ἐξ αὐτῶν ἠσθένησε
τῇ πρώτῃ ἡμέρᾳ καὶ ἀνέκαμψεν εἰς τὴν κέλλαν αὐτοῦ.
Καὶ εἶπεν ὁ εἷς τῶν δύο τῷ ἑτέρῳ · Ἰδοὺ γινώσκεις ὅτι
5 ἠσθένησεν ὁ ἀδελφὸς ἡμῶν, βιάσαι οὖν τὸν λογισμόν σου
μικρόν, κἀγὼ μικρόν, καὶ πιστεύωμεν τῷ Θεῷ ὅτι διὰ
τῶν εὐχῶν αὐτοῦ θερίζομεν τὸν τόπον αὐτοῦ. Τελεσθέντος
δὲ τοῦ ἔργου, ὅτε ἦλθον λαβεῖν τὸν μισθόν, ἐφώνησαν τὸν
ἀδελφὸν λέγοντες · Δεῦρο λαβὲ τὸν μισθόν σου, ἄδελφε ·
10 Ὁ δὲ εἶπεν · Ποῖον μισθὸν ἔχω λαβεῖν μὴ θερίσας; Οἱ
δὲ εἶπον · Διὰ τῶν εὐχῶν σου γέγονεν ὁ θερισμός. Καὶ
μὴ θέλοντος τοῦ ἀδελφοῦ ἀπῆλθον δικάσασθαι πρός τινα
γέροντα · εἶπε δὲ αὐτῷ ὁ ἀδελφός · Ἀπήλθομεν οἱ τρεῖς
θερίσαι · ἀπελθὼν δὲ εἰς τὸν ἀγρὸν τὴν πρώτην ἡμέραν
15 ἠσθένησα καὶ ἀνέκαμψα εἰς τὴν κέλλαν μου μηδεμίαν
ἡμέραν θερίσας · καὶ ἀναγκάζουσί με οἱ ἀδελφοὶ λέγοντες ·
Δεῦρο λαβὲ μισθὸν ὃν οὐκ ἐκοπίασας · εἶπον δὲ καὶ οἱ
ἀδελφοί · Οἱ τρεῖς ἀπήλθομεν θερίσαι καὶ ἐλάβομεν ἑξήκοντα
ἀρούρας καὶ εἰ ἦμεν οἱ τρεῖς μετὰ κόπου εἴχομεν αὐτὰς
20 τελειῶσαι · διὰ δὲ τῶν εὐχῶν τοῦ ἀδελφοῦ ἡμῶν ἡμεῖς οἱ
δύο ταχέως κατελύσαμεν τὸν ἀγρὸν καὶ λέγομεν αὐτῷ ·
Δεῦρο λαβὲ τὸν μισθόν, καὶ οὐ θέλει λαβεῖν. Ἀκούσας δὲ
ταῦτα ὁ γέρων ἐθαύμασε καὶ εἶπεν τῷ μαθητῇ αὐτοῦ ·
Κροῦσον ἵνα συνάχθωσι πάντες οἱ ἀδελφοί. Ὅτε δὲ ἦλθον
25 εἶπεν αὐτοῖς · Δεῦτε, ἀδελφοί, ἀκούσατε σήμερον
δικαιοκρισίαν. Καὶ ἀνήγγειλεν αὐτοῖς πάντα ὁ γέρων, καὶ

---

24 YQRTMSVH*l*
4 ὁ *om.* YR ‖ 6 κἀγὼ μικρόν *om.* R ‖ 7 *post* αὐτοῦ¹ *add.* imple-
bimus nos duo opera et *l* ‖ 8 τὸν (?) : καὶ τὸν TMSV ‖ 10 λαβεῖν *om.*
MS ‖ 11 *post* θερισμός *add.* facta ergo plurima contentione inter eos
de hac re; illo scilicet dicente : non accipiam, qui non laboraui; illis
uero non acquiescentibus, nisi et ipse perciperet partem suam *l* ‖ 12-
22 ἀπῆλθον – λαβεῖν : ἀνήγγειλάν τινι ἑτέρῳ γέροντι τὸ πρᾶγμα λέγοντες
[λέγοντες *om.* MSVH] ὅτι διὰ τῶν εὐχῶν τοῦ ἀδελφοῦ ἡμεῖς οἱ δύο

24   Trois frères, une fois, allèrent à la moisson, et on leur
attribua soixante-dix aroures. Mais l'un d'eux tomba
malade le premier jour et retourna à sa cellule. Et l'un
des deux dit à l'autre : «Vois, tu sais que notre frère est
malade; force-toi donc un peu, et moi aussi un peu, et
ayons confiance en Dieu : grâce à ses prières, nous allons
moissonner sa place.» Le travail achevé, lorsqu'ils allèrent
recevoir le salaire, ils appelèrent le frère en lui disant :
«Viens recevoir ton salaire, frère.» Mais il dit : «Quel
salaire ai-je à recevoir, n'ayant pas moissonné?» Ils dirent :
«C'est grâce à tes prières que la moisson a été faite.»
Et comme le frère ne le voulait pas, ils allèrent faire
juger l'affaire par un vieillard; le frère lui dit : «Nous
sommes allés tous les trois moissonner, mais en allant
au champ je suis tombé malade le premier jour et je
suis revenu dans ma cellule sans avoir moissonné un
seul jour; et les frères me contraignent en disant : 'Viens
recevoir le salaire de la peine que tu n'as pas prise.'»
Les frères de leur côté dirent : «Nous sommes allés tous
les trois moissonner et on nous a attribué soixante aroures.
Si nous avions été trois, nous aurions eu de la peine à
les finir, mais grâce aux prières de notre frère, à nous
deux nous avons achevé le champ rapidement et nous
lui disons : «Viens recevoir ton salaire», et il ne veut
pas.» Entendant cela, le vieillard fut dans l'admiration et
dit à son disciple : «Donne-le signal afin que tous les
frères se réunissent.» Et quand ils vinrent, il leur dit :
«Venez, frères, entendez aujourd'hui un juste jugement.»
Et le vieillard leur raconta tout, et ils condamnèrent le

ταχέως [ταχέως om. MSV] κατελύσαμεν τὸν ἀγρὸν καὶ παρακαλοῦμεν
αὐτὸν λαβεῖν τὸν μισθὸν αὐτοῦ καὶ οὐ θέλει YMSVH ‖ 17 ἐκοπίασας :
-πίασα RT ‖ εἶπον : εἶπαν R ‖ 18 ἀπήλθομεν : -θαμεν R ‖ 19 ἦμεν :
ἤμεθα R ‖ 23 ταῦτα om. M ‖ μαθητῇ Y : ἀδελφῷ cett. uni de monachis
l ‖ 24 πάντες om. H ‖ 25 ἀδελφοί om. QR

κατεδίκασαν τὸν ἀδελφὸν λαβεῖν τὸν μισθὸν αὐτοῦ καὶ ὃ
θέλει ποιῆσαι αὐτόν. Καὶ ἀπῆλθεν ὁ ἀδελφὸς κλαίων καὶ
λυπούμενος.

25   Εἶπε γέρων · Οἱ πατέρες ἡμῶν ἔθος εἶχον παραβάλλειν
εἰς τὰ κελλία τῶν ἀρχαρίων ἀδελφῶν τῶν βουλομένων
καταμόνας ἀσκεῖσθαι, καὶ ἐπισκέπτεσθαι αὐτοὺς μήπως τις
αὐτῶν πειρασθεὶς ὑπὸ δαιμόνων βλάβῃ τὸν λογισμόν. Καὶ
5 εἴποτέ τις αὐτῶν βλαβεὶς ηὑρίσκετο, ἔφερον αὐτὸν ἐν τῇ
ἐκκλησίᾳ καὶ ἐτίθετο νιπτὴρ καὶ ἐγένετο εὐχὴ περὶ τοῦ
κάμνοντος, καὶ ἐνίπτοντο πάντες οἱ ἀδελφοί, καὶ κατέχεον
ἐπάνω αὐτοῦ ἐκ τοῦ ὕδατος, καὶ εὐθέως ἐθεραπεύετο ὁ
ἀδελφός.

26   Δύο γέροντες ἦσαν μετ' ἀλλήλων καθήμενοι, καὶ οὐδέποτε
μάχην ἐποίησαν. Εἶπε δὲ ὁ εἷς τῷ ἑτέρῳ · Ποιήσωμεν
καὶ ἡμεῖς μάχην ὡς οἱ ἄνθρωποι. Ὁ δὲ ἀποκριθεὶς εἶπεν
αὐτῷ · Οὐκ οἶδα πῶς γίνεται μάχη. Ὁ δὲ λέγει · Ἰδοὺ
5 τίθημι πλινθάριον εἰς τὸ μέσον κἀγὼ λέγω ὅτι ἐμόν ἐστιν ·
καὶ σὺ λέγε · Οὐχί, ἀλλ' ἐμόν ἐστιν, καὶ ἔνθεν γίνεται ἡ
ἀρχή. Ἐποίησαν δὲ οὕτως, καὶ λέγει ὁ εἷς αὐτῶν · Τοῦτο
ἐμόν ἐστιν. Καὶ λέγει ὁ ἕτερος · Οὐχί, ἀλλ' ἐμόν ἐστιν.
Ὁ δὲ ἀποκριθεὶς εἶπεν · Ναί, ναί, ἆρον καὶ ὕπαγε. Καὶ
10 ἀνεχώρησαν μηδὲ φιλονεικῆσαι μετ' ἀλλήλων εὑρόντες.

27   Ἀδελφὸς ἠρώτησε γέροντα λέγων · Ἐὰν ἴδω ἀδελφὸν
περὶ οὗ ἤκουσα πταῖσμα, οὐ πληροφοροῦμαι εἰσενεγκεῖν
αὐτὸν εἰς τὸ κελλίον μου. Ἐὰν δὲ ἴδω καλὸν ἀδελφόν,
αὐτὸν ἡδέως λαμβάνω. Λέγει αὐτῷ ὁ γέρων · Εἰ ποιεῖς

27 κατεδίκασαν : adiudicauit *l* ‖ τὸν ἀδελφὸν QRT*l* : αὐτὸν Y *om.*
cett. ‖ 27-28 ὃ θέλει π. αὐτὸν Y : ποιῆσαι εἰς αὐτὸν εἴ τι θέλει *cett.* ‖
29 *post* λυπούμενος *add.* quasi praeiudicium passus *l*
25 YOQRTVH*l*
1 παραβαλεῖν O ‖ 2 ἀδελφῶν : μοναχῶν YQR μοναχῶν ἀδελφῶν H ‖
3 ἀσκῆσαι QT conuersari *l* ‖ τις : κἂν εἷς ἐξ QRT ‖ 4 δαίμονος YQRTH ‖
6 περὶ : ὑπὲρ O ‖ 7 *post* ἐνίπτοντο *add.* manus suas in pelui *l* ‖ πάντες
om. QT

frère à accepter son salaire et à en faire ce qu'il lui plaît.
Et le frère partit en pleurant de chagrin.

25 Un vieillard dit : «Nos pères avaient coutume de se   N 351
rendre dans les cellules des frères débutants qui voulaient vivre solitaires dans l'ascèse et de les surveiller de
peur que l'un d'eux, tenté par les démons, ne se trouble
la pensée. Et s'il s'en trouvait un dans le trouble, ils le
conduisaient à l'église, et on mettait une bassine, on priait
pour le malade et tous les frères se lavaient et versaient
de l'eau sur lui, et aussitôt le frère était guéri.»

26 Deux vieillards demeuraient ensemble et jamais ils ne   N 352
s'étaient querellés. Le premier dit à l'autre : «Faisons, nous
aussi, une querelle comme tout le monde.» Celui-ci lui
répondit : «Je ne sais pas comment se produit une querelle.» L'autre dit : «Vois, je mets une brique au milieu,
et moi je dis qu'elle est à moi, et toi, dis : Non, mais
elle est à moi; et ainsi vient le commencement.» Ainsi
firent-ils; et le premier dit : «C'est à moi.» L'autre dit :
«Non, mais c'est à moi.» Et le premier répondit : «Oui,
oui; prends-la et va.» Et ils se retirèrent sans même avoir
pu trouver à se disputer ensemble.

27 Un frère interrogea un vieillard[1] en disant : «Si je vois   Poe 70a
un frère dont on m'a dit une faute, je n'ai pas de goût   (337 D-
à l'introduire dans ma cellule; mais si je vois un bon   340A)
frère, je l'accueille volontiers.» Le vieillard lui dit : «Si tu

---

26 YOQRTVH*l*

1 καθήμενοι : conversati *l* ‖ 4 αὐτῷ Y : τῷ ἀδελφῷ OV*l* τῷ ἑτέρῳ
H *om.* QRT ‖ 6 λέγε : λέγεις OTVH ‖ 7 δὲ : οὖν VH ergo *l om.* QT ‖
8 καὶ λέγει – ἐστιν *add. in marg.* Y *om.* QT

27 YOQRTVH*l*

2 πταίσματα Q

---

1. Selon *Alph.*, ce vieillard est abba Poemen (n° 70).

5 τῷ καλῷ ἀδελφῷ μικρὸν ἀγαθόν, τὸ διπλοῦν ποίησον μετὰ τοῦ ἄλλου · αὐτὸς γάρ ἐστιν ὁ ἀσθενῶν.

28 Εἶπε γέρων · Οὐδέποτε ἐπεθύμησα ἔργου ὠφελοῦντός με καὶ ζημιοῦντος τὸν ἀδελφόν μου, τοιαύτας ἔχων ἐλπίδας ὅτι τὸ ἔργον τοῦ ἀδελφοῦ μου ἔργον καρποφορίας ἐστίν.

29 Ἀδελφὸς ὑπηρετεῖ τινι τῶν πατέρων ἀσθενοῦντι. Συνέβη δὲ αὐτοῦ λυθῆναι τὸ σῶμα καὶ ἐκβάλλειν ἔμπυον μετὰ ὀσμῆς. Εἶπεν δὲ ὁ λογισμὸς τοῦ ἀδελφοῦ · Φύγε, οὐ γὰρ δύνασαι ὑπενεγκεῖν τὴν ὀσμὴν τῆς δυσωδίας ταύτης. Λαβὼν 5 δὲ κεράμιον ἔβαλεν εἰς αὐτὸ τὸ ἀπόπλυμα τοῦ ἀσθενοῦντος, καὶ εἴ ποτε ἐδίψα ἐξ αὐτοῦ ἔπινεν. Καὶ ἤρξατο ὁ λογισμὸς λέγειν αὐτῷ · Μήτε φύγῃς μήτε πίῃς τὴν δυσωδίαν ταύτην. Καὶ ἐκαρτέρει καὶ ἐκοπία πίνων τὸ ἀπόπλυμα καὶ ὑπηρετῶν τῷ γέροντι. Καὶ ἰδὼν ὁ Θεὸς τὸν κόπον τοῦ ἀδελφοῦ 10 ἔστρεψε τὸ ἀπόπλυμα εἰς ὕδωρ καθαρόν, καὶ τὸν γέροντα ἰάσατο.

30 Ἀδελφὸς ἠρώτησε γέροντα λέγων · Πῶς δύναται ἄνθρωπος λαβεῖν χάρισμα τοῦ ἀγαπᾶν τὸν Θεόν; Ὁ δὲ ἀποκριθεὶς εἶπεν · Ἐάν τις ἴδῃ τὸν ἀδελφὸν αὐτοῦ ἐν πλημμελείᾳ καὶ βοήσῃ περὶ αὐτοῦ πρὸς τὸν Θεόν, τότε 5 λαμβάνει ἐπίγνωσιν πῶς δεῖ ἀγαπᾶν τὸν Θεόν.

31 Εἶπε γέρων · Κτησώμεθα τὸ κεφάλαιον τῶν ἀγαθῶν τὴν ἀγάπην. Οὐδέν ἐστι νηστεία, οὐδέν ἐστιν ἀγρυπνία οὐδὲ

---

6 post τοῦ add. ἀδελφοῦ τοῦ OV ‖ αὐτὸς : οὗτος QR
28 YOQRTMSVH*l*
2-3 τοιαύτας ἔχων ἐλπ. ὅτι τὸ : τὸ γὰρ V ‖ 3 ἐστίν : μοι ἐστίν OMSH*l*
29 YOQRTMSVH*l*
1 ἀσθενοῦντι om. *l* ‖ 2 τὸ σῶμα : τὰ ἔντος R ‖ ἔμπυον : πύον O ‖ 3 τῷ ἀδελφῷ QRT ‖ 4 δυνήσῃ OMSV ‖ ταύτης om. YOMSVH ‖ 4-5 λαβὼν δὲ : ὁ δὲ ἀδελφὸς λαβὼν O ‖ 7 μήτε ... μήτε : μηδὲ ... μηδὲ MSV μήποτε ... μήποτε H ‖ φύγῃς : φάγῃς V ‖ 10 ἔστρεψε : ἔτρεψε

fais un peu de bien au bon frère, fais le double avec l'autre, car c'est lui qui est malade.»

28   Un vieillard dit : «Jamais je n'ai recherché un travail N 353
qui me soit utile, mais fasse tort à mon frère, ayant ce ferme espoir que l'œuvre de mon frère est une œuvre pleine de fruit.»

29   Un frère était au service de l'un des pères qui était N 356
malade. Or il arriva que son corps fasse des plaies purulentes et malodorantes; et la pensée du frère lui dit : «Fuis, car tu ne peux pas supporter cette puanteur.» Alors prenant un récipient, il y recueillit l'eau dont il avait lavé le malade et en buvait lorsqu'il avait soif. Et sa pensée commença à lui dire : «Il ne faut ni fuir ni boire cette puanteur.» Mais il resta ferme et peina à boire ce liquide et à servir le vieillard. Alors Dieu, voyant la peine du frère, changea le liquide en une eau pure et guérit le vieillard.

30   Un frère interrogea un vieillard disant : «Comment peut- N 636
on recevoir le charisme d'aimer Dieu?» Il lui répondit : «Lorsque quelqu'un voit son frère dans la négligence et qu'il appelle Dieu à son secours, alors il reçoit la pleine connaissance de la façon dont il faut aimer Dieu[1].»

31   Un vieillard dit : «Acquérons le premier des biens, la charité. Le jeûne n'est rien, la veille n'est rien, ni aucune

Y ἔστρεφε O ‖ καθάριον H ‖ 10-11 καὶ τὸν γ. ἰάσατο *om.* V ‖ 10 *post* γέροντα *add.* inuisibili medicamento *l*
30 YOQRTMSVH
4 περὶ αὐτοῦ : ὑπὲρ αὐτοῦ OQRT *om.* MSV ‖ 5 γνῶσιν QRT
31 YOQRTMSVH
2 ἡ νηστεία ... ἡ ἀγρυπνία O ‖ οὐδὲ : οὐδὲν OMSVH

1. Repris de *Dialogue sur les pensées*, n° 28 (éd. J.-Cl. Guy, *Revue d'Ascétique et de Mystique* XXXIII-130, 1957, p. 181).

πᾶς πόνος ἀπούσης ἀγάπης· γέγραπται γάρ· « Ὁ Θεὸς ἀγάπη ἐστίν[e]. »

32 Ἔλεγον οἱ πατέρες ὅτι ὁ διάβολος πάντα δύναται μιμήσασθαι· περὶ νηστείας, αὐτὸς οὐδέποτε ἔφαγεν· περὶ ἀγρυπνίας, αὐτὸς οὐδέποτε ἐκοιμήθη. Ταπεινοφροσύνην δὲ καὶ ἀγάπην, αὐτὸς οὐ δύναται μιμήσασθαι. Πολὺς οὖν
5 ἀγὼν ἡμῖν ἔστω τὴν ἀγάπην ἔχειν ἐν ἑαυτοῖς καὶ μισῆσαι τὴν ὑπερηφανίαν δι' ἧς ὁ διάβολος ἐξέπεσεν ἐκ τῶν οὐρανῶν.

33 Ἔλεγεν ἀββᾶ Νικήτας περί τινων δύο ἀδελφῶν ὅτι συνῆλθον ἀλλήλοις θέλοντες οἰκῆσαι ὁμοῦ. Ἐλογίσατο δὲ ὁ εἷς ὅτι· Εἴ τι θέλει ὁ ἀδελφός μου ἐκεῖνο ποιῶ· ὁμοίως δὲ καὶ ὁ ἄλλος ἐλογίσατο ὅτι· Τὸ θέλημα τοῦ ἀδελφοῦ
5 μου ποιήσω. Καὶ ἔζησαν οὕτως ἔτη πολλὰ μετὰ πολλῆς ἀγάπης. Ἰδὼν δὲ ὁ διάβολος τὴν πολλὴν ἀγάπην αὐτῶν καὶ μὴ φέρων καὶ θέλων χωρίσαι αὐτούς, ἀπελθὼν καὶ στὰς εἰς τὸ πρόθυρον φαίνεται τῷ ἑνὶ ὡς περιστερά, καὶ τῷ ἑτέρῳ ὡς κορώνη. Εἶτα λέγει οὖν ὁ εἷς τῷ ἑτέρῳ·
10 Βλέπεις τὸ περιστέριον τοῦτο; Καὶ λέγει ἐκεῖνος· Κορώνη ἐστίν, ἄδελφε. Καὶ ἤρξαντο φιλονεικεῖν πρὸς ἀλλήλους, ἄλλος ἄλλο λέγων, καὶ ἀναστάντες συνέβαλον μέχρι αἵματος καὶ εἰς τελείαν χαρὰν τοῦ ἐχθροῦ ἐχωρίσθησαν. Μετὰ τρεῖς οὖν ἡμέρας εἰς ἑαυτοὺς ἐλθόντες ἀνένηψαν εἰς τὸ πρῶτον
15 κατόρθωμα, καὶ ποιήσαντες ἑαυτοῖς μετάνοιαν ὡμολόγουν ἕκαστος ὃ ἐλογίσαντο ἐν τῇ καρδίᾳ αὐτῶν ὥστε τὸ θέλημα ποιῆσαι τοῦ ἑτέρου. Καὶ γνόντες τὸν πόλεμον τοῦ ἐχθροῦ, μέχρι θανάτου ἔμειναν ὁμοῦ μετὰ πάσης εἰρήνης.

3 πᾶς : ὁ OMSV
32 YOQRTMSVH
1 ante ἔλεγον add. εἶπε πάλιν Ο ‖ πατέρες : γέροντες Q ‖ 2-3 περὶ νηστείας – ἐκοιμήθη om. Q ‖ 4 αὐτὸς οὐ : οὐ Ο οὐδέποτε QRT ‖ 5 ἔστω : ἔστιν QRTMS ‖ ἀγάπην : ταπεινοφροσύνην QRT
33 YOQRTMSVH
3 ἐκεῖνο om. Q ‖ ποιήσω Η ‖ 7 καὶ² Υ : ἀλλὰ QRT ἀπῆλθε cett. ‖ ἀπελθὼν καὶ om. OMSVH ‖ 9 εἶτα λέγει οὖν YR : εἶτα λέγει QT λέγει

peine si manque la charité; car il est écrit : *Dieu est charité*[e].»

32   Les pères disaient : «Le diable peut tout imiter et pour le jeûne, car lui-même n'a jamais mangé, et pour la veille, car lui-même ne s'est jamais couché. Mais l'humilité et la charité, il ne peut pas les imiter. Il nous faut donc beaucoup lutter pour avoir en nous-mêmes la charité et haïr l'orgueil à cause duquel le diable déchut des cieux.»

33   Abba Nicétas disait de deux frères qu'ils se rencontrèrent dans le dessein de demeurer ensemble. L'un se dit : «Ce que mon frère voudra, je le ferai.» Et de même l'autre pensa : «J'accomplirai la volonté de mon frère.» Et ils vécurent ainsi de nombreuses années dans une grande charité. Mais le diable, voyant leur grande charité et ne le supportant pas, voulut les séparer. Il alla se tenir à l'entrée de la cellule et apparaît au premier comme une colombe et à l'autre comme un corbeau. Le premier dit alors à l'autre : «Vois-tu cette petite colombe?» Celui-ci dit : «C'est un corbeau, mon frère.» Et ils commencèrent à disputer et à se contredire; ils se levèrent et se battirent jusqu'au sang et, pour la plus grande joie de l'ennemi, se séparèrent l'un de l'autre. Trois jours plus tard, rentrant en eux-mêmes, ils reprirent leurs esprits et revinrent à leur bonne œuvre première et se demandèrent pardon, chacun confirmant ce qu'ils avaient pensé dans leur cœur : faire la volonté de l'autre. Et reconnaissant le combat de l'ennemi, ils demeurèrent ensemble jusqu'à la mort, dans une grande paix.

Nicet 1
(312 B-C)

οὖν *cett.* ‖ 10 τὴν περιστερὰν ταύτην TMSH ‖ 11 ἄδελφε YQR *om. cett.* ‖ πρὸς ἀλλ. : μετ' ἀλλήλων MS ‖ 12 λέγοντες MS -οντος V ‖ αἱμάτων OMSV ‖ 13-14 τρεῖς οὖν YOR : δὲ τρεῖς *cett.* ‖ 15 ἑαυτοῖς ἀλλήλοις MS ‖ ὁμολόγησαν QR ἐξωμολόγουν O ἐξομολογοῦντο H ‖ 16 *post* θέλημα *add.* μὴ TMS

e. 1 Jn 4, 16

34   Παρήρχετό ποτε ἀββᾶ Σεραπίων διὰ κώμης τινὸς τῆς
Αἰγύπτου καὶ εἶδέ τινα πόρνην ἑστῶσαν ἔμπροσθεν τοῦ
κελλίου αὐτῆς. Καὶ εἶπεν αὐτῇ · Προσδόκησόν με ὀψέ,
θέλω γὰρ ἐλθεῖν καὶ ποιῆσαι μετὰ σοῦ τὴν νύκτα ταύτην.
5 Ἡ δὲ ἀποκριθεῖσα εἶπεν · Καλῶς, ἀββᾶ. Καὶ ἡτοιμάσθη
καὶ ἔστρωσε τὴν κλίνην καὶ προσεδόκησε τὸν γέροντα
μετὰ χρειῶν. Ὀψίας δὲ γενομένης ἦλθεν ὁ γέρων πρὸς
αὐτὴν μηδὲν ἐνέγκας, καὶ εἰσελθὼν εἰς τὸ κελλίον αὐτῆς
λέγει · Ἡτοίμασας τὴν κλίνην; Ἡ δὲ εἶπεν · Ναί, ἀββᾶ.
10 Καὶ ἔκλεισαν τὴν θύραν καθ' ἑαυτῶν μόνων, καὶ λέγει
αὐτῇ ὁ γέρων · Μεῖνον ὀλίγον ὅτι νόμον ἔχομεν ἕως οὗ
ποιήσω αὐτὸν πρῶτον. Καὶ ἤρξατο ὁ γέρων τῆς συνάξεως.
Καὶ ἀρξάμενος τοῦ ψαλτηρίου κατὰ ψαλμὸν ἐποίει εὐχὴν
καὶ ἐδέετο τοῦ Θεοῦ ὑπὲρ αὐτῆς ὅπως μετανοήσῃ καὶ
15 σωθῇ. Διὸ καὶ εἰσήκουσεν αὐτοῦ ὁ Θεός. Ἡ δὲ γυνὴ
ἵστατο τρέμουσα καὶ εὐχομένη ἐγγὺς τοῦ γέροντος. Καὶ
ὡς ἐτέλεσεν ὁ γέρων τοὺς ψαλμοὺς ἔπεσεν ἡ γυνὴ χαμαί.
Ὁ δὲ γέρων ἀρξάμενος τοῦ ἀποστόλου εἶπεν ἐξ αὐτοῦ
πολύ, καὶ οὕτως ἐπλήρωσε τὴν σύναξιν.
20   Κατανυγεῖσα οὖν ἡ γυνὴ καὶ γνοῦσα ὅτι οὐ δι' ἁμαρτίαν
ἦλθε πρὸς αὐτὴν ἀλλ' ἵνα σώσῃ αὐτήν, προσέπεσεν αὐτῷ
λέγουσα · Ποίησον ἀγάπην καὶ ὅπου δύναμαι εὐαρεστῆσαι
τῷ Θεῷ ὁδήγησόν με. Τότε ὁ γέρων ὡδήγησεν αὐτὴν εἰς
μοναστήριον παρθένων, καὶ παρέδωκεν αὐτὴν τῇ ἀμμᾷ καὶ
25 εἶπεν · Λαβὲ τὴν ἀδελφὴν ταύτην καὶ μὴ θήσῃς αὐτῇ
ζυγὸν ἢ ἐντολὴν ὡς ταῖς ἀδελφαῖς · ἀλλ' εἴ τι θέλει δὸς
αὐτῇ, καὶ ὡς θέλει συγχώρησον αὐτῇ πορεύεσθαι. Καὶ ὡς
ἐποίησεν ὀλίγας ἡμέρας λέγει · Ἐγὼ ἁμαρτωλός εἰμι, θέλω
διὰ μιᾶς ἡμέρας ἐσθίειν. Καὶ μετ' ὀλίγας πάλιν ἡμέρας
30 λέγει παρακαλέσασα τὴν ἀμμᾶν τοῦ μοναστηρίου · Ἐπειδὴ
πολλὰ ἐλύπησα τὸν Θεὸν ἐν ταῖς ἁμαρτίαις μου, ποίησον

34 YOQRTMSVH
1 θεραπίων sic YO ‖ 2-3 ἔμπρ. τ. κ. : εἰς τὸ κέλλιον OMSVH ‖
3 post αὐτῇ add. ὁ γέρων OQMSV ‖ 7 γεναμένης Υ ‖ 10 ἔκλεισε Η

34   Abba Sérapion traversant un jour un village d'Égypte   Sér 1
vit une courtisane debout devant sa maison. Il lui dit :   (413 D-
«Attends-moi ce soir, car je veux venir passer cette nuit   416 C)
avec toi.» Elle lui répondit : «Bien, abba.» Et elle se
prépara, apprêta le lit et attendit le vieillard avec le nécessaire. Le soir venu, le vieillard vint chez elle sans rien
apporter et, entrant dans sa maison, lui dit : «As-tu préparé
le lit?» Elle dit : «Oui, abba.» Et ils fermèrent la porte
sur eux seuls. Et le vieillard lui dit : «Attends un peu,
car nous avons une loi et je dois d'abord y satisfaire.»
Et le vieillard commença sa synaxe. Débutant avec le
psautier, à chaque psaume il fit une prière et supplia
Dieu qu'elle se repente et soit sauvée. Aussi Dieu l'exauça-
t-il, car la femme se tint tremblante à prier à côté du
vieillard et, quand il acheva les psaumes, elle tomba à
terre. Commençant l'Apôtre, le vieillard en dit un long
passage et ainsi acheva la synaxe.

Remplie alors de componction et comprenant qu'il était
venu chez elle non pour pécher mais pour la sauver, la
femme se jeta à ses pieds en disant : «Fais-moi la charité
de me conduire là où je puis plaire à Dieu.» Alors le
vieillard la conduisit dans un monastère de vierges, la
confia à l'amma et dit : «Accueille cette sœur et ne lui
impose pas de joug ou de commandement comme aux
sœurs, mais donne-lui ce qu'elle veut et accorde-lui d'aller
comme elle veut.» Au bout de quelques jours, elle dit :
«Je suis une pécheresse; je veux manger une seule fois
par jour.» Et quelques jours plus tard elle demanda encore
à l'amma du monastère : «Puisque j'ai gravement affligé
Dieu par mes fautes, fais-moi la charité de me mettre

κλείσας QT ‖ καὶ² *om.* QT ‖ 11 ὅτι : ἐπειδὴ M ‖ 12 πρῶτον *om.* MSV ‖
14 ὑπὲρ αὐτῆς : περὶ αὐτῆς Q *om.* OMSVH ‖ 15 διὸ *om.* OMSVH ‖
21 αὐτὴν² : αὐτῆς τὴν ψυχὴν OMSVH ‖ 26 ὡς : ἐν O ‖ *post* ταῖς *add.*
ἄλλαις OQT ‖ 30 παρακαλοῦσα QRT

ἀγάπην καὶ βάλε με εἰς κελλίον καὶ ἀνάφραξον αὐτὸ καὶ
διὰ ὀπῆς δίδου μοι μικρὸν ἄρτον καὶ τὸ ἐργόχειρον. Καὶ
ὑπήκουσεν αὐτῆς ἡ ἀμμᾶ καὶ ἐποίησεν αὐτῇ τοῦτο, καὶ
35 οὕτως εὐηρέστησε τῷ Θεῷ τὸν λοιπὸν τῆς ζωῆς αὐτῆς
χρόνον.

35   Ἔλεγε γέρων ὅτι εἶπέ τις τῶν πατέρων τὴν ξηροτέραν
καὶ ἀνώμαλον δίαιταν ἀγάπῃ συζευχθεῖσαν θᾶττον εἰσάγειν
τὸν κεκτημένον εἰς τὸν τῆς ἀπαθείας λιμένα.

33 δίδου : δίδει R ‖ 35-36 τὸν λοιπὸν ad fin. om. H ‖ 35 ὑπόλοιπον R
35 QT
1 ὅτι εἶπέ τις τῶν πατ. om. Q

dans une cellule, de la fermer et de me donner par un trou un peu de pain et du travail manuel.» L'amma lui obéit et le lui fit. Et ainsi plut-elle à Dieu le restant de sa vie.

35   Un vieillard disait que l'un des pères[1] dit : «Une nour- riture frugale et régulière, jointe à la charité, conduit plus rapidement celui qui s'y tient au seuil de l'impassibilité.»

Év 6
(176 A)

1. ÉVAGRE LE PONTIQUE, *Traité Pratique*, n° 91 (éd. A. Guillaumont, *SC* 171, p. 692) et *Alph.*, n° 6. Doublet de *Syst.* I, 4 (*SC* 387, p. 102).

XVIII

Περὶ διορατικῶν

1 Τῷ ἀββᾶ Ἀντωνίῳ ἀπεκαλύφθη ποτὲ ἐν τῇ ἐρήμῳ ὅτι·
Ἐν τῇ πόλει ἐστί τις ὅμοιός σοι ἰατρὸς τὴν ἐπιστήμην,
τὴν περισσείαν αὐτοῦ παρέχων τοῖς χρείαν ἔχουσιν, καὶ
πᾶσαν ἡμέραν τὸ τρισάγιον ψάλλων μετὰ τῶν ἀγγέλων
5 τοῦ Θεοῦ.

2 Ἀδελφὸς ἀπῆλθεν εἰς τὸ κελλίον τοῦ ἀββᾶ Ἀρσενίου
εἰς Σκῆτιν καὶ πρόσεσχε διὰ τῆς θυρίδος, καὶ θεωρεῖ τὸν
γέροντα ὅλον ὡς πῦρ. Ἦν δὲ ὁ ἀδελφὸς ἄξιος τοῦ ἰδεῖν.
Καὶ ὡς ἔκρουσεν ἐξῆλθεν ὁ γέρων καὶ εἶδεν τὸν ἀδελφὸν
5 ἔκθαμβον. Καὶ λέγει αὐτῷ· Ἔχεις πολλὴν ὥραν κρούων;
Μὴ τίποτε εἶδες; Ὁ δὲ ἔφη· Οὐχί. Καὶ λαλήσας αὐτῷ
ἀπέλυσεν αὐτόν.

3 Εἶπεν ὁ μαθητὴς τοῦ ἀββᾶ Ἀρσενίου ὡς περὶ ἄλλου
τινὸς λέγων — τάχα δὲ αὐτὸς ἦν — ὅτι καθημένου τινὸς
τῶν γερόντων εἰς τὸ κελλίον ἑαυτοῦ ἦλθεν αὐτῷ φωνὴ
λέγουσα· Δεῦρο δείξω σοι τὰ ἔργα τῶν ἀνθρώπων. Καὶ

Tit. YOQRTMSVH*l*
de praeuidentia siue contemplatione *l*
1 YOQRTMSVH
2 τῇ: τῇδε τῇ H ‖ σοι: σου QRT ‖ 3 χρ. ἔχ.: χρήζουσιν QRT ‖
4 πᾶσαν: καθ' ἑκάστην QRT ‖ τὸ τρισάγιον: τὸν τρισάγιον ὕμνον
MS ‖ 4-5 μετὰ *ad fin. om.* H
2 YOQRTMSVH*l*
3 δὲ: γὰρ R ‖ 6 εἶδες: ἑώρακας R

XVIII

Des vieillards clairvoyants

1   A abba Antoine fut une fois révélé ceci dans le désert : « Dans la ville, il y a quelqu'un qui t'est semblable, médecin de son métier, qui donne son superflu à ceux qui sont dans le besoin et chaque jour chante le Trisagion avec les anges de Dieu[1]. » **Ant 24 (84 B)**

2   Un frère se rendit à la cellule d'abba Arsène à Scété et, regardant par la fenêtre, il vit le vieillard tout entier comme du feu. Le frère était digne de ce spectacle. Lorsqu'il frappa, le vieillard sortit et vit le frère stupéfait. Il lui dit : « Y a-t-il longtemps que tu frappes? N'as-tu pas vu quelque chose? » L'autre dit que non. Alors il s'entretint avec lui et le congédia. **Ars 27 (96 B-C)**

3   Le disciple d'abba Arsène[2] disait comme parlant d'un autre, mais il s'agissait bien de lui, qu'à un des vieillards demeurant dans sa cellule un voix vint dire : « Viens que je te montre les œuvres des hommes. » Il se leva et partit. **Ars 33 (100 C- 101 A)**

---

3 YOQRTMSVH*l*
1 *post* εἶπεν *add.* abbas daniel *l cf. Alph.* ‖ *post* ἀρσενίου *add.* quia narrauit ei abbas arsenius *l cf. Alph.*

---

1. Il est remarquable que ce chapitre consacré au don visionnaire de moines commence par ce récit montrant à Antoine (et surtout au lecteur) que le moine n'est pas supérieur au laïc.
2. Selon *Alph.* (n° 33), que suit *l*, le nom du disciple est Daniel.

5 ἀναστὰς ἀπῆλθεν. Καὶ ἀπήνεγκεν αὐτὸν εἰς τόπον τινὰ
καὶ ἔδειξεν αὐτῷ αἰθίοπα κόπτοντα ξύλα καὶ ποιοῦντα
φορτίον μέγα. Ἐπεχείρει δὲ αὐτὸ βαστάσαι καὶ οὐκ ἠδύνατο. Καὶ ἀντὶ τοῦ ἆραι ἐξ αὐτοῦ ἀπελθὼν ἔκοπτε ἄλλα
ξύλα καὶ προσετίθει τῷ φορτίῳ. Τοῦτο δὲ ἐπὶ πολὺ ἐποίει.
10 Καὶ προβὰς ὀλίγον ἔδειξεν αὐτῷ ἄνθρωπον πάλιν ἱστάμενον
ἐπὶ λάκκου καὶ ἀντλοῦντα ὕδωρ ἐξ αὐτοῦ καὶ μεταβάλ-
λοντα εἰς δεξαμενὴν τετρημένην, καὶ τὸ ὕδωρ ἐκχυνόμενον
εἰς τὸν λάκκον. Καὶ λέγει αὐτῷ πάλιν · Δεῦρο δείξω σοι
ἄλλο. Καὶ ἰδοὺ θεωρεῖ ἱερὸν καὶ δύο ἄνδρας καθημένους
15 ἐν ἵπποις καὶ βαστάζοντας ξύλον πλαγίως ἕνα κατέναντι
τοῦ ἑνός. Ἤθελον δὲ διὰ τῆς πύλης εἰσελθεῖν καὶ οὐκ
ἠδύναντο διὰ τὸ εἶναι τὸ ξύλον πλαγίως. Οὐκ ἐταπείνωσε
δὲ ἑαυτὸν ὁ εἷς ὀπίσω τοῦ ἑτέρου ἐνέγκαι τὸ ξύλον εἰς
εὐθείαν · διὰ τοῦτο ἔμειναν ἔξω τῆς πύλης. Λέγει δὲ
20 αὐτῷ · Οὗτοι εἰσὶν οἱ βαστάζοντες ὡς δικαιοσύνης ζυγὸν
μετὰ ὑπερηφανίας καὶ οὐκ ἐταπεινώθησαν τοῦ διορθώσασθαι
ἑαυτούς, καὶ πορευθῆναι τῇ ταπεινῇ ὁδῷ τοῦ Χριστοῦ.
Διὸ μένουσιν ἔξω τῆς βασιλείας τοῦ Θεοῦ. Ὁ δὲ κόπτων
τὰ ξύλα ἄνθρωπός ἐστιν ἐν ἁμαρτίαις πολλαῖς, καὶ ἀντὶ
25 τοῦ μετανοῆσαι ἄλλας ἀνομίας προστίθει ἐπάνω τῶν
ἀνομιῶν ἑαυτοῦ. Καὶ ὁ τὸ ὕδωρ ἀντλῶν ἄνθρωπός ἐστι
καλὰ μὲν ἔργα ποιῶν, ἀλλ᾽ ἐπειδὴ συνέμιξεν αὐτοῖς πονηρά,
ἀπώλεσε καὶ τὰ καλὰ αὐτοῦ ἔργα. Χρὴ οὖν νήφειν πάντα
ἄνθρωπον εἰς τὰ ἔργα αὐτοῦ ἵνα μὴ εἰς κενὸν κοπιᾷ.

4   Διηγήσατο πάλιν ἀββᾶ Δανιὴλ λέγων ὅτι · Εἶπεν ὁ πατὴρ
ἡμῶν ἀββᾶ Ἀρσένιος περί τινος σκητιώτου ὅτι ἦν

5 ἀπῆλθεν : ἐξῆλθεν O cf. Alph. ‖ 7 ἐπεχείρει : ἐπείραζεν OVH
ἐπειρᾶτο MS cf. Alph. ‖ 8 αὐτοῦ : αὐτῶν Y ‖ post ἀπελθὼν add. πάλιν
ORMSVH ‖ ἄλλα Y : καὶ ἄλλα QT ἕτερα R om. cett. ‖ 10 πάλιν om.
YQRT ‖ 12 post ὕδωρ add. ἦν MS ‖ 13 πάλιν om. YQRT ‖ 15 ἐν om.
MS cf. Alph. ‖ 17 πλαγίως : πλάγιον OMSH cf. Alph. πλαγείου V ‖
18 εἰς : ἐπ᾽ QT cf. Alph. ‖ 19-20 λέγει δὲ αὐτῷ QT : καὶ εἶπεν H et
cum interrogasset quid hoc esset ille respondit ei l om. cett. ‖ 20 ὡς

Et on le conduisit dans un lieu où on lui montra un
éthiopien coupant du bois et en faisant un grand tas; il
essayait de le porter, mais ne le pouvait pas; et au lieu
d'en retirer, il allait couper encore du bois et le rajoutait
au tas. Ainsi faisait-il pendant longtemps. S'avançant un
peu, on lui montra encore un homme qui se tenait au
bord d'un lac et y puisait de l'eau qu'il transvasait dans
un récipient percé; et l'eau retombait dans le lac. Et la
voix lui dit encore : «Viens, je vais te montrer autre
chose.» Et voici qu'il voit un temple et deux hommes à
cheval, portant un bois en travers, l'un à côté de l'autre;
ils voulaient entrer par la porte et ne le pouvaient pas
parce que le bois était en travers. Et aucun ne s'effaçait
devant l'autre pour que le bois entre dans le sens de la
longueur; aussi restaient-ils à l'extérieur de la porte. Et
la voix lui dit : «Ces hommes sont ceux qui portent le
joug de la justice avec orgueil et ne se sont pas humiliés
pour se corriger et marcher sur l'humble chemin du
Christ; aussi restent-ils à l'extérieur du Royaume de Dieu.
Celui qui coupe du bois est l'homme vivant dans de
nombreux péchés : au lieu de se repentir, il ajoute à ses
fautes d'autres fautes. Et celui qui puise de l'eau est
l'homme qui fait certes de bonnes œuvres; mais comme
il y mêle des mauvaises, il a perdu même ses bonnes
œuvres. Il faut donc que tout homme veille sur ses
œuvres afin de ne pas peiner en vain.»

4   Abba Daniel raconta encore que notre père abba Arsène   Dan 7
disait d'un scétiote qu'il pratiquait beaucoup d'œuvres,   (156 C-
160 A

δικαιοσύνης [-σύνην (?)] om. YQRT ‖ ζυγὸν : τὸ ξύλον Q ‖ 22 χριστοῦ :
θεοῦ Q ‖ 24 post ἐστιν add. ἁμαρτωλὸς H ‖ 25 ἀνομίας : ἁμαρτίας
YQRTMSV ‖ προσετίθει Ο προστιθεὶς R προετίθη V ‖ 26 ἀνομιῶν YRV*l* :
ἁμαρτιῶν cett. ‖ 27 αὐτοῖς : ἑαυτοῖς Q ἐν αὐτοῖς T ‖ post πονηρά add.
καὶ δι' ἐκείνων H ‖ 28 αὐτοῦ om. YR ‖ 29 κοπιάσῃ OMSVH

     4 YOQRTMSVH*l*
     1 πάλιν Q iterum *l* : om. cett. ‖ λέγων om. QR ‖ 2 σκητιώτου : sene *l*

APOGHTEGMES DES PÈRES

πρακτικὸς μέγας ἀφελὴς δὲ περὶ τὴν πίστιν. Ἐσφάλετο
δὲ διὰ ἰδιωτείαν καὶ ἔλεγεν ὅτι οὐκ ἔστι φύσει ὁ ἄρτος
5 ὃν μεταλαμβάνομεν σῶμα Χριστοῦ ἀλλ' ἀντίτυπον. Καὶ
ἤκουσαν δύο γέροντες ὅτι λέγει τὸν λόγον τοῦτον. Καὶ
γινώσκοντες αὐτὸν μέγαν ὄντα τῷ βίῳ ἐλογίσαντο ὅτι ἐν
ἀκακίᾳ καὶ ἐν ἀφελότητι λέγει. Καὶ ἦλθον πρὸς αὐτὸν
καὶ λέγουσιν αὐτῷ · Ἀββᾶ, λόγον ἠκούσαμεν περί τινος
10 ἄπιστον ὅτι λέγει ὅτι ὁ ἄρτος ὃν μεταλαμβάνομεν οὐκ
ἔστι φύσει σῶμα Χριστοῦ ἀλλ' ἀντίτυπον. Ὁ δὲ γέρων
ἔφη · Ἐγὼ εἰμὶ ὁ τοῦτο εἰπών. Οἱ δὲ παρεκάλουν αὐτὸν
λέγοντες · Μὴ οὕτως κρατήσῃς, ἀββᾶ, ἀλλ' ὡς παρέδωκεν
ἡ καθολικὴ ἐκκλησία. Ἡμεῖς γὰρ πιστεύομεν ὅτι αὐτὸς
15 ὁ ἄρτος σῶμά ἐστι τοῦ Χριστοῦ καὶ τὸ ποτήριον αὐτό
ἐστι τὸ αἷμα τοῦ Χριστοῦ κατὰ ἀλήθειαν καὶ οὐκ ἀντίτυπον,
ἀλλ' ὥσπερ ἐν ἀρχῇ χοῦν λαβὼν ἀπὸ τῆς γῆς ἔπλασε τὸν
ἄνθρωπον κατ' εἰκόνα ἑαυτοῦᵃ, καὶ οὐδεὶς δύναται εἰπεῖν
ὅτι οὐκ ἦν εἰκὼν τοῦ Θεοῦ εἰ καὶ ἀκατάληπτος · οὕτως
20 καὶ ὁ ἄρτος ὃν εἶπεν σῶμά μου ἐστινᵇ πιστεύομεν ὅτι
κατὰ ἀλήθειαν σῶμά ἐστι τοῦ Χριστοῦ. Ὁ δὲ γέρων
εἶπεν · Ἐὰν μὴ πιστωθῶ ἀπὸ πράγματος οὐ πληροφοροῦμαι.
Οἱ δὲ εἶπαν πρὸς αὐτόν · Δεήθωμεν τοῦ Θεοῦ τὴν ἑβδομάδα
ταύτην περὶ τοῦ μυστηρίου τούτου καὶ πιστεύομεν ὅτι ὁ
25 Θεὸς ἀποκαλύπτει ἡμῖν. Ὁ δὲ γέρων μετὰ χαρᾶς ἐδέξατο
τὸν λόγον. Καὶ ἐδέετο τοῦ Θεοῦ λέγων · Σύ, Κύριε,
γινώσκεις ὅτι οὐ κατὰ κακίαν ἀπιστῶ · ἀλλ' ὅπως μὴ
πλανηθῶ ἀπὸ τῆς ἀληθείας ἀποκάλυψόν μοι, Κύριε Ἰησοῦ
Χριστέ. Ἀπελθόντες δὲ οἱ γέροντες εἰς τὰ κελλία ἑαυτῶν
30 παρεκάλουν καὶ αὐτοὶ τὸν Θεὸν λέγοντες · Κύριε Ἰησοῦ

3 περὶ Υ: εἰς cett. ‖ 6 δύο: οἱ δύο Μ ‖ 8 post λέγει add. τοῦτο Ηl ‖ 9 ἀββᾶ om. R ‖ 13 λέγοντες om. Υ ‖ κράτει QRT ‖ 15-16 καὶ τὸ – χριστοῦ om. V ‖ 17 τῆς ΥΟ cf. Alph.: om. cett. ‖ 21 κατὰ ἀλήθ. om. MSV ‖ 22 πιστωθῶ ΥQR: πεισθῶ cett. ‖ 23 εἶπαν Υ: εἶπον cett. ‖

mais était simple dans sa foi. Par ignorance il se trompait et disait que le pain auquel nous communions n'est pas réellement le corps du Christ, mais sa représentation. Deux vieillards apprirent qu'il tenait ce propos ; et sachant qu'il était grand dans sa vie, ils pensèrent qu'il parlait sans malice et par simplicité. Ils vinrent chez lui et lui dirent : « Abba, nous avons entendu une proposition contraire à la foi, de quelqu'un qui disait que le pain auquel nous communions n'est pas réellement le corps du Christ, mais sa représentation. » Le vieillard dit : « C'est moi qui ai dit cela. » Alors ils l'exhortaient en lui disant : « Ne tiens pas cette proposition, abba, mais selon ce qu'a transmis l'Église catholique. Car nous, nous croyons que ce pain lui-même est le corps du Christ et la coupe elle-même le sang du Christ en vérité, et non une représentation. Mais de même qu'à l'origine il prit de la boue de la terre et modela l'homme à son image[a] – et personne ne peut dire qu'il n'était pas image de Dieu, bien qu'insaisissable –, de même le pain dont il dit : C'est mon corps[b], nous croyons que c'est en vérité le corps du Christ. » Le vieillard dit : « Je ne serai pas convaincu si je n'en suis pas persuadé par l'expérience. » Ils lui dirent : « Supplions Dieu cette semaine au sujet de ce mystère, et nous croyons que Dieu nous le révélera. » Le vieillard accueillit cette parole avec joie, et il suppliait Dieu en disant : « Toi, Seigneur, tu sais que ce n'est pas par malice que je ne crois pas ; mais pour que je n'erre pas loin de la vérité, révèle-moi ce mystère, Seigneur Jésus Christ. Et les vieillards retournèrent dans leurs cellules et suppliaient Dieu, eux aussi, disant : « Seigneur

---

24 περὶ τοῦ μυστ. τούτου : περί σου QRT ‖ 25 *post* ἡμῖν *add.* περὶ τοῦ μυστηρίου QRT ‖ 28 *post* ἀποκάλ. *add.* οὖν QRT*l*

---

a. Cf. Gn 2, 7 ; 1, 27
b. Cf. Mt 26, 26

Χριστέ, ἀποκάλυψον τῷ γέροντι τὸ μυστήριον τοῦτο ἵνα πιστεύσῃ καὶ μὴ ἀπολέσῃ τὸν κόπον αὐτοῦ. Καὶ εἰσήκουσεν ὁ Θεὸς ἀμφοτέρων.

Καὶ πληρωθείσης τῆς ἑβδομάδος ἦλθον τῇ κυριακῇ εἰς 35 τὴν ἐκκλησίαν, καὶ ἐστάθησαν οἱ τρεῖς μόνοι εἰς ἓν ἐμβρίμιον, μέσος δὲ ἦν ὁ γέρων. Ἠνοίχθησαν δὲ αὐτῶν οἱ νοεροὶ ὀφθαλμοί, καὶ ὅτε ἐτέθη ὁ ἄρτος εἰς τὴν τράπεζαν ἐφαίνετο τοῖς τρισὶ μόνοις ὡς παιδίον. Καὶ ὡς ἐξέτεινεν ὁ πρεσβύτερος κλάσαι τὸν ἄρτον, ἰδοὺ ἄγγελος Κυρίου 40 κατῆλθεν ἐξ οὐρανοῦ ἔχων μάχαιραν καὶ ἔθυσε τὸ παιδίον καὶ ἐκένωσε τὸ αἷμα αὐτοῦ εἰς τὸ ποτήριον. Ὡς δὲ ἔκλασεν ὁ πρεσβύτερος εἰς μικρὰ μέρη τὸν ἄρτον, καὶ ὁ ἄγγελος ἔκοπτεν ἐκ τοῦ παιδίου μικρὰ μέρη. Καὶ ὡς ἀπῆλθον λαβεῖν ἐκ τῶν ἁγίων μυστηρίων, ἐδόθη τῷ γέροντι 45 μόνῳ κρέα αἱματώδη. Καὶ ἰδὼν ἐφοβήθη καὶ ἔκραξε λέγων· Πιστεύω, Κύριε, ὅτι ὁ ἄρτος σῶμά σού ἐστιν καὶ τὸ ποτήριον αἷμά σού ἐστιν. Καὶ εὐθέως ἐγένετο τὸ κρέας ἐν τῇ χειρὶ αὐτοῦ ἄρτος κατὰ τὸ μυστήριον, καὶ μετέλαβεν εὐχαριστῶν τῷ Θεῷ. Καὶ λέγουσιν οἱ γέροντες· Ὁ Θεὸς 50 οἶδεν τὴν ἀνθρωπίνην φύσιν ὅτι οὐ δύναται φαγεῖν κρέα ὠμά, καὶ διὰ τοῦτο μετεποίησεν τὸ σῶμα αὐτοῦ εἰς ἄρτον καὶ τὸ αἷμα αὐτοῦ εἰς οἶνον τοῖς πίστει δεχομένοις. Καὶ ηὐχαρίστησαν τῷ Θεῷ περὶ τοῦ γέροντος ὅτι οὐκ ἀφῆκεν αὐτὸν ἀπολέσαι τὸν κόπον αὐτοῦ. Καὶ ἀπῆλθον οἱ τρεῖς 55 μετὰ χαρᾶς εἰς τὰ κελλία ἑαυτῶν.

5   Ὁ αὐτὸς ἀββᾶ Δανιὴλ διηγήσατο περὶ ἄλλου γέροντος μεγάλου καθημένου εἰς τὰ κάτω μέρη τῆς Αἰγύπτου ὅτι ἔλεγεν ἐν ἀφελότητι ὅτι ὁ Μελχισεδὲκ αὐτός ἐστιν ὁ υἱὸς

35 ἐστάθησαν : ἐκαθέσθησαν [καθ- Μ] OMSVH*l* ‖ οἱ τρεῖς : ἀμφότεροι QRT ‖ μόνοι : μόνον V ‖ ἓν *om.* OV ‖ 36 *post* δὲ *add.* αὐτῶν QR ‖ ἦν : ἵστατο R ‖ 37 *post* τὴν *add.* ἁγίαν OMSVH *cf. Alph.* ‖ 44 ἀπῆλθον : accessisset senex *l* ‖ μυστηρίων *om.* ORMSVH *cf. Alph.* (sanctam)

Jésus Christ, révèle ce mystère au vieillard afin qu'il croie et ne perde pas sa peine.» Et Dieu les exauça tous.

Au bout de la semaine, ils vinrent le dimanche à l'église, et ils s'installèrent tous les trois seuls sur un coussin, le vieillard au milieu. Alors leurs yeux intérieurs s'ouvrirent et lorsqu'on mit le pain sur la table, à eux trois seuls il apparut comme un enfant. Et quand le prêtre tendit la main pour rompre le pain, voici qu'un ange du Seigneur descendit du ciel avec un glaive, immola l'enfant et vida son sang dans la coupe. Et quand le prêtre rompit le pain en petits morceaux, l'ange lui aussi coupa l'enfant en petits morceaux. Et lorsqu'ils allèrent recevoir les saints mystères, au vieillard seul fut donné de la chair sanglante. Ce que voyant, il fut effrayé et s'écria : «Je crois, Seigneur, que le pain est ton corps et que la coupe est ton sang.» Aussitôt dans sa main la chair devint du pain selon le mystère; et il communia en rendant grâces à Dieu. Les vieillards dirent : «Dieu connaît la nature humaine, que l'homme ne peut manger de chair crue; aussi a-t-il transformé son corps en pain et son sang en vin, pour ceux qui le reçoivent avec foi.» Et ils rendirent grâces à Dieu pour le vieillard de ce qu'il ne lui avait pas laissé perdre sa peine; et tous trois rentrèrent avec joie dans leurs cellules.

5   Le même abba Daniel raconta d'un autre grand vieillard   Dan 8
demeurant dans les régions inférieures d'Égypte qu'il disait   (160 A-C)
dans sa simplicité que Melchisédech est le propre fils de

---

communionem *l* ‖ 46 *post* ἄρτος *add.* qui in altari ponitur *l* ‖ 46-47 καὶ – ἐστιν *om.* YQ *cf. Alph.* ‖ 48 αὐτοῦ : τοῦ ἱερέως H ‖ 52 καὶ τὸ – οἶνον *om.* T ‖ 54 ἀπολέσθαι MV ‖ τὸν κόπον YH : τοὺς καρποὺς O τοὺς κόπους *cett.*
    5 YOQRTMSV[H]*l*

τοῦ Θεοῦ. Καὶ ἀπηγγέλη τῷ μακαρίῳ Κυρίλλῳ τῷ
5 ἀρχιεπισκόπῳ Ἀλεξανδρείας περὶ αὐτοῦ. Καὶ ἔπεμψεν πρὸς
αὐτόν. Εἰδὼς δὲ ὅτι σημειοφόρος ἐστιν ὁ γέρων καὶ εἴ
τι αἰτεῖ τὸν Θεὸν ἀποκαλύπτει αὐτῷ καὶ ὅτι ἐν ἀφελότητι
λέγει τὸν λόγον, ἐχρήσατο τοιαύτῃ σοφίᾳ λέγων · Ἀββᾶ,
παρακαλῶ σε ἐπειδὴ ὁ λογισμός μου λέγει ὅτι ὁ Μελχισεδὲκ
10 αὐτός ἐστιν ὁ υἱὸς τοῦ Θεοῦ, καὶ ἄλλος λογισμὸς λέγει
οὐχί, ἀλλ᾽ ἄνθρωπος ἀρχιερεὺς τοῦ Θεοῦ ἐστιν, ἐπειδὴ οὖν
διστάζω περὶ τούτου, ἀπέστειλα πρὸς σὲ ἵνα δεηθῇς τοῦ
Θεοῦ ὅπως σοι ἀποκαλύψῃ καὶ γνῶμεν τὴν ἀλήθειαν. Ὁ
δὲ γέρων τῇ ἑαυτοῦ πολιτείᾳ θαρρῶν εἶπε μετὰ παρρησίας ·
15 Ἔνδος μοι τρεῖς ἡμέρας κἀγὼ ἐρωτῶ τὸν Θεὸν περὶ
τούτου καὶ ἀναγγελῶ σοι τί ἐστιν. Ἀπελθὼν οὖν ἐδέετο
τοῦ Θεοῦ περὶ τοῦ ῥήματος τούτου. Καὶ ἐλθὼν μετὰ τρεῖς
ἡμέρας ὁ γέρων λέγει τῷ μακαρίῳ Κυρίλλῳ ὅτι ἄνθρωπός
ἐστιν ὁ Μελχισεδέκ. Καὶ εἶπεν αὐτῷ ὁ ἀρχιεπίσκοπος ·
20 Πῶς οἶδας, ἀββᾶ; Ὁ δὲ εἶπεν · Ὁ Θεὸς ἀπεκάλυψέν μοι
ὅλους τοὺς πατριάρχας οὕτως ἕνα ἕκαστον παρερχόμενον
ἐνώπιόν μου ἀπὸ Ἀδὰμ μέχρι Μελχισεδέκ, καὶ ὁ ἄγγελος
εἶπέ μοι ὅτι · Οὗτός ἐστιν ὁ Μελχισεδέκ, καὶ θάρσει ὅτι
οὕτως ἐστίν. Καὶ ἀπελθὼν ἐκήρυσσεν δι᾽ ἑαυτοῦ ὅτι
25 ἄνθρωπός ἐστιν ὁ Μελχισεδέκ. Καὶ ἐχάρη μεγάλως ὁ
μακάριος Κύριλλος.

6 Παιδίον ἦν ὁ μακάριος Ἐφραὶμ καὶ εἶδεν ὄναρ ἤγουν
ὀπτασίαν ὅτι ἀνῆλθεν ἄμπελος ἐν τῇ γλώσσῃ αὐτοῦ καὶ
ηὔξησε καὶ ἐπλήρωσε πᾶσαν τὴν ὑπ᾽ οὐρανόν · καὶ ἦν

4 ἀπαγγέλλει O ‖ 6 [ὁ γέρων hic des. H ‖ 7-8 καὶ ὅτι ἐν ἀφελότητι
λέγει τὸν λόγον MI cf. Alph.: om. cett. ‖ 8 σοφίᾳ : ratione l ‖ 10 αὐτός
om. YOQRTV ‖ 11 ἄνθρωπος om. QRT ‖ post ἐστιν add. καὶ ἄνθρωπός
ἐστιν QRT ‖ 13 σοι om. Q ‖ 14 ἑαυτοῦ : αὐτοῦ YMS ‖ 16 τούτου :
αὐτοῦ QR ‖ τί YR : τίς cett. ‖ 18 post κυρίλλῳ add. τῷ ἀρχιεπισκόπῳ
YQRT ‖ 23 post καὶ add. archiepiscope l ‖ 24 οὕτως Ol cf. Alph.:
οὗτος cett.

6 YOQRTMSVl

1 ἦν : ὢν ἔτι YQ ὢν RT ‖ καὶ om. YQRT ‖ 3 πᾶσαν om. SV

Dieu[1]. On en informa le bienheureux Cyrille, l'archevêque d'Alexandrie, qui le fit venir. Mais sachant que le vieillard était sémeiophore, que Dieu lui révélait ce qu'il demandait et qu'il tenait ces propos par simplicité, il s'y prit habilement, lui disant : « Abba, je t'en prie ; comme ma pensée me dit que Melchisédech est le fils de Dieu lui-même et qu'une autre pensée me dit : Non, mais c'est un homme grand-prêtre de Dieu ; puisque donc je suis partagé sur ce point, je t'ai fait venir pour que tu demandes à Dieu de te le révéler et que nous sachions la vérité. » Confiant dans sa manière de vivre, le vieillard lui dit avec assurance : « Accorde-moi trois jours ; j'interrogerai Dieu sur ce point et je te dirai ce qu'il en est. » Il partit donc et suppliait Dieu à propos de cette parole. Au bout de trois jours, le vieillard vint dire au bienheureux Cyrille : « Melchisédech est un homme. » L'archevêque lui dit : « Comment le sais-tu, abba ? » Il dit : « Dieu m'a révélé tous les patriarches en sorte que chacun passait devant moi, depuis Adam jusqu'à Melchisédech ; et l'ange me dit : Celui-ci est Melchisédech. Sois sûr qu'il en est ainsi. » Et le vieillard partit et proclama de lui-même que Melchisédech est un homme, ce dont le bienheureux Cyrille se réjouit grandement.

6   Étant enfant, le bienheureux Éphrem eut un songe ou une vision : un pied de vigne poussa sur sa langue, se développa et remplit tout ce qui est sous le ciel ; et il

Ephr 1
(168 B)

---

1. Hérésie qui semble s'être répandue assez largement dans les milieux monastiques de Basse-Égypte (cf. aussi *Syst.* XV, 38 = *Alph.* Coprès 3) ; elle fut combattue entre autres par Marc le Moine, *Opusc.* 10 = *Melchisédech*, éd. G.-M. de Durand, *SC* 455, p. 182-222 ; voir l'introduction, p. 173-174 et n. 1. O. Hesse, « Markus Eremita und seine Schrift 'De Melchisedech' », *Oriens Christianus* 51, 1967, p. 72-77 donne les principales références patristiques. A propos de Cyrille, voir *De dogmatum solutione (Doctrinal Questions and Answers)* 10, éd. L.R. Wickham, Oxford 1983, p. 210 : l'œuvre s'adresse aux moines d'Égypte et la Question 10 porte précisément sur l'identité de Melchisédech.

εὔκαρπος πάνυ. Καὶ ἤρχοντο πάντα τὰ πετεινὰ τοῦ οὐρανοῦ
5 καὶ ἤσθιον ἐκ τοῦ καρποῦ τῆς ἀμπέλου, καὶ πρὸς ὃ ἤσθιον
πλεῖον ἐπληροῦτο ὁ καρπός.

7   Πάλιν εἶδέ τις τῶν ἁγίων ἐν ὁράματι ἀγγέλων τάγματα
ἐρχομένων ἐκ τοῦ οὐρανοῦ κατὰ πρόσταξιν Θεοῦ. Εἶχον
δὲ ἐπὶ χεῖρα κεφαλίδα τοῦτ' ἐστι τόμον γεγραμμένον
ἔσωθεν καὶ ἔξωθεν. Ἔλεγον δὲ πρὸς ἀλλήλους · Τίς ὀφείλει
5 τοῦτο ἐγχειρισθῆναι; Καὶ οἱ μὲν ἔλεγον · Ὁ δεῖνα, οἱ δὲ
ἕτερον. Ἀπεκρίθησαν δὲ καὶ εἶπαν · Ἀληθῶς ἅγιοί εἰσι
καὶ δίκαιοι, πλὴν οὐ δύνανται τοῦτο ἐγχειρισθῆναι. Πολλὰ
δὲ ἄλλα ὀνόματα εἰπόντες ἁγίων, ὕστερον εἶπον ὅτι · Οὐδεὶς
δύναται ἐγχειρισθῆναι τοῦτο εἰ μὴ ὁ Ἐφραίμ. Βλέπει δὲ
10 ὁ γέρων ὁ ἰδὼν τὸ ὅραμα ὅτι τῷ Ἐφραὶμ ἐπέδωκαν τὴν
κεφαλίδα. Καὶ ἀναστὰς πρωῒ ἤκουσε τοῦ Ἐφραὶμ
διδάσκοντος καὶ ὥσπερ πηγὴ ἦν βρύουσα ἐκ τοῦ στόματος
αὐτοῦ. Καὶ ἔγνω ὁ γέρων ὁ ἰδὼν τὸ ὅραμα ὅτι ἐκ
Πνεύματος ἁγίου ἐστιν τὰ ἐκπορευόμενα διὰ τῶν χειλέων
15 τοῦ Ἐφραίμ.

8   Ἔλεγον περὶ τοῦ ἀββᾶ Ζήνωνος ὅτι καθεζόμενος ἐν τῇ
Σκήτει ἐξῆλθε νυκτὸς ἐκ τῆς κέλλης αὐτοῦ ὡς ἐπὶ τὸ
ἕλος. Καὶ πλανηθεὶς ἐποίησε τρεῖς ἡμέρας καὶ τρεῖς νύκτας
περιπατῶν. Καὶ κοπιάσας ἐκλιπὼν ἔπεσεν εἰς τὸ ἀποθανεῖν.
5 Καὶ ἰδοὺ παιδάριον ἔστη ἔμπροσθεν αὐτοῦ ἔχον ἄρτον καὶ
βαυκάλιον ὕδατος, καὶ λέγει αὐτῷ · Ἀνάστα, φάγε. Ὁ δὲ
ἀναστὰς προηύξατο νομίζων ὅτι φαντασία ἐστιν. Ὁ δὲ
ἀποκριθεὶς εἶπεν αὐτῷ · Καλῶς ἐποίησας. Καὶ πάλιν ηὔξατο
δεύτερον, ὁμοίως καὶ τρίτον. Καὶ λέγει αὐτῷ · Καλῶς
10 ἐποίησας · Ἀναστὰς οὖν ἔλαβε καὶ ἔφαγε. Καὶ μετὰ ταῦτα

4 ἤρχετο QRT ‖ πάντα om. TMSV ‖ 6 ἐπληρ. : ἐπληθύνετο QRT
7 YOQRTMSV/
1 τάγμα OQV cf. Alph. ordinem l ‖ 2 ἐρχόμενον Q κατερχόμενον
OMV κατερχομένων S ‖ εἶχε Q ‖ 3 χεῖρα YO/: χεῖρας cett. ‖ 6 post
δὲ add. ὕστερον QRT ‖ εἶπον R ‖ 7 δύναται O ‖ 10 ἔδωκαν M

donnait de très beaux fruits. Tous les oiseaux du ciel venaient manger du fruit de la vigne, et plus ils en mangeaient plus les fruits se multipliaient.

7 Une autre fois, l'un des saints vit dans une vision des troupes d'anges venant du ciel par ordre de Dieu. Ils tenaient en main un rouleau, c'est-à-dire un volume écrit sur les deux faces, et ils se disaient : «Qui doit prendre en main ce rouleau?» Et les uns disaient : Un tel, les autres un autre. Mais ils répondirent en disant : «Certes, ces personnes sont saintes et justes, mais elles ne peuvent prendre en main ce rouleau.» On cita beaucoup d'autres noms de saints, et finalement ils dirent : «Personne d'autre qu'Éphrem ne peut le prendre en main.» Et le vieillard qui avait la vision vit qu'ils donnèrent le rouleau à Éphrem. Se levant au matin, il entendit Éphrem enseigner; et il y avait comme une source qui coulait de sa bouche. Et le vieillard qui avait la vision sut que ce qui sortait des lèvres d'Éphrem venait du Saint Esprit.

Ephr 2 (168 B-C)

8 On disait d'abba Zénon que, lorsqu'il demeurait à Scété, il sortit une nuit de sa cellule dans l'intention d'aller au marais. Et s'étant égaré, il passa trois jours et trois nuits à errer. Fatigué et les forces lui manquant, il tomba comme pour mourir. Et voici qu'un jeune enfant se tint devant lui avec du pain et une cruche d'eau et lui dit : «Lève-toi, mange.» Mais il se leva pour prier, pensant que c'était un mirage. L'autre lui répondit : «Tu as bien fait.» Et il pria une seconde, puis une troisième fois; et il lui dit : «Tu as bien fait.» Se levant alors, il prit et

Zén 5 (177 A-B)

---

8 YOQRTMSV*l*

3 *post* πλανηθεὶς *add.* τὴν ὁδὸν Y ‖ καὶ τρεῖς νύκτας *om.* M ‖ 4 *post* κοπιάσας *add.* καὶ QRT ‖ 6 ἀνάστα YO*l cf. Alph.* ἀναστὰς *cett.* ‖ 7 φαντασία : φάντασμα QRT phantasma *l* ‖ 8-10 καὶ πάλιν – ἐποίησας *om.* QT ‖ 10 μετὰ ταῦτα *om.* YQRT

λέγει αὐτῷ· Ὅσον περιεπάτησας τοσοῦτον μακρὰν εἶ ἀπὸ
τῆς κέλλης σου. Ἀλλ᾽ ἀναστὰς ἀκολούθει μοι. Καὶ εὐθέως
εὑρέθη εἰς τὴν κέλλαν αὐτοῦ. Εἶπεν οὖν αὐτῷ ὁ γέρων·
Εἴσελθε, ποίησον ἡμῖν εὐχήν. Καὶ εἰσελθόντος τοῦ γέροντος
15 ἐκεῖνος ἀφανὴς ἐγένετο.

9   Οἱ ἅγιοι πατέρες τῆς Σκήτεως προεφήτευσαν περὶ τῆς
ἐσχάτης γενεᾶς λέγοντες· Τί εἰργασάμεθα ἡμεῖς; Καὶ
ἀποκριθεὶς εἷς ἐξ αὐτῶν μέγας τῷ βίῳ ὀνόματι Ἰσχυρίων
εἶπεν· Ἡμεῖς τὰς ἐντολὰς τοῦ Θεοῦ ἐφυλάξαμεν. Καὶ
5 ἀποκριθέντες οἱ γέροντες εἶπον· Οἱ δὲ μεθ᾽ ἡμᾶς ἆρα τί
ποιήσωσιν; Ὁ δὲ εἶπεν· Μέλλουσιν εἰς τὸ ἥμισυ τοῦ
ἔργου ἡμῶν ἔρχεσθαι. Καὶ εἶπαν· Οἱ δὲ μετὰ τούτους,
τί; Καὶ εἶπεν· Οὐκ ἔχουσιν ὅλως ἔργον οἱ τῆς γενεᾶς
ἐκείνης· μέλλει δὲ αὐτοῖς ἔρχεσθαι πειρασμός, καὶ οἱ
10 εὑρισκόμενοι δόκιμοι ἐν τῷ πειρασμῷ ἐκείνῳ μείζονες ἡμῶν
καὶ τῶν πατέρων ἡμῶν εὑρίσκονται.

10   Εἶπεν ἀββᾶ Ἰωάννης ὅτι εἶδέ τις τῶν γερόντων ἐν
ἐκστάσει καὶ ἰδοὺ τρεῖς μοναχοὶ ἐστήκησαν εἰς τὸ πέραν
τῆς θαλάσσης. Καὶ ἐγένετο φωνὴ πρὸς αὐτοὺς ἐκ τοῦ
ἄλλου πέραν λέγουσα· Λάβετε πτέρυγας πυρὸς καὶ δεῦτε
5 πρὸς μέ. Καὶ οἱ μὲν δύο ἔλαβον καὶ ἐπετάσθησαν εἰς τὸ
ἄλλο πέραν· ὁ δὲ ἄλλος ἔμεινε καὶ ἔκλαιε σφόδρα καὶ
ἔκραζεν. Ὕστερον δὲ ἐδόθησαν αὐτῷ πτερὰ οὐ μέντοι
πυρὸς ἀλλ᾽ ἀσθενῆ καὶ ἀδύναμα. Καὶ μετὰ καμάτου
καταποντιζόμενος καὶ ἀνιστάμενος μετὰ θλίψεως πολλῆς
10 ἦλθεν εἰς τὸ ἄλλο πέραν. Οὕτως καὶ ἡ γενεὰ αὕτη, εἰ

11 εἶ om. V ‖ ἀπὸ YR cf. Alph : om. cett.
    9 YOQRTMSVl
    3 Cyrion [uel Squirion uel Isquirion uel Histirion] l ‖ 4 ἡμεῖς : non
l ‖ ἐφυλάξ. Yl : ἐποιήσαμεν cett. ‖ 4-5 καὶ ἀποκρ. οἱ γ. εἶπον om. T ‖
5 οἱ γέροντες om. OMSV illi l ‖ ἄρα YR om. cett. ‖ 7 εἶπαν YOR :
εἶπον cett. ‖ τούτους : αὐτούς Q cf. Alph. ‖ 8 ὅλως om. V ‖ 10 πειρασμῷ :
tempore l cf. καιρῷ Alph. ‖ 11 ἡμῶν : καὶ ἡμῶν MS
    10 YOQRTMSV[H]l
    1 εἶπε πάλιν TM ‖ 2 ἐστήκασιν QRT ἔστηκαν M cf. Alph. ‖ πέραν:

mangea. Il lui dit après cela : «Autant tu as marché,
autant tu t'es éloigné de ta cellule. Aussi lève-toi et suis-
moi.» Et aussitôt il se trouva à sa cellule. Le vieillard lui
dit alors : «Entre et fais-nous une prière.» Et lorsque le
vieillard fut entré, celui-ci devint invisible.

9 Les saints pères de Scété prophétisèrent sur la dernière
génération disant : «Qu'avons-nous fait, nous?» Et l'un
d'eux, grand par sa vie, nommé Ischyrion, répondit :
«Nous, nous avons gardé les commandements de Dieu.»
Les vieillards répartirent : «Ceux qui viennent après nous,
que feront-ils donc?» Il dit : «Ils tâcheront d'arriver à la
moitié de notre œuvre.» Ils dirent : «Mais leurs succes-
seurs, que feront-ils?» Et il dit : «Ceux de cette géné-
ration-là n'ont aucune œuvre; viendra sur eux la tentation, et ceux qui seront trouvés éprouvés dans cette
tentation seront plus grands que nous et que nos pères[1].»

Isch 1
(241 D-
244 A)

10 Abba Jean dit que l'un des vieillards vit en extase que
trois moines se tenaient sur la rive de la mer. De l'autre
rive leur parvint une voix qui disait : «Prenez des ailes
de feu et venez à moi.» Les deux premiers en prirent
et volèrent vers l'autre rive. Mais le troisième resta sur
place, pleurant amèrement et criant. Plus tard, on lui
donna des ailes, non cependant de feu, mais faibles et
sans puissance; et tantôt en coulant, tantôt en émergeant
il parvint très péniblement sur l'autre rive. Ainsi en va-
t-il de la génération présente : même si elle reçoit des

JnC 14
(208 C-D)

μέσον QRT ‖ 4 πέραν : μέρους QT ‖ 5 [μὲν δύο hic inc. H ‖ 6-7 καὶ
ἔκραζε om. QT ‖ 8 ἀδύναμα YOV : ἀδύνατα cett. ‖ 9 ἀνιστάμενος om.
QT ‖ 10 ἄλλο om. OMSVH cf. Alph. ‖ post οὕτως add. οὖν QRT

1. Dans la version latine, cet apophtegme est placé au livre suivant
(PL 73, 995 BC). Peut-être est-ce le rapprochement avec l'apophtegme
suivant (prédiction sur la succession des générations de moines) qui
l'a fait placer ici.

καὶ λαμβάνει πτερά, οὐ μέντοι πυρὸς μόλις δὲ ἀσθενῆ καὶ
ἀδύναμα λάβῃ.

11 Ἔλεγον περὶ τοῦ ἀββᾶ Λογγίνου ὅτι τίς ποτε ναύκληρος
ἤνεγκεν αὐτῷ χρυσίον ἐκ τοῦ πόρου τῶν πλοίων αὐτοῦ
προσφέρων αὐτῷ. Ὁ δὲ οὐκ ἤθελε δέξασθαι, ἀλλ᾽ εἶπεν
αὐτῷ · Τούτων ὧδε οὐκ ἔστι χρεία, ἀλλὰ ποίησον ἀγάπην,
5 ἄνελθε εἰς τὸ ζῶόν σου καὶ σπούδασον καταλαβεῖν τὴν
διαβάθραν τοῦ ἁγίου Πέτρου. Καὶ εὑρίσκεις νεώτερόν τινα
φοροῦντα ἱμάτια τοιάδε, καὶ ὅλον αὐτῷ τὸ χρυσίον δός,
καὶ ἐρώτησον αὐτὸν τί ἐστιν ὃ ἔχει. Σπεύσας οὖν ὁ
ναύκληρος καὶ ἀπελθὼν εὗρε καθὼς εἶπεν αὐτῷ ὁ γέρων.
10 Καὶ ἠρώτησεν αὐτόν · Ποῦ ἀπέρχῃ, ἄδελφε, ὅτι ἤμην πρὸς
τὸν ἀββᾶ Λογγῖνον καὶ αὐτὸς ἔπεμψέ με πρὸς σὲ ἵνα
δώσω σοι τὸ χρυσίον τοῦτο; Τότε ὁ νεώτερος διηγήσατο
αὐτῷ τὴν θλῖψιν αὐτοῦ ὅτι · Ἐγὼ εἰς χρήματα πολλὰ
σύρομαι καὶ μὴ εὐπορῶν ἐξέρχομαι ἀγχόνῃ χρήσασθαι ἔξω
15 τῆς πόλεως · ἵνα δὲ πιστεύσῃς, ἰδοὺ καὶ τὸ σχοινίον
βαστάζω. Καὶ ἐξενέγκας ἐκ τοῦ κόλπου αὐτοῦ ἔδειξεν
αὐτῷ. Ὁ δὲ ναύκληρος δοὺς αὐτῷ τὸ χρυσίον ὑπέστρεψεν
αὐτὸν ἀπελθεῖν εἰς τὴν πόλιν. Καὶ ὑποστρέψας πρὸς τὸν
ἀββᾶ Λογγῖνον, διηγήσατο αὐτῷ τὸ πρᾶγμα. Καὶ λέγει
20 αὐτῷ ὁ γέρων · Πίστευσον, ἄδελφε, εἰ μὴ ἔσπευσας καὶ
ἔφθασας αὐτὸν ἐγὼ καὶ σὺ κριθῆναι εἴχομεν περὶ τῆς
ψυχῆς αὐτοῦ.

12 Ἄλλοτε πάλιν καθεζόμενος ἐν τῷ κελλίῳ ἑαυτοῦ,
πατέρων παραβαλόντων αὐτῷ, ἀθρόως ἀναστὰς μηδενὶ μηδὲν

12 ἀδύνατα Q ‖ λαμβάνει ORTH cf. Alph.: om. Q
11 YOQRTMSVH
3 προσφέρων αὐτῷ om. QRT ‖ 4 post ἀλλὰ add. ὕπαγε QRT ‖ 7 καὶ
om. YOS ‖ 8 ἐστιν ὃ om. QRT ‖ ἔχεις MS ‖ σπεύσας : σπουδάσας
OMSVH ‖ 12 post νεώτερος add. ἀκούσας περὶ τοῦ ἀββᾶ λογγίνου
OMSVH ‖ 13 αὐτῷ om. Q ‖ post αὐτοῦ add. λέγων QRT ‖ post ἐγὼ
add. φησιν QR ‖ 17 post αὐτῷ add. τὸ σχοινίον MS ‖ ἀπέστρεψεν MS
ἔστρεψεν H ‖ 18 αὐτὸν om. QRT ‖ καὶ ὑποστρ. πρὸς : καὶ ἐλθὼν πρὸς

ailes, elles ne sont cependant pas de feu; mais à peine peut-elle en recevoir de faibles et sans puissance.

11 On disait d'abba Longin qu'un armateur lui apporta un J 709 jour de l'or provenant du revenu de ses navires pour le lui remettre. Il ne voulait pas l'accepter, mais lui dit : «Ici, on n'en a pas besoin; mais sois charitable, saute sur ta monture et arrive vite aux marches de Saint-Pierre[1]; tu y trouveras un jeune homme vêtu de telle façon. Donne-lui tout l'or et demande-lui ce qu'il a.» L'armateur partit donc en hâte et trouva les choses comme lui avait dit le vieillard. Il interrogea le jeune homme : «Où vas-tu, frère? Car j'étais chez abba Longin et lui-même m'a envoyé vers toi pour te donner cet or.» Alors le jeune homme lui raconta son malheur : «J'ai perdu de grandes richesses et, n'ayant plus rien, je vais me pendre hors de la ville; et afin que tu me croies, voici la corde que je porte.» Et la tirant de sa poitrine, il la lui montra. Mais l'armateur, en lui donnant l'or, le fit retourner en ville. Et revenant chez abba Longin, il lui raconta l'affaire. Le vieillard lui dit : «Crois-moi, frère, si tu ne t'étais pas hâté de le rejoindre, moi et toi aurions été jugés pour son âme.»

12 Une autre fois, alors qu'il était assis dans sa cellule, J 710 des pères le visitant, il se leva subitement et, sans rien

QRT ὑπεστρέψας δὲ εἰς OV αὐτὸς δὲ ὑπεστρέψας εἰς MSH ‖ 20 αὐτῷ *om.* QR ‖ ἔσπευσας : ἐσπούδασας OMSVH ‖ 21 περὶ : ὑπὲρ MS
   12 YOQRTMSVH
   1 ἑαυτοῦ : αὐτοῦ Y^acOR ‖ 2-3 πατέρων – αὐτοῦ *om.* V ‖ 2 παραβαλόντων : παρακαλούντων M ‖ ἀθρόον MS ‖ *post* ἀναστὰς *add.* καὶ QRTMH

---

1. Les «marches de Saint-Pierre», c'est-à-dire l'entrée de l'église Saint-Pierre (cf. aussi Jean Moschos, *Pré spirituel* 73). Il s'agit d'une église cimétériale, située dans les faubourgs ouest de la ville, construite par l'évêque Pierre d'Alexandrie qui y fut enterré après son martyre en 311 (cf. A. Martin, *Athanase d'Alexandrie et l'Église d'Égypte au IVe siècle (328-373)*, collection de l'École Française de Rome, n° 216, Rome 1996, p. 152).

εἰρηκὼς ἐξῆλθε τοῦ κελλίου αὐτοῦ καὶ ὁρμᾷ ἐπὶ τὴν λίμνην.
Καὶ ὡς ἤγγισεν τῇ λίμνῃ, ἰδοὺ ἔφθασε πλοῖον ἐρχόμενον
5 ἀπὸ τῶν μερῶν τῆς Αἰγύπτου ἐν ᾧ ἦν γέρων τις ἅγιος
παραβαλεῖν αὐτῷ θέλων. Καὶ ὡς ἠσπάσαντο ἀλλήλους τῷ
ἁγίῳ φιλήματι ἔστησαν εἰς εὐχήν. Καὶ ἔλεγεν ὁ αἰγύπτιος
τῷ Θεῷ · Κύριε, παρεκάλεσά σε ἵνα μὴ γνωστὸν γένηται
τῷ γέροντι περὶ ἐμοῦ καὶ κόπον ὑπομείνῃ. Καὶ ἐλθόντες
10 εἰς τὸ κελλίον τοῦ ἀββᾶ Λογγίνου ἐπὶ τὴν αὔριον ἐκοιμήθη
ὁ αἰγύπτιος γέρων.

13   Ἀββᾶ Μακάριος ᾤκει ἐν τῇ πανερήμῳ. Ἦν δὲ μόνος
ἐν αὐτῇ ἀναχωρῶν, παρακάτω δὲ ἦν ἄλλη ἔρημος πλειόνων
ἀδελφῶν. Παρετηρεῖτο δὲ ὁ γέρων τὴν ὁδὸν καὶ ὁρᾷ τὸν
Σατανᾶν ἐρχόμενον ἐν σχήματι ἀνθρώπου, καὶ θέλοντα
5 παρελθεῖν δι' αὐτοῦ. Ἐφαίνετο δὲ ὡς στιχάριον φορῶν
λίνον τρωγλωτόν · καὶ κατὰ τρυμαλιὰν ἐκρέματο ληκύνθιον.
Καὶ λέγει αὐτῷ ὁ γέρων · Ποῦ ἀπέρχῃ; Καὶ λέγει ·
Ἀπέρχομαι ὑπομνῆσαι τοὺς ἀδελφούς. Ὁ δὲ γέρων εἶπεν ·
Καὶ τί εἰσι τὰ ληκύνθια ταῦτα; Ὁ δὲ εἶπεν · Γεύματα
10 ἀποφέρω τοῖς ἀδελφοῖς. Ὁ δὲ γέρων εἶπεν · Καὶ ταῦτα
ὅλα; Καὶ ἀπεκρίθη · Ναί · ἐὰν μὴ τὸ ἓν ἀρέσῃ, φέρω
ἄλλο · ἐὰν μηδὲ τοῦτο, δίδω ἄλλο. Πάντως γὰρ ἓν ἐξ
αὐτῶν ἀρέσαι αὐτῷ ἔχει. Καὶ ταῦτα εἰπὼν ἀπῆλθεν. Καὶ
ἔμεινεν ὁ γέρων παρατηρούμενος τὰς ὁδούς. Καὶ ὡς εἶδεν
15 αὐτὸν πάλιν ἐπανερχόμενον λέγει αὐτῷ · Σωθῇς, σωθῇς.
Ὁ δὲ ἀπεκρίθη · Ποῦ ἔνι σωθῆναι; Λέγει αὐτῷ ὁ γέρων ·
Διατί; Ὁ δὲ εἶπεν · Ὅτι πάντες ἄγριοί μοι ἐγένοντο, καὶ
οὐδείς μοι ἀνέχεται. Λέγει ὁ γέρων · Οὐδένα φίλον ἔχεις
ἐκεῖ; Ὁ δὲ εἶπεν · Ναί, ἕνα μόνον ἔχω ἐκεῖ ἀδελφόν, καὶ

3 ὥρμησεν QRT ‖ 4 τῇ : ἐν τῇ QR ‖ ἔφθασε : ἐγγίζει τῇ λίμνῃ
OMSV om. H ‖ 5 ἅγιος om. H ‖ 6 θέλων : ἐρχόμενος QRT ‖ ὡς om.
H ‖ 7 φιλήματι : πνεύματι OMSVH ‖ εἰς εὐχήν om. H ‖ 8 τῷ θεῷ
om. QRT ‖ 9 post ὑπομείνῃ add. καὶ οὐκ εἰσήκουσάς μου H ‖ 10 τῇ
ἐπαύριον QRT ‖ 11 αἰγύπτιος om. H
13 YOQRTMSVH*l*

dire à personne, quitta sa cellule et court à la mer. Et
lorsqu'il s'en approcha, voici qu'aborda un bateau venant
d'Égypte, sur lequel se trouvait un saint vieillard qui
voulait le visiter. Ils s'embrassèrent d'un saint baiser et
se tinrent debout pour la prière. Et l'égyptien dit à Dieu :
« Seigneur, je t'avais demandé que mon projet ne soit
pas connu du vieillard, qu'il n'en subisse pas de la
fatigue. » Ils allèrent dans la cellule d'abba Longin, et le
lendemain le vieillard égyptien s'endormit.

13   Abba Macaire demeurait dans le grand désert; il y vivait
seul, dans la retraite. Plus bas, il y avait un autre désert
où vivaient de nombreux frères. Or le vieillard qui sur-
veillait le chemin voit venir Satan, habillé en homme, qui
voulait passer par chez lui. Il semblait porter comme une
robe de lin percée de trous, et à chaque trou pendait
une petite fiole. Le vieillard lui dit : « Où vas-tu ? » Il dit :
« Je vais réveiller la mémoire des frères. » Le vieillard dit :
« Et que sont ces petites fioles ? » Il dit : « J'apporte des
aliments aux frères. » Le vieillard dit : « Et tous ceux-là ? »
Il répondit : « Oui; si le premier ne plaît pas, j'en offre
un autre, et si celui-ci ne plaît pas non plus, j'en offre
un troisième; car l'un d'eux au moins lui plaira. » Cela
dit, il partit. Et le vieillard resta à surveiller les chemins.
Et quand il le vit revenir, il lui dit : « Salut, salut ! » L'autre
répondit : « Où y a-t-il pour moi un salut ? » Le vieillard
lui dit : « Pourquoi ? » Il dit : « Tous furent agressifs envers
moi, et aucun ne m'a reçu. » Le vieillard dit : « Tu n'as
là-bas aucun ami ? » Il dit : « Si, j'ai là-bas un seul frère;

Mac 3
(261 A-
264 B)

1 μακάρις YR ‖ 4 παρερχόμενον QT ‖ 5 στηχάριν YRV ‖ 6 λίνον :
λινοῦν QTMS cf. Alph. ‖ 7 ποῦ : ohe maior ubi l ‖ 9 post εἰσι add.
ὅλα TMS ‖ 10 τοὺς ἀδελφούς QR ‖ 11 post ἐὰν add. γὰρ QRT ‖ 12 ἐὰν
- ἄλλο om. OQT ‖ μηδὲ Y : δὲ μὴ cett. ‖ δίδω YR : δίδωμι cett. ‖
15 ἐπανερχ. : ἀπερχόμενον R ‖ σωθῆς semel Hl ‖ 17 ἄγριοί : sanctificati
l ‖ 18 ἀνέχεται : πείθεται QT ‖ post λέγει add. οὖν OMSV ‖ 19 μόνον :
μοναχὸν OMSVH ‖ ἐκεῖ YORl : om. cett.

20 αὐτὸς πείθεταί μοι · καὶ ὅταν ὁρᾷ με στρέφεται ὡς ἀνέμη.
Λέγει ὁ γέρων · Καὶ τίς καλεῖται ὁ ἀδελφός; Ὁ δὲ λέγει ·
Θεόπεμπτος. Καὶ εἰπὼν ταῦτα ἀπῆλθεν.
Ὁ δὲ ἀββᾶ Μακάριος ἀναστὰς ἀπέρχεται ἐπὶ τὴν παρακάτω ἔρημον. Καὶ ἀκούσαντες οἱ ἀδελφοὶ λαβόντες βαΐα
25 ἐξῆλθον εἰς ἀπάντησιν αὐτοῦ. Καὶ λοιπὸν ἕκαστος ηὐτρεπί-
ζετο νομίζων ὅτι πρὸς αὐτὸν ἤμελλεν ὁ γέρων καταλύειν.
Ὁ δὲ ἐπεζήτει τίς ἐστιν ὁ καλούμενος Θεόπεμπτος ἐν τῷ
ὄρει. Καὶ εὑρὼν αὐτὸν εἰσῆλθεν ἐν τῷ κελλίῳ αὐτοῦ. Ὁ
δὲ Θεόπεμπτος ὑπεδέξατο αὐτὸν χαίρων. Ὡς δὲ ἤρξατο
30 ἰδιάζειν, λέγει αὐτῷ ὁ γέρων · Πῶς τὰ κατὰ σέ, ἄδελφε;
Ὁ δὲ λέγει · Τέως καλῶς εἰμί. Αἰδεῖτο γὰρ εἰπεῖν. Λέγει
ὁ γέρων · Ἰδοὺ τοσαῦτα ἔτη ἔχω ἀσκῶν, καὶ τιμῶμαι
παρὰ πάντων, καὶ ἐμοὶ τῷ γέροντι ὀχλεῖ τὸ πνεῦμα τῆς
πορνείας. Τότε ἀπεκρίθη ὁ ἀδελφός · Πίστευέ μοι, ἀββᾶ,
35 καὶ ἐμοί. Ὁ δὲ γέρων προεφασίζετο καὶ ἄλλους λογισμοὺς
ἐνοχλεῖν αὐτῷ ἕως οὗ πείσῃ αὐτὸν ὁμολογῆσαι. Εἶτα λέγει
αὐτῷ · Πῶς νηστεύεις; Ὁ δὲ εἶπεν · Τὴν ἐνάτην. Λέγει
αὐτῷ ὁ γέρων · Νήστευε ἕως ὀψέ, καὶ ἄσκει, καὶ ἀποστή-
θιζε τοῦ Εὐαγγελίου καὶ τῶν λοιπῶν Γραφῶν · ἐάν σοι
40 ἀνάβῃ λογισμὸς πονηρὸς μηδέποτε πρόσχῃς κάτω, ἀλλὰ
πάντοτε ἄνω, καὶ εὐθύς σοι ὁ Κύριος βοηθεῖ. Καὶ στηρίξας
ὁ γέρων τὸν ἀδελφὸν ἐξῆλθεν ἐπὶ τὴν πανέρημον. Καὶ
παρατηρῶν ὁρᾷ πάλιν τὸν δαίμονα ἐκεῖνον καὶ λέγει αὐτῷ ·
Ποῦ ἀπέρχῃ; Ὁ δὲ λέγει · Ὑπομνῆσαι τοὺς ἀδελφούς ·
45 Ὡς δὲ πάλιν ἐπανήρχετο, λέγει αὐτῷ ὁ γέρων · Πῶς οἱ

20 ἀνέμιν YO ἀνέμην QV ‖ 22 θεόπεμπτος : theoctistus l ‖ 23 μάκαρις
YORV ‖ 24 ἀκούσαντες : cum uidissent l ‖ 24-25 λαβόντες ... ἐξῆλθον :
ἔλαβον τὰ ... καὶ ἐξ. QTl ‖ 25 ἐξῆλθον : ἀπῆλθον OMSVH ‖ ἀπαντὴν
V ‖ 27 θεοπ. : theoctistus l ‖ 29 theoctistus l ‖ 30 ἰδιάζειν :
loqui secrete l ‖ 31 ὁ δὲ λέγει om. O ‖ post λέγει[1] add. orationibus
tuis bene. et dixit senex : ne impugnant te cogitationes? et ille dixit l
cf. Alph. ‖ post εἰπεῖν add. τὰ καθ' ἑαυτόν MS ‖ 32 ἀσκῶν : in conuer-
satione loci istius l ‖ 34 τότε om. OMSVH ‖ ὁ ἀδελφός YQR : λέγων
ὁ θεοπέμπτος cett. theoctistus dicens l ‖ 36 ἐνοχλεῖν [ὀχλεῖν O] αὐτῷ
om. YQRT ‖ πείσῃ : ποιήσῃ OQ ἐποίησε TMSVH faceret l ‖ 40 πονηρὸς

lui du moins il me croit et lorsqu'il me voit il tourne comme une girouette.» Le vieillard lui dit : «Comment s'appelle le frère?» Il dit : «Théopemptos.» Et sur ces paroles il partit.

Abba Macaire se leva et partit pour le désert d'en bas. L'apprenant, les frères prirent des branches de palmier et sortirent à sa rencontre. Et chacun se préparait même, pensant que le vieillard allait rompre le jeûne chez lui. Mais lui s'informait pour savoir qui était, sur la montagne, le nommé Théopemptos. Le trouvant, il entra dans sa cellule, et Théopemptos le reçut avec joie. Quand ils furent en tête-à-tête, le vieillard lui dit : «Comment vas-tu, frère?» Il dit : «Jusqu'ici, cela va bien», car il avait honte de parler. Le vieillard dit : «Voici tant d'années que je vis dans l'ascèse, estimé par tout le monde, et l'esprit de fornication m'accable, moi qui suis un vieillard.» Alors le frère répondit : «Crois-moi, abba, moi aussi.» Et le vieillard feignait encore d'être assailli par d'autres pensées jusqu'à ce qu'il le persuade d'avouer. Ensuite, il lui dit : «Comment jeûnes-tu?» Il dit : «Jusqu'à la neuvième heure.» Le vieillard lui dit : «Jeûne jusqu'au soir, pratique l'ascèse et récite par cœur l'Évangile et les autres Écritures; et si monte en toi une pensée mauvaise, ne regarde jamais en bas mais toujours en haut et aussitôt le Seigneur viendra à ton secours.» Et ayant raffermi le frère, le vieillard partit pour le grand désert. Et surveillant, il voit à nouveau ce démon et lui dit : «Où vas-tu?» L'autre dit : «Réveiller la mémoire des frères.» Et lorsqu'il s'en retournait, le vieillard lui dit : «Comment vont

MS*l* : *om. cett.* ‖ 41 πάντοτε MS*l cf. Alph.* : πάντα *cett.* ‖ στηρίξας : τροπώσας OVH ἐρρώσας MH (*sic Guy forte MS*) corrigens *l cf.* τυπώσας *Alph.* ‖ 42 πανέρημον : ἔρημον Y ἰδίαν ἔρημον OMS *cf. Alph.* ‖ 43 *post* παρατηρῶν *add.* τὰς ὁδοὺς QRT ‖ δαίμονα ἐκ. : διάβολον QT ‖ 44-46 ποῦ ἀπ. – κακῶς : σωθῇς σωθῇς · ὁ δὲ λέγει · ποῦ ἔνι σωθῆναι QT ‖ 45 ἐπανήρχετο : ἐπανῆλθεν OVH *cf. Alph.* ἀνῆλθεν MS ‖ 45-46 πῶς – κακῶς : σωθῇς σωθῇς · ὁ δὲ λέγει · ποῦ ἔνι σωθῆναι R

ἀδελφοί; Ὁ δὲ λέγει · Κακῶς. Λέγει ὁ γέρων · Διατί;
Ὁ δὲ εἶπεν · Ὅτι ὅλοι ἄγριοί εἰσιν · καὶ τὸ μείζω κακόν,
ὅτι ὃν εἶχον ἕνα φίλον ὑπακούοντά μου, καὶ αὐτὸς οὐκ
οἶδα πόθεν διεστράφη, καὶ οὐδὲ αὐτός μοι πείθεται, ἀλλὰ
50 πάντων ἀγριώτερος γέγονεν · καὶ ὤμοσα μηκέτι τὰ ἐκεῖ
πατῆσαι, εἰ μὴ μετὰ χρόνον. Καὶ τοῦτο εἰπὼν ἀπῆλθεν
ἐάσας τὸν γέροντα. Καὶ ὁ ἅγιος εἰσῆλθεν εἰς τὸ κελλίον
αὐτοῦ.

14   Ἔλεγον περὶ τοῦ ἀββᾶ Μακαρίου ὅτι πορευόμενός ποτε
εἰς τὴν ἐκκλησίαν τῶν Κελλίων ἐπιτελέσαι τὴν σύναξιν,
ὁρᾷ ἔξωθεν ἑνὸς κελλίου τῶν ἀδελφῶν πλῆθος δαιμόνων,
τινῶν μὲν μετασχηματισθέντων εἰς γυναῖκας ἀπρεπῆ
5 λαλούσας, τινῶν δὲ εἰς νεανίσκους δύσφημα λαλοῦντας,
ἄλλων δὲ ὀρχουμένων, ἑτέρων δὲ εἰς διάφορα σχήματα
μεταβαλλομένων. Ὁ δὲ γέρων διορατικὸς ὢν ἐστέναξε
λέγων · Πάντως ὁ ἀδελφὸς ἐν ἀμελείᾳ διάγει, καὶ διὰ
τοῦτο τὰ πονηρὰ πνεύματα οὕτως ἀτάκτως κυκλοῦσιν αὐτοῦ
10 τὸ κελλίον. Πληρώσας οὖν τὴν σύναξιν ὑποστρέφων
εἰσῆλθεν εἰς τὸ κελλίον τοῦ ἀδελφοῦ καὶ λέγει αὐτῷ ·
Θλίβομαι, ἄδελφε, ἐπειδὴ ἀμελής εἰμι, πίστιν δὲ ἔχω εἰς
σὲ ὅτι ἐὰν εὔξῃ ὑπὲρ ἐμοῦ πάντως κουφίζει με ὁ Θεὸς
ἀπὸ τῶν λογισμῶν μου. Ὁ δὲ ἀδελφὸς μετανοήσας τῷ
15 γέροντι λέγει · Πάτερ, οὐκ εἰμὶ ἄξιος εὔξασθαι περὶ σοῦ.
Ὁ δὲ γέρων ἐπέμενε παρακαλῶν τὸν ἀδελφὸν καὶ λέγων ·
Οὐκ ἀπέρχομαι ἐὰν μή μοι δώσῃς λόγον μίαν εὐχὴν ποιεῖν
ὑπὲρ ἐμοῦ καθ᾽ ἑκάστην νύκτα. Ὑπήκουσε δὲ ὁ ἀδελφὸς
τῇ προστάξει τοῦ γέροντος. Τοῦτο δὲ ἐποίησεν ὁ γέρων

47 ἄγριοί : sancti *l* || 50 ἀγριώτ. : sanctior *l* || γέγονε : ἐγένετο TMSH
cf. *Alph*. || 50-51 τὰ ἐκεῖ πατῆσαι : ἐκεῖ ἀπελθεῖν QRT || 51 τοῦτο :
οὕτως OMSVH cf. *Alph*. || 53 post αὐτοῦ add. adorans et gratias agens
deo saluatori *l*
    14 YOQRTMSVH
4 τινῶν μὲν om. QRT || σχηματισθέντων Y || post μετασχ. add. τῶν
μὲν QRT || 5 τινῶν : τῶν QRT || λαλοῦντας : -ντων OQT || 6 ὀρχουμ. :
ὀχλουμένων O ὀχλουμένους TMSVH || 11 εἰσῆλθεν : ἦλθεν MH || 12-

les frères?» Il dit : «Mal.» Le vieillard dit : «Pourquoi?»
Il dit : «Parce que tous sont agressifs; et le pire, c'est
que le seul ami que j'avais et qui m'obéissait, même lui
je ne sais d'où il a été retourné, et non seulement il ne
me croit plus, mais il est devenu le plus agressif de tous;
et je me suis promis de ne plus aller là-bas avant longtemps.» Cela dit, il s'en alla laissant le vieillard. Et le
saint entra dans sa cellule[1].

14 On disait d'abba Macaire[2] que se rendant un jour à
l'église des Cellules pour y faire la synaxe, il voit à l'extérieur d'une cellule des frères une foule de démons, certains travestis en femmes parlant avec indécence, d'autres
en jeunes gens au langage injurieux, d'autres dansant,
d'autres changés en diverses apparences. Et le vieillard,
qui était clairvoyant, gémit en disant : «Certainement le
frère vit dans la négligence, et c'est à cause de cela que
les mauvais esprits encerclent ainsi sa cellule en désordre.»
Ayant donc achevé la synaxe, en s'en retournant il entra
dans la cellule du frère et lui dit : «Frère, je suis dans
l'affliction car je suis négligent; mais j'ai confiance en
toi : si tu pries pour moi, Dieu certainement va me
décharger de mes pensées.» Le frère fit la métanie au
vieillard et lui dit : «Père, je ne suis pas digne de prier
pour toi.» Mais le vieillard continuait à supplier le frère
en disant : «Je ne partirai pas que tu ne m'aies promis
de faire juste une prière pour moi chaque nuit.» Et le
frère consentit au commandement du vieillard. Or celui-

---

15 θλίβομαι — γέροντι : εὖξαι ὑπὲρ ἐμοῦ H ‖ 12 ἐπειδὴ ἁμ. εἰμί : ὅτι
πάνυ ἁμ. εἰμί QRT *om.* OMSV ‖ 13 *post* σὲ *add.* καὶ οἶδα QRT ‖
14 τῶν λογ. μου : τῆς θλίψεως OMSV ‖ 15 περὶ : ὑπὲρ H

1. La raison de la scène cocasse ici imaginée est donnée *supra*, *Syst.*
X, 49 (*SC* 474, p. 44).
2. La première section de la série des anonymes (N 66) reprend ce
récit en l'attribuant simplement à un «prêtre des Cellules»; il peut s'agir
de Macaire l'Alexandrin (cf. Introduction, *SC* 387, p. 47-49).

20 θέλων ἀρχὴν αἰτίας παρασχεῖν αὐτῷ τοῦ προσεύχεσθαι τὰς
νύκτας. Ἀναστὰς οὖν ὁ ἀδελφὸς τὴν νύκτα ἐποίησε τὴν
εὐχὴν ὑπὲρ τοῦ γέροντος, καὶ πληρώσας τὴν εὐχὴν ἐν
κατανύξει γέγονε καὶ ἔλεγεν ἐν ἑαυτῷ · Ἀθλία ψυχή, ὑπὲρ
τοιούτου γέροντος ηὔξου καὶ ὑπὲρ σεαυτῆς οὐκ εὔχῃ;
25 Ἐποίησεν οὖν καὶ ὑπὲρ ἑαυτοῦ μίαν εὐχὴν ἐκτενῆ.
Ποιήσαντος δὲ αὐτοῦ τὴν ἑβδομάδα ὅλην καθ' ἑκάστην
νύκτα τὰς δύο εὐχὰς μίαν ὑπὲρ τοῦ γέροντος καὶ μίαν
ὑπὲρ ἑαυτοῦ, τῇ κυριακῇ πάλιν ἀπερχόμενος εἰς τὴν
ἐκκλησίαν ὁ ἀββᾶ Μακάριος ὁρᾷ πάλιν τοὺς δαίμονας ἔξω
30 ἱσταμένους τοῦ κελλίου τοῦ ἀδελφοῦ, στυγνοὺς δὲ πάνυ.
Καὶ ἔγνω ὁ γέρων ὅτι διὰ τὸ εὔχεσθαι τὸν ἀδελφὸν
ἐστύγνασαν οἱ δαίμονες. Καὶ περιχαρὴς γενόμενος εἰσῆλθε
πρὸς αὐτὸν καὶ εἶπεν αὐτῷ · Ποίησον ἀγάπην καὶ πρόσθες
ἄλλην μίαν εὐχὴν καθ' ἑκάστην νύκτα. Ποιήσας δὲ ὁ
35 ἀδελφὸς τὰς δύο εὐχὰς ὑπὲρ τοῦ γέροντος πάλιν ἐν
κατανύξει γενόμενος ἔλεγεν ἐν ἑαυτῷ · Ὦ ταλαίπωρε ψυχή,
πρόσθες ὑπὲρ σεαυτοῦ ἄλλην μίαν εὐχήν. Ἐποίησε δὲ
οὕτως τὴν ἑβδομάδα ὅλην τέσσαρας εὐχὰς ἐκτελῶν καθ'
ἑκάστην νύκτα. Πάλιν δὲ ἀπελθὼν ὁ γέρων εἶδε τοὺς
40 δαίμονας στυγνοὺς καὶ σιωπῶντας. Καὶ εὐχαριστήσας τῷ
Θεῷ εἰσῆλθε πρὸς τὸν ἀδελφὸν καὶ παρεκάλεσεν αὐτὸν
προσθεῖναι ἄλλην μίαν εὐχὴν ὑπὲρ αὐτοῦ. Προσέθηκε δὲ
καὶ ὑπὲρ ἑαυτοῦ ἄλλην μίαν εὐχήν, καὶ ἐποίει καθ' ἑκάστην
νύκτα ἓξ εὐχάς. Πάλιν οὖν ἐλθόντος τοῦ γέροντος πρὸς
45 τὸν ἀδελφόν, ὠργίσθησαν οἱ δαίμονες κατὰ τοῦ γέροντος
καὶ ὕβρισαν αὐτὸν χαλεπαίνοντες ἐπὶ τῇ σωτηρίᾳ τοῦ
ἀδελφοῦ. Ὁ δὲ ἀββᾶ Μακάριος δοξάσας τὸν Θεὸν ἐπὶ τῇ
προκοπῇ τοῦ ἀδελφοῦ εἰσῆλθε πάλιν εἰς τὸ κελλίον αὐτοῦ
καὶ παραίνεσας αὐτῷ μὴ ἀμελεῖν ἀλλὰ ἀδιαλείπτως
50 προσεύχεσθαι, ἀνεχώρησεν ἀπ' αὐτοῦ. Οἱ δὲ δαίμονες

20 αἰτίας om. MSH ‖ 21 τὴν νύκτα : τῇ νυκτὶ QR ‖ 22 τὴν εὐχὴν² :
αὐτὴν RT ‖ 23 γέγονε : γενόμενος OTMSVH ‖ post ὑπὲρ add. τοῦ
QRTV ‖ 24 ηὔξω R ‖ 26 δὲ : οὖν Q ‖ 27 post εὐχὰς add. ποιῶν H ‖

ci avait agi ainsi afin de lui fournir un premier motif de prier la nuit. Se levant donc la nuit, le frère fit une prière pour le vieillard et, celle-ci achevée, il fut dans la componction et disait en lui-même : « Malheureuse âme, tu priais pour un tel vieillard, et tu ne pries pas pour toi-même ? » Il fit donc pour lui aussi une prière à la suite.

Et durant toute la semaine, il fit chaque nuit deux prières, une pour le vieillard et une autre pour lui-même. Le dimanche, revenant à l'église, abba Macaire voit encore les démons qui se tenaient à l'extérieur de la cellule du frère, mais très renfrognés ; et le vieillard sut que c'était parce que le frère priait que les démons avaient été attristés. Tout joyeux il entra chez lui et lui dit : « Fais-moi la charité d'ajouter une autre prière chaque nuit. » Mais faisant les deux prières pour le vieillard, le frère fut à nouveau dans la componction et dit en lui-même : « Malheureuse âme, ajoute pour toi-même une autre prière. » Ainsi passa-t-il toute la semaine, faisant quatre prières chaque nuit. Et lorsque le vieillard revint, il vit les démons tristes et silencieux. Rendant grâces à Dieu, il entra chez le frère et lui demanda d'ajouter une autre prière pour lui. Et le frère ajouta aussi pour lui-même une autre prière, faisant chaque nuit six prières. Aussi lorsqu'il revint chez le frère, les démons se mirent en colère contre le vieillard et l'injurièrent, s'irritant du salut du frère. Mais abba Macaire, rendant gloire à Dieu pour le progrès du frère, pénétra à nouveau dans sa cellule. L'ayant exhorté à ne pas se négliger mais à prier sans cesse, il le quitta. Quant aux démons, ayant vu la grande

---

29 μάκαρις YOR ‖ 30 δὲ addidi (cf. N 66) ‖ 33 post πρόσθες add. ὑπὲρ ἐμοῦ OMSVH ‖ 37 σεαυτῆς QRTH ‖ 39 δὲ om. O ‖ 40-41 εὐχαρίστησε τῷ θεῷ καὶ εἰσῆλθε πάλιν ORTMSV om. H ‖ 42 ἄλλην om. M ‖ 42-43 ὑπὲρ – εὐχήν om. Q ‖ 44 νύκτα om. M ‖ 45 τοῦ γέρ. : αὐτοῦ TM ‖ 47 μάκαρις YORV ‖ 48 αὐτοῦ : τοῦ ἀδελφοῦ QT ‖ 49 παραίν. αὐτῷ : παρεκάλεσεν αὐτὸν H ‖ 50 post προσευχ. add. καὶ οὕτως H

ἑωρακότες τὴν πολλὴν σπουδὴν ἣν περὶ τὰς εὐχὰς ἐκτήσατο
χάριτι Θεοῦ ἀνεχώρησαν ἀπ' αὐτοῦ.

15   Ἔλεγεν ἀββᾶ Μακάριος θέλων παρηγορῆσαι τοὺς
ἀδελφούς · Ἦλθεν ὧδε παιδίον δαιμονιζόμενόν ποτε μετὰ
τῆς μητρὸς αὐτοῦ, καὶ ἔλεγε τῇ μητρὶ αὐτοῦ · Ἐγείρου,
ἄγωμεν ἔνθεν. Ἡ δὲ εἶπεν · Οὐ δύναμαι πεζεῦσαι. Λέγει
5 αὐτῇ τὸ παιδίον · Ἐγώ σε βαστάζω. Καὶ ἐθαύμασα τὴν
πανουργίαν τοῦ δαίμονος πῶς ἤθελεν αὐτοὺς φυγαδεῦσαι.

16   Ἔλεγεν περὶ τῆς ἐρημώσεως τῆς Σκήτεως τοῖς
ἀδελφοῖς · Ὅταν ἴδητε κελλίον οἰκοδομούμενον ἐγγὺς τοῦ
ἕλους, μάθετε ὅτι ἐγγύς ἐστιν ἡ ἐρήμωσις αὐτῆς · ὅταν
δὲ ἴδητε δένδρα, ἐπὶ τῶν θυρῶν ἐστιν · ὅταν δὲ ἴδητε
5 παιδία, ἄρατε τὰ μηλωτάρια ὑμῶν καὶ ἀναχωρήσατε.

17   Ἐπολεμήθη ποτὲ ἀββᾶ Μωυσῆς ὁ εἰς τὴν Πέτραν εἰς
πορνείαν πάνυ, καὶ λοιπὸν μηκέτι ἰσχύσας καθίσαι εἰς τὸ
κελλίον ἑαυτοῦ ἀπῆλθε καὶ ἀνήγγειλε τῷ ἀββᾶ Ἰσιδώρῳ.
Καὶ παρεκάλεσεν αὐτὸν ὁ γέρων ἵνα ὑποστρέψῃ εἰς τὸ
5 κελλίον αὐτοῦ · Καὶ οὐ κατεδέξατο λέγων · Οὐκ ἰσχύω,
ἀββᾶ. Καὶ λαβὼν αὐτὸν ἀνήνεγκεν αὐτὸν μεθ' ἑαυτοῦ εἰς
τὸ δῶμα καὶ λέγει αὐτῷ · Πρόσχες εἰς δυσμάς. Καὶ
προσχὼν εἶδε πλῆθος δαιμόνων καὶ ἦσαν τεταραγμένοι καὶ
θορυβούμενοι τοῦ πολεμεῖν. Λέγει αὐτῷ πάλιν ἀββᾶ
10 Ἰσίδωρος · Βλέψον καὶ εἰς ἀνατολάς. Καὶ προσέσχε καὶ
εἶδε ἀναρίθμητα πλήθη ἀγγέλων δεδοξασμένων. Εἶπε δὲ
ἀββᾶ Ἰσίδωρος · Ἰδοὺ οὗτοί εἰσιν οἱ ἀποστελλόμενοι τοῖς

51 post πολλὴν add. τοῦ ἀδελφοῦ OH ‖ 52 Θεοῦ : χριστοῦ Q
15 YOQRTVHI
1 μάκαρις YORV ‖ 2 ὧδε om. V ‖ 3 ἔγειρε O ‖ 4 πεζεῦσαι OVHI
cf. Alph.: om. cett. ‖ 5 ἐθαύμασα : -σεν V -σαν YO
16 YOQRTMSVHI
1 post ἔλεγε add. ὁ αὐτὸς QRT ἀββᾶ μακάριος MS iterum I ‖ 1-
2 τοῖς ἀδελφοῖς om. YQRT ‖ 2 κελλία οἰκοδομούμενα QT ‖ 3-4 ὅταν
– ἐστιν om. QRT ‖ 5 post παιδία add. ἐν τῇ σκήτει YQRT

application aux prières qu'il avait acquise par la grâce de Dieu, ils le quittèrent.

15   Abba Macaire disait, voulant encourager les frères : «Vint ici une fois avec sa mère un enfant possédé du démon; et il disait à sa mère : «Lève-toi, partons.» Elle lui dit : «Je ne peux pas marcher.» L'enfant lui dit : «Moi, je vais te porter.» Et je m'étonnai de la ruse du démon, comment il voulait les faire fuir.» Mac 6 (264 D-265 A)

16   Il disait aux frères au sujet de la dévastation de Scété : «Lorsque vous verrez une cellule construite près du marais, sachez que la dévastation de Scété est proche; lorsque vous verrez des arbres, elle est aux portes; et lorsque vous verrez des jeunes enfants, prenez vos mélotes et retirez-vous.» Mac 5 (264 D)

17   Abba Moïse, celui de Pétra, fut un jour très combattu par la fornication; ne pouvant plus demeurer davantage dans sa cellule, il alla en informer abba Isidore. Et le vieillard l'engagea à retourner dans sa cellule mais il n'y consentit point, disant : «Je n'en ai pas la force, abba.» Alors, le prenant avec lui le vieillard le conduisit sur la terrasse et lui dit : «Regarde vers le couchant.» Il regarda et vit une foule de démons qui s'agitaient et faisaient du bruit avant de combattre. Abba Isidore lui dit ensuite : «Regarde aussi vers l'orient.» Il regarda et vit des foules d'anges innombrables rayonnant de gloire. Et abba Isidore dit : «Tu vois, ceux-ci sont ceux que le Seigneur envoie Mos 1 (281 B-C)

17 YOQRTMSVH*l*

1 ὁ *om.* V ‖ 2-3 τὸ ... ἑαυτοῦ *om.* OMSVH ‖ 3 *post* ἰσιδώρῳ *add.* τῷ πρεσβυτέρῳ QRT ‖ 4 τοῦ ὑποστρέψαι QRT ‖ 6-7 εἰς τὸ δῶμα : in domo *l* ‖ 9 θορυβήμενοι Y θορυβοῦντες OMSVH *cf. Alph.* ‖ 11 δεδο-ξασμένα Y in gloria *l* ‖ 12-13 τοῖς ἁγίοις : πρὸς τοὺς ἁγίους O *om.* H*l*

ἁγίοις παρὰ τοῦ Κυρίου εἰς βοήθειαν· οἱ δὲ εἰς δυσμάς, οὗτοί εἰσιν οἱ πολεμοῦντες αὐτούς. Πλείους οὖν εἰσιν
15 ἐκείνων οἱ μεθ᾽ ἡμῶν. Καὶ οὕτως εὐχαριστήσας ἀββᾶ Μωυσῆς τῷ Θεῷ ἔλαβε θάρσος καὶ ὑπέστρεψεν εἰς τὸ κελλίον ἑαυτοῦ.

18   Ἔλεγεν ἀββᾶ Μωυσῆς ἐν τῇ Σκήτει· Ἐὰν φυλάξωμεν τὰς ἐντολὰς τῶν πατέρων ἡμῶν, ἐγὼ ἐγγυῶμαι ὑμᾶς πρὸς τὸν Θεὸν ὅτι βάρβαροι οὐκ ἔρχονται ὧδε· εἰ δὲ μὴ φυλάξωμεν, ἐρημωθῆναι ἔχει ὁ τόπος οὗτος. Καθημένων
5 δέ ποτε τῶν ἀδελφῶν πρὸς αὐτόν, ἔλεγεν αὐτοῖς· Ἰδοὺ οἱ βάρβαροι σήμερον εἰς τὴν Σκῆτιν ἔρχονται· ἀλλὰ ἀνάστητε, φύγετε. Λέγουσι αὐτῷ· Σὺ οὖν οὐ φεύγεις, ἀββᾶ; Ὁ δὲ εἶπεν αὐτοῖς· Ἐγὼ τοσαῦτα ἔτη προσδοκῶ τὴν ἡμέραν ταύτην ἵνα πληρωθῇ ὁ λόγος τοῦ δεσπότου
10 μου Χριστοῦ τοῦ λέγοντος· « Πάντες οἱ λαβόντες μάχαιραν ἐν μαχαίρᾳ ἀπολοῦνται*. » Λέγουσιν αὐτῷ· Οὐδὲ ἡμεῖς φεύγομεν ἀλλὰ μετὰ σοῦ ἀποθνήσκομεν. Ὁ δὲ εἶπεν αὐτοῖς· Ἐγὼ πρᾶγμα οὐκ ἔχω, ἕκαστος βλεπέτω ὡς κάθηται. Ἦσαν δὲ ἑπτὰ ἀδελφοὶ καὶ λέγει αὐτοῖς· Ἰδοὺ οἱ βάρβαροι
15 ἐγγίζουσι τῇ θύρᾳ. Καὶ εἰσελθόντες ἐφόνευσαν αὐτούς. Εἷς δὲ ἐξ αὐτῶν φοβηθεὶς ἔφυγεν ὀπίσω τῆς σειρᾶς καὶ εἶδεν ἑπτὰ στεφάνους κατελθόντας καὶ στεφανώσαντας αὐτούς.

19   Ἔλεγόν τινες τῶν πατέρων περὶ τοῦ ἀββᾶ Μαρκέλλου τοῦ τῆς Θηβαίδος ὅτι πολλάκις εἶπεν ὁ μαθητὴς αὐτοῦ ὅτι μέλλων ἐξέρχεσθαι τῇ κυριακῇ εἰς τὴν σύναξιν ηὐτρέπιζεν ἑαυτὸν καὶ μέρος τι τῶν Γραφῶν ἀπεστήθιζεν

13 παρὰ τοῦ κ. om. l ‖ post βοήθειαν add. ἡμῶν H ‖ 14 αὐτούς : ἡμᾶς Ql ‖ 15 ἐκεῖνοι Q ὑπὲρ ἐκείνους OMSVH ‖ 16 θεῷ : κυρίῳ Q
18 YORMSVHl
2 post ἐντολὰς add. τοῦ θεοῦ καὶ τὰς H ‖ ἡμῶν om. YQRT ‖ ἐγγυῶ O ‖ ὑμᾶς om. M ‖ 5 πρὸς αὐτόν : apud eundem abbatem moysen l om. YR ‖ 6 σήμερον om. YORSVH ‖ εἰς : πρὸς H ‖ 7 φύγετε om. OMSVH ‖ 8 ἔχω προσδοκῶ V ‖ 11 ἀπολοῦνται : ἀποθανοῦνται MSH ‖ 14 λέγει αὐτοῖς : dicunt ei l ‖ 16 σειρᾶς : θύρας RMSH ‖ 17 αὐτούς : abbatem moysem et sex fratres qui cum eo fuerint interfecti l

aux saints pour les secourir ; et ceux d'occident sont ceux qui les combattent. Ceux qui sont avec nous sont donc plus nombreux que ceux-là. » Et rendant grâces à Dieu, abba Moïse prit ainsi courage et retourna à sa cellule.

18   Abba Moïse disait à Scété : « Si nous gardons les commandements de nos pères, je me porte garant de par Dieu que les barbares ne viendront pas ici ; mais si nous ne les gardons pas, ce lieu sera dévasté. » Et une fois que les frères étaient assis auprès de lui, il leur dit : « Voici, aujourd'hui les barbares arrivent à Scété ; levez-vous, fuyez. » Ils lui disent : « Toi, ne fuis-tu donc pas, abba ? » Il leur dit : « Moi, il y a tant d'années que j'attends ce jour afin que soit accomplie[1] la parole de mon maître le Christ qui dit : *Tous ceux qui prennent l'épée périront par l'épée*[c]. » Ils lui disaient : « Nous non plus, nous ne fuyons pas, mais nous allons mourir avec toi. » Il leur dit : « Ce n'est pas mon affaire ; à chacun de voir comment il demeure. » Or il y avait sept frères ; et il leur dit : « Voici, les barbares s'approchent de la porte. » Et ils entrèrent et les massacrèrent. Mais l'un d'eux, qui avait peur, s'enfuit derrière un tas de cordes et vit sept couronnes qui descendirent et les couronnèrent.

Mos 9-10
(285 B-C)

19   Des pères disaient d'abba Marcel le thébain que son disciple avait coutume de dire que lorsqu'il s'apprêtait à se rendre le dimanche à la synaxe, il se préparait et récitait par cœur un morceau des Écritures jusqu'à ce

N 567

---

19 YORMSVH
1 πατέρων *om.* Y ‖ 3 σύναξιν : ἐκκλησίαν MSVH

---

c. Mt 26, 52

---

1. La référence scripturaire et le sens qui lui est donné s'expliquent par le fait que Moïse est un ancien brigand (cf. Introduction, *SC* 387, p. 68-70).

5 ἕως οὗ ἔλθῃ εἰς τὴν ἐκκλησίαν· καὶ οὕτως αὐτοῦ
μελετῶντος τὰ χείλη αὐτοῦ οὐκ ἐκινοῦντο ἵνα μή τις
αὐτοῦ ἀκούῃ. Καὶ ὅτε ἔστηκεν εἰς τὴν σύναξιν τὸ στῆθος
αὐτοῦ ἐβρέχετο ἀπὸ τῶν δακρύων. Ἔλεγε γὰρ ὅτι· Τῆς
συνάξεως ἐπιτελουμένης θεωρῶ ὅλην τὴν ἐκκλησίαν ὡς
10 πῦρ καὶ ὅταν ἀπολύσῃ ἡ ἐκκλησία πάλιν ἀναχωρεῖ τὸ πῦρ.

20   Ἔλεγον περὶ τοῦ ἀββᾶ Σιλουανοῦ ὅτι ἠθέλησέ ποτε
εἰσελθεῖν εἰς Συρίαν, καὶ εἶπεν αὐτῷ ὁ μαθητὴς αὐτοῦ
Μάρκος· Πάτερ, οὐ θέλω ἐξελθεῖν ἄρτι ἔνθεν· ἀλλ᾽ οὐδὲ σὲ
ἀφῶ ἀπελθεῖν, ἀββᾶ. Ἀλλὰ μεῖνον ὧδε ἄλλας τρεῖς ἡμέρας.
5 Καὶ τῇ τρίτῃ ἡμέρᾳ ἐκοιμήθη ἐν εἰρήνῃ.

21   Ἔλεγεν ἀββᾶ Ἰωάννης ὁ ἐξορισθεὶς ὑπὸ Μαρκιανοῦ
ὅτι· Παρεβάλομέν ποτε ἀπὸ Συρίας τῷ ἀββᾶ Ποιμένι, καὶ
ἠθέλομεν ἐρωτῆσαι αὐτὸν περὶ τῆς σκληρότητος τῆς
καρδίας. Ὁ δὲ γέρων οὐκ ᾔδει ἑλληνιστὶ οὐδὲ ἑρμηνέα
5 ηὕραμεν. Ἰδὼν δὲ ἡμᾶς ὁ γέρων θλιβομένους ἤρξατο τῇ
ἑλληνίδι διαλέκτῳ λαλεῖν λέγων· Ἡ φύσις τοῦ ὕδατος
ἁπαλή ἐστιν, ἡ δὲ τοῦ λίθου σκληρά· τὸ δὲ βαυκάλιον
ἐπάνω κρεμάμενον τοῦ λίθου στάζον στάζον τρυπᾷ τὸν
λίθον. Οὕτως καὶ ὁ λόγος τοῦ Θεοῦ ἁπαλός ἐστιν, ἡ δὲ
10 καρδία ἡμῶν σκληρά· ἀκούων δὲ ὁ ἄνθρωπος πολλάκις
τὸν λόγον τοῦ Θεοῦ ἀνοίγεται ἡ καρδία αὐτοῦ φοβεῖσθαι
τὸν Θεόν.

22   Εἶπεν ἀββᾶ Ποιμήν· Γέγραπται· « Ὃν τρόπον ἐπιποθεῖ
ἡ ἔλαφος ἐπὶ τὰς πηγὰς τῶν ὑδάτων, οὕτως ἐπιποθεῖ ἡ
ψυχή μου πρὸς σέ, ὁ Θεός[d]. » Ἐπειδὴ αἱ ἔλαφοι ἐν τῇ
ἐρήμῳ πολλὰ καταπίνουσιν ἑρπετά, καὶ ὡς κατακάιει αὐτὰς

6 αὐτοῦ *om.* MS ǁ 7 ἀκούσῃ MSVH ǁ 10 ἀπολύθῃ R ἀπέλυεν OSV
ἀπέλυσεν ΜΗ
20 YOQRTMSVH*l*
2 εἰσελθεῖν· ἀπελθ- MS pergere *l* ǁ αὐτοῦ *om.* OMSVH ǁ 4 ἀφίω
QRT ǁ ἀπελθεῖν· ἐξελθεῖν QT *cf. Alph.* ǁ ἀλλὰ – ἡμέρας *om.* H ǁ
ἄλλας *om.* M ǁ 5 *post* καὶ *add.* cum exspectaret abbas *l* ǁ *post* εἰρήνῃ
add. marcus discipulus eius *l*

qu'il arrive à l'église; et tandis qu'il méditait, il ne remuait pas les lèvres afin que personne ne l'entende. Et lorsqu'il assistait à la synaxe, sa poitrine se mouillait de larmes. Il disait en effet: «Tandis que s'accomplit la synaxe, je vois toute l'église comme un feu; et lorsque l'église se disperse, le feu se retire à son tour.»

20 On disait d'abba Silvain qu'il voulut une fois aller en Syrie et que Marc, son disciple, lui dit: «Père, je ne veux pas partir d'ici maintenant; mais je ne te laisse pas non plus partir, abba. Aussi, reste ici encore trois jours.» Et le troisième jour, il s'endormit en paix.

McSil 5
(296 D)

21 Abba Jean, celui qui a été exilé par Marcien, disait: «Nous allâmes un jour de Syrie chez abba Poemen et nous voulions l'interroger sur la dureté de cœur. Mais le vieillard ne savait pas le grec, et nous ne trouvâmes pas d'interprète. Voyant notre embarras le vieillard se mit à parler en grec disant: La nature de l'eau est molle et celle de la pierre est dure, mais une cruche suspendue au-dessus de la pierre et coulant goutte à goutte creuse la pierre; de même la parole de Dieu est molle et notre cœur dur; mais si l'homme écoute souvent la parole de Dieu, son cœur s'ouvre à la crainte de Dieu.»

Poe 183
(365 D-
368 A)

22 Abba Poemen dit: «Il est écrit: *De même que le cerf aspire aux sources des eaux, de même mon âme aspire à toi, Dieu* [d]. Lorsque les cerfs dans le désert avalent beaucoup de reptiles et que le venin les brûle, ils aspirent

Poe 30
(329 B-C)

---

21 YOQRTMSVH*l*
1 *post* μαρκιανοῦ *add.* τοῦ βασιλέως QRT ‖ 2 ποιμὴν YOR ‖ 5 εὕρομεν RTMSV ηὗρεν H ‖ 6 διαλέκτῳ : γλώσσῃ MV lingua *l* ‖ 8 τρυπᾷ : τιτρᾷ QT *cf. Alph.* τυπᾷ MVH ‖ 9 *post* οὕτως *add.* οὖν QR ‖ 10 ἡμῶν : τοῦ ἀνθρώπου QT

22 YOQRTH*l*
4 κατακαίει : καίει QT καίοντα R

---

d. Ps 41, 2

5 ὁ ἰός, εἰς ὄρος ἐπιποθοῦσιν ἐλθεῖν καὶ ἐπὶ ὕδατα · πίνουσι
δὲ καὶ καταψύχονται ἀπὸ τῶν ἰῶν τῶν ἑρπετῶν · οὕτως
καὶ οἱ μοναχοὶ ἐν τῇ ἐρήμῳ καθεζόμενοι καίονται ὑπὸ
τοῦ ἰοῦ τῶν πονηρῶν δαιμόνων καὶ ἐπιποθοῦσι τὸ σάββατον
καὶ τὴν κυριακὴν ἐλθεῖν ἐπὶ τὰς πηγὰς τῶν ὑδάτων,
10 τουτέστιν ἐπὶ τὸ σῶμα καὶ αἷμα τοῦ Κυρίου ἡμῶν Ἰησοῦ
Χριστοῦ ἵνα καθαρισθῶσιν ἀπὸ πάσης πικρότητος τοῦ
πονηροῦ.

23   Ἠρώτησεν ἀδελφὸς τὸν αὐτὸν ἀββᾶ Ποιμένα λέγων ·
Τί ἐστι · Μὴ ἀνταποδιδῶς κακὸν ἀντὶ κακοῦᵉ; Λέγει αὐτῷ
ἀββᾶ Ποιμήν · Τὸ πάθος τοῦτο τέσσαρας ἔχει τρόπους ·
πρῶτον ἀπὸ καρδίας, δεύτερον ἀπὸ ὄψεως, τρίτον ἀπὸ
5 γλώσσης, τέταρτον τὸ ποιῆσαι κακὸν ἀντὶ κακοῦ. Καὶ ἐὰν
δύνασαι καθαρεῦσαι τὴν καρδίαν σου, οὐκ ἔρχεται εἰς τὴν
ὄψιν · ἐὰν δὲ ἔλθῃ εἰς τὴν ὄψιν, φυλάττου τοῦ μὴ λαλεῖν ·
ἐὰν δὲ καὶ λαλήσῃς ταχὺ κόψον τοῦ μὴ ποιῆσαι κακὸν
ἀντὶ κακοῦ.

24   Narrauit sanctus Basilius episcopus dicens : Fuit in
quodam monasterio feminarum uirgo quaedam quae
stultam esse ac daemonem se habere simulabat, quae
usque adeo ab omnibus aliis pro errore habebatur ita ut
5 nec cibum quidem cum ea caperent. Talem siquidem
elegerat uitam ut a coquina numquam recedens, totius
illic ministerii impleret officium : et erat secundum uulgare
prouerbium uniuersae domus spongia, impletum a se
rebus probans quod sanctis libris scriptum legimus : *Si*
10 *quis,* inquit, *ex uobis putat se esse sapientem in hoc mundo,*

5 ὁ ἰός *om.* YOR ‖ εἰς ὄρος *om. l.* ‖ ἐπὶ : εἰς QT ‖ 5-6 πιν. δὲ
καὶ : πινόντων δὲ αὐτῶν O ‖ 6 καταψύχουσιν Q ‖ ἀπὸ : ἐκ QT ‖ τοῦ
ἰοῦ QRT *cf. Alph.* ‖ *post* οὕτως *add.* οὖν QRT ‖ 9 *post* κυριακὴν *add.*
ὥστε OH *cf. Alph.* ‖ 11 πάσης : τῆς Q ‖ πικρίας H
    23 YOQRTH*l*
    1 ποιμὴν YR ‖ 2 *post* ἐστι *add.* quod scriptum est *l* ‖ ἀποδῷς R
ἀποδώσῃς QT *cf. Alph.* ‖ 5 κακὸν H*l* : τὸ καλὸν YOQRT ‖ 5-9 καὶ ἐὰν
ad fin. om. QT ‖ 7 ἐὰν δὲ – ὄψιν² *om.* Y*l* ‖ μὴ H : *om. cett.*

à venir sur la montagne aux eaux; et ils boivent et se
rafraîchissent des venins des reptiles. Il en est de même
pour les moines : assis dans le désert, ils sont brûlés par
le venin des mauvais démons et ils aspirent à venir le
samedi et le dimanche aux sources des eaux, c'est-à-dire
au corps et au sang de notre Seigneur Jésus Christ afin
d'être purifiés de toute amertume du méchant.»

23   Un frère interrogea le même abba Poemen en disant :   Poe 34
«Que signifie : *Ne rends pas le mal pour le mal*[e]?» Abba   (332 A-B)
Poemen lui dit : «Cette passion a quatre modes : d'abord
elle procède du cœur, deuxièmement du regard, troisiè-
mement de la langue, quatrièmement de faire le mal en
échange du mal. Et si tu peux purifier ton cœur, elle ne
vient pas au regard; mais si elle vient au regard, garde-
toi de parler; et même si tu parles, renonce vite à faire
le mal en échange du mal.»

24   Le saint évêque Basile raconta[1] que, dans un monastère
de femmes, il y avait une vierge qui feignait la folie et
la possession démoniaque. Elle était si bien prise par
toutes les autres pour ce qu'elle n'était pas qu'elles ne
voulaient même pas prendre de la nourriture avec elle.
Elle avait en effet choisi une vie telle que, ne s'éloignant
jamais de la cuisine, elle y accomplissait tout le service;
elle était, selon le proverbe populaire, l'éponge de toute
la maison, prouvant dans les faits que s'accomplissait par
elle ce que nous lisons dans les saints livres : *Si l'un de
vous estime être sage en ce monde, qu'il se fasse fou pour*

24 *l*

e. Cf. Rm 12, 17

1. Introduit seulement dans la version latine, ce récit est extrait de
Pall., *H. L.* 34, où il n'est évidemment fait nulle mention de S. Basile
(Butler, p. 98-100).

sit stultus ut sapiens fiat[f]. Haec igitur inuolutum pannis
habens caput, ita quoque in omnibus seruiebat; caeterae
autem uirgines tonsae cucullis cooperiuntur. Nulla
aliquando potuit hanc de quadringentis uirginibus uidere
15 manducantem, numquam per omne aeuum suum sedit
ad mensam. A nulla uel modicam partem panis accepit,
sed micas tantum detergens ipsarum mensarum, et abluens
ollas, his solis alimoniis contenta uiuebat. Nulli umquam
fecit iniuriam, nulla ipsius murmur audiuit, nulli aut parum
20 aut satis locuta est umquam. Et certe cum ab omnibus
caederetur, cum omnium odio uiueret, maledicta omnium
sustineret, sancto Pyoterio, cui hoc uocabulum erat, proba-
tissimo uiro, semperque in diserto uiuenti astitit angelus
Domini quadam die sedenti in loco Porphyrite, affatusque
25 est his uerbis : Cur, inquit, aliquid grande esse te credis,
ut sanctus et in huiusmodi degens loco? Vis uidere
mulierem te sanctiorem? Vade ad Tabennesiotarum
monasterium feminarum, et unam ex ipsis illic inuenies
habentem in capite coronam, ipsamque cognosce te esse
30 meliorem. Quae dum contra tantum populum sola diebus
ac noctibus pugnat, cor ipsius a Deo numquam recessit,
tu autem uno in loco residens neque quoquam aliquando
progrediens, per omnes urbes animo et cogitatione uagaris.
Statimque ad supradictum monasterium uenit, et
35 magistros fratrum rogauit ut introducerent eum ad
habitaculum feminarum. Quem mox illi, ut uirum non
solum uita gloriosum, uerum etiam et prouectioris aetatis,
cum fiducia grandi introduci fecerunt. Ingressus autem
omnes sorores desiderauit inspicere : inter quas solam
40 illam propter quam uenerat non uidebat. Ait autem ad
postremum : omnes, inquit, mihi adducite, deesse mihi
uidetur aliqua. Dicunt ei : Vnam, inquiunt, stultam

f. 1 Co 3, 18

devenir sage [f]. Ayant donc la tête enveloppée de chiffons, elle servait toujours ainsi, tandis que les autres vierges couvrent leur tonsure d'un capuchon. Aucune des quatre cents vierges ne put jamais la voir en train de manger; jamais de toute sa vie elle ne s'assit à table. Elle ne reçut de personne ne fût-ce qu'un petit morceau de pain; mais ramassant les miettes des tables et lavant les marmites, elle se contentait pour vivre de ces seuls aliments. Elle ne fit jamais tort à quiconque; personne ne l'entendit murmurer; si peu que ce soit, elle ne parla jamais à personne. Et tandis que, maltraitée par tout le monde, elle vivait en butte à la haine de toutes et supportait leurs méchants propos, un ange du Seigneur se présenta un jour à un saint nommé Pyoterius, homme très éprouvé et qui vivait toujours dans le désert, alors qu'il demeurait dans le lieu de Porphyris, et il s'adressa à lui en ces termes : «Pourquoi crois-tu être grand, pensant que tu vis saintement dans un tel lieu? Veux-tu voir une femme plus sainte que toi? Va au monastère des femmes tabennésiotes, et tu y trouveras l'une d'elles avec une couronne sur la tête; sache qu'elle est meilleure que toi. Elle, tandis qu'elle combat seule jour et nuit contre une si grande foule, son cœur ne s'éloigne jamais de Dieu; mais toi qui demeures en un seul lieu sans jamais aller ailleurs, par l'esprit et la pensée tu te promènes dans toutes les villes.»

Aussitôt il vint au susdit monastère et demanda aux maîtres des frères de l'introduire dans la demeure des femmes. Ces derniers l'y introduisirent en toute confiance puisqu'il était non seulement réputé mais aussi d'un âge avancé. Une fois entré, il désira voir toutes les sœurs. Comme il ne voyait pas parmi elles celle-là seule pour laquelle il était venu, il finit par dire : «Amenez-les-moi toutes; il me semble qu'il en manque.» On lui dit : «Nous en avons une stupide au dedans, à la cuisine» (c'est

habemus intrinsecus in coquina. Sic enim eas quæ a
daemone uexantur appellant. At ille : Exhibite, inquit, ad
45 me ipsam quoque, ut eam uideam. Quo audito, supra
memoratam uocare coeperunt. Quae cum nollet audire,
sentiens, ut credo, aliquid, aut fortassis ipsum diuina
reuelatione cognoscens, dicunt ei : Sanctus Pyoterius te
uidere desiderat. Erat enim uir famae ac nominis grandis.
50 Cumque ad eum fuisset exhibita, uidissetque panno
frontem ipsius inuolutam, proiecit se ad pedes ipsius
dicens : Benedic me, inquit. Quod rursus ad illius pedes
tunc et ipsa fecit ac dixit : Tu me benedic, domine. Omnes
sorores obstupuerunt simul, dicentes : Noli, abba, talem
55 iniuriam sustinere; fatua est enim ista quam cernis. Et
sanctus Pyoterius hoc ipsis omnibus ait : Vos, inquit, estis
fatuae; nam haec et uestra et mea est amma. Hoc enim
in ea uocant illi feminas spirituales. Et deprecor Deum,
ait, ut dignum ipsa in die iudicii merear inueniri. Quo
60 audito, omnes simul ad pedes ipsius procidentes singulae
uaria peccata et propria confitentes. Alia enim abluens
sordes catini supra eam fudisse se dicebat; alia uero
colaphis eam a se uerberatam saepe memorebat; alia nares
ipsius sinapi impletas a se esse deflebat; caeterae quoque
65 diuersas referebant se ei iniurias irrogasse. Pro quibus
omnibus sanctus ille fusis Deo precibus egressus est. Post
paucas autem dies, non ferens illa tantam sui gloriam,
tantoque se nolens sororum honore cumulari, grauarique
se credens excusationibus singularum, egressa est de
70 monasterio occulte, et quo ierit, in quem se miserit locum,
uel quo fine defecerit, ad nullius potuit notitiam peruenire.

25   Ἔλεγον περὶ τοῦ ἀββᾶ Παχωμίου ὅτι νεκροῦ σκήνωμα
ἐξεφέρετο ἐν τῇ ὁδῷ καὶ ἀπαντήσας αὐτῷ ἀββᾶ Παχώμιος
ὁρᾷ δύο ἀγγέλους ἀκολουθοῦντας τῷ νεκρῷ ὀπίσω τοῦ

25 YOQRTMSH
1 παχουμίου H ‖ 2 ἐφέρετο QRT ‖ παχούμιος H

ainsi en effet qu'on appelle celles qui sont possédées par le démon). Mais il dit : «Montrez-la-moi aussi que je la voie.» Entendant cela, elles commencèrent à appeler la sœur en question. Et comme elle ne voulait rien entendre, pressentant, je crois, quelque chose, peut-être même instruite par révélation divine, elles lui disent : «Saint Pyoterius désire te voir.» C'était en effet un homme réputé, au nom connu. Lorsqu'elle lui fut présentée et qu'il la vit le front enveloppé d'un chiffon, il se jeta à ses pieds en disant : «Bénis-moi.» A son tour, elle se jeta aussi à ses pieds et dit : «C'est à toi de me bénir, maître.» Toutes les sœurs furent stupéfaites et dirent : «Ne supporte pas une telle injure, abba ; car c'est une folle que tu as sous les yeux.» Mais le saint Pyoterius leur dit à elles toutes : «C'est vous qui êtes folles ; car elle, elle est votre amma et la mienne (ainsi appellent-ils les femmes spirituelles). Et je prie Dieu de mériter d'être trouvé digne d'elle au jour du jugement.» Entendant cela, elles se jetèrent toutes ensemble à ses pieds, chacune lui confessant ses divers péchés. L'une disait en effet qu'en lavant elle avait répandu sur elle les déchets de son écuelle ; une autre rappelait que souvent elle l'avait giflée ; une autre déplorait lui avoir rempli le nez de moutarde ; et toutes rapportaient les diverses offenses qu'elles lui avaient fait subir. Et après avoir prié Dieu pour elles toutes, le saint se retira. Quelques jours plus tard, ne supportant pas une telle gloire, et refusant tant d'honneur de la part de ses sœurs mais s'estimant accablée par les excuses de chacune d'elles, la sœur sortit secrètement du monastère, et personne n'a jamais pu savoir où elle alla, en quel lieu ·elle se retira ou comment elle finit ses jours.

25   On disait d'abba Pachôme que, croisant sur la route le corps d'un mort qu'on emportait, il voit deux anges qui suivaient le mort derrière la civière. Réfléchissant à

κραββάτου, καὶ λογισάμενος περὶ αὐτῶν παρεκάλεσε τὸν
5 Θεὸν ἀποκαλύψαι αὐτῷ τὸ γεγονός. Καὶ ἦλθον οἱ δύο
ἄγγελοι πρὸς αὐτὸν καὶ εἶπεν αὐτοῖς · Διὰ τί ὑμεῖς ἄγγελοι
ὄντες ἀκολουθεῖτε τῷ νεκρῷ; Καὶ εἶπον αὐτῷ οἱ ἄγγελοι ·
Ὁ εἷς ἡμῶν τῆς τετράδος ἐστί, καὶ ὁ εἷς τῆς παρασκευῆς ·
καὶ ἐπειδὴ ἕως οὗ ἀπέθανεν ἡ ψυχὴ αὕτη οὐ παρέλιπε
10 νηστεύουσα τετράδα καὶ παρασκευήν, κατὰ τοῦτο καὶ ἡμεῖς
παρηκολουθήσαμεν τῷ σκηνώματι αὐτῆς · ὅτι ἕως τοῦ
θανάτου αὐτῆς ἐφύλαξε τὴν νηστείαν, κατὰ τοῦτο οὖν καὶ
ἡμεῖς ἐδοξάσαμεν αὐτὴν ἀγωνισαμένην ἐν Κυρίῳ.

26   Ὁ μακάριος ἀββᾶ Παῦλος ὁ ἁπλοῦς ὁ τοῦ ἀββᾶ
Ἀντωνίου μαθητὴς διηγήσατο τοῖς πατράσι τοιοῦτον
πρᾶγμα ὅτι ποτὲ παραγενάμενος ἐν μοναστηρίῳ ἐπισκέψεως
ἕνεκεν καὶ ὠφελείας ἀδελφῶν, μετὰ τὴν συνήθη διάλεξιν
5 εἰσίεσαν εἰς τὴν ἁγίαν τοῦ Θεοῦ ἐκκλησίαν τὴν συνήθη
σύναξιν ἐπιτελέσαι. Ὁ δὲ μακάριος Παῦλος, φησί,
πρόσεσχε ἑκάστου τῶν προσιόντων εἰς τὴν ἐκκλησίαν ὁποίᾳ
ἄρα ψυχῇ εἰσίασιν. Εἶχε γὰρ καὶ ταύτην τὴν χάριν παρὰ
τοῦ Θεοῦ δοθεῖσαν αὐτῷ ὥστε ὁρᾶν ἕκαστον ὁποῖός ἐστι
10 τῇ ψυχῇ ὥσπερ ἡμεῖς τὰ ἀλλήλων πρόσωπα βλέπομεν.
Καὶ δὴ πάντων εἰσιόντων λαμπρᾷ τῇ ὄψει καὶ φαιδρῷ τῷ
προσώπῳ τόν τε ἑκάστου ἄγγελον χαίροντα ἐπ' αὐτοῖς ·
ἕνα, φησί, ὁρᾷ ζοφώδη καὶ μελανὸν τῷ σώματι ὅλον,
δαίμονας δὲ παρ' ἑκάτερα μέρη τοῦτον συνέχοντας φορβειὰν
15 περὶ τὰς ῥῖνας αὐτοῦ βαλόντας καὶ ἕλκοντας αὐτὸν πρὸς
ἑαυτούς · τόν τε ἅγιον ἄγγελον αὐτοῦ μακρόθεν ἀκο-

5 αὐτῷ *om.* YH ‖ 8 εἷς² : ἕτερος Q *cf. Vita Pach.* ‖ 9 οὗ *om.* QT ‖
αὕτη : αὐτοῦ H ‖ παρέλειψε O ‖ 10 νηστεύοντα M ‖ 11 τὸ σκήνωμα
Q ‖ αὐτῆς : αὐτοῦ Y ‖ 12 αὐτῆς *om.* R ‖ κατὰ : καὶ διὰ QRT καὶ
κατὰ H ‖ οὖν *om.* QRT

26 YOQRTMSH*l*

2 τοιοῦτον *om.* M ‖ 3 ποτε *om.* MS ‖ παραγενάμενος Y : -νόμενος
cett. ‖ 5 ἐν τῇ ἁγίᾳ ... ἐκκλησίᾳ OMSH *cf. Alph.* ‖ 7 ἑκάστῳ OMSH ‖
τῶν προσιόντων OH introeuntium *l* : πρόσωπον YQRT τῶν προσώπων
MS ‖ 8 εἰσίεσαν Q ‖ καὶ *om.* RTMH ‖ 9-10 ἕκαστον – ψυχῇ : ὁποῖά

leur sujet, il supplia Dieu de lui révéler ce qu'il en était.
Les deux anges s'approchèrent de lui et il leur dit :
«Pourquoi vous qui êtes des anges suivez-vous le mort?»
Les anges lui dirent : «L'un de nous est l'ange du mercredi et l'autre celui du vendredi. Puisque jusqu'à sa mort
cette âme n'a pas cessé de jeûner le mercredi et le vendredi, à cause de cela nous avons fait cortège à son
corps ; et comme jusqu'à sa mort elle a gardé le jeûne,
à cause de cela nous l'avons glorifiée, elle qui a combattu dans le Seigneur[1].»

26   Le bienheureux abba Paul le simple, le disciple d'abba
Antoine, raconta aux frères le fait suivant. S'étant rendu
dans un monastère pour visiter et aider les frères, après
la causerie habituelle ils entrèrent dans la sainte église
de Dieu pour y accomplir la synaxe habituelle. «Le bienheureux Paul, disait-il, observait chacun de ceux qui
entraient dans l'église pour voir dans quelle disposition
d'âme ils y entraient. Cette grâce lui avait en effet été
accordée par Dieu, de voir la disposition d'âme de chacun
comme nous autres nous voyons nos visages. Il les voit
donc tous entrer avec un regard clair et un visage
rayonnant, l'ange de chacun se réjouissant à leur propos ;
il en voit un seul, dit-il, ténébreux et tout noir de corps,
avec des démons de chaque côté qui le tenaient, lui met-
taient un licou autour des narines et le tiraient à eux,
tandis que son saint ange suivait de loin, triste et la tête

PSim 1
(381 C-
385 B)

ἐστιν ἑκάστου ψυχή QRT ‖ 9 post ἕκαστον add. οὕτως OMSH ‖ 10 τὰ :
τῶν TM ‖ 11 ὄψει : ψυχῇ QRT ‖ 11-12 φαιδρῷ τῷ προσώπῳ : φαιδρᾷ
τῇ ψυχῇ (?) ‖ 12 τὸν – ἐπ' αὐτοῖς transp. l post βλέπομεν (lin. 9) ‖
post χαίροντα add. φησι Y ‖ ἐπ' : ἐν QR ‖ 13 ὁρᾷ : ὁρῶ Y ‖ 13 τὸ
σῶμα OTMSH cf. Alph. ‖ 14 φορβαῖαν Y ‖ 15 περὶ : παρὰ TMSH ‖
16 μακρόθεν : μηκόθεν MS

1. Repris de Pachôme, *Vita tertia* 158 (F. HALKIN, *Sancti Pachomii
Vitae Graecae*, Subsidia Hagiographica 19, Bruxelles 1932, p. 364-365).

λουθοῦντα σκυθρωπόν τε καὶ κατηφῆ. Ὁ δὲ Παῦλος
δακρύσας καὶ τῇ χειρὶ τὸ στῆθος πλήξας πολλὰ ἐκαθέζετο
πρὸ τῆς ἐκκλησίας, ἀποκλαιόμενος σφόδρα τὸν οὕτως
20 ὀφθέντα αὐτῷ. Οἱ δὲ θεασάμενοι τὸ παράδοξον τοῦ ἀνδρὸς
τήν τε ὀξεῖαν αὐτοῦ μεταβολὴν πρὸς δάκρυα καὶ πένθος
καὶ αὐτοὶ ἐκινήθησαν καὶ ἀνηρώτων αὐτὸν παρακαλοῦντες
λέγειν τὸ ὁραθέν, δεδιότες μή τι καταγνοὺς ἁπάντων τοῦτο
πεποίηκεν· παρεκάλουν τε αὐτὸν εἰς τὴν σύναξιν σὺν
25 αὐτοῖς εἰσιέναι. Ὁ δὲ Παῦλος ἀποσεισάμενος αὐτοὺς καὶ
ἀπαγορεύσας τοῦτο ἐκαθέζετο ἔξω σιωπῶν καὶ
ἀποδυρόμενος πάνυ τὸν οὕτως ὀφθέντα αὐτῷ.

Μετ' οὐ πολὺ δὲ τῆς ἐκκλησίας ἀπολυθέντων πάντων
καὶ ἐξιόντων, πάλιν κατεμάνθανεν ὁ Παῦλος ἕκαστον εἰδὼς
30 μὲν οἷοι εἰσῆλθον βουλόμενος δὲ γνῶναι οἷοι ἐξέρχονται.
Ἐν τούτοις οὖν ὁρᾷ τὸν ἄνδρα τὸν μέλανά τε καὶ ζοφώδη
ὅλον τὸ σῶμα τὸ πρὶν ἐξερχόμενον ἀπὸ τῆς ἐκκλησίας
λαμπρὸν μὲν τῷ προσώπῳ λευκὸν δὲ τῷ σώματι, τοὺς
δὲ δαίμονας μακρὰν πολὺ ἀκολουθοῦντας, τὸν δὲ ἅγιον
35 ἄγγελον ἐγγὺς αὐτοῦ παραμένοντα ἱλαρόν τε καὶ πρόθυμον
καὶ χαίροντα ἐπὶ τῷ ἀνδρὶ σφόδρα. Ὁ δὲ Παῦλος ἀναπηδή-
σας μετὰ χαρᾶς ἐβόα εὐλογῶν τὸν Θεὸν καὶ λέγων· Ὦ
τῆς ἀφάτου φιλανθρωπίας καὶ ἀγαθότητος τοῦ Θεοῦ, ὦ
τῶν θείων αὐτοῦ οἰκτιρμῶν καὶ τῆς ἀμέτρου αὐτοῦ χρηστό-
40 τητος. Δραμὼν δὲ καὶ ἀναβὰς ἐπὶ βάθρου ὑψηλοῦ μεγάλῃ
τῇ φωνῇ ἔλεγεν· « Δεῦτε καὶ ἴδετε τὰ ἔργα τοῦ Θεοῦ[g] »
ὡς φοβερὰ καὶ πάσης ἐκπλήξεως γέμοντα· δεῦτε καὶ ἴδετε
τὸν θέλοντα « πάντας ἀνθρώπους σωθῆναι καὶ εἰς ἐπίγνωσιν
ἀληθείας ἐλθεῖν[h] », « δεῦτε προσκυνήσωμεν καὶ προσπέ-
45 σωμεν αὐτῷ[i] » καὶ εἴπωμεν ὅτι· Σὺ μόνος δύνασαι ἀφιέναι
ἁμαρτίας. Πάντες δὲ συνέτρεχον μετὰ σπουδῆς τῶν

17 post ὁ δὲ add. μακάριος YQRT ‖ 18 πλήξας : τύψας QMSH ‖
πολλὰ : πολλάκις OMSH l ‖ 20 post οἱ δὲ add. πατέρες YQRT ‖ 21 post
πένθος add. πρὸς ὀδυρμὸν QRT ‖ 24 παρεκάλουν τε : παρακαλοῦντες
H ‖ 25 εἰσιέναι : εἰσελθεῖν QT ‖ παῦλος om. YQR ‖ ἀποσεισαμένους
S ‖ 30 δὲ om. Y ‖ 31 ἐν τούτοις : ἐνταῦθα OMSH ‖ 31-32 μέλανά –

baissée. Pleurant et se frappant dur la poitrine, le bienheureux Paul se tenait assis devant l'église, se lamentant
fortement sur le frère qu'il avait vu dans cet état. Quant
à eux, ayant vu son comportement étonnant, ce brusque
passage aux larmes et à la componction, ils en furent
émus à leur tour et lui demandaient avec insistance de
dire ce qu'il avait vu, craignant qu'il n'ait agi ainsi en
signe d'accusation contre tous; et ils l'invitaient à venir
avec eux à la synaxe. Mais Paul, les écartant et s'y
refusant, se tenait assis dehors sans rien dire, se lamentant
sur le frère qu'il avait vu dans cet état.

Peu après, tous ayant été congédiés et quittant l'église,
Paul examinait à nouveau chacun, sachant ce qu'ils étaient
en entrant et voulant savoir ce qu'ils étaient en sortant.
Parmi eux, il voit l'homme auparavant noir et ténébreux
en tout son corps, sortir de l'église lumineux de visage
et blanc de corps; les démons le suivaient de très loin
tandis que le saint ange restait à côté de lui épanoui,
plein d'entrain et de joie à son sujet. Et Paul bondit de
joie et bénissait Dieu en criant : «O indicible philanthropie et bonté de Dieu! O miséricorde et bienfaisance
divines sans mesure!» Et il courut monter sur un siège
élevé et dit d'une voix forte : « *Venez voir les œuvres de
Dieu* [g], comme elles sont redoutables et stupéfiantes!
*Venez voir celui qui veut que tous les hommes soient
sauvés et viennent à la connaissance de la vérite* [h]! *Venez,
inclinons-nous, prosternons-nous devant lui* [i] et disons-lui :
Toi seul peux pardonner les péchés.» Tous accouraient

τὸ πρὶν ΟΗΙ *cf. Alph.* : πρωὴν μελανόν τε καὶ ζοφ. YQTH πρωὴν
μελανὸν μέντοι καὶ ζοφ. R μελανόν τε καὶ ζοφ. τὸ πρὶν MS ‖ 34 πολὺ :
που QT *cf. Alph.* ‖ 39 αὐτοῦ : τοῦ θεοῦ Ο ‖ 41-42 τὰ ἔργα – ἴδετε
om. M ‖ 44-45 καὶ προσπές. *om.* MS

g. Ps 45, 9a
h. 1 Tm 2, 4
i. Ps 94, 6a

λεγομένων ἀκούειν θέλοντες. Καὶ συνελθόντων πάντων
διηγεῖται ὁ Παῦλος τὰ ὁραθέντα αὐτῷ πρὸ τῆς εἰσόδου
τῆς ἐκκλησίας καὶ μετὰ ταῦτα πάλιν. Καὶ ἠξίου τὸν ἄνδρα
50 ἐκεῖνον λέγειν τὴν αἰτίαν ὅθεν αὐτῷ τὴν τοσαύτην
μεταβολὴν ὁ Θεὸς ἐχαρίσατο.

Ὁ δὲ ἄνθρωπος διελεγχθεὶς ὑπὸ τοῦ Παύλου ἐνώπιον
πάντων ἀνυποστόλως διηγήσατο τὰ καθ' ἑαυτὸν λέγων
ὅτι· Ἐγὼ ἄνθρωπός εἰμι ἁμαρτωλός, φησί, καὶ ἐν πολλῷ
55 τῷ χρόνῳ πορνείαις συζῶν μέχρι τοῦ νῦν. Εἰσελθὼν δὲ
νῦν εἰς τὴν ἁγίαν τοῦ Θεοῦ ἐκκλησίαν ἤκουσα τοῦ ἁγίου
προφήτου Ἡσαίου ἀναγινωσκομένου, μᾶλλον δὲ τοῦ Θεοῦ
ἐν αὐτῷ λαλοῦντος· « Λούσασθε, καθαροὶ γίνεσθε, ἀφέλετε
τὰς πονηρίας ἀπὸ τῶν ψυχῶν ὑμῶν· ἀπέναντι τῶν
60 ὀφθαλμῶν μου μάθετε καλὸν ποιεῖν· ἐκζητήσατε κρίσιν.
Καὶ ἐὰν ὦσιν αἱ ἁμαρτίαι ὑμῶν ὡς φοινικοῦν ὡς χιόνα
λευκανῶ. Καὶ ἐὰν θέλητε καὶ εἰσακούσητέ μου τὰ ἀγαθὰ
τῆς γῆς φάγεσθεʲ.» Ἐγὼ δέ, φησί, ὁ πόρνος ἐπὶ τῷ
ῥήματι τούτῳ κατανυγεὶς τὴν ψυχὴν σφόδρα στενάξας ἐν
65 τῇ διανοίᾳ μου εἶπον πρὸς τὸν Θεὸν ὅτι· Σὺ εἶ ὁ Θεὸς
ὁ ἐλθὼν εἰς τὸν κόσμον ἁμαρτωλοὺς σῶσαιᵏ, ἃ νῦν διὰ
τοῦ προφήτου σου ἐπηγγείλω ἔργῳ πλήρωσον εἰς ἐμὲ τὸν
ἀνάξιον καὶ ἁμαρτωλόν. Ἰδοὺ γὰρ ἀπὸ τοῦ νῦν δίδωμί
σοι λόγον συντάσσομαί τε καὶ τῇ καρδίᾳ ἐξομολογοῦμαί
70 σοι ὅτι οὐ μὴ πράξω τι τοιοῦτον κακόν· ἀλλὰ ἀποτάσσομαι
πάσῃ παρανομίᾳ καὶ δουλεύω σοι ἀπὸ τοῦ νῦν καθαρᾷ
συνειδήσει. Σήμερον οὖν, ὦ δέσποτα, καὶ ἐκ τῆς ὥρας
ταύτης δέξαι με μετανοοῦντα καὶ προσπίπτοντά σοι καὶ
ἀπεχόμενον πάσης ἁμαρτίας. Ἐπὶ ταύταις, φησί, ταῖς
75 συνθήκαις ἐξῆλθον ἀπὸ τῆς ἐκκλησίας κρίνας ἐν τῇ ἐμαυτοῦ

48 διηγεῖται YO : -γήσατο H -γεῖτο cett. ‖ 51 ὁ θεὸς om. Y ‖
53 διηγεῖτο OMS ‖ 55 πορνείᾳ QRT ‖ συνέζων OMSH cf. Alph. ‖ 56 ἐν
τῇ ἁγίᾳ ... ἐκκλησίᾳ OMSH cf. Alph. ‖ 57 ἡσαία Y ‖ 58 ἀφέλεσθε Q ‖
59 ψυχῶν : καρδιῶν O ‖ ὑμῶν : ἡμῶν H ‖ 60 ἐκζ. κρίσιν om. l ‖ post
κρίσιν add. καὶ δεῦτε διαλεχθῶμεν H ‖ 63 φάγετε H ‖ 64 post ψυχὴν
add. καὶ QRT ‖ 65 εἶ om. OMSHl ‖ ὁ θεὸς om. T ‖ 66 εἰς τὸν κόσμον :

en hâte, voulant entendre ce qu'il disait. Et lorsqu'ils furent tous réunis, Paul raconte ce qu'il avait vu à l'entrée dans l'église et à nouveau après. Et il demandait à cet homme de dire la raison pour laquelle Dieu lui avait accordé un si grand changement.

Et l'homme convaincu par Paul raconta sans détour devant tout le monde ce qui le concernait. «Je suis un pécheur, dit-il, et depuis longtemps j'ai vécu dans la fornication jusqu'à maintenant; mais entrant aujourd'hui dans la sainte église de Dieu, j'ai entendu le prophète Isaïe qu'on lisait, ou plutôt Dieu parlant par lui : *Lavez-vous, devenez purs, supprimez les iniquités de vos âmes; devant mes yeux apprenez à faire le bien, recherchez la justice. Et si vos fautes sont comme de la pourpre je les blanchirai comme de la neige; et si vous consentez à m'écouter vous mangerez les biens de la terre*[j]. Moi, dit-il, le fornicateur, frappé par cette parole et gémissant fortement, je dis à Dieu en pensée : Puisque tu es le Dieu venu dans le monde pour sauver les pécheurs[k], accomplis réellement en moi qui suis un indigne pécheur ce que tu as annoncé maintenant par ton prophète. Car à partir de maintenant je te donne ma parole, je te garantis et te promets dans mon cœur que je ne ferai plus aucun mal de ce genre; mais je renonce à toute prévarication et je te servirai désormais avec une conscience pure. Aussi, aujourd'hui, maître, et à partir de cette heure, reçois-moi, je fais pénitence, je me jette à tes pieds et je m'écarte de toute faute. Sur ces promesses, dit-il, je quittais l'église, décidé

---

j. Is 1, 16-19
k. Cf. 1 Tm 1, 15

ψυχῇ μηκέτι μηδὲν φαῦλον πρᾶξαι ἀπέναντι τῶν ὀφθαλμῶν τοῦ Θεοῦ.

Ἅπαντες δὲ οἱ ἀκούσαντες ἀνεβόων μιᾷ φωνῇ πρὸς τὸν Θεὸν λέγοντες · «Ὡς ἐμεγαλύνθη τὰ ἔργα σου, Κύριε,
80 πάντα ἐν σοφίᾳ ἐποίησας[1].» Γινώσκοντες τοίνυν, ὦ χριστιανοί, ἔκ τε τῶν θείων Γραφῶν καὶ ἐκ τῶν θείων ἀποκαλύψεων ὅσην ἔχει ὁ Θεὸς ἀγαθότητα πρὸς τοὺς εἰς αὐτὸν γνησίως καταφεύγοντας καὶ διὰ μετανοίας τὰ πρότερον αὐτοῖς ἐπταισμένα διορθουμένους, καὶ ὅτι
85 ἀποδίδωσι πάλιν τὰ ἐπηγγελμένα ἀγαθά, οὐκ εἰσπραττόμενος δίκας ὑπὲρ τῶν προτέρων ἁμαρτημάτων, μὴ ἀπελπίσωμεν τῆς ἑαυτῶν σωτηρίας. Ὥσπερ γὰρ διὰ Ἡσαΐου τοῦ προφήτου ἐπηγγείλατο τοὺς ἐν ἁμαρτίαις βεβορβορωμένους πλύνειν ὡσεὶ ἔριον καὶ ὡς χιόνα
90 λευκαίνειν[m], οὕτω καὶ νῦν πάλιν διὰ τοῦ ἁγίου προφήτου Ἰεζεκιὴλ μεθ᾽ ὅρκου ἡμᾶς πληροφορεῖ μὴ ἀπολλύειν · Ζῶ γὰρ ἐγώ, φησί, λέγει Κύριος ὅτι οὐ βούλομαι τὸν θάνατον τοῦ ἁμαρτωλοῦ ὡς τὸ ἐπιστρέψαι καὶ ζῆν αὐτόν[n].

27   Εἰσῆλθέ ποτε ὁ μαθητὴς τοῦ ἀββᾶ Σιλουανοῦ Ζαχαρίας καὶ ηὗρεν αὐτὸν ἐν ἐκστάσει, καὶ αἱ χεῖρες αὐτοῦ ἡπλωμέναι εἰς τὸν οὐρανόν. Καὶ κλείσας τὴν θύραν ἐξῆλθεν. Καὶ εἰσελθὼν περὶ ὥραν ἕκτην καὶ ἐννάτην εὗρεν αὐτὸν οὕτως.
5 Περὶ δὲ ὥραν ἑνδεκάτην ἔκρουσε καὶ εἰσελθὼν εὗρεν αὐτὸν ἡσυχάζοντα, καὶ λέγει αὐτῷ · Τί εἶχες σήμερον, πάτερ; Ὁ δὲ γέρων εἶπεν · Ἠσθένησα τίποτε, τέκνον. Ὁ δὲ κρατήσας αὐτοῦ τοὺς πόδας ἔλεγεν · Οὐ μή σε ἐάσω ἐὰν

76 φαῦλον om. H ‖ 78 οἱ Y : om. cett. ‖ 80 τοίνυν : οὖν Q ‖ 81 θείων ... θείων : ἁγίων ... ἁγίων M sanctis ... diuinis l ‖ 84 διορθούμενος QH : -μένοις R ‖ 87 post ἀπελπίσωμεν add. ὑπὲρ Y ‖ 89 post πλύνειν add. καὶ OMSHl ‖ ὡς om. OMSHl ‖ 90 post λευκαίνειν add. et bonorum coelestium, quae in coelestis ierusalem ciuitate sunt, replere l cf. Alph. ‖ 90 ἁγίου om. TMSHl ‖ 91 πληροφορεῖ YO : -φορεῖν cett. ‖ ἀπολλύειν : ἀλύειν MS ‖ 93 ἐπιστρέφειν Y
27 YOQRTMSHl
2 post αὐτοῦ add. ἦσαν H ‖ 4 εἰσελθὼν (cf. ἐλθὼν Alph.) : πάλιν

en moi-même à ne plus rien faire de mal aux yeux de Dieu.»

Et tous les auditeurs criaient d'une seule voix à Dieu : «*Comme tes œuvres sont grandes, Seigneur; tu fais tout avec sagesse*[1] *!*» Sachons donc, ô chrétiens, grâce aux divines Écritures et aux divines révélations, quelle grande bonté Dieu a pour ceux qui sincèrement se réfugient en lui et par la pénitence corrigent leurs fautes passées ; sachons que Dieu rend les biens promis sans exiger justice pour les manquements antérieurs, et ne désespérons pas de notre salut. En effet, comme il promit par le prophète Isaïe de laver comme la laine ceux qui sont embourbés dans les fautes et de les blanchir comme la neige[m], de même maintenant encore il nous garantit avec serment par le saint prophète Ézéchiel de ne pas nous détruire : car je suis vivant, dit le Seigneur, et je ne veux pas la mort du pécheur, mais qu'il se convertisse et vive[n].»

27   Le disciple d'abba Silvain, Zacharie, entra une fois et le trouva en extase ; ses mains étaient ouvertes vers le ciel. Il ferma la porte et partit. Il revint à la sixième puis à la neuvième heure et le trouva dans le même état. Mais vers la onzième heure il frappa, entra et le trouva en train de se reposer. Il lui dit : «Qu'avais-tu aujourd'hui, père?» Le vieillard dit : «J'étais un peu fatigué, mon enfant.» Mais il lui saisit les pieds et dit : «Je ne te laisserai pas que tu ne m'aies dit ce que tu as vu.»

Sil 3
(409 A)

QRT *om.* Y ‖ ἑκτὴν καὶ *om.* H ‖ *post* ἐννάτην *add.* ἀνοίξας QRT ‖ 4-5 οὕτως – αὐτὸν *om.* T ‖ 5 ἑνδεκάτην : decimam *l* ‖ 6 εἶχες : ἔχεις MSH

---

l. Ps 103, 24
m. Cf. Is 1, 18
n. Cf. Ez 18, 3.23

μή μοι εἴπῃς τί εἶδες. Λέγει αὐτῷ ὁ γέρων · Ἐγὼ εἰς
10 τὸν οὐρανὸν ἡρπάγην, καὶ εἶδον τὴν δόξαν τοῦ Θεοῦ καὶ
ἐκεῖ ἱστάμην ἕως ἄρτι, καὶ νῦν ἀπελύθην.

28   Εἶπεν ἡ ἁγία Συγκλητική · Γενώμεθα «φρόνιμοι ὡς οἱ
ὄφεις καὶ ἀκέραιοι ὡς αἱ περιστεραί°» πανοῦργον κατὰ
τῆς παγίδος αὐτοῦ κινοῦντες λογισμόν. Τὸ μὲν γὰρ γίνεσθαι
ὡσεὶ ὄφεις εἴρηται πρὸς τὸ μὴ λανθάνειν ἡμᾶς τὰς ὁρμὰς
5 καὶ τέχνας τοῦ διαβόλου · τὸ γὰρ ὅμοιον ἐκ τοῦ ὁμοίου
ταχίστην ποιεῖται τὴν διάγνωσιν. Τὸ δὲ ἀκέραιον τῆς
περιστερᾶς δείκνυσι τὸ καθαρὸν τῆς πράξεως.

29   Ἔλεγέ τις τῶν πατέρων ὅτι καθημένων ποτὲ γερόντων
καὶ λαλούντων περὶ ὠφελείας ἦν τις ἐν αὐτοῖς διορατικὸς
καὶ ἔβλεπε τοὺς ἀγγέλους κατασείοντας καὶ εὐφημοῦντας
αὐτούς. Ἡνίκα δὲ ἤρχετο ἄλλη ὁμιλία ἀνεχώρουν οἱ
5 ἄγγελοι καὶ ἐκυλίοντο χοῖροι ἐν μέσῳ αὐτῶν μεστοὶ
δυσωδίας καὶ ἠφάνιζον αὐτούς. Ὡς δὲ πάλιν ἐλάλουν περὶ
ὠφελείας ἤρχοντο οἱ ἄγγελοι καὶ εὐφημοῦν.

30   Εἶπε γέρων · Τοῦτό ἐστι τὸ γεγραμμένον · Ἐπὶ ταῖς
δυσὶ καὶ τρισὶν ἁμαρτίαις Τύρου ἀποστραφήσομαι, ἐπὶ δὲ
ταῖς τέσσαρσιν οὐκ ἀποστραφήσομαιᵖ, τὸ ἐνθυμηθῆναι τὸ
κακὸν καὶ συγκαταβῆναι τῷ λογισμῷ καὶ λαλῆσαι · τὸ δὲ
5 τέταρτόν ἐστι τὸ ἐκτελέσαι τὸ ἔργον. Ἐπὶ τοῦτο οὐκ
ἀποστραφῆται, λέγει Κύριος.

28 YOQRTH*l*
1 ὡς οἱ : ὡσεὶ Υ ‖ 3 αὐτοῦ : diaboli *l* ‖ κινοῦντες λογ. om. QT ‖
4 ὡσεὶ : ὡς οἱ Ο ‖ 6 δὲ ἀκέραιον : δακαίρεον Υ ‖ 6-7 τῆς περιστ. :
ὡς αἱ περιστεραὶ QRT ‖ 7 τὸ ad fin. om. l.
        29 YOQRTMSH*l*
3 post κατασείοντας add. βαίοις QRT ‖ εὐφημοῦντας : lauantes *l* ‖
4 ἡνίκα : ὡς OTMSH ‖ 7 ἤρχ. – καὶ om. MS ‖ post ἤρχοντο add.
πάλιν QRTH*l* ‖ εὐφημοῦν : lauabant *l*
        30 YQRTMSH*l*
2 ἀποστραφ. om. YQRTH ‖ 3 ante τὸ ἐνθυμ. add. τοῦτό ἐστιν Η ‖
4 λαλῆσαι : συνλαλ- Η ‖ 5 ἐκτελέσαι : τελέσαι QRT ‖ 5-6 ἐπὶ τοῦτο

Le vieillard lui dit : «J'ai été ravi au ciel et j'ai vu la gloire de Dieu, et je me tenais là jusqu'à présent; et maintenant j'ai été détaché.»

28   Sainte Synclétique dit : «Devenons *avisés comme des serpents et simples comme les colombes*[o], mettant en mouvement une pensée efficace contre les pièges du diable. Car devenir comme des serpents veut dire ne pas ignorer les assauts et les ruses du diable (le semblable acquiert en effet une rapide connaissance de son semblable), et la simplicité de la colombe signifie la pureté de l'action[1].»

Syn 18 (428 A)

29   L'un des pères disait que, des vieillards étant un jour assis à parler de choses édifiantes, l'un d'eux qui était clairvoyant voyait les anges qui les approuvaient et les louaient. Mais lorsqu'on en venait à parler d'autre chose, les anges se retiraient et des cochons circulaient au milieu d'eux, pleins de puanteur, et les faisaient disparaître. Et quand à nouveau ils parlaient de choses utiles, les anges revenaient et les louaient.

N 359

30   Un vieillard dit : «Voici ce que signifie ce passage de l'Écriture : Je me détournerai des deux ou trois fautes de Tyr, mais des quatre je ne me détournerai pas[p]. Concevoir le mal, y consentir par la pensée et le dire; mais le quatrième, c'est l'accomplir effectivement : de cela le Seigneur dit qu'il ne se détourne pas.»

N 360

οὐκ ἀποστρ. : ἀλλὰ καὶ ἐπὶ τούτῳ οὐκ ἀποστραφήσομαι μετανοοῦντι QRT in hoc ergo non auertitur ira domini *l* ‖ 6 ἀποστραφήσεται MS -φήσομαι Η ‖ λέγει κύριος *om. l*

---

o. Mt 10, 16
p. Am 1, 9

---

1. Repris de *Vita* 28 (*PG* 28, 1504 C). Le αὐτοῦ de la ligne 3 renvoie au diable dont la fin du ch. 27 rappelle que, loup rapace, il se présente sous l'apparence d'une brebis.

31   Ἔλεγον περὶ μεγάλου γέροντος ἐν Σκήτει ὅτι ὅτε οἱ
ἀδελφοὶ ᾠκοδόμουν κελλίον ἐξήρχετο μετὰ χαρᾶς καὶ ἔβαλε
τὸν θεμέλιον καὶ οὐκ ἀνεχώρει ἕως οὗ ἐτελειώθη. Ποτὲ
οὖν ἐξελθὼν εἰς οἰκοδομὴν κελλίου ἐστύγνασε πολύ.
5 Λέγουσιν αὐτῷ οἱ ἀδελφοί · Τί στυγνὸς εἶ καὶ λυπούμενος,
ἀββᾶ; Ὁ δὲ εἶπεν · Ἐρημωθῆναι ἔχει ὁ τόπος οὗτος,
τέκνα. Ἐγὼ γὰρ εἶδον ὅτι πῦρ ἀνήφθη εἰς Σκῆτιν, καὶ
λαβόντες οἱ ἀδελφοὶ βαΐα τύπτοντες ἔσβεσαν αὐτό. Καὶ
πάλιν ἀνήφθη, καὶ λαβόντες οἱ ἀδελφοὶ πάλιν βαΐα
10 τύπτοντες ἔσβεσαν αὐτό. Τὸ δὲ τρίτον ἀνήφθη, καὶ
ἐπλήρωσεν ὅλην τὴν Σκῆτιν, καὶ οὐκέτι ἠδυνήθη κατασ-
βεσθῆναι. Διὰ τοῦτο ἐγὼ στυγνάζω καὶ λυποῦμαι.

32   Διηγήσατό τις τῶν πατέρων λέγων ὅτι ὅτε προσέφερον
οἱ κληρικοὶ εἰς Σκῆτιν κατέβαινεν ὡς ἀετὸς ἐπὶ τὴν
προσφοράν, καὶ οὐδεὶς αὐτὸν ἔβλεπεν εἰ μὴ οἱ κληρικοί.
Ἐν μιᾷ οὖν τῶν ἡμερῶν ᾔτησέ τις ἀδελφὸς τὸν διάκονον
5 τί ποτε, καὶ λέγει αὐτῷ · Οὐ σχολάζω ἄρτι. Ἀπελθόντων
οὖν αὐτῶν εἰς τὴν προσφοράν, οὐ κατῆλθε τὸ ὁμοίωμα
τοῦ ἀετοῦ κατὰ τὸ ἔθος καὶ εἶπεν ὁ πρεσβύτερος τῷ
διακόνῳ · Τί ἐστι τὸ πρᾶγμα τοῦτο ὅτι οὐ παραγέγονεν
ὁ ἀετὸς κατὰ τὸ ἔθος; Καὶ εἶπε τῷ διακόνῳ · Ἦ ἐν ἐμοί
10 ἐστιν ἡ πλημμέλεια ἢ ἐν σοί · ἀπόστα οὖν μικρὸν καὶ ἐὰν
μὲν καταβῇ γνωσθήσεται ὅτι διὰ σὲ οὐ κατέβη · εἰ δὲ μή
γε γνωστόν ἐστιν ὅτι δι' ἐμὲ οὐ κατῆλθεν. Καὶ ἀποστάντος
τοῦ διακόνου εὐθέως κατῆλθεν ὁ ἀετός. Καὶ τελεσθείσης
τῆς συνάξεως εἶπεν ὁ πρεσβύτερος τῷ διακόνῳ · Εἰπέ μοι
15 τί ἐποίησας. Ὁ δὲ πληροφορῶν αὐτὸν ἔλεγεν · Οὐ σύνοιδα

31 YOQRTMSH*l*
2 κελλίον : τὰ κελλία H ‖ 3 ἐτελειοῦτο Y commoraretur *l* ‖ 8 λαβόντες :
ἔλαβον MS ‖ post βαΐα add. καὶ MS ‖ 9 post πάλιν¹ add. ἐκ δευτέρου
QRT ‖ 9-10 καὶ λαβόντες − αὐτό : καὶ πάλιν ἔσβεσαν αὐτό RT om.
Q ‖ 10 τύπτοντες om. YQRT ‖ τὸ δὲ τρίτον ἀν. om. Q ‖ 11 ὅλην :
πᾶσαν QRT ‖ 12 διὰ : καὶ διὰ Q
32 YOQRTMSH
1 τῶν πατέρων om. OMSH ‖ λέγων om. MS ‖ 2 post ἀετὸς add. τὸ

31   On disait d'un grand vieillard à Scété que, lorsque les   N 361
frères construisaient une cellule, il y allait avec joie, posait
le fondement et ne s'éloignait pas qu'elle ne soit ter-
minée. Or une fois qu'il allait à la construction d'une
cellule, il eut l'air très triste. Les frères lui dirent :
«Pourquoi es-tu triste et chagriné, abba?» Il dit : «Ce
lieu va être déserté, mes enfants. Car moi, j'ai vu qu'un
incendie s'était allumé à Scété et que les frères l'éteignirent en frappant avec des palmes; et il se ralluma et
les frères l'éteignirent encore en frappant avec des palmes.
Mais il s'alluma une troisième fois, et il se répandit sur
Scété tout entier, et on ne pouvait plus l'éteindre. Voilà
pourquoi je suis triste et chagriné.»

32   L'un des pères raconta que, lorsque les clercs faisaient   N 68
l'offrande à Scété, il descendait comme un aigle sur les
offrandes, et personne ne le voyait hormis les clercs. Or
un jour un frère demanda quelque chose au diacre qui
lui dit : «Je n'ai pas le temps maintenant.» Et lorsqu'ils
allèrent à l'offrande, ce qui ressemblait à l'aigle ne descendit pas comme d'habitude; et le prêtre dit au diacre :
«Qu'y a-t-il que l'aigle ne vienne pas comme d'habitude?»
Et il dit au diacre : «Est-ce moi qui ai commis une faute,
ou bien toi? Écarte-toi donc un peu et, s'il descend, on
saura que c'est à cause de toi qu'il n'est pas descendu;
sinon, il est évident que c'est à cause de moi.» Et, le
diacre se retirant, l'aigle descendit aussitôt. Une fois la
synaxe achevée, le prêtre dit au diacre : «Dis-moi ce que
tu as fait.» Celui-ci lui dit franchement : «Je n'ai pas

πνεῦμα τὸ ἅγιον QT ‖ 3 αὐτὸν : αὐτῶν QT ‖ *post* κληρικοί *add.* μόνοι
QT μόνον R ‖ 4 ἐν μιᾷ : μιᾶς O ‖ 8-9 τί εστι – διακονῷ *om.* QTMSH ‖
8 παραγέγ. : κατῆλθε R ‖ 9 *post* εἶπεν *add.* ὁ πρεσβύτερος O ‖ *ante*
ἢ ἐν *add.* πάντως QRT ‖ 10 μικρὸν : ἀπ᾽ ἐμοῦ OMSH ‖ 12 γνωστόν
ἐστι Y : γνωστὸν ἔστω QT γνῶθι *cett.*

ἐμαυτὸν ἁμαρτήσαντα, εἰ μὴ ὅτι ἐλθόντος ἀδελφοῦ καὶ
αἰτήσαντός με τόδε τὸ πρᾶγμα ἀπεκρίθην αὐτῷ ὅτι οὐ
σχολάζω. Καὶ εἶπεν αὐτῷ ὁ πρεσβύτερος · Οὐκοῦν διὰ σὲ
οὐ κατῆλθεν ὁ ἀετός, πάντως διὰ τὸ λυπῆναί σε τὸν
20 ἀδελφόν. Καὶ ἀπελθὼν ὁ διάκονος μετενόησε τῷ ἀδελφῷ.

33   Εἶπε γέρων · Γέγραπται · «Δίκαιος ὡς φοῖνιξ ἀνθήσει�q. »
Σημαίνει δὲ ὁ λόγος τὸ ἐκ τῶν ἀγαθῶν πράξεων ὑψηλὸν
καὶ ὀρθὸν καὶ γλυκύ. Ἔστι δὲ καὶ μία τοῦ φοίνικος ἡ
καρδία, καὶ αὐτὴ λευκὴ πᾶσαν ἔχουσα τὴν ἐργασίαν αὐτοῦ.
5 Τὸ δὲ ὅμοιον ἐπὶ τοῦ δικαίου ἔστιν εὑρεῖν. Μία γὰρ αὐτοῦ
καὶ ἁπλῆ ἡ καρδία πρὸς τὸν Θεὸν μόνον ὁρῶσα · ἔστι δὲ
καὶ λευκή, τὸν ἐκ τῆς πίστεως φωτισμὸν ἔχουσα, καὶ
πᾶσα δὲ ἡ ἐργασία τοῦ δικαίου ἐν τῇ καρδίᾳ αὐτοῦ ἐστιν,
τὸ δὲ ὀξὺ τῶν σκολόπων ἡ πρὸς τὸν διάβολον ἐστιν
10 ἀντίστασις.

34   Εἶπε γέρων · Ἡ Σουμανίτης τὸν Ἐλισσαῖον ἐδέξατο
παρὰ τὸ μὴ ἔχειν σχέσιν μετά τινος τῶν ἀνθρώπωνʳ.
Λέγουσι τὴν Σουμανίτην πρόσωπον ἔχειν τῆς ψυχῆς, τὸν
δὲ Ἐλισσαῖον πρόσωπον τοῦ ἁγίου Πνεύματος. Ἐν ᾗ ἂν
5 οὖν ὥρᾳ ἀφίσταται ἡ ψυχὴ τῆς βιωτικῆς συγχύσεως καὶ
ταραχῆς παραβάλλει αὐτῇ τὸ Πνεῦμα τοῦ Θεοῦ, καὶ τότε
δυνήσεται τεκεῖν ὑπάρχουσα χήρα.

35   Ἄλλος τις τῶν πατέρων εἶπεν ὅτι οἱ ὀφθαλμοὶ τοῦ
χοίρου φυσικὴν ἔχουσι διάπλασιν τοῦ νεύειν ἐπὶ τὴν γῆν,
μηδέποτε δὲ δύνασθαι ἀναβλέψαι εἰς τὸν οὐρανόν. Οὕτως

16 ἐμαυτῷ ἁμαρτήσαντι MS ‖ 17 τὸ πρᾶγμα om. OMSH ‖ 17-18 οὐ
σχολ. : ἀσχολοῦμαι OMSH ‖ 18 διὰ σὲ : διὰ τοῦτο πάντως QRT ‖ 19 ὁ
ἀετὸς om. OMSH ‖ πάντως om. QRT ‖ λυπῆσαι Y
33 YOQRTH*l*
2 δὲ om. Q ‖ πράξεων : ἔργων H ‖ 4 ἔχουσαν QRTH
34 YOQRTMSH*l*
1 ὑπεδέξατο OMSH ‖ 3 ἔχειν : εἶχεν H ‖ 4 post πρόσωπον add. ἔχειν
QRT ‖ 4-5 ἐν ᾗ ... ὥρᾳ : ἦν ... ὥραν Q ‖ 5 οὖν om. Y ‖ 6 παραβαλεῖ
O ‖ 7 χήρα : στεῖρα QRT*l*

conscience d'avoir péché, si ce n'est qu'à un frère qui venait me demander quelque chose j'ai répondu que je n'avais pas le temps.» Le prêtre lui dit : «C'est donc à cause de toi que l'aigle n'est pas descendu, c'est certainement parce que tu as fait de la peine au frère.» Et le diacre alla demander pardon au frère.

33   Un vieillard dit : «Il est écrit : *Le juste fleurira comme*   N 362
le palmier[q]. Ce mot signifie la hauteur, la droiture et la douceur des bonnes œuvres. En outre, le palmier a un seul cœur, qui est blanc et qui renferme toute son activité. On trouve la même chose chez le juste : son cœur est unique et simple, ne regardant que vers Dieu seul; et il est blanc, recevant son illumination de la foi; et toute l'activité du juste est dans son cœur, ses piques acérées sont pour se protéger du diable.»

34   Un vieillard dit : «La Sunamite reçut Élisée car elle   N 363
n'avait de relation avec personne[r]. On dit que la Sunamite représente l'âme et Elisée le Saint Esprit. Ainsi, à l'heure même où l'âme se retire du désordre et du trouble pour sa subsistance, l'Esprit de Dieu survient en elle, et alors elle pourra engendrer puisqu'elle est veuve[1].»

35   Un autre père dit : «Les yeux du porc ont une confor-   N 364
mation naturelle pour se tourner vers la terre sans jamais pouvoir regarder en haut vers le ciel. Ainsi donc, dit-il,

35 YOQRTH*l*
2 διάπλασιν : πλάσιν YOH figmentum *l* ‖ ἐπί : εἰς QT ‖ 3 βλέψαι QT

q. Ps 91, 13
r. Cf. 2 R 4, 8-37

1. De cet apophtegme – qu'on lit aussi dans *Alph.*, Cronios 1 – on possède plusieurs recensions qui permettent d'en analyser la progressive transformation (cf. J.-Cl. GUY, «Note sur l'évolution du genre apophtegmatique», *Revue d'Ascétique et de Mystique* 32, 1956, p. 63-68).

οὖν, φησί, καὶ τῶν ταῖς ἡδοναῖς ἐγγλυκανθέντων ἡ ψυχὴ
5 ἅπαξ κατολισθήσασα εἰς τὸν τῆς ἡδυπαθείας βόρβορον
δυσχερῶς ἀνανεῦσαι δύναται πρὸς τὸν Θεὸν ἢ φροντίσαι
τι ἄξιον τοῦ Θεοῦ.

36 Ἐγένετό τις μέγας εἰς τοὺς διορατικούς. Οὗτος
διεβεβαιώσατο λέγων ὅτι· Τὴν δύναμιν ἣν εἶδον ἐπὶ τοῦ
φωτίσματος ἑστῶσαν αὐτὴν εἶδον καὶ ἐπὶ τοῦ ἐνδύματος
τοῦ μοναχοῦ ὅταν λαμβάνῃ τὸ σχῆμα.

37 Ἄλλος πάλιν τῶν γερόντων ἔλεγεν ὅτι· Πολλάκις τοῦ
διακόνου λέγοντος · Ἀσπάσασθε ἀλλήλους, εἶδον τὸ Πνεῦμα
τὸ ἅγιον εἰς τὸ στόμα τῶν ἀδελφῶν.

38 Ἐφωτίσθη γέρων τοῦ ὁρᾶν τὰ γινόμενα, καὶ ἔλεγεν
ὅτι· Εἶδον ἐν κοινοβίῳ ποτὲ ἀδελφὸν μελετῶντα εἰς κελλίον,
καὶ ἰδοὺ δαίμων ἐλθὼν ἵστατο ἔξω τοῦ κελλίου, καὶ ἐν
τῷ μελετᾶν τὸν ἀδελφὸν οὐκ ἴσχυσεν εἰσελθεῖν · ὡς δὲ
5 ἐπαύσατο τοῦ μελετᾶν, τότε εἰσῆλθεν ὁ δαίμων εἰς τὸ
κελλίον.

39 Ἔλεγον περί τινος γέροντος ὅτι ἐδεήθη τοῦ Θεοῦ ἰδεῖν
τοὺς δαίμονας, καὶ ἀπεκαλύφθη αὐτῷ ὅτι· Οὐ χρείαν ἔχεις
ἰδεῖν αὐτούς. Ὁ δὲ γέρων παρεκάλει λέγων · Κύριε, δυνατὸς
εἶ σκεπάσαι με τῇ χάριτί σου. Ὁ δὲ Θεὸς ἀπεκάλυψεν
5 τοὺς ὀφθαλμοὺς αὐτοῦ καὶ εἶδεν αὐτοὺς ὅτι ὥσπερ μέλισσαι

4 οὖν om. RTH ‖ τοὺς ... ἐγγλυκανθέντας YOH
36 YOQRTMSH*l*
1 post τις add. γέρων YORMSH ‖ μέγας YO*l* om. cett. ‖ οὗτος : καὶ
[om. M] οὕτως QRTM ‖ 2 εἶδον : εἶχον R ‖ 4 μοναχικοῦ Q ‖ post
σχῆμα add. spiritualem *l*
37 YOQRTMSH
2 ἀσπάσασθε : τὸ ἀγαπήσωμεν MS ‖ 3 τὰ στόματα QRT ‖ ἀδελφῶν :
μοναχῶν Q
38 YOQRTMSH*l*
1 post γέρων add. ποτὲ YORTMSH ‖ 2 ποτὲ om. TMS ‖ 3 ἐλθὼν :
ἐξελθὼν M ‖ 4 ἴσχυεν O ‖ 5 ἐπαύετο TMH ‖ τοῦ om. YOMSH ‖ μελετῶν

en va-t-il de l'âme de ceux qui se complaisent aux plaisirs : une fois qu'elle s'est laissée glisser dans le bourbier de la jouissance, elle ne peut que difficilement regarder en haut vers Dieu ou se préoccuper de ce qui est digne de Dieu.»

36 Quelqu'un devint grand parmi les clairvoyants. Celui-ci affirmait avec force : «La puissance que je vis dressée au moment de l'illumination, je la vis aussi sur le vêtement du moine lorsqu'il reçoit l'habit[1].» N 365

37 Un autre vieillard disait encore : «Souvent lorsque le diacre disait : Embrassez-vous les uns les autres, j'ai vu l'Esprit Saint sur la bouche des frères.» N 87

38 A un vieillard fut donnée la lumière pour voir ce qui se passait, et il disait : «Je vis un jour dans un cénobium un frère méditant en cellule. Vint un démon qui se tenait à l'extérieur de la cellule ; et tant que le frère méditait il ne put entrer, mais lorsque celui-ci s'arrêta de méditer, alors le démon entra dans la cellule.» N 366

39 On disait d'un vieillard qu'il demanda à Dieu de voir les démons et qu'il lui fut révélé : «Tu n'as pas besoin de les voir.» Mais le vieillard suppliait Dieu en disant : «Seigneur, tu es capable de me protéger par ta grâce.» Et Dieu lui ouvrit les yeux et il vit que les démons, comme des abeilles, entouraient l'homme en grinçant des N 369

OMSH ‖ εἰσήρχετο OMSH ‖ ὁ δαίμων *om.* YRT ‖ 5-6 εἰς τὸ κελλίον *om. l*

39 YOQRTMS*l*

1 τοῦ θεοῦ *om.* Q ‖ 3 *post* παρεκάλει *add.* τὸν θεὸν YQRT ‖ 4 σκέπασόν Q ‖ χάριτι : χειρί R

1. Texte souvent repris au Moyen Age : cf. J. LECLERCQ, «Profession monastique, baptême et pénitence d'après Odon de Cantorbéry», *Studia Anselmiana* 31, 1953, p. 130. Voir aussi SMARAGDE, *Diadème des moines* 79 (*PL* 102, 674 BC).

κυκλοῦσι τὸν ἄνθρωπον βρύχοντες τοὺς ὀδόντας αὐτῶν ἐπ᾽ αὐτόν· οἱ δὲ ἄγγελοι τοῦ Θεοῦ ἐπετίμων αὐτοῖς.

40   Εἶπέ τις γέρων ὅτι δύο ἀδελφοὶ ἦσαν γειτνιῶντες αὐτῷ, ὁ εἷς ξενικὸς καὶ ὁ εἷς ἐγχώριος· καὶ ὁ μὲν ξενικὸς ἀμελὴς ἦν μικρόν, ὁ δὲ ἐγχώριος σπουδαῖος πάνυ. Συνέβη δὲ κοιμηθῆναι τὸν ξενικόν, καὶ ὁ γέρων διορατικὸς ὢν 5 εἶδε πλῆθος ἀγγέλων ὁδηγούντων τὴν ψυχὴν αὐτοῦ. Καὶ ὡς ἔφθασε τὸν οὐρανὸν εἰσελθεῖν, ἐγένετο περὶ αὐτοῦ ζήτησις καὶ ἦλθεν φωνὴ ἄνωθεν λέγουσα· Φανερὸν μὲν ὅτι μικρὸν ἀμελὴς ἦν, ἀλλὰ διὰ τὴν ξενιτείαν αὐτοῦ ἀνοίξατε αὐτῷ. Καὶ μετὰ ταῦτα ἐκοιμήθη καὶ ὁ ἐντόπιος, 10 καὶ ἦλθε πᾶσα ἡ συγγένεια αὐτοῦ καὶ εἶδεν ὁ γέρων ὅτι οὐδαμοῦ ἄγγελοι, καὶ ἐθαύμασε καὶ ἔπεσεν ἐπὶ πρόσωπον ἐνώπιον τοῦ Θεοῦ λέγων· Πῶς ὁ ξένος ἀμελὴς ὢν τοιαύτην δόξαν ἔσχεν, καὶ οὗτος σπουδαῖος ὢν οὐδενὸς τοιούτου ἔτυχεν; Καὶ ἦλθεν αὐτῷ φωνὴ λέγουσα· Οὗτος ὁ σπουδαῖος 15 ὅτε ἦλθε κοιμηθῆναι ἤνοιξε τοὺς ὀφθαλμοὺς αὐτοῦ καὶ εἶδε τοὺς γονεῖς αὐτοῦ κλαίοντας, καὶ παρεκλήθη ἡ ψυχὴ αὐτοῦ· ὁ δὲ ξένος, εἰ καὶ ἀμελὴς ἦν, ἀλλ᾽ οὐδένα τῶν ἰδίων εἶδεν, καὶ στενάξας ἔκλαυσε καὶ ὁ Θεὸς παρεκάλεσεν αὐτόν.

41   Διηγήσατό τις τῶν πατέρων ὅτι ἦν τις ἀναχωρητὴς εἰς τὴν ἔρημον Νειλουπόλεως, καὶ διηκόνει αὐτῷ κοσμικὸς πιστός. Ἦν δὲ καὶ ἐν τῇ πόλει ἄνθρωπος πλούσιος καὶ ἀσεβής· καὶ συνέβη αὐτὸν ἀποθανεῖν. Καὶ προέπεμψεν 5 αὐτὸν ἡ πόλις πᾶσα καὶ ὁ ἐπίσκοπος μετὰ λαμπάδων. Ἐξῆλθε δὲ ὁ διακονητὴς τοῦ ἀναχωρητοῦ κατὰ τὸ ἔθος ἀπενεγκεῖν αὐτῷ ἄρτους, καὶ εὑρίσκει αὐτὸν βεβρωμένον ὑπὸ ὑαίνης. Καὶ ἔπεσεν ἐπὶ πρόσωπον ἐνώπιον Κυρίου

---

7 αὐτόν : αὐτῷ QR ‖ ἐπετίμουν Υ
40 YOQRTMS*l*
2 ὁ εἷς ... ὁ εἷς: εἷς ... εἷς YOMS ‖ 2-3 καὶ² – ἐγχώριος *om.*
YOMS ‖ 6 αὐτοῦ : αὐτὸν YOS ‖ 11 οὐδαμοῦ ἄγγελοι : non uenire
angelos ad deducendam animam eius *l* ‖ 12-13 τοιαύτης δόξης Μ ‖

dents contre lui, mais que les anges de Dieu les apostrophaient.

40   Un vieillard dit qu'il avait comme voisins deux frères,   N 367
un étranger et un indigène. L'étranger était un peu
négligent, et l'indigène très fervent. Or il arriva que mourut
l'étranger. Et comme le vieillard était clairvoyant, il vit
une multitude d'anges guidant son âme. Et lorsqu'il fut
près d'entrer au ciel, il y eut une enquête à son sujet,
et une voix vint dire d'en haut : «Il est évident qu'il était
un peu négligent, mais à cause de son émigration, ouvrez-
lui.» Ensuite mourut aussi l'indigène, et toute sa parenté
vint. Et le vieillard vit que nulle part il n'y avait d'ange.
Il s'en étonna et se prosterna face contre terre devant
Dieu en disant : «Comment l'étranger, qui était négligent,
a-t-il reçu une telle gloire, tandis que celui-ci, qui était
fervent, n'a rien obtenu de tel?» Et une voix vint lui
dire : «Ce moine fervent, lorsqu'il vint à mourir, ouvrit
les yeux et vit sa famille en larmes, et son âme a été
consolée; tandis que l'étranger, même s'il était négligent,
ne vit aucun des siens; et il gémit et pleura, et Dieu le
consola.»

41   L'un des pères racontait que, dans le désert de Nilo-   N 368
polis, il y avait un anachorète que servait un séculier
fidèle. Or dans la ville il y avait un homme riche et
mécréant qui se trouva mourir. Et la ville, y compris
l'évêque, lui fit cortège avec des luminaires. Et le serviteur de l'anachorète allant comme d'habitude lui porter
des pains le trouva mangé par une hyène. Et il se prosterna face contre terre devant le Seigneur en disant : «Je

---

13-14 καὶ οὗτος – ἔτυχεν *om.* MS ‖ 15 αὐτοῦ *om.* Y ‖ 16 γονεῖς parentes
l : συγγενεῖς QRT ‖ 18 στενάξας ἔκλ. καὶ : fleuit et *l om.* QT
    41 YOQRTMS*l*
4 ἀποθανεῖν : κοιμηθῆναι QT ‖ 5 πᾶσα *om.* YOMS ‖ 6 δὲ : δὲ καὶ OQTMS ‖
7 *post* καὶ *add.* ὑποστρέψας M ‖ 8 ὑπὸ : ἀπὸ O ‖ ἐνώπιον *om.* Q

λέγων · Οὐκ ἐγείρομαι ἕως οὗ πληροφορήσῃς με τί ἐστι
10 ταῦτα ὅτι ἐκεῖνος μὲν ὁ ἀσεβὴς τοσαύτην ἔσχε φαντασίαν,
οὗτος δὲ νύκτα καὶ ἡμέραν δουλεύων σοι οὕτως ἔπαθεν.
Καὶ ἐλθὼν ἄγγελος Κυρίου εἶπεν αὐτῷ · Ἐκεῖνος ὁ ἀσεβὴς
εἶχε μικρὸν ἔργον καλὸν καὶ ἀπέλαβεν αὐτὸ ὧδε ἵνα ἐκεῖ
μηδεμίαν ἄνεσιν εὕρῃ. Οὗτος δὲ ὁ ἀναχωρητὴς ἐπειδὴ
15 ἄνθρωπος ἦν κεκοσμημένος ἐν πάσῃ ἀρετῇ εἶχε δὲ καὶ
αὐτὸς ὡς ἄνθρωπος μικρόν τι σφάλμα, ἀπέλαβεν αὐτὸ
ἐνταῦθα ἵνα ἐκεῖ εὑρεθῇ καθαρὸς ἐνώπιον τοῦ Θεοῦ. Καὶ
πληροφορηθεὶς ἀπῆλθε δοξάζων τὸν Θεὸν ἐπὶ τοῖς κρίμασιν
αὐτοῦ ὅτι ἀληθινά εἰσιν.

42   Διηγήσατό τις τῶν πατέρων ὅτι τρία πράγματά εἰσιν
ἔντιμα παρὰ τοῖς μοναχοῖς, οἷς δεῖ ἡμᾶς μετὰ φόβου καὶ
τρόμου καὶ χαρᾶς πνευματικῆς προσέρχεσθαι · ἡ κοινωνία
τῶν ἁγίων μυστηρίων καὶ ἡ τράπεζα τῶν ἀδελφῶν καὶ ὁ
5 νιπτὴρ αὐτῶν. Ἔφερε δὲ καὶ ὑπόδειγμα τοιοῦτον λέγων
ὅτι ἦν τις γέρων μέγας διορατικὸς καὶ συνέβη αὐτὸν
γεύσασθαι μετὰ πλειόνων ἀδελφῶν. Καὶ ἐν τῷ ἐσθίειν
αὐτοὺς πρόσεσχε τῷ πνεύματι ὁ γέρων καθεζόμενος ἐπὶ
τῆς τραπέζης, καὶ ἔβλεπε τοὺς μὲν ἐσθίοντας μέλι, τοὺς
10 δὲ ἄρτον, τοὺς δὲ κόπρον. Καὶ ἐθαύμασεν ἐν ἑαυτῷ καὶ
ἐδέετο τοῦ Θεοῦ λέγων · Κύριε, ἀποκάλυψόν μοι τὸ
μυστήριον τοῦτο, ὅτι τὰ αὐτὰ βρώματα πᾶσι προτέθεντα
ἐπὶ τῆς τραπέζης ἐν τῷ ἐσθίειν οὕτως ἐνηλλαγμένα
φαίνονται, καὶ οἱ μὲν ἐσθίουσι μέλι, οἱ δὲ ἄρτον, οἱ δὲ
15 κόπρον. Καὶ ἦλθεν αὐτῷ φωνὴ ἄνωθεν λέγουσα ὅτι · Οἱ
ἐσθίοντες τὸ μέλι οὗτοί εἰσιν οἱ μετὰ φόβου καὶ τρόμου
καὶ χαρᾶς πνευματικῆς καθεζόμενοι ἐπὶ τῆς τραπέζης καὶ
ἀδιαλείπτως προσευχόμενοι, καὶ ἡ εὐχὴ αὐτῶν ὡς θυμίαμα

11 ἔπαθεν : ἀπέθανεν Q ‖ 12 ἐλθὼν ... εἶπε : ἦλθε ... καὶ εἶπε OMS ‖
κυρίου om. OQRT ‖ 13 ἔργον om. QT ‖ 15 ἦν : ἐστι Q ‖ ἐν om. Q ‖
16 post σφάλμα add. καὶ Y ‖ 17 τοῦ θεοῦ : κυρίου R ‖ 18-19 ἐπὶ ad
fin. om. MS
42 YOQRTMS[H]*l*
2-3 καὶ τρόμου om. YORMSH ‖ 6 ὅτι] hic des. H ‖ 8 προσεῖχε TM ‖

ne me relèverai pas que tu ne m'expliques pourquoi ce
mécréant-là a obtenu une si grande pompe tandis que
celui-ci, qui te servait nuit et jour, a ainsi souffert.» Et
un ange du Seigneur vint lui dire : «Ce mécréant-là avait
fait un peu de bien, et il en a été récompensé ici afin
de ne trouver là-bas aucune rémission. Mais cet anachorète, comme c'était un homme orné de toutes les
vertus, mais qui commettait lui aussi cependant comme
tout homme de petites fautes, il les a payées ici afin que
là-bas il soit trouvé pur devant Dieu.» Et satisfait, le serviteur s'en alla en rendant gloire à Dieu pour ses juge-
ments car ils sont véridiques.

42   L'un des pères racontait que trois choses sont pré- N 85
cieuses aux moines, qu'il nous faut poursuivre avec crainte,
tremblement et joie spirituelle : la communion des saints
mystères, la table des frères et leur laver les pieds. Et il
en apportait l'exemple suivant. Il y avait un vieillard,
grand clairvoyant, auquel il arriva de manger avec plusieurs frères. Tandis qu'ils mangeaient, le vieillard spiri-
tuellement attentif, assis à table, en vit certains manger
du miel, d'autres du pain, d'autres du fumier. Il s'en
étonna et demandait à Dieu : «Seigneur, révèle-moi ce
mystère : pourquoi, alors que les mêmes aliments sont
présentés à tous sur la table, ils paraissent ainsi trans-
formés lorsqu'on les mange, et que les uns mangent du
miel, d'autres du pain, d'autres du fumier?» Et une voix
d'en haut vint lui dire : «Ceux qui mangent du miel sont
ceux qui sont assis à table avec crainte, tremblement et
joie spirituelle, et qui prient sans cesse. Leur prière monte

10 καὶ – ἑαυτῷ *om.* Y ‖ ἐθαύμαζεν M ‖ 11 κύριε *om.* QT ‖ 12 ὅτι
OMS quia *l* : πῶς *cett.* ‖ προτίθενται S ‖ 13 *post* τραπέζης *add.* καὶ
TMS ‖ *post* ἐσθίειν *add.* αὐτοὺς QT ‖ 16 τὸ Y : *om. cett.* ‖ 17 καθεζόμενοι :
edunt *l* ‖ 18 ὡς θυμίαμα : ἀδιαλείπτως Y *om.* QRT

ἀνέρχεται πρὸς τὸν Θεὸν δι' ὃ καὶ μέλι ἐσθίουσιν. Οἱ δὲ
20 τὸν ἄρτον ἐσθίοντες οὗτοί εἰσιν οἱ εὐχαριστοῦντες ἐπὶ τῇ
μεταλήψει τῶν ὑπὸ τοῦ Θεοῦ δεδωρημένων. Οἱ δὲ τὸν
κόπρον ἐσθίοντες οὗτοί εἰσιν οἱ γογγύζοντες καὶ λέγοντες ·
Τοῦτο καλὸν κἀκεῖνο σαπρόν. Οὐ χρὴ δὲ ταῦτα λογίζεσθαι,
ἀλλὰ μᾶλλον δοξολογεῖν τὸν Θεὸν καὶ ὕμνους ἀναπέμπειν
25 τῷ κρείττωνι ἵνα καὶ ἐν ἡμῖν πληρωθῇ τὸ ῥηθέν · « Εἴτε
ἐσθίετε εἴτε πίνετε εἴτε τι ποιεῖτε, πάντα εἰς δόξαν Θεοῦ
ποιεῖτε[s]. »

43   Μοναχοί τινες ἐξελθόντες ἐκ τῶν κελλίων αὐτῶν
συνήχθησαν ἐπὶ τὸ αὐτὸ καὶ λόγον ἐκινοῦν περὶ ἀσκήσεως
καὶ εὐσεβείας καὶ πῶς δεῖ ἀρέσαι τῷ Θεῷ. Τούτων δὲ
λαλουμένων ὤφθησαν δύο ἄγγελοι τισὶ γέρουσιν ἐξ αὐτῶν,
5 ἐπωμίδας ἔχοντες καὶ εὐφημοῦντες ἕκαστον αὐτῶν
λαλούντων περὶ ὠφελείας. Καὶ ἐσιώπησαν οἷς ἀπεκαλύφθη
τὸ ὅραμα μηδὲν εἰρηκότες. Καὶ τῇ ἑξῆς συναχθέντες ἐπὶ
τῷ αὐτῷ τόπῳ λόγον ἐκίνησαν περί τινος ἀδελφοῦ ὡς
ἁμαρτήσαντος, καὶ ἤρξαντο διαβάλλειν αὐτόν. Ὤφθη οὖν
10 τοῖς αὐτοῖς γέρουσι χοῖρος δυσωδίαν ἀποπνέων καὶ ὅλος
ἀκάθαρτος. Γνῶντες δὲ τὸ πταῖσμα οἷς ἀπεκαλύφθη τὸ
θαῦμα διηγήσαντο τοῖς ἀδελφοῖς καὶ τὴν τῶν ἀγγέλων
εὐφημίαν καὶ τὸ τοῦ χοίρου θεώρημα.

44   Ἔλεγον οἱ γέροντες ὅτι ὀφείλει ἕκαστος τὸ τοῦ πλησίον
οἰκειοῦσθαι ὅπως ἂν ἔχῃ, καὶ σχεδὸν ἐνδύσασθαι αὐτὸν μετὰ
τοῦ σώματος καὶ ὅλον φορεῖν τὸν ἄνθρωπον καὶ συμπάσχειν
αὐτῷ καὶ συγχαίρειν ἐπὶ πᾶσιν καὶ συγκλαίειν αὐτῷ, καὶ
5 ἁπλῶς οὕτω διακεῖσθαι ὅτι τὸ αὐτὸ φορεῖ σῶμα καὶ τὸ

25 τῷ κρείττωνι : ei l ‖ ῥηθέν : ῥητόν MS
43 Υ[Ο]QRT
3 εὐσεβείας : εὐλαβείας QRT ‖ τὸν θεὸν Q ‖ 5 κατέχοντες Ο ‖ [καὶ εὐφ.
hic. des. O ‖ 7 μηδὲν εἰρ. om. QT ‖ 10 ἀποπνέων Υ ‖ ὅλος : ὅλως QRT
44 YQRTMS
4 καὶ συγχαίρειν om. Q ‖ καὶ συγκλαίειν om. R ‖ συγχ. ... συγκλ.
transp. MS ‖ post αὐτῷ add. ἐπὶ πᾶσιν T ‖ 5 ἁπλῶς : ὅλως M

vers Dieu comme un encens; aussi mangent-ils du miel. Ceux qui mangent du pain sont ceux qui rendent grâce en prenant part aux dons de Dieu. Ceux qui mangent du fumier sont ceux qui murmurent et disent : ceci est bon et cela est mauvais. Il ne faut pas penser cela, mais plutôt rendre gloire à Dieu et adresser des hymnes au Tout Puissant afin qu'en nous aussi s'accomplisse cette parole : *Soit que vous mangiez, soit que vous buviez, quoi que vous fassiez, faites tout pour la gloire de Dieu* [s].» [1]

43 Des moines sortant de leurs cellules se réunirent en un même lieu et se mirent à parler de l'ascèse, de la piété et de la façon dont il faut plaire à Dieu. Et tandis qu'ils parlaient, deux anges furent vus par certains vieillards parmi eux, portant une étole et bénissant chacun de ceux qui parlaient du profit spirituel. Et ceux à qui cette vision fut révélée se turent et ne dirent rien. Le lendemain, se réunissant au même lieu, ils se mirent à parler d'un frère, disant qu'il avait commis une faute; et ils commencèrent à le blâmer. Alors les mêmes vieillards virent un porc exhalant une mauvaise odeur et tout souillé. Reconnaissant alors la faute, ceux à qui le prodige avait été révélé racontèrent aux frères et la bénédiction des anges et la vision du porc.

44 Les vieillards disaient que chacun doit faire sien l'état N 389
de son prochain, quel qu'il soit, et pour ainsi dire l'endosser avec son corps et porter tout l'homme, compatir avec lui, se réjouir en tout et pleurer avec lui, bref être disposé comme si on portait le même corps, comme si

---

s. 1 Co 10, 31

1. Dans la version latine, cet apophtegme est déplacé à la fin du présent livre (*PL* 73, 1000 AC).

αὐτὸ πρόσωπον ἔχει καὶ τὴν αὐτὴν ψυχήν, καὶ ὡς ὑπὲρ
ἑαυτοῦ θλίβεσθαι εἴ ποτε συμβῇ αὐτῷ θλῖψις. Οὕτως γὰρ
καὶ γέγραπται ὅτι· «Ἐν σῶμά ἐσμεν ἐν Χριστῷ[1]», καὶ
πάλιν· «Τοῦ πλήθους τῶν πιστευσάντων ἦν ἡ καρδία καὶ
10 ἡ ψυχὴ μία[u]», — καὶ τὸ τοῦ ἁγίου ἀσπασμοῦ τοῦτο δηλοῖ.

45   Διηγήσατό τις γέρων ὅτι· Ἦν παρθένος πρεσβῦτις πάνυ
τὴν ἡλικίαν προκόψασα ἐν τῷ φόβῳ τοῦ Θεοῦ. Καὶ
ἐρωτωμένη παρ' ἐμοῦ τὸν τρόπον τῆς ἀναχωρήσεως αὐτῆς
στενάξασα οὕτως ἤρξατο λέγειν· Ἐμοὶ μέν, ὦ θαυμάσιε,
5 ὑπῆρχε παιδὶ τυγχανούσῃ πατρὸς τυχεῖν ἐπιεικοῦς καὶ
πράου τὸν τρόπον, ἀσθενοῦς δὲ καὶ νοσώδους τῷ σώματι,
ὃς τοσαύτῃ συνέζη ἰδιοπραγμοσύνῃ ὥστε καὶ τοῖς τὸ χωρίον
οἰκοῦσιν μόλις εἰς συντυχίαν ἔρχεσθαί ποτε. Τῇ δὲ γῇ
προσκαρτερῶν, κἀκεῖ τὸν βίον αὐτοῦ ἀπασχολῶν εἴποτε
10 ὑγίαινε τοὺς καρποὺς ἐκόμιζε ἐν τῷ οἴκῳ, τὸν πλείονα
δὲ χρόνον κλίνῃ καὶ νοσοτροφίᾳ κατείχετο. Τοσαύτη δὲ
ἦν αὐτοῦ ἡ σιωπὴ ὡς τοὺς ἀγνοοῦντας αὐτὸν δοκεῖν ἄφωνον
εἶναι. Μήτηρ δέ μοι ὑπῆρχεν ἐκ τῶν ἐναντίων. Περιειργάζετο
δὲ καὶ τὰ ὑπὲρ τὴν πατρίδα· λόγοι δὲ αὐτῆς πρὸς ἅπαντας
15 τοσοῦτοι ἐκινοῦντο ὡς δοκεῖν αὐτῆς ἅπαν τὸ σῶμα γλῶσσαν
ὑπάρχειν· μάχαι συνεχεῖς συνήπτοντο πρὸς ἅπαντας παρ'
αὐτῆς. Τῇ δὲ μέθῃ τοῦ οἴνου μετὰ ἀνδρῶν ἀκολάστων
διέτριβεν. Διώκει δὲ τὰ ἔνδον ὡς πόρνη πονηρῶς ὡς καὶ
πολλὰ σφόδρα ὑπάρχοντα μὴ δύνασθαι ἡμῖν ἐπαρκεῖν.
20 Ταύτῃ γὰρ ὑπὸ τοῦ πατρὸς ἐπετέτραπτο ἡ διοίκησις. Τῷ
δὲ σώματι οὕτως ἐκέχρητο ὥστε ὀλίγους τοῦ χωρίου
δυνηθῆναι διαδρᾶναι τὴν αὐτῆς ἀσέλγειαν. Οὐ νόσος αὐτῆς
τῷ σώματι ἀπήντησέ ποτε, οὐ πόνου ἤσθετο κἂν τοῦ

---

7 ἑαυτοῦ : αὐτοῦ MS ‖ 8 καὶ[l] *om.* RTM ‖ 9 τοῦ : τοῦ δὲ QRT ‖
πιστευόντων T ‖ 10 καὶ : ἀλλὰ καὶ QRT
45 MS[H]*l*
5 ὑπῆρξε M ‖ 7 συνέζῃ : συνέβη M ‖ 11 νοσοτροφείῳ M ‖ 13-14 περιειργάζετο – πατρίδα : et quae ultra omnes quae erant in regione hac

on avait le même visage et la même âme, et s'affliger comme pour soi-même quand des afflictions lui surviennent. Ainsi en effet est-il écrit : *Nous sommes un seul corps dans le Christ*[t], et encore : *La foule de ceux qui avaient cru avait un seul cœur et une seule âme*[u]. Et c'est cela que manifeste le saint baiser.

45   Un vieillard racontait : « Il y avait une vierge très âgée et avancée dans la crainte de Dieu. Interrogée par moi sur la raison de sa retraite, elle se mit à dire en gémissant : "Lorsque j'étais enfant, ô homme admirable, j'avais un père bon et doux de tempérament, mais au corps faible et maladif, qui vécut en s'occupant tellement de lui-même qu'il ne rencontrait pratiquement jamais les habitants du village. Fixé à sa terre et y passant sa vie, lorsqu'il était en bonne santé il en portait les fruits dans sa maison, mais la plupart du temps il était retenu au lit par le soin de sa santé. Son silence était tel que ceux qui ne le connaissaient pas le croyaient aphone. Quant à ma mère, c'était l'inverse. Elle s'ingérait même dans les affaires des autres. Elle parlait tellement avec tout le monde qu'on pouvait croire que son corps n'était qu'une langue. Elle provoquait sans cesse des disputes avec tout le monde. Elle passait son temps dans l'ivresse du vin avec des hommes dissolus. En courtisane, elle gérait mal notre intérieur, en sorte que bien qu'abondant notre avoir ne pouvait nous suffire (mon père en effet lui en avait abandonné l'administration). Elle usait de telle façon de son corps que peu dans le village purent échapper à son impudence. Jamais la maladie n'atteignit son corps; elle n'éprouva aucun malaise, même banal; mais de sa nais-

turpior esset *l* ‖ 19-20 ἐπαρκεῖν] ταύτῃ *hic inc.* H ‖ 20 γὰρ S : δὲ MH nam *l* ‖ 22 διαδράσαι H

t. Rm 12, 5
u. Ac 4, 32

τυχόντος, ἀλλ' ἐκ γεννήσεως μέχρι τελευτῆς ὁλόκληρον τὸ
25 σῶμα ἐν ὑγιείᾳ ἐκέκτητο.

Ἐπὶ τούτοις οὖν συνέβη τὸν πατέρα πολυχρονίοις νόσοις
παλαίσαντα ἀποθανεῖν. Καὶ εὐθέως συνεκινοῦντο βροχαί τε
καὶ ἀστραπαὶ καὶ βρονταὶ τὸν ἀέρα συνήλαυνον, καὶ οὔτε
νυκτὸς οὔτε ἡμέρας διαλείπων ὁ ὑετὸς τριταῖον αὐτὸν
30 κεῖσθαι ἐπὶ τῆς κλίνης ἄταφον ἐποίει, ὥστε τοὺς τοῦ
χωρίου κατασείοντας αὐτῶν τὰς κεφαλὰς θαυμάζειν ὁποῖον
κακὸν ἐν λήθῃ τοῖς πᾶσιν ἐτύγχανεν. Οὕτως γάρ, φησίν,
ἐστι τοῦ Θεοῦ ἐχθρὸς ὡς μηδὲ τὴν γῆν αὐτὸν παραδέ-
ξασθαι εἰς ταφήν. Ἀλλ' ὅμως ἵνα μὴ ἔνδον διαλυθεὶς
35 ἄβατον ἡμῖν τὴν οἰκίαν καταστήσῃ, τοῦ ἀερὸς ἐπικειμένου
ἔτι καὶ τῶν ὑετῶν καταφερομένων, ὁπωσδήποτε τοῦτον
ταφῇ παραδεδώκαμεν. Ἡ δὲ μήτηρ ὡς πλείονα ἄδειαν
λαβοῦσα ἀναιδέστερον τῇ τοῦ σώματος ἐκέχρητο ἀσωτίᾳ
καὶ πορνεῖον τὸν οἶκον σχεδὸν ἀποδείξασα τοσαύτῃ
40 συνέζησεν ἀσωτίᾳ καὶ τρυφῇ ὡς μικρά μοι ἐν τῇ περιουσίᾳ
καταλιπεῖν τὰ πράγματα. Τοῦ δὲ θανάτου μόλις αὐτῇ καὶ
μετὰ φόβου ὡς ἐμοίγε ἐδόκει ἐπελθόντος, τοσαύτης ἔτυχε
κηδείας καὶ σπουδῆς ὡς νομίζειν καὶ τὸν ἀέρα συγκηδεύειν
αὐτήν. Ἐγὼ δὲ μετὰ τὴν ἐκείνης τελευτὴν τῆς παιδίσκης
45 ἡλικίας ἐξελθοῦσα καὶ τῶν τοῦ σώματος ἐπιθυμιῶν
κινουμένων λοιπὸν καὶ γαργαλιζουσῶν ἐν ἑσπέρᾳ τινὶ οἷα
συμβαίνειν εἰκὸς εἰς ἔννοιαν ἦλθον καὶ ἐσκοποῦν τὸ ποῖόν
τινα βίον ἔλομαι ζῆν · πότερον τὸν τοῦ πατρὸς ἐν ἐπιεικείᾳ
καὶ πρᾳότητι καὶ τῇ καλῇ σωφροσύνῃ · — ἀλλ' ἰδοὺ πάλιν
50 ἐκεῖνο ἐπελογιζόμην ὅτι οὐδενὸς ἐν τῷ βίῳ τετύχηκεν

24 γενέσεως H ‖ τελευτῆς : τέλους H ‖ 26 οὖν om. MS ‖
27 συνεκινοῦντο correxi : -νεῖτο codd. ‖ 29 διέλειπεν H ‖ 32 οὕτως :
οὗτος H ‖ 35-36 τοῦ ἀερὸς – καταφερομένων om. M ‖ 37 παραδιδόαμεν
H ‖ 39-40 τοσαύτῃ – περιουσίᾳ om. M ‖ 41 post καταλιπεῖν add. δὲ
M ‖ 45 ὑπεξελθοῦσα H ‖ 48 πότερον : πρότερον M ‖ 49 post ἰδοὺ add.
φησιν H

1. Ἔλομαι semble être l'unique leçon attestée par les manuscrits. On
attendrait, soit le subjonctif aoriste ἔλωμαι, soit le futur ἐλοῦμαι. Mais

sance à sa mort, elle posséda un corps intact et en bonne santé.

Là-dessus, mon père, vaincu par ses longues maladies, mourut. Et aussitôt pluies et bourrasques se levèrent, le tonnerre remplit l'air, et la pluie ne cessant ni de nuit ni de jour obligea à le laisser pendant trois jours sans sépulture, sur son lit, si bien que les gens du village branlaient la tête et s'étonnaient, se demandant quelle mauvaise action s'était produite à l'insu de tous : «Etait-il donc, disaient-ils, tellement ennemi de Dieu que même la terre ne le reçoive pas pour la sépulture?» Mais cependant, de peur qu'en se décomposant à l'intérieur il ne nous rende la maison inaccessible, bien que le temps soit encore contraire et malgré les averses qui tombaient, nous l'avons pourtant enseveli. Quant à ma mère, y trouvant comme plus de liberté, elle se livra à la débauche avec plus d'impudence et, transformant presque la maison en lupanar, elle vécut dans tant de débauche et de sensualité qu'elle ne me laissa de reste que peu de biens. Mais la mort venant à elle, péniblement et avec crainte à ce qui me semblait, elle obtint de grandes funérailles au point de penser qu'on allait inhumer l'air avec elle. Et moi, sortant après sa mort de l'âge puéril, et les passions du corps m'excitant et m'irritant, je me mis un soir à réfléchir, comme il arrive normalement, et à examiner quelle vie je choisirais[1] de vivre : serait-ce celle de mon père, pleine de mesure et de douceur et d'une belle tempérance? Mais en sens inverse, je pensais qu'il n'avait rien obtenu de bon dans sa vie, mais qu'après avoir

---

nous n'avons pas voulu normaliser la graphie, d'autant plus que le *TLG* atteste trois occurrences de ἕλομαι chez des grammairiens ou lexicographes : HÉRODIEN/PS. HÉRODIEN, Παρεκβολαί (éd. La Roche, Vienne 1863, p. 27, l. 24); HÉRACLIDE LE GRAMMAIRIEN, fragment 28 (éd. Cohn, Berlin 1884, l. 55, même texte qu'Hérodien); *Etymologicum Symeonis*, éd. Lassere-Livadaras, Rome 1976, t. I, p. 334, l. 29). [B.M.]

ἀγαθοῦ, ἀλλὰ πάντα τὸν χρόνον νόσῳ καὶ θλίψει
δαπανώμενος οὕτω μετήλλαξε τὴν ζωὴν αὐτοῦ, οὐδὲ τῆς
γῆς τὴν ταφὴν αὐτοῦ παραδεχομένης. Εἰ τοίνυν ἀγαθὴ ἦν
παρὰ τῷ Θεῷ ἡ τοιαύτη διαγωγή, τίνος ἕνεκεν τοσοῦτον
55 ἐπειράσθη ὁ πατὴρ οὕτως ἐλόμενος; Ἀλλ' ὡς ἡ μήτηρ
ἄρα καλόν, καὶ ἐκδιδόναι δεῖ τῇ ἀκολασίᾳ καὶ ἀσελγείᾳ
καὶ ἡδυπαθείᾳ τὸ σῶμα; Καὶ γὰρ ἐκείνη μηδὲν τῶν
αἰσχρῶν ἔργων καταλείψασα, μεθύουσα δὲ πάντα τὸν βίον,
ἐν ὑγιείᾳ καὶ εὐπραγίᾳ τὴν ζωὴν ὑπεξῆλθεν. Τί οὖν, φησί,
60 οὕτω χρὴ ζῆν ὡς ἡ μήτηρ; Βελτίον γὰρ τοῖς οἰκείοις
ὀφθαλμοῖς πιστεῦσαι, καὶ μηδὲν ὑπερβαίνειν τῶν φανερῶς
ἐγνωσμένων. Καὶ ἐδέδοκτό μοι τῇ ἀθλίᾳ τῇ αὐτῆς ἑαυτὴν
καταστῆσαι ζωῇ.

Ἐπελάθετο δὲ ἡ νύξ, καὶ ὕπνου μοι εὐθέως ἐπελθόντος
65 μετὰ τοὺς λογισμοὺς τούτους, ἐφίσταταί τις μέγας μὲν
τῷ σώματι φοβερὸς δὲ τῇ ὄψει, εἶτα τῷ σχήματι με
ἐκφοβῶν ὀργίλῳ τῷ προσώπῳ καὶ τραχείᾳ τῇ φωνῇ
ἀνηρώτα με· Εἰπέ μοι, φησὶν ὁ δεῖνα, τίνες οἱ διαλογισμοὶ
τῆς καρδίας σου. Ἐγὼ δὲ ἀπὸ τῆς ὄψεως καὶ τοῦ σχήματος
70 ἔντρομος γενομένη οὐδὲ ἐμβλέψαι αὐτῷ ἐτόλμουν. Μείζονι
δὲ φωνῇ κεχρημένος πάλιν ἐκέλευσε τὰ δεδογμένα μοι
ἀπαγγέλλειν. Ἐγὼ δὲ ἀπὸ τοῦ φόβου παρεθεῖσα καὶ πάντων
ἐπιλαθομένη τῶν λογισμῶν οὐδὲν ἔλεγον εἰδέναι. Ἐκεῖνος
δὲ ἀρνουμένην με ἀνεμίμνησκε πάντα τὰ ἐν τῇ διανοίᾳ
75 μου μεμελετημένα. Ἐγὼ δὲ ἐλεγχθεῖσα ἐπὶ παράκλησιν
τραπεῖσα ἱκέτευον συγγνώμης ἀξιωθῆναι καὶ τὴν αἰτίαν
διηγούμην τῆς τοιαύτης διανοίας. Ὁ δέ φησιν· Ἐλθὲ
τοίνυν ὀψομένη ἀμφοτέρους τόν τε πατέρα καὶ τὴν μητέρα,
καὶ ὃν βούλει βίον τὸ τηνικαῦτα λοιπὸν ἐκλέξαι σεαυτῇ.
80 Καὶ λαβόμενός μου τῆς χειρὸς εἷλκεν ἀγαγὼν δὲ ἐν μεγίστῃ
πεδιάδι παραδείσους ἐχούσῃ πολλούς, καὶ παντοδαποὺς

---

53 ἀγαθὴ correxi : -θὸν codd. ‖ 55 ἐλόμενος : ἀλλώμενος Η ‖ 56 post
ἄρα add. φησι Η inquit cogitatus meus l ‖ δεῖ correxi : δῇ codd. ‖
59 φησι om. l ‖ 62 ἐδέδοκτό : ἐδέδοντό Μ ‖ 65 ἀφίσταταί Μ ‖ 66 τῷ

passé tout le temps en maladie et en afflictions, il quitta
cette vie sans que même la terre n'accueille sa sépulture.
Si donc une telle façon de vivre était bonne aux yeux
de Dieu, pourquoi mon père qui l'avait choisie fut-il tellement éprouvé? Mais est-il bien de vivre comme ma
mère, et faut-il abandonner mon corps à la licence, à
l'impudence et à la jouissance? Car elle, sans renoncer
à aucune mauvaise action, s'enivrant sans cesse, passa sa
vie florissante de santé. Quoi donc, me disais-je, dois-je
vivre comme ma mère? Mieux vaut, en effet, se fier à
ses propres yeux et ne pas négliger ce que l'évidence
fait connaître. Et il m'avait semblé bon, malheureuse que
j'étais, de m'établir moi-même dans son genre de vie.

Mais la nuit survint, et aussitôt que le sommeil m'en-
vahit après ces pensées, se présente un personnage de
grande taille, redoutable à voir; me faisant peur par son
aspect, il me questionna avec un visage en colère et une
voix dure : «Dis-moi, toi, quelles sont les pensées de ton
cœur.» Mais moi, effrayée par son visage et son aspect,
je n'osais même pas le regarder. Élevant la voix il m'ordonna à nouveau de lui manifester mes opinions. Mais
moi, paralysée par la crainte et oubliant toutes mes
pensées, je lui disais ne rien savoir. Et ce personnage
me rappelait, tandis que je niais, tout ce que j'avais
retourné dans mon esprit. Confondue, je demandais son
intercession et le suppliais de me pardonner; et je lui
exposais la raison d'une telle pensée. Il me dit : «Viens
donc voir et ton père et ta mère, et choisis alors pour
toi-même la vie que tu veux.» Et me prenant la main,
il me conduisait dans une grande plaine où il y avait de
nombreux jardins, des fruits de toutes sortes et des arbres
aux essences variées, surpassant en beauté tout ce que

σχήματι : intuendo *l* ‖ 74 με *om.* MS ‖ 76 *post* τὴν *add.* τοιαύτην M ‖
77 τοιαύτης *om.* M ‖ 79 ἐκλέξαι : -ψαι M ‖ 81 πεδιάδι *scripsi* (campum
l) : παιδιάδι *codd*

καρποὺς καὶ δένδρα ποικίλα, καὶ τῷ κάλλει τὴν διήγησιν
νικῶντα · εἰσάγει με ἔνδον ἐκεῖ. Ὑπαντήσας δέ μοι ὁ
πατὴρ καὶ περιλαβὼν κατεφίλει τέκνον ἀποκαλῶν. Ἐγὼ
85 δὲ περιπλακεῖσα αὐτὸν παρεκάλουν συμμένειν αὐτῷ. Ὁ
δέ · Νῦν μέν, φησιν, οὐ δυνατόν, εἰ δὲ τοῖς ἐμοῖς ἴχνεσιν
ἀκολουθῆσαι θελήσεις ἥξεις ἐνταῦθα μετ' οὐ πολύ. Ἐμοῦ
δὲ ἔτι δεομένης συμμένειν αὐτῷ, ἑλκύσας μὲ πάλιν τῆς
χειρὸς ὁ ἐκεῖ ἀγαγών · Ἴθι, ἔφη, καὶ τὴν μητέρα ὀψομένη
90 τὴν σὴν πυρὶ φλεγομένην ἵνα γνῷς πρὸς ὃν πότερον καλὸν
καὶ συμφέρον ἀποκλῖναι βίον.
    Ἐπιστήσας δέ με εἰς οἶκον σκοτεινὸν καὶ ζοφερὸν
παντελῶς βρυγμοῦ τε καὶ ταραχῆς πεπληρωμένον δείκνυσί
μοι κάμινον πυρὸς ἀναφλεγομένην καὶ πίσσαν
95 ἀνακαχλάζουσαν καί τινας τῇ ὁράσει φοβεροὺς ἐφεστῶτας
τῇ καμίνῳ. Ἐγὼ δὲ ἐμβλέψασα κάτω, ὁρῶ τὴν ἐμαυτῆς
μητέρα ἐν τῇ καμίνῳ μέχρι τραχήλου βεβαπτισμένην καὶ
τοὺς ὀδόντας τρίζουσαν καὶ συγκρούουσαν, καὶ τῷ πυρὶ
φλεγομένην σκωλήκων τε πολλῶν βρῶμα γινομένην. Ἰδοῦσά
100 με ἐκείνη μετὰ θρήνων ἐβόα, τέκνον με ἀνακαλοῦσα ·
Οἴμοι, τέκνον, τῶν οἰκείων ἔργων · οἴμοι, τέκνον, τῶν
ἐμῶν πράξεων, ὅτι ὡσεὶ λῆρος ἅπαντά μοι τὰ περὶ
σωφροσύνης ἐφαίνετο ἔργα, πορνείας δέ μοι καὶ μοιχείας
οὐκ ἐπιστεύσοντο τιμωρίαι εἶναι, μέθης δὲ καὶ ἀσελγείας
105 οὐχ ἡγούμην βάσανον εἶναι. Ἰδοὺ μικρᾶς ἡδονῆς ὁπόσην
ἀντιλαμβάνω κόλασιν καὶ τιμωρίαν · ἰδοὺ ἐλαχίστης
παρανόμου τρυφῆς ὁπόσην ἀντιλαμβάνω τὴν δίκην · ἰδοὺ
τῆς τοῦ Θεοῦ καταφρονήσεως ὁπόσους λαμβάνω τοὺς
μισθούς. Κατέλαβέ με πάντα τὰ ἀκίνητα κακά. Νῦν καιρὸς
110 βοηθείας, ὦ τέκνον, νῦν μνήσθητι τροφείων ὧν παρ' ἐμοῦ
ἔτυχες · νῦν ἀντίδος εὐεργεσίαν εἴ τινος ἀγαθοῦ μετείληφας

---

87 post ἐνταῦθα add. οὐ MS forte σὺ H ‖ 89 ἐκεῖ : καὶ H ‖ ἴθι :
ἴσθη H ‖ 90 ὃν πότερον : ὁπότερον H ‖ 93 πεπληρωμένον correxi :
-μένην codd. ‖ 94-95 πίσσαν – ὁράσει om. MS ‖ 95 τῇ correxi : τῷ
codd. ‖ 97 ἐν : ἐπὶ M ‖ 97-99 καὶ τοὺς – γινομένην om. H ‖ 99 βρῶμα
γινομένην : fetorem fieri l ‖ 101-102 τῶν οἰκείων – πράξεων : de pro-

l'on peut en dire. Il m'y fait pénétrer. Et mon père, venu à ma rencontre, me serrait dans ses bras et m'embrassait, m'appelant son enfant; et moi, me collant à lui, je lui demandais de rester avec lui. Il me dit : «Pour le moment, ce n'est pas possible; mais si tu veux suivre mes traces, tu viendras ici sous peu.» Et tandis que j'insistais pour demeurer avec lui, celui qui m'avait conduite en ce lieu me tira par la main en me disant : «Viens voir aussi ta propre mère brûlant dans le feu, afin de savoir vers quelle vie il est bon et profitable de t'orienter.»

M'ayant placée dans une maison obscure et ténébreuse, tout entière remplie de grincements de dents et de trouble, il me montre une fournaise ardente, de la poix bouillonnante et des personnages effrayants à voir qui surveillaient la fournaise. Me penchant pour voir, je vois ma propre mère plongée dans la fournaise jusqu'au cou, grinçant et claquant des dents, brûlée par le feu et devenue la proie d'une abondante vermine. A ma vue, elle criait avec des gémissements, m'appelant son enfant : «Malheur à mes propres œuvres, mon enfant; malheur à mes propres actions, mon enfant, parce que toutes les œuvres de tempérance me semblaient un radotage; je croyais qu'il n'y avait pas de châtiment pour la fornication et les adultères, et j'estimais qu'il n'y a pas de torture pour l'ivrognerie et l'impudence. Vois quel grand châtiment, quelle punition je reçois en échange de petits plaisirs; vois quelle grande condamnation je reçois en échange de si peu de volupté interdite; vois quel salaire je reçois pour avoir méprisé Dieu : tous ces maux inébranlables me possèdent. Maintenant, mon enfant, c'est le temps du secours; maintenant, souviens-toi de la nourriture que tu as reçue de moi; maintenant, rends-moi un bienfait si tu as reçu de

priis operibus haec pation *l* ‖ 103-104 πορνείαις ... μοιχείαις ... τιμωρίαις H ‖ 104 ἐπιστεύοντο S ‖ 105 *post* ἰδοὺ *add.* ἀντὶ H ‖ 109 ἀκίνητα MS*l* : ἀνήκεστα *cett.* ‖ 111 *post* τινος *add.* ποτε H

ἀπ' ἐμοῦ. Ἐλέησόν με τὴν ἐν πυρὶ φλεγομένην καὶ ὑπ'
αὐτοῦ δαπανωμένην · ἐλέησόν με τὴν ἐν τοιαύταις βασάνοις
ἐξεταζομένην. Οἰκτείρησόν με, τέκνον, καὶ δός μοι χεῖρα
115 καὶ ἀνάγαγέ με ἐντεῦθεν. Ἐμοῦ δὲ παραιτουμένης τοῦτο
ποιεῖν διὰ τοὺς ἐφεστῶτας, πάλιν ἐκείνη μετὰ δακρύων
ἐβόα · Τέκνον, βοήθει · τέκνον, βοήθει μοι, μὴ παρίδῃς
μητρὸς οἰκείας ὀδυρμούς · μνήσθητι ἡμέρας ὠδίνων, καὶ
μὴ παρίδῃς τὴν ἐν γεέννῃ πυρὸς ἀπολλυμένην. Ἐγὼ δὲ
120 ὑπὸ τῶν δακρύων καὶ τῆς φωνῆς παθοῦσά τι ἀνθρώπινον,
ἐξέτεινα τὴν χεῖρά μου ἀνασπάσαι αὐτήν. Τοῦ δὲ πυρὸς
καταφλέξαντός μου τὴν χεῖρα ἠρξάμην μετὰ κλαυθμοῦ
στενάζειν.
Διεγερθέντες δὲ οἱ ἐκ τῆς οἰκίας καὶ ἅψαντες πῦρ, τὴν
125 αἰτίαν τῶν οἰμωγῶν ἀνηρώτων. Ἐγὼ δὲ αὐτοῖς διηγησάμην
τὰ ὁραθέντα · καὶ λοιπὸν ἔννους ἐγενόμην τοῦ ἐμοῦ πατρὸς
μᾶλλον μετελθεῖν τὸν βίον, πληροφορηθεῖσα διὰ τῆς τοῦ
Θεοῦ ἀφάτου εὐσπλαγχνίας καὶ φιλανθρωπίας οἷαι τιμωρίαι
ἀπόκεινται τοῖς κάκιστα ζῆν βουλομένοις. Τοιαῦτα μὲν ἡ
130 μακαρία παρθένος ἐκείνη ἐκ τῆς ὁράσεως, πολλὴν εἶναι
τῶν ἀγαθῶν τὴν ἀνταπόδοσιν, φαύλων δὲ πράξεων καὶ
βίου αἰσχροῦ μεγάλας εἶναι τὰς τιμωρίας, ἀπήγγειλεν. Διὸ
γενώμεθα ἑαυτῶν βελτίους τῇ συμβουλῇ ἵνα εὑρεθῶμεν
μακάριοι.

46 Διηγήσατο πάλιν ὁ αὐτὸς γέρων καὶ περί τινος ἐπισκόπου,
ἵνα μάλιστα καὶ ἐκ τούτου τὸ θάρσος λαβόντες τῆς ἑαυτῶν
γενώμεθα σωτηρίας αἴτιοι, ὅτι · Ἠγγέλλετο παρά τινων

---

115 παραιτουμένης *correxi* : παρατουμ- *codd.* recusante *l* ‖ 117 τέκνον
βοήθει1 *om. l* ‖ *post* τέκνον² *add.* ἐμόν S ‖ 119 ἀπηλλαυμένην H ‖
121-122 ἐξέτεινα – χεῖρα *om. l* ‖ 122 φλέξαντός S ‖ 126 ἔννους : ἐνεὸς
MS ‖ 128 εὐσπλ. καὶ *om.* MS ‖ καὶ φιλανθρ. *om. l* ‖ 129 *post*
βουλομένοις *add.* ἐξῆλθον καὶ γέγονα μοναχή H
46 YQRTMSH*l*
1 καὶ *om.* R ‖ 2 καὶ *om.* R*l* ‖ τούτου : ἐκείνου MSH ‖ τὸ *om.* Y ‖

moi quelque bien. Aie pitié de moi qui brûle dans un feu qui me consume; aie pitié de moi qui suis torturée dans de tels tourments. Sois compatissante, mon enfant, donne-moi la main et emmène-moi d'ici.» Et comme je refusais de le faire à cause des gardes, elle criait à nouveau en pleurant : «Secours-moi, mon enfant, secours-moi; ne dédaigne pas les tourments de ta propre mère; souviens-toi du jour de ton enfantement et ne dédaigne pas celle qui périt dans la géhenne de feu.» Et moi, éprouvant à cause de ses larmes et de sa voix un sentiment humain, je tendis la main pour la tirer en haut. Mais comme le feu me brûlait la main, je me mis à crier et à gémir.

Les gens de la maison se réveillèrent, allumèrent du feu et s'enquéraient de la cause de mes gémissements. Moi, je leur racontai ce que j'avais vu; et je fus désormais décidée à partager plutôt la vie de mon père, convaincue par l'indicible miséricorde et philanthropie de Dieu des peines réservées à ceux qui veulent vivre mal." Voilà ce qu'annonça cette bienheureuse vierge grâce à sa vision : nombreuses sont les récompenses des bonnes œuvres et grands les châtiments des mauvaises actions et d'une vie honteuse. Améliorons-nous donc grâce à ce conseil, afin de devenir bienheureux[1].»

46 Le même vieillard racontait aussi le récit suivant à propos d'un évêque, afin que nous y puisions courage et devenions responsables de notre propre salut. Certains

J 715

ἑαυτῶν : -τοῦ MS ‖ 3 αἴτιοι : σπουδαῖοι H diligentiam (habeamus) *l om.* MS ‖ ἤγγελτο MS ἀπήγγελτο H ‖ 3-4 τινων τῷ ... ἐπισκόπῳ MS*l* : τινος [τινων H] τῶν ... ἐπισκόπων *cett.*

---

1. Repris en *exemplum* pour la prédication par Jacques de Vitry (XIIe siècle) : cf. J. LONGÈRE, *Œuvres oratoires de Maîtres parisiens au XIIe siècle*, Paris 1975, t. I, p. 399 et t. II, p. 299 (n. 6).

τῷ παρ᾽ ἡμῖν ἐπισκόπῳ, ὡς ὅτι αὐτὸς ἦν ὁ ταῦτα ἑωρακὼς
5 ὁ καὶ διηγησάμενος, ὥς τινας τῶν κοσμικῶν ἐλευθέρας
δύο πίστας μὴ σωφρόνως βιοῦν. Ὁ δὲ ἐπίσκοπος ὑπὸ
τῶν ταῦτα ἀπαγγειλάντων παθῶν τι ἀνθρώπινον,
ὑποτοπήσας δὲ καὶ περὶ ἑτέρων τοῦτο ἐπὶ παράκλησιν
Θεοῦ ᾔει ἐκεῖθεν τὸ ἀκριβὲς ἀξιῶν μαθεῖν, οὗπερ καὶ
10 ἔτυχεν. Μετὰ γὰρ τὴν θείαν καὶ φοβερὰν λειτουργίαν καὶ
προσκομιδὴν ἐκείνην τῶν προσιόντων εἰς μετάληψιν τῶν
ἁγίων μυστηρίων τὰς ψυχὰς ἑώρα διὰ τῶν ὄψεων ὁποίαις
ἕκαστος ὑπόκειται ἁμαρτίαις καὶ τῶν ἁμαρτωλῶν ἑώρα
τὰς ὄψεις καθάπερ ἀσβόλην, τινὰς δὲ αὐτῶν δίκην καύματος
15 ἔχοντας τὸ πρόσωπον τοὺς δὲ ὀφθαλμοὺς ὑφαίμους καὶ
πυρώδεις, ἑτέρους δὲ αὐτῶν λαμπροὺς μὲν τὴν ὄψιν λευκοὺς
δὲ τὴν ἐσθῆτα, καὶ τοῖς μὲν ἄλλοις ὡς μετεδίδετο τὸ τοῦ
Κυρίου σῶμα καὶ μετελάμβανον οὕτως αὐτούς φησι
περιφλέγειν καὶ διακαίειν, τῶν δὲ ὥσπερ φῶς γινόμενον
20 καὶ διὰ τοῦ στόματος εἰσιόν, ἅπαν τὸ σῶμα αὐτῶν
καταλάμπειν. Ἦσαν δὲ ἐν αὐτοῖς, φησί, καὶ τῶν τὸν
μονήρη βίον ἐπανῃρημένων καὶ τῶν ἐν συζυγίαις οἳ ἔπασχον
ταῦτα. Εἶτά φησι καὶ ταῖς γυναιξὶν αὐτὸς ὁρμᾷ μεταδοῦναι
ὅπως ἂν γνῷ ὁποῖαι καὶ αὐταὶ τυγχάνουσιν τὴν ψυχήν.
25 Καὶ ὁρᾷ τὸν ὅμοιον τρόπον καὶ ἐν αὐταῖς γινόμενον,
πρόσωπα μέλανά τε καὶ ὕφαιμα καὶ πυρώδη καὶ λευκά.
Ἐν ταύταις δὲ παραγίνονται καὶ αἱ δύο γυναῖκες ἐκεῖναι
ἃς διέβαλον τῷ ἐπισκόπῳ, δι᾽ ἃς καὶ μάλιστα ἐπὶ τὴν
τοιαύτην εὐχὴν ἐλήλυθεν ὁ ἐπίσκοπος. Καὶ ὁρᾷ καὶ αὐτὰς
30 ἐν τῇ προσελεύσει τῶν ἁγίων τοῦ Θεοῦ μυστηρίων λαμπρὸν
μὲν ἐχούσας τὸ πρόσωπον καὶ ἔντιμον, λευκὴν δὲ τὴν
ἐσθῆτα περιβεβλημένας, εἶτα μεταλαβούσας καὶ αὐτὰς τῶν

4-5 ὅτι – ὡς : αὐτὸς ταῦτα ἔφασκε MSH ‖ 6 μὴ : ὡς μὴ QRT ‖
7 ταῦτα om. MSH ‖ παθῶν om. H ‖ ἀνθρώπινον om. MSH ‖ 9 ᾔει :
εἴη YQ ‖ καὶ om. MS ‖ 12 ψυχὰς : εὐχὰς H ‖ ἑώρα om. M ‖ 13 ἑώρα :
φησι ἑώρακα H ‖ 16 τῇ ὄψει H ‖ 17 τοὺς … ἄλλους MS ‖ ὡς
μετεδίδετο : ὡς μετεδίδου QRT om. MSH ‖ 18 καὶ : ὡς MSH om. QRT ‖
μετελάμβ. οὕτως om. QRT ‖ 20 καὶ διὰ : ἐκ QRT ‖ εἰσιόν : αὐτῶν

informèrent l'évêque de notre région (et celui-là même qui l'a vu nous l'a raconté) qu'il y avait deux laïques croyantes, des femmes libres, qui ne vivaient pas de façon pudique. Et l'évêque, ému par ceux qui l'en informaient et soupçonnant que cela pouvait aussi en concerner d'autres, allait supplier Dieu et demander de savoir la vérité, ce qui arriva. En effet, après la divine et redoutable liturgie et le sacrifice, il voyait les âmes de ceux qui s'avançaient pour participer aux saints mystères, voyant à travers les visages à quelles fautes chacun était soumis : il voyait le visage des pécheurs comme de la suie, certains ayant la tête comme calcinée et les yeux injectés de sang et brûlants ; d'autres avec le visage rayonnant et les vêtements blancs ; et d'autres, lorsqu'il leur donnait le corps du Seigneur et qu'ils y communiaient, étaient, ditil, tout brûlants et enflammés ; et par la bouche de certains une lumière pénétrait et illuminait tout leur corps. Or parmi ceux qui éprouvaient cela, dit-il, il y en avait qui avaient choisi la vie solitaire et d'autres qui vivaient dans le mariage. Ensuite, dit-il, il se met à donner la communion aussi aux femmes pour savoir comment elles aussi se trouvaient quant à leur âme. Et il voit le même phénomène se produire chez elles aussi : des visages noirs, sanglants, brûlants et blancs. Parmi elles se présentent aussi ces deux femmes qu'on avait accusées devant l'évêque et à cause de qui surtout l'évêque en était venu à cette prière. Et il les voit s'avancer vers les saints mystères de Dieu avec un visage brillant et noble, revêtues d'un vêtement blanc ; et quand ensuite elles communièrent

---

εἰσιόντος μαργαρίτου καὶ QRT ‖ 21 φησι YQ *om. cett.* ‖ 23 μεταδοῦναι : δοῦναι MSH ‖ 25 *post* ὁρᾷ *add.* τοίνυν QRT ‖ ἐν *om.* MSH ‖ 26 πρόσωπα *om.* YMSH ‖ καὶ ὕφαιμα ... καὶ λευκά *om.* H ‖ 29 εὐχὴν : precem et praeuidentiam *l* ‖ ἐληλυθῆναι τὸν ἐπίσκοπον H ‖ 30 προελεύσει Q ‖ τοῦ θεοῦ *om.* Q*l*

ἁγίων τοῦ Χριστοῦ μυστηρίων ἐγένετο ὡς ὑπὸ φωτὸς
καταλάμπεσθαι.

35 Ὁ δὲ πάλιν ἐπὶ τὴν συνήθη τοῦ Θεοῦ ἱκεσίαν ἐτρέπετο
μαθεῖν τῶν δεδειγμένων αὐτῷ ἀποκαλύψεων τὸν τρόπον.
Παραστὰς δὲ αὐτῷ ἄγγελος Κυρίου περὶ ἑκάστου ἐρωτᾶν
ἐκέλευσεν. Ὁ δὲ ἐπίσκοπος εὐθέως περὶ τῶν δύο ἠρώτα
γυναικῶν, εἰ ἄρα ἀληθὴς ὑπάρχει ἡ προτέρα αὐτῶν διαβολὴ
40 ἢ ψευδής. Ὁ δὲ ἄγγελος εἶπεν ἀληθῆ εἶναι πάντα τὰ
περὶ αὐτῶν ῥηθέντα. Καὶ ὁ ἐπίσκοπος ἔφη πρὸς τὸν
ἄγγελον · Καὶ πῶς ἐν τῇ μεταλήψει τῶν ἁγίων μυστηρίων
λαμπραὶ μὲν τῇ ὄψει ὑπῆρχον λευκὴν δὲ τὴν ἐσθῆτα εἶχον,
φωτὸς δὲ ἀπέστιλβον οὐκ ὀλίγου; Εἶπε δὲ ὁ ἄγγελος ·
45 Ὅτιπερ εἰς αἴσθησιν ἐλθοῦσαι τῶν πεπραγμένων αὐταῖς
καὶ ἀποστᾶσαι τούτων δάκρυσι καὶ στεναγμοῖς καὶ ἐλεη-
μοσύναις πενήτων, δι' ἐξομολογήσεως τῶν θείων ἔτυχον
καταλλαγῶν, τοῦ λοιποῦ μηκέτι τοῖς αὐτοῖς κακοῖς
περιπίπτειν ἐπαγγειλάμεναι εἴπερ ἐπὶ τοῖς προτέροις
50 ἁμαρτήμασι τύχοιεν συγγνώμης καὶ διὰ τοῦτο τετυχήκασι
τῆς θείας καταλλαγῆς καὶ τῶν ἐγκλημάτων ἀπελύθησαν.
Ζῶσι δὲ τοῦ λοιποῦ σωφρόνως καὶ δικαίως καὶ εὐσεβῶς.

Ὁ δὲ θαυμάζειν ἔλεγεν οὐ τὴν μεταβολὴν τῶν γυναικῶν
τοσοῦτον — τοῦτο γὰρ πολλαῖς συνέβη γενέσθαι — ἀλλὰ
55 τὴν τοῦ Θεοῦ δωρεὰν ὡς οὐ μόνον αὐτὰς τιμωρίαις οὐχ
ὑπηγάγετο, ἀλλὰ καὶ τοσαύτης ἠξίωσε χάριτος. Καὶ ὁ
ἄγγελος ἔφη πρὸς αὐτόν · Θαυμάζεις τοῦτο δικαίως ·
ἄνθρωπος γὰρ τυγχάνεις. Ὁ δὲ δεσπότης ἡμῶν τε καὶ
ὑμῶν Θεὸς φύσει ὢν ἀγαθὸς καὶ φιλάνθρωπος τοὺς
60 παυομένους τῶν οἰκείων ἁμαρτημάτων καὶ δι' ἐξομολογήσεως προσπίπτοντας αὐτῷ οὐ μόνον εἰς κόλασιν οὐ
πέμπει ἀλλὰ καὶ τὴν ὀργὴν παύει καὶ τιμῆς ἀξιοῖ. Καὶ
γὰρ « οὕτως ἀγαπᾷ ὁ Θεὸς τὸν κόσμον ὅτι τὸν Υἱὸν αὐτοῦ

33 ὑπὸ : ἀπὸ M ‖ 38 ἐκέλευεν QRT ‖ 39 ἄρα om. MSH ‖ 40 πάντα
om. MSH ‖ 41 ῥηθέντα Y : λεχθέντα cett. ‖ 43 τὴν ὄψιν QRT ‖ 44 ὀλίγου :
-γον R ‖ 45 πεπραγμ. : ἐσφαλμένων Q ‖ 47-48 τῶν θείων ἔτ. κατ. om.
QRT ‖ 48 τοῦ : καὶ τοῦ QRT ‖ κακοῖς om. QRT ‖ 49-51 εἴπερ — καταλ-

aux saints mystères du Christ, elles furent comme illuminées par une lumière.

Il se retournait ensuite pour l'habituelle supplication à Dieu afin d'apprendre le sens des révélations qui lui avaient été faites. Et un ange du Seigneur se présenta, l'invitant à interroger sur chacun. Aussitôt l'évêque interrogeait sur les deux femmes pour savoir si la précédente accusation à leur sujet étaie vraie ou fausse. Et l'ange dit : « Tout ce qui a été dit sur elles est vrai. » L'évêque dit à l'ange : « Et comment, en communiant aux saints mystères, avaient-elles le visage étincelant et le vêtement blanc, et brillaient-elles d'une grande lumière ? » L'ange dit : « C'est parce qu'elles ont pris conscience de ce qu'elles avaient fait et s'en sont détournées par les larmes, les gémissements et les aumônes aux pauvres, que par leur confession elles ont obtenu la réconciliation divine, ayant promis de ne plus tomber à l'avenir dans les mêmes fautes si elles obtenaient le pardon de leurs péchés passés ; aussi elles ont obtenu la réconciliation divine et furent libérées de leurs griefs. Elles vivent désormais dans la pudeur, la justice et la piété. »

Et il disait s'étonner, non tellement de la transformation de ces femmes (car cela se produit souvent), mais du don de Dieu qui, au lieu de les soumettre à des châtiments, leur accorda un telle grâce. Et l'ange lui dit : « Tu t'en étonnes à juste titre, car tu es homme. Mais Dieu, notre maître et le vôtre, étant bon par nature et ami de l'homme, non seulement n'envoie pas au supplice ceux qui cessent leurs fautes et par la confession se jettent à ses pieds, mais il cesse sa colère et leur accorde une récompense. Dieu, en effet, *aime tellement le monde qu'il*

λαγῆς : τῶν θείων ἔτυχον καταλλαγῶν QRT ‖ 54 πολλαῖς MSH*l* : πολλάκις *cett.* ‖ 55 αὐτὰς : ταῖς MH ‖ 55-56 οὐχ ὑπηγάγετο *locum uacuum* R ‖ 57 πρὸς αὐτόν *om.* YQ ‖ 58 γὰρ *om.* H ‖ 58-59 ἡμῶν ... ὑμῶν *transp.* Q ‖ 61 προσπίπτουσιν YRH ‖ 63 ὅτι : ὥστε QRT

25

τὸν μονογενῆ ἔδωκεν^V» ὑπὲρ αὐτοῦ. Ὁ τοίνυν ὑπὲρ ἐχθρῶν
65 ἀποθανεῖν ἑλόμενος^W οὐ πολλῷ μᾶλλον οἰκείους αὐτοὺς
γινομένους καὶ μεταμελομένους ἐφ' οἷς διεπράξαντο λύσει
μὲν τὰς τιμωρίας, τῶν δὲ παρ' αὐτοῦ εὐτρεπισμένων
ἀγαθῶν παρέξει τὴν ἀπόλαυσιν; Τοῦτο τοίνυν ἴσθι εἰδὼς
ὡς οὐδὲν τῶν ἀνθρωπίνων ἁμαρτημάτων νικᾷ τὴν τοῦ
70 Θεοῦ φιλανθρωπίαν, μόνον ἐὰν διὰ τῆς μετανοίας ἃ
πρότερον ἥμαρτέ τις ἀπολείψῃ κακά. Φιλάνθρωπος γὰρ ὢν
ὁ Θεὸς ἐπίσταται τὴν ἀσθένειαν τοῦ ὑμετέρου γένους καὶ
τῶν παθῶν τὴν ἰσχὺν καὶ τοῦ διαβόλου τὴν κακουργίαν.
Καὶ πίπτουσι μὲν τοῖς ἀνθρώποις εἰς ἁμαρτίαν ὡς υἱοῖς
75 συγγινώσκει καὶ ἀναμένει τὴν διόρθωσιν μακροθυμῶν ἐπ'
αὐτοῖς, μεταμελομένοις δὲ καὶ τῆς αὐτοῦ δεομένοις
ἀγαθότητος ὡς ἀσθένεσι συμπαθεῖ καὶ λύει παραυτίκα τὰς
τιμωρίας καὶ χαρίζεται αὐτοῖς τὰ ἡτοιμασμένα τοῖς δικαίοις
ἀγαθά.
80 Ἔφη δὲ ὁ ἐπίσκοπος τῷ ἀγγέλῳ· Λέξον μοι λοιπὸν
καὶ τὴν τῶν προσώπων διαφοράν, δέομαί σου· ἐπὶ ποίοις
ἁμαρτήμασιν ἕκαστος αὐτῶν διακεῖται ἵνα καὶ περὶ τούτων
μαθὼν πάσης ἀγνοίας ἀπαλλαγείην. Ὁ δὲ ἄγγελος τοῦ
Κυρίου λέγει πρὸς αὐτόν· Οἱ μὲν λαμπροί, φησί, καὶ
85 φαιδροὶ ταῖς ὄψεσιν ἐν σωφροσύνῃ καὶ ἁγνείᾳ καὶ δικαιοσύνῃ
ζῶσιν, ἐπιεικεῖς τε καὶ συμπαθεῖς καὶ ἐλεήμονές εἰσιν. Οἱ
δὲ μέλανας ἔχοντες τὰς ὄψεις πορνείας καὶ ἀσελγείας εἰσὶν
ἐργάται καὶ τῆς ἄλλης ἀσωτίας καὶ τρυφῆς· οἱ δὲ φανέντες
ὕφαιμοι καὶ πυρώδεις πονηρίᾳ καὶ ἀδικίᾳ εἰσὶ συζῶντες,
90 φιλολοίδοροί τε καὶ βλάσφημοι, δόλιοί τε καὶ φόνιοι
ὑπάρχουσιν. Καὶ προσθεὶς εἶπεν αὐτῷ ὁ ἄγγελος· Βοήθησον
τοίνυν αὐτοῖς εἴπερ τὴν αὐτῶν σωτηρίαν ἐπιποθεῖς. Καὶ
γάρ, φησί, διὰ τοῦτο τετύχηκας τῶν οἰκείων εὐχῶν ἵνα

64 αὐτοῦ : αὐτῶν MSH ‖ 65 αὐτοὺς Y*l* : αὐτοῦ *cett.* ‖ 66 καὶ μεταμελ.
om. Q ‖ ἐφ' : ἐν QT ‖ 68 ἀγαθῶν παρέξει : ἀποδώσει QRT ‖ 74 υἱοὺς
Q ‖ 76 μεταμελουμένους R ‖ τῆς : τοῖς Q ‖ 80 δὲ *om.* YQ ‖ 81-
82 ποίαις ἁμαρτίαις MS ‖ 82 διακεῖται : ὑποκεῖται QRT subiaceat *l* ‖

a donné son fils unique pour lui [v]. Celui donc qui a choisi de mourir pour des ennemis [w] ne les déliera-t-il pas plus volontiers de leurs châtiments quand ils seront devenus des familiers et se seront repentis de leurs œuvres, et ne leur procurera-t-il pas la jouissance des biens par lui préparés? Sache-le donc : aucune faute humaine ne peut vaincre la philanthropie de Dieu, pourvu que par le repentir l'homme abandonne le mal qu'il commettait auparavant. En effet, étant l'ami des hommes, Dieu connaît la faiblesse de notre race, la force des passions et la ruse du diable. Et aux hommes qui tombent dans une faute il pardonne comme à des fils et, longanime envers eux, il attend qu'ils se corrigent; et lorsqu'ils se convertissent et supplient sa bonté, il compatit comme à des malades et aussitôt lève les châtiments et leur accorde les biens préparés pour les justes.»

L'évêque dit à l'ange : «Explique-moi encore, je te prie, la différence des visages, en quelles fautes chacun d'eux se trouve, afin que le sachant aussi je sois libéré de toute ignorance.» L'ange du Seigneur lui dit : «Ceux dont le visage est lumineux et rayonnant vivent dans la pudeur, la pureté et la justice; ils sont mesurés, compatissants et miséricordieux. Ceux qui ont le visage noir sont des ouvriers de fornication, d'impureté et d'autres débauches et sensualités. Ceux qui apparaissent ensanglantés et brûlants vivent dans la méchanceté et l'injustice; ils aiment à injurier et blasphémer, ils sont fourbes et assassins.» Et l'ange ajouta : «Viens à leur aide, si vraiment tu désires leur salut. En effet, c'est pour cela que tes prières ont

83 ἀπαλλαγῶν MSH ‖ 84 πρὸς αὐτόν Y*l* : αὐτῷ RTMSH *om.* Q ‖ 85 τὰς ὄψεις TMSH ‖ 88 ἐργάται : ἐρασταὶ QRT ‖ 91 προσθεὶς : πάλιν MSH ‖ βοήθησον : βοήθει σὺ MS

v. Jn 3, 16
w. Cf. Rm 5, 10

ὄψει μαθὼν τὰς τῶν μαθητευομένων ἁμαρτίας ταῖς
95 νουθεσίαις καὶ ταῖς παρακλήσεσι βελτίους διὰ τῆς μετανοίας
ποιήσῃς αὐτοὺς τῷ ὑπὲρ αὐτῶν ἀποθανόντι καὶ ἐγερθέντι
Χριστῷ τῷ Θεῷ ἡμῶν. Ὅση τοίνυν δύναμίς σοι ἔστιν
καὶ σπουδὴ καὶ ἀγάπη περὶ τὸν σὸν δεσπότην Χριστόν,
πᾶσαν πρόνοιαν αὐτῶν ποιοῦ ἐπιστρέφειν αὐτοὺς ἐκ τῶν
100 οἰκείων ἁμαρτημάτων ἐπὶ τὸν Θεὸν πείθων τε αὐτοὺς
ὁποίων ἁμαρτημάτων ὑποχείριοί εἰσι μὴ τῆς ἑαυτῶν ἀμε-
λῶσι σωτηρίας. Ἔστι γὰρ ἐκ τούτου ἐκείνοις μετανοοῦσι
καὶ ἐπιστρέφουσι πρὸς τὸν Θεὸν τῆς ψυχῆς αὐτῶν σωτηρία,
καὶ σοὶ δὲ πολὺς ὁ μισθὸς μιμησαμένῳ τὸν οἰκεῖον δεσπότην
105 οὐρανοὺς μὲν οὐ καταλείψαντα τὰς δὲ ἐπὶ γῆς διατριβὰς
ποιησάμενον διὰ τὴν τῶν ἀνθρώπων σωτηρίαν.

47 Τίς ποτε μετανοήσας ἡσύχασεν. Καὶ συνέβη δὲ αὐτὸν
εὐθέως ἐπὶ πέτραν πεσόντα πληγῆναι τὸν πόδα ὥστε καὶ
αἷμα πολὺ ἐκχύσαι καὶ ὀλιγοψυχήσαντα ἀποδοῦναι τὴν
ψυχήν. Ἔρχονται οὖν οἱ δαίμονες καὶ ἤθελον λαβεῖν τὴν
5 ψυχὴν αὐτοῦ. Λέγουσιν αὐτοῖς οἱ ἄγγελοι · Προσέχετε τῇ
πέτρᾳ καὶ θεωρήσατε αὐτοῦ τὸ αἷμα ὃ ἐξέχεεν διὰ τὸν
Κύριον. Καὶ τοῦτο εἰπόντων τῶν ἀγγέλων ἠλευθερώθη ἡ
ψυχή.

48 Ἔλεγόν ποτε περί τινος ἀδελφοῦ ὅτι γεναμένης συνάξεως
ἐν καιρῷ κυριακῆς ἀνέστη κατὰ τὸ ἔθος ἐλθεῖν εἰς τὴν
ἐκκλησίαν. Καὶ ἐχλεύασεν αὐτὸν ὁ διάβολος λέγων αὐτῷ
ὅτι · Ποῦ ἀπέρχῃ ἵνα μεταλάβῃς ἄρτου καὶ οἴνου; Κἂν
5 εἴπωσί σοι ὅτι τὸ σῶμα καὶ αἷμα τοῦ Χριστοῦ ἐστι, μὴ
χλευάζῃ. Ὁ δὲ ἀδελφὸς ἐπείθη τῷ λογισμῷ καὶ οὐκ
ἀπῆλθε κατὰ τὸ ἔθος εἰς τὴν ἐκκλησίαν. Τῶν δὲ ἀδελφῶν
ἐκδεχομένων ἐκεῖνον τὸν ἀδελφόν, οὕτως γάρ ἐστι τὸ ἔθος
τῆς ἐρήμου, οὐ γὰρ ποιοῦσι σύναξιν ἕως οὗ πάντες ἔλθωσιν ·

97 ἡμῶν om. YMSH ‖ 98 χριστόν : θεόν YMSH ‖ 100 ἐπὶ : πρὸς
QRT ‖ 101-102 ἀμελοῦσι Υ : -λήσουσι H desperent l ‖ 105 οὐ om. l ‖
106 ποιησαμένῳ YQR ‖ post σωτηρίαν add. ᾧ πρέπει δόξα εἰς τοὺς
αἰῶνας τῶν αἰώνων [τῶν αἰ. om. Q] ἀμήν QT

été exaucées : afin que, connaissant grâce à la vision les fautes de tes disciples, tu les rendes meilleurs par des réprimandes et des exhortations en les convertissant au Christ notre Dieu mort et ressuscité pour eux. Aussi, de toute la force, de toute l'ardeur et de tout l'amour qu'il y a en toi pour le Christ ton maître, veille bien sur eux pour qu'ils abandonnent leurs propres fautes et se tournent vers Dieu, en leur montrant à quelles fautes ils sont soumis afin qu'ils ne négligent pas leur salut. Car l'enjeu en est pour eux, s'ils se convertissent et se tournent vers Dieu, le salut de leur âme, et pour toi une grande récompense si tu imites ton maître qui, sans abandonner les cieux, a séjourné sur terre pour le salut des hommes.»

47 Une fois, quelqu'un se convertit et vécut dans le recueillement. Or il lui arriva aussitôt de tomber sur une pierre et de tellement se blesser le pied qu'il répandit beaucoup de sang, s'affaiblit et rendit l'âme. Viennent alors les démons qui voulaient prendre son âme. Les anges leur disent : «Regardez cette pierre et voyez son sang qu'il a versé pour le Seigneur.» Et tandis que les anges disaient cela, son âme fut libérée.

N 88

48 On disait d'un frère que, un dimanche où il y avait synaxe, il se leva comme d'habitude pour aller à l'église. Et le diable se moqua de lui en lui disant : «Où vas-tu pour partager du pain et du vin? Même si on te dit que c'est le corps et le sang du Christ, ne te laisse pas berner.» Persuadé par cette pensée, le frère n'alla pas comme d'habitude à l'église. Et les frères l'attendaient comme c'est la coutume au désert, où on ne fait pas la synaxe tant que tous ne sont pas arrivés. Comme ils

10 ἐπιμενόντων δὲ αὐτῶν ἐπὶ πλείων κἀκείνου μὴ ἐρχομένου
ἀναστάντες ἤρχοντο πρὸς αὐτὸν λέγοντες · μήποτε ἀσθενεῖ,
μήποτε ἀπέθανεν. Ὡς δὲ ἦλθον εἰς τὸ κελλίον τοῦ ἀδελφοῦ
ἐπυνθάνοντο παρ' αὐτοῦ · Διὰ τί οὐκ ἦλθες εἰς τὴν
ἐκκλησίαν, ἄδελφε; Ὁ δὲ αἰσχύνετο ἀπαγγεῖλαι αὐτοῖς.
15 Ἐπιγνῶντες δὲ οἱ ἀδελφοὶ τὴν τοῦ διαβόλου κακοτεχνίαν
ἔβαλον αὐτῷ μετάνοιαν ἵνα αὐτοῖς ὁμολογήσῃ τὴν τοῦ
διαβόλου ἐπιβουλήν. Ὁ δὲ ἀπήγγειλεν αὐτοῖς λέγων ·
Συγχωρήσατέ μοι ἀδελφοί, ὅτι ἀνίστην κατὰ τὸ ἔθος ἐλθεῖν
εἰς τὴν ἐκκλησίαν, καὶ εἶπέ μοι ὁ λογισμὸς ὅτι οὐκ ἔστι
20 σῶμα καὶ αἷμα ὃ ὑπάγεις μεταλαβεῖν, ἀλλὰ ἄρτος καὶ
οἶνος · εἰ οὖν θέλετε ἵνα ἔλθω μεθ' ὑμῶν θεραπεύσατέ μου
τὸν λογισμὸν περὶ ταύτης τῆς προφάσεως. Οἱ δὲ εἶπον
αὐτῷ · Ἀνάστα, ἐλθὲ μεθ' ἡμῶν καὶ ἡμεῖς παρακαλοῦμεν
τὸν Θεὸν ἵνα δείξῃ σοι τὴν θείαν δύναμιν κατερχομένην.
25 Καὶ ἀναστὰς ἦλθε μετ' αὐτῶν εἰς τὴν ἐκκλησίαν. Καὶ
γεναμένης εὐχῆς <***> ἱκεσίας πρὸς τὸν Θεὸν περὶ τοῦ
ἀδελφοῦ ἵνα φανερωθῇ αὐτῷ ἡ τῶν μυστηρίων δύναμις.
Καὶ οὕτως ἤρξαντο ἐπιτελεῖν τὴν σύναξιν στήσαντες τὸν
ἀδελφὸν ἐν μέσῳ τῆς ἐκκλησίας. Καὶ μέχρι οὗ ἀπέλυσεν
30 ἡ σύναξις οὐκ ἀνέκοψεν ἐκεῖνος δάκρυσιν ἀποπλύνων τὴν
ὄψιν ἑαυτοῦ. Μετὰ δὲ τὴν σύναξιν προσκαλεσάμενοι τὸν
ἀδελφὸν ἠρώτησαν αὐτὸν λέγοντες · Εἴ τί σοι ἔδειξεν ὁ
Θεὸς ἀπάγγειλον ἡμῖν ἵνα καὶ ἡμεῖς ὠφεληθῶμεν. Ὁ δὲ
μετὰ κλαυθμοῦ ἤρξατο λέγειν ὅτι · Ὡς ἐγένετο ὁ κανὼν
35 τῆς ψαλμῳδίας καὶ ἀνεγνώσθη ἡ τῶν ἀποστόλων διδαχή,
ἐστάθη τὸ μεγαλεῖον. Εἶδον τὴν στέγην ἀνοιγομένην καὶ
τὸν οὐρανὸν φαινόμενον, καὶ ἕκαστος λόγος τοῦ ἁγίου
εὐαγγελίου ὡς πῦρ ἐγίνετο καὶ ἔφθασεν ἕως τοῦ οὐρανοῦ.
Ὡς δὲ καὶ τοῦ εὐαγγελίου ἐγένετο ἡ καθοσίωσις προσῆλθον
40 οἱ κληρικοὶ ἐκ τῆς διακονίας κατέχοντες τὴν τῶν ἁγίων

20 ὃ : τὸ Η

attendaient longtemps et que le frère ne venait pas, ils se levèrent pour aller chez lui, disant : «Peut-être est-il malade; peut-être est-il mort.» Arrivés à la cellule du frère, ils s'informaient : «Frère, pourquoi n'es-tu pas venu à l'église?» Mais lui, il avait honte de le leur dire. Reconnaissant la manœuvre du diable, ils lui firent la métanie pour qu'il leur avoue la machination du diable. Et il leur déclara : «Pardonnez-moi, frères; je me levais comme d'habitude pour aller à l'église, et une pensée me dit : «Ce n'est pas le corps et le sang auquel tu vas participer, mais du pain et du vin»; aussi, si vous voulez que je vienne avec vous, guérissez ma pensée de cet argument.» Ils lui dirent : «Debout, viens avec nous, et nous allons demander à Dieu qu'il te montre la puissance divine qui descend.» Il se leva et alla avec eux à l'église. Et au cours de la prière, ils supplièrent Dieu pour le frère, afin que lui soit manifestée la puissance des mystères.

Ainsi commencèrent-ils à accomplir la synaxe, ayant placé le frère au milieu de l'église. Et jusqu'à la fin de la synaxe le frère ne cessa pas de baigner de larmes son visage. Après la synaxe, ils l'appelèrent et lui demandèrent : «Si Dieu t'a montré quelque chose, dis-le nous afin que nous aussi nous en profitions.» Alors il se mit à dire en gémissant : «Pendant le canon de la psalmodie, quand fut lu l'enseignement des Apôtres, se produisit le prodige. Je vis le toit s'ouvrir et le ciel apparaître, et chaque parole du saint Évangile devenait comme du feu et parvenait jusqu'au ciel. Et lorsque eut lieu la bénédiction de l'Évangile, les clercs sortirent de la diaconie[1]

---

1. Le mot διακονία est pris ici dans le sens de διακονικόν, pour désigner le lieu de l'église où officient les diacres. Il ne semble pas attesté ailleurs en ce sens local : les dictionnaires de Du Cange et de Sophocles donnent aussi ce sens pour le neutre pluriel τὰ διακόνια, mais non pour le substantif féminin. [B.M.]

μυστηρίων μετάληψιν. Εἶδον πάλιν τοὺς οὐρανοὺς
ἀνεωγμένους καὶ κατερχόμενον πῦρ, καὶ μετὰ τὸ πῦρ
πλῆθος ἀγγέλων καὶ ἐπάνω αὐτῶν ἄλλα δύο πρόσωπα
ἐνάρετα ἃ οὐκ ἔστι διηγήσασθαι τὰ κάλλη αὐτῶν · ἦν γὰρ
45 τὸ φέγγος αὐτῶν ὡς ἀστραπῆς · καὶ ἐν μέσῳ τῶν δύο
προσώπων μικρὸν παιδίον. Καὶ οἱ μὲν ἄγγελοι ἐστάθησαν
κύκλῳ τῆς ἁγίας τραπέζης, τὰ δὲ δύο πρόσωπα ἐπάνω
αὐτῆς καὶ τὸ παιδίον ἐν μέσῳ αὐτῶν. Καὶ ὡς ἐγένετο ἡ
καθοσίωσις τῶν ἁγίων εὐχῶν ἤγγισαν οἱ κληρικοὶ κλᾶσαι
50 τοὺς ἄρτους τῆς προθέσεως. Εἶδον ἐγὼ τὰ δύο πρόσωπα
ἐπάνω τῆς τραπέζης πῶς ἐκράτησαν τὰς χεῖρας καὶ τοὺς
πόδας τοῦ παιδίου ὃ ἦν ἐν μέσῳ αὐτῶν καὶ κατεῖχον
μάχαιραν καὶ ἔσφαξαν τὸ παιδίον καὶ ἐξεκένωσαν τὸ αἷμα
αὐτοῦ εἰς τὸ ποτήριον ὃ ἦν κείμενον ἐπάνω τῆς ἁγίας
55 τραπέζης καὶ κατακόψαντες τὸ σῶμα αὐτοῦ ἔθηκαν ἐπάνω
τῶν ἄρτων καὶ ἐγένοντο οἱ ἄρτοι σῶμα. Καὶ ἐμνήσθην
τοῦ ἀποστόλου λέγοντος · « Καὶ γὰρ τὸ Πάσχα ἡμῶν ὑπὲρ
ἡμῶν ἐτύθη Χριστός[x] ». Ὡς δὲ προσήγγισαν οἱ ἀδελφοὶ
μεταλαβεῖν τῆς ἁγίας προσφορᾶς ἐπεδίδετο αὐτοῖς σῶμα
60 καὶ ὡς ἐπεκάλουν λέγοντες Ἀμήν ἐγένετο ἄρτος εἰς τὰς
χεῖρας αὐτῶν.

Ὡς δὲ κἀγὼ ἦλθον μεταλαβεῖν ἐδόθη μοι σῶμα καὶ οὐκ
ἠδυνάμην αὐτὸ μεταλαβεῖν, καὶ ἤκουσα εἰς τὰ ὦτά μου
φωνῆς λεγούσης μοι · Ἄνθρωπε, διὰ τί οὐ μεταλαμβάνεις;
65 Οὐ τοῦτο ἦν ὃ ἐζήτεις; Κἀγὼ εἶπον · Ἐλεός μοι, Κύριε,
σῶμα οὐ δύναμαι μεταλαβεῖν. Καὶ πάλιν εἶπέ μοι · Εἰ οὖν
ἠδύνατο ἄνθρωπος σῶμα μεταλαβεῖν σῶμα ηὑρίσκετο,
καθὼς καὶ σὺ εὗρες. Ἀλλ' οὐδεὶς δύναται φαγεῖν σῶμα,
καὶ διὰ τοῦτο ἔταξεν ὁ Κύριος ἄρτους τῆς προθέσεως.
70 Ὥσπερ γὰρ ἐξ ἀρχῆς ὁ Ἀδὰμ διὰ τῶν χειρῶν τοῦ Θεοῦ
ἐγένετο σὰρξ καὶ ἐνεφύσησεν ὁ Θεὸς ἐν αὐτῷ πνεῦμα
ζωῆς[y] · καὶ ἡ μὲν σὰρξ ἐχωρίσθη εἰς τὴν γῆν[z] τὸ δὲ
πνεῦμα ἔμεινεν · οὕτως καὶ ὁ Χριστὸς δίδει τὴν ἑαυτοῦ

52 ὃ : οὔ H

en tenant les oblats des saints mystères. Et je vis à nouveau les cieux ouverts et un feu qui descendait, et après le feu une troupe d'anges et au-dessus d'eux deux autres personnages merveilleux dont il n'est pas possible de dire la beauté car leur éclat était comme d'un éclair; et entre ces deux personnages il y avait un petit enfant. Les anges entouraient la sainte table et les deux personnages étaient au-dessus d'elle, ayant l'enfant au milieu d'eux. Et quand eut lieu la bénédiction des saintes prières, les clercs s'approchèrent pour rompre les pains de l'offrande. Et moi, je vis comment les deux personnages au-dessus de la table tinrent les mains et les pieds de l'enfant qui était au milieu d'eux, prirent un glaive, égorgèrent l'enfant et vidèrent son sang dans la coupe qui était posée sur la sainte table; et ils découpèrent son corps et le mirent au-dessus des pains, et les pains devinrent corps. Et je me souvins de l'Apôtre disant : *Et en effet notre Pâque, le Christ, a été immolé*[x] pour nous. Et lorsque les frères s'approchèrent pour participer à la sainte offrande, le corps leur fut donné; et lorsqu'ils proclamaient «Amen», il devint du pain dans leur main.

Et quand je vins à mon tour pour communier, le corps me fut donné, et je ne pouvais y communier; alors j'entendis à mes oreilles une voix me dire : «Homme, pourquoi ne communies-tu pas? N'est-ce pas cela que tu cherchais?» Et moi, je disais : «Pitié pour moi, Seigneur; je ne puis pas manger un corps.» la voix reprit : «Si l'homme pouvait manger un corps, il trouverait un corps comme toi tu l'as trouvé. Mais personne ne peut manger un corps, c'est pourquoi le Seigneur a établi les pains de l'offrande. En effet, de même que qu'à l'origine Adam devint chair par les mains de Dieu, que Dieu lui insuffla un esprit de vie[y], que la chair séparée retourna à la terre[z] et que l'esprit demeura, de même le Christ donne

x. 1 Co 5, 7   y. Cf. Gn 2, 7   z. Cf. Gn 3, 19

σάρκα σὺν τῷ Ἁγίῳ Πνεύματι, καὶ ἡ μὲν σὰρξ σπανίζεται
75 εἰς τὸν οὐρανὸν τὸ δὲ Πνεῦμα ἵσταται εἰς τὴν καρδίαν
σου. Εἰ οὖν ἐπίστευσας, μετάλαβε ὃ ἔχεις εἰς τὴν καρδίαν
σου. Κἀγὼ εἶπον · Πιστεύω, Κύριε. Καὶ τοῦτό μου εἰπόντος
ἐγένετο τὸ σῶμα ὃ εἶχον εἰς τὴν χεῖρά μου ἄρτος, καὶ
εὐχαριστήσας τῷ Θεῷ μετέλαβον τῆς ἁγίας προσφορᾶς.
80 Ὡς δὲ ἡ σύναξις προέκοψεν καὶ ἦλθον οἱ κληρικοὶ ἐπὶ
τὸ αὐτό, εἶδον πάλιν τὸ παιδίον ἐν μέσῳ τῶν δύο προσώπων
καὶ τῶν κληρικῶν συστελλόντων τὰ δῶρα. Εἶδον πάλιν
τὴν στέγην ἀνεῳγμένην καὶ τὰς θείας δυνάμεις ὑψουμένας
εἰς τοὺς οὐρανούς. Καὶ ταῦτα ἀκούσαντες οἱ ἀδελφοὶ καὶ
85 πολλὴν κατάνυξιν λαβόντες ἀνεχώρησαν ἕκαστος εἰς τὰ
κελλία ἑαυτῶν δοξάζοντες καὶ αἰνοῦντες τὸν Θεόν.

49   Διηγήσατό τις τῶν πατέρων ὅτι· Πρεσβύτερός τις τῶν
παρ' ἡμῖν ἐπιχωρίων ἀνὴρ πολλῷ μὲν τῷ χρόνῳ τῇ ἀσκήσει
ἐγκαρτερήσας πολλῇ δὲ ἀναγνώσει τῶν θείων Γραφῶν τὴν
μελέτην πεποιημένος ἐξηγήσατό μοι τοιάδε. Γέγονέ μοι,
5 φησίν, ἀδελφὴ παρθένος νέα μὲν τῷ χρόνῳ πρεσβυτικὴν
δὲ τὴν ἡλικίαν κεκτημένη νηστείᾳ τε καὶ ἐγκρατείᾳ πάντα
τὸν τῆς νεότητος αὐτῆς χρόνον διαπεράσασα. Αὕτη μοι
παρακαθημένη ποτὲ ἄφνω ἐπὶ νῶτον κατακλιθεῖσα καὶ τὰς
χεῖρας ἐκτείνασα ἄφωνός τε καὶ ἄπνους ἔκειτο ὡς νεκρά ·
10 τὴν δὲ ἄλλην ἡμέραν κατ' αὐτὴν τὴν ὥραν ὥσπερ ἐξ
ὕπνου βαθέως διαναστᾶσα, ἔνφοβος ὑπῆρχε καὶ ἔντρομος.
Ἐμοῦ δὲ ἀνερωτῶντος αὐτὴν τί τὸ συμβὰν αὐτῇ εἴη,
παρεκάλει με τέως αὐτῇ συγχωρεῖν σιωπᾶν μέχρις ὀλίγου
ἕως ὁ τῆς ψυχῆς φόβος ὑποχωρήσῃ καὶ εὐχερῆ καὶ εὔκολον
15 αὐτῇ παρασχῇ τὴν διήγησιν τῶν δειχθέντων. Ἔφασκε γὰρ
ὑπερβαίνειν καὶ ὄψιν καὶ ἀκοὴν τὰ παρ' αὐτῆς ὁραθέντα
καλά τε καὶ κακά. Καὶ θρηνοῦσα ἐπὶ πλείστας ἡμέρας

   6 τε : δὲ H ‖ 8 ἐπὶ νῶτον : ἐπινώτων H ‖ 12 ἀνερωτοῦντος H ‖
αὐτῇ : αὐτὴν H ‖ εἴη : εἶεν sic H ‖ 13 αὐτῇ : αὐτῆς H ‖ 14 καὶ (?)
suppleui

sa propre chair avec l'Esprit saint, et la chair disparaît au ciel et l'Esprit demeure dans ton cœur. Si donc tu crois, communie à ce que tu as dans ton cœur.» Et moi, je dis : «Je crois, Seigneur.» Et tandis que je le disais, le corps que j'avais dans la main devint du pain; et en rendant grâces à Dieu, je communiai à la sainte offrande. Et lorsque la synaxe se poursuivit et que les clercs se regroupèrent, je vis à nouveau l'enfant entre les deux personnages et les clercs qui ramassaient les dons; et à nouveau je vis le toit ouvert et les puissances divines s'élevant aux cieux.» En entendant cela, les frères éprouvèrent une grande componction et se retirèrent chacun dans sa cellule en rendant gloire et louange à Dieu.

49   L'un des pères racontait ceci. Un prêtre de notre région, homme qui persévéra longtemps dans l'ascèse et qui avait nourri sa méditation par une fréquente lecture des saintes Écritures, me rapporta ce qui suit[1]. J'eus, disait-il, une sœur vierge, jeune en années mais qui avait acquis la maturité de l'âge en passant tout le temps de sa jeunesse dans le jeûne et la continence. Alors qu'un jour elle était assise à côté de moi, se renversant subitement sur le dos et tendant les mains, elle gisait comme morte, sans voix ni souffle. Le jour suivant, à la même heure, relevée comme d'un profond sommeil, elle était toute craintive et tremblante. Et comme je l'interrogeais sur ce qui lui était arrivé, elle me demandait de lui permettre de se taire un petit peu jusqu'à ce que la crainte de son âme s'éloigne et lui rende aisé et facile le récit de ce qui lui avait été montré. Elle disait, en effet, que ce qu'elle avait vu en bien et en mal dépassait la vue et l'ouïe. Et elle passait de nombreux jours à se lamenter

---

1. Donné ici selon le ms. H, ce texte se lit aussi dans le Περὶ ἀποκαλύψεων du moine Jérôme (ms. *Coislin 127*, fol. 286r et suiv.).

ἀδιαλείπτως ἐτέλει, καὶ μῆδε λόγον παρά τινος δεχομένη
μήτε παρ' αὐτῆς ἑτέρῳ παραδίδουσα, πολλάκις ὀνομαστί
20 τινων ἐμέμνητο μετὰ θρήνων καὶ οἰμωγῶν ταλανίζουσα.
Ἐγὼ δὲ τὴν σπουδὴν ἐποιούμην μαθεῖν τὰ παρ' αὐτῆς
ὁραθέντα.

Μόλις δέ ποτε ἐνδοῦσα τῇ παρακλήσει, τοιούτου δὲ
ἤρξατο λόγου· Κατὰ τὴν ὥραν ἐκείνην ὅτε ἔτυχόν σοι
25 παρακαθημένη δύο τινὲς ἄνδρες πολιοὶ μὲν τὴν τρίχαν καὶ
τὸ εἶδος ἔνδοξοι, λευκὴν δὲ ἐσθῆτα περιβεβλημμένοι
κρατήσαντές με τῆς χειρὸς ἐκέλευόν μοι ἀκολουθεῖν αὐτοῖς.
Ὁ δέ γε εἷς ῥάβδον τῇ χειρὶ αὐτοῦ κατέχων ἐκτείνας
αὐτὴν εἰς τὸν οὐρανὸν καὶ διανοίξας αὐτόν, ἔνδον ἡμᾶς
30 πάντας τούτου γενέσθαι παρεσκεύασεν. Λαβόντες δέ με
εἰσάγουσιν ἐπί τινα τόπον ἔνθα πολὺ πλῆθος ἀγγέλων
περιεστήκει πρόπυλά τε καὶ καταπετάσματα ὑπὲρ πᾶσαν
διήγησιν ὄντα. Ἔνδον οὖν εἰσελθόντες ὁρῶ θρόνον τινὰ
εἰς ὕψος ἀναγειρόμενον καὶ πολλοὺς κακεῖσε περιεστῶτας
35 καὶ τῷ κάλλει καὶ τῷ μεγέθει τοὺς ἔξωθεν ὑπερφέροντας.
Ἐκαθέζετο δέ τις ἐπ' αὐτὸν ὡς τοὺς περὶ αὐτοῦ φωτὶ
ἅπαντας περιαστράπτων, ᾧτινι προσπίπτοντες ἅπαντες
προσεκύνουν. Οἱ δὲ κατέχοντές με προσέτασσόν μοι
προσκυνεῖν αὐτῷ· καὶ προσκυνήσασα ἤκουον δὲ αὐτοῦ
40 κελεύοντος· Ἀπάγετε αὐτὴν καὶ δείξατε αὐτῇ ἅπαντα εἰς
ἐξήγησιν τῶν ἐν τῷ βίῳ ἔτι ὑπαρχόντων. Οἱ δὲ τῆς χειρὸς
λαβόμενοί με τὸ κελευόμενον ἐποίουν. Καὶ διελθοῦσα κατά
τινος τόπου ὁρῶ κτισμάτων μεγέθη καὶ κάλλη ἀδιήγητα,
διαφόροις τοῖς σχήμασι δεδημιουργημένα, χρυσῷ τε καὶ
45 λίθοις τιμίοις ἅπαντα τὰ ἐκεῖσε καταυγάζοντα, κατα-
πετάσματά τε μυρία ποικίλα καὶ διάχρυσα, διάγοντάς τε
ἐν αὐτοῖς ἀνδρῶν τε καὶ γυναικῶν πλῆθος πολὺ ἐν τιμῇ
τε καὶ δόξῃ ὑπερέχοντας. Καθ' ἕκαστον δὲ ὑποδεικνύοντές
μοι ἔλεγον· Τοὺς μὲν εἶναι, φησίν, ἐπισκόπους δικαίως

19 post μήτε add. τοῦ H ‖ αὐτῆς: αὐτοῖς Hac ‖ ὀνομαστοί H ‖
25 τρίχαν sic H ‖ 36 αὐτοῦ: αὐτῶν H ‖ 49-50 δικαίους ... ὁσίους Hac

sans cesse ; et sans avoir reçu une parole de quelqu'un ni communiquer avec autrui, elle faisait souvent nommément mention de certains avec des lamentations et des gémissements, les déclarant malheureux. Quant à moi, je m'efforçais d'apprendre ce qu'elle avait vu.

Et un jour, accédant avec peine à mon instance, elle se mit à dire ceci : «A cette heure où je me trouvais assise près de toi, deux hommes à la chevelure blanche et superbes à voir, revêtus d'un vêtement blanc, me prirent par la main et m'ordonnèrent de les suivre. L'un d'eux, qui tenait un bâton à la main, le dirigea vers le ciel pour l'ouvrir, et nous fit tous pénétrer à l'intérieur. Me prenant, ils me font entrer dans un lieu où une foule nombreuse d'anges entouraient des porches et des tentures au-dessus de toute description. Nous pénétrâmes donc, et je vis un trône très élevé et, de part et d'autre, beaucoup d'anges qui surpassaient en beauté et en grandeur ceux de l'extérieur. Sur ce trône était assis quelqu'un qui semblait jeter des rayons de lumière sur tous ceux qui l'entouraient et devant lequel tous s'inclinaient en lui faisant la révérence. Ceux qui me tenaient me commandèrent de lui faire la révérence ; ce que faisant je l'entendis ordonner : 'Emmenez-la et montrez-lui tout, qu'elle puisse le raconter à ceux qui sont encore en vie.' Me prenant par la main, ils accomplirent le commandement. Et traversant un certain lieu, je vis des édifices d'une grandeur et d'une beauté indicibles, construits de diverses formes, resplendissant d'or et de pierres précieuses sur tout ce qui se trouvait là, et des milliers de tentures brodées et incrustées d'or ; et dans ces édifices vivaient un grand nombre d'hommes et de femmes comblés d'honneur et de gloire. Me les montrant un par un ils me disaient : 'Les uns sont des évêques qui ont gouverné leur peuple

50 καὶ ὁσίως ἐξάρξαντας τῶν λαῶν, ἄλλους κληρικούς τε καὶ
λαϊκούς τοὺς μὲν ἐν τῷ οἰκείῳ βαθμῷ διαλάμψαντας, τοὺς
δὲ σωφρόνως καὶ δικαίως βιώσαντας. Ἐκεῖ τοίνυν, ἄδελφε,
καὶ τὸν τοῦδε μὲν τοῦ χωρίου πρεσβύτερον ἑώρακα καὶ
τοὺς λαϊκοὺς οὓς ἐγώ τε καὶ σὺ ἐπιστάμεθα ὑπεξελθόντας
55 τοῦ βίου, παρθένων τε καὶ χηρῶν καὶ τῶν ἐν γάμῳ
σωφρόνως βιωσάντων πολλὰς καὶ τῶν γνωρίμων ἑώρων·
τινὰς δὲ καὶ τῶν οὐκ ἐπιστάμην, περὶ ὧν μάλιστα ἔλεγον
τοὺς ἀγαγόντας λέγειν μοι ἀνὰ μέρος περὶ αὐτῶν. Οἱ δὲ
ἔφασκον· Ἐκ διαφόρων πόλεών τε καὶ χωρῶν ὑπάρχειν
60 αὐτούς· τῶν δὲ γυναικῶν τὰς μὲν αὐτῶν ἐν ἀσκητηρίοις
ἀνατραφείσας τὰς δὲ κατ᾿ ἰδίαν καταμόνας βιώσασας, καὶ
τὰς μὲν αὐτῶν ἐν χηρείᾳ τὸν πλεῖστον διανυσάσας βίον
καὶ ἐν θλίψεσι καὶ ταλαιπωρίαις συντριβείσας· ὑπάρχειν
δὲ ἐν αὐταῖς καί τινας ἄλλας ἐν παρθενείᾳ καὶ χηρείᾳ
65 σφαλείσας μὲν πρότερον πάλιν δὲ διὰ μετανοίας καὶ πολλῶν
δακρύων ἐπὶ τὴν προτέραν αὐτῶν ἀποκατασταθείσας τάξιν.
Πάλιν δὲ μεταλαβόντες ἄγουσιν ἐπί τινας τόπους
σκυθρωποὺς μὲν τῇ ὄψει φοβεροὺς δὲ τῇ θέᾳ καὶ παντοίων
θρήνων καὶ οἰμωγῶν πεπληρωμένους.

70 Τῆς διηγήσεως δὲ ταύτης μέλλουσα ἄρχεσθαι εἰς
τοσοῦτον ἦλθε πλῆθος δακρύων ὡς πᾶσαν βρέχειν αὐτῆς
τὴν ἐσθῆτα καὶ τῷ λόγῳ τῶν δειχθέντων αὐτῇ διακόπτεσθαι
τὴν φωνήν, τὴν δὲ γλῶσσαν αὐτῆς ἀπροαιρέτως τοῖς ὀδοῦσι
συγκρουομένη ἐπὶ πολὺ φθέγγεσθαι ὅμως βιαζομένη τοιάδε
75 ἐξεῖπεν· Εἶδον τοίνυν τόπους οὕτω φρικτοὺς καὶ χαλεποὺς
ὡς μήτε ὄψει μήτε ἀκοῇ ἀνεκτοὺς ὑπάρχειν οὗ ἔλεγον οἱ
παρεστῶτες ὅτι ἅπασι τοῖς ἀσεβέσι καὶ παρανόμοις
ἡτοίμασταί τισιν καὶ τῶν ἐν κόσμῳ χριστιανῶν λεγομένων
πολλοῖς τοῖς κακοῖς ἐνεχομένων κολάζεσθαι. Ἐκεῖθεν,
80 φησίν, κάμινος ἐκπεφλεγμένη καὶ φοβερόν τι πρᾶγμα
ἐκφαίνουσα. Ἰδοῦσα δὲ καὶ ἔντρομος γεναμένη ἀνηρώτων

---

61 καθιδίαν H ‖ 62 διανοίσασαι H ‖ 74 *post* συγκρουομένη *add.*
νασίμως *sic* H ‖ 75 ἐξεῖπεν : ἐξει*ε H ‖ εἶδον : ἰδων *sic* H ‖ 79 ἐνεχομένο*ς
H

avec justice et sainteté; les autres des clercs et des laïcs, les uns ayant brillé dans leur propre rang, les autres ayant vécu dans la chasteté et la justice.' Et là, frère, je vis aussi le prêtre de ce domaine et les laïcs que toi et moi nous connaissons et qui ont quitté la vie; et je vis beaucoup de vierges, de veuves et d'autres qui vécurent chastement le mariage, et des gens de connaissance, et certains que je ne connaissais pas et dont je demandais surtout à mes guides de me parler tour à tour. Ils disaient : 'Ils sont de différentes villes et régions; parmi les femmes, certaines ont vécu dans des communautés ascétiques, d'autres ont vécu retirées et solitaires, d'autres ont passé la plus grande partie de leur vie dans le veuvage, accablées d'épreuves et d'afflictions; parmi elles, certaines autres dans la virginité ou le veuvage ont tout d'abord fauté puis, par la pénitence et beaucoup de larmes, ont été rétablies dans leur rang précédent.' Me prenant encore avec eux, ils me conduisirent dans des lieux sombres d'apparence et effrayants à voir, remplis de toutes sortes de lamentations et gémissements.»

Tandis qu'elle allait commencer ce récit, il lui vint une telle abondance de larmes que tout son vêtement était mouillé; et à dire ce qui lui fut montré sa voix était coupée, sa langue involontairement collée aux dents, l'empêchant longtemps de parler. Se faisant pourtant violence, elle expliqua ce qui suit : «Je vis des lieux si terribles et pénibles qu'ils ne sont supportables ni à la vue ni à l'ouïe, dont mes guides disaient qu'ils sont réservés en châtiment à tous les impies et criminels, à certains aussi de ceux qui, tout en portant le nom de chrétiens dans le monde, restent asservis à de nombreux vices. A partir de là, disait-elle, il y avait une fournaise de feu qui faisait voir quelque chose de terrible. En voyant cela et en

αὐτούς · Τίσιν ἄρα τῶν ἀθλίων ἡτοίμασται ταῦτα; Οἱ δὲ
λέγουσιν · Τοῖς ἐν κλήρῳ μὲν ἐταζομένοις φιλαργυρίᾳ δὲ
καὶ ἀδικίᾳ τὴν τοῦ Θεοῦ ἐκκλησίαν ὑβρίζουσι βίῳ τε
85 αἰσχρῷ συζῶσιν ἀμετανόητα. Ἐν οἷς καὶ ὀνόματά τινων
φανερῶν ἔλεγον, τινῶν μὲν καὶ τῶν κατὰ τὴν πόλιν οὗ
καὶ αὐτός, φησίν, ἤκουον τούτους ἐνόχους, τινῶν δὲ καὶ
τῆς παρ' ἐμοὶ ἐκκλησίας. Ἐγὼ δέ, φησίν, τρέμουσα καὶ
ὑπ' ὀδόντας φθεγγομένη εἰ ἄρα καὶ τοῖς ἐν κλήρῳ καὶ
90 παρθενείᾳ κακῶς πράττουσι τηλικαῦτα ηὐτρέπισται κακά,
καὶ ὁ ἄγγελος ἀποκριθεὶς ἔφη · Ἀρκοῦντά γε, ὦ παρθένε,
καταλείψονται αὐτοῖς κακά, τῆς εἰς τὸν Θεὸν παρανομίας
καὶ τῆς εἰς τὸν πλησίον ἀδικίας. Ἐνταῦθα γὰρ ἐνεχθέντες
ἀπολείψονται δικαίως · οὔτε γὰρ τοὺς ἐκεῖ πάσχοντας ὑπ'
95 αὐτῶν κακῶς ὑπερόψεται ὁ Θεός, οὔτε τοὺς ποιοῦντας τὰ
ἀπαρέσκοντα τῷ Θεῷ καταλείψει ἀτιμωρήτους. Πᾶσί τε
εἰς καλὰ καὶ τὰ κακὰ ἀρκέσει ὁ Θεὸς ὁ παντοδύναμος.

Πάλιν ἐκεῖθεν ἀγαγόντες ἱστῶσί με ἐπί τινα τόπον ἔνθα
ὥσπερ ποταμὸς πυρὸς εἷλκεν περιρρέων τὸν τόπον σκότους
100 βαθέως πεπληρωμένος, οἰμωγῆς τε καὶ ταραχῆς γέμων
βρυγμῶν τε φοβερῶν καὶ ἐλεεινῶν · καὶ πανταχοῦ φοβεροῦ
πάντα τὰ ἐκεῖ μεστὰ ἦν. Ἐκεῖ οὖν, ἄδελφε, μετὰ καὶ
ἑτέρων τινῶν πολλὰς καὶ διαφόρους παρθένους ἑώρων,
δῆθεν καὶ χήρας ἃς ἔφασκον περί τινος δικαιοσύνης
105 μηδέποτε ἄξιον τοῦ ἐπιτηδεύματος διαπράξαντες.
Ἐρωτῶντι τὸν ἄγγελον τί ἔπραξαν αὗται, ὁ δὲ ἔφη · Τόπον
ἐκ τόπου περιερχόμεναι καὶ οἰκίαν ἐξ οἰκίας, λοιδοροῦσαί
τε τοὺς ἑτέρων βίους μέθῃ δὲ καὶ τρυφῇ προσέχουσαι
ψαλμῳδίας τε καὶ προσευχῆς καὶ νηστείας μηδένα
110 ποιούμεναι λόγον καίτοι ἐπὶ τοιαύταις ἐπαγγελίαις πρὸς
τὸν Θεὸν συνθήκας θέμεναι ὡς ἐκ τούτου τοῦ βίου

84-85 βίῳ τε αἰσχρῷ συζῶσι : βίωται αἰσχρῶς συνζῶσι Η ‖ 88 τῆς :
τοῖς Η ‖ 89 ὀδόντας : ὀδόντα Η ‖ post κλήρῳ add. φησιν Η quod
deleuit ‖ 92 καταλείψανται Η^{ac} ‖ 99 εἷλκεν : ἤλκεν Η ‖ 106 ἠρωτοῦντι
sic Η

tremblant je leur demandais : 'Pour lesquels des misé-
rables cela est-il préparé?' Ils dirent : 'Pour ceux qui, tout
en étant dans le clergé, outragent l'Église de Dieu par
avarice et injustice, et mènent sans repentir une vie honteuse.' Et en même temps ils citaient le nom de certains
qui étaient bien connus, les uns dont moi-même, disait-
il, j'avais entendu parler comme fixés à notre ville, d'autres
qui étaient de l'église de chez moi. Et moi, disait-elle,
comme je demandais en tremblant et en parlant entre les
dents si des maux semblables n'étaient pas préparés pour
ceux qui agissaient mal dans le clergé et dans la virginité, l'ange répondit : 'O vierge, bien assez de maux
leur seront réservés pour leur désobéissance envers Dieu
et leur injustice envers le prochain. En effet, ceux qui
sont conduits ici seront abandonnés avec justice, car Dieu
ne méprisera pas ceux qui là-bas ont souffert à cause
d'eux; et il ne laissera pas non plus sans châtiment ceux
qui font ce qui lui déplaît. Le Dieu de toute-puissance
rendra à tous, en bien comme en mal.'

Me prenant encore, ils m'emmenèrent de là, et m'éta-
blirent en un lieu où coulait comme un fleuve de feu
envahissant tout le lieu, rempli d'une profonde ténèbre,
plein de gémissements, de trouble et de grincements de
dents redoutables et lamentables; et tout ce qui s'y trouvait
était tout à fait redoutable. Là donc, frère, parmi certains
autres, je vis beaucoup de vierges différentes et aussi des
veuves dont ils disaient qu'elles n'avaient, quant à la
justice, rien fait de digne de leur genre de vie. Comme
je demandais à l'ange ce qu'elles avaient fait, il dit : 'Allant
de lieu en lieu et de maison en maison, injuriant la vie
des autres, s'adonnant à l'ivresse et au plaisir, sans tenir
aucun compte de la psalmodie, de la prière ou du jeûne,
s'étant cependant engagées envers Dieu sur de telles promesses, en vivant ainsi elles se sont comme perdues et

διαφθεῖραι ἑαυτὰς καὶ πεπορνεῦσθαι · πολλὰς δὲ αὐτῶν καὶ
συλλήψεων φόνους πεποιημένας ὡς ἂν λανθάνοιεν τοὺς
πολλούς. Ἑώρων δὲ αὐτὰς ὑπάρχοντας καὶ τῶν μὴ
115 σωφρόνως καὶ δικαίως ἀρξάντων τῶν ἀσκητηρίων ἀλλά
τισιν αὐτῶν διαφόρους καὶ φθορᾶς καὶ ἀπωλείας αἰτίας
γενάμενας κολάζεσθαι, ἄλλας δὲ καὶ ἄλλους ἐπὶ διαφόρους
παρανομίας κολαζομένους. Ἐγὼ τὴν πολλὴν αὐτῶν οἰμωγὴν
καὶ τὸν θρῆνον ὁρῶσα καὶ οὐδὲν ἔλαττον ἐκείνων κατὰ
120 τὸν φόβον ὑφισταμένη παρεκάλουν μαθεῖν πόθεν τε εἰσὶν
αὐταὶ καὶ οἱ πλείους τῶν ἐγκειμένων. Οἱ δὲ ἄγγελοι
ἀπεκρίναντο · Ἐκ διαφόρων τόπων ὑπάρχειν αὐτοὺς
ἅπαντας · ὁμοίως ἐν ἁμαρτίαις περιέπεσον, ὁμοίως ταῖς
τιμωρίαις ἀνέχεσθαι.
125 Ἐγὼ δέ, φησίν, ἀκριβῶς θεωροῦσα ὁρῶ καὶ τὰς ἐμοὶ
πανφιλτάτας δύο παρθένους ἐν ἐκείνῃ τῇ διὰ πυρὸς κολάσει
κατεχομένας ἃς πλειστάκις, ὦ ἄδελφε, πολλαῖς συμβουλίαις
καὶ παρακλήσεσιν ἐνουθέτεις στέργων αὐτὰς μάλιστα διὰ
τὴν πρὸς ἐμὲ φιλίαν. Καθιδοῦσα τοίνυν αὐτὰς καὶ
130 ἀνοιμώξασα μέγα, ἐξ ὀνόματος ἑκάστην αὐτῶν ἐκάλουν.
Αἱ δὲ ἐμβλέψασαί με καὶ τῷ προσώπῳ πλείονα τὴν
αἰσχύνην λαβοῦσαι ἣν περὶ τὰς τιμωρίας ὑφίσταντο ἔνευον
κάτω. Ἐγὼ δὲ πάλιν μετὰ δακρύων ἠρώτων αὐτὰς τίνα
εἴη τὰ πεπραγμένα αὐτοῖς ἐν κρυπτῷ ἃ τοὺς πλείονας
135 ἐλάνθανε, καὶ ποίαις πράξεσι φαύλαις περιπεσοῦσαι τῶν
ἐνταῦθα μετέχουσι κακῶν. Αἱ δὲ ἔφασκον · Τῶν κολάσεων,
φησίν, κατηγορουσῶν καὶ βοώντων τὰς πράξεις ἡμῶν, τί
δεῖ ἡμᾶς περὶ τούτων ἐρωτᾶν; τί δεῖ καὶ τοῦ λοιποῦ
ἐπικρύπτειν ἡμᾶς; τὴν παρθενείαν διαφθορὰν πορνείας
140 ἀπωλέσαμεν, ἐγκράτειάν τε καὶ νηστείαν εἰς πρόσωπον
ἀνθρώπων ἐπιτηδεύσαμεν ἐν κρυπτῷ τὰ ἐνάντια
διαπραττόμεναι, τῆς παρὰ ἀνθρώπων δόξης μόνον
ὀρεγόμεναι · τῶν δὲ ἐνταῦθα ἠπειλημένων ἡμῖν λόγος οὐδεὶς
ὑπῆρχεν. Ἀλλ' ἰδού, φησίν, ἅπαντα τὰ ἐκεῖ ἤλλαξαν τὰ

114 ἑώρων : ἑώρουν H ‖ 130 ἑκάστην : ἑκάστῃ H ‖ 133 ἠρώτων H

prostituées; nombre d'entre elles se sont même fait avorter dans l'intention de le cacher à la foule.' Et j'en voyais d'autres qui n'avaient pas dirigé avec sagesse et justice leurs communautés ascétiques, mais qui étaient châtiées pour avoir été diversement cause de corruption et de destruction de certaines de ces communautés; et d'autres, femmes et hommes, châtiés pour diverses iniquités. Moi, voyant leur grande lamentation et leur plainte et n'ayant pas moins peur qu'eux, je demandais à savoir d'où elles venaient, elles-mêmes et le grand nombre de ceux qui étaient là. Les anges répondirent : 'Ils sont tous de lieux différents; ils sont tombés dans les mêmes fautes, ils supportent les mêmes châtiments.'

Mais moi, disait-elle, en regardant attentivement je vis deux vierges qui m'étaient très chères prises dans cette punition par le feu, celles que si souvent, ô mon frère, tu admonestais de multiples conseils et exhortations, les aimant surtout à cause de ton affection pour moi. Les apercevant donc et gémissant fortement je les appelais chacune par son nom. Elles, levant les yeux vers moi et portant sur leur visage la grande honte qu'elles éprouvaient de leurs châtiments, baissaient la tête. Et moi, je leur demandais en pleurant ce qu'elles avaient pu faire secrètement que la plupart ignorèrent, et en quelles mauvaises actions elles étaient tombées pour avoir part aux maux de ce lieu. Elles dirent : 'Alors que les châtiments nous accusent et crient nos œuvres, pourquoi faut-il nous interroger à leur sujet? Pourquoi nous faut-il encore désormais nous cacher? Nous avons perdu notre virginité devenue la proie de la fornication; nous avons pratiqué la continence et le jeûne au regard des hommes, mais en cachette nous faisions l'inverse, avides de la seule gloire des hommes. Quant aux châtiments menaçants qui nous attendaient ici, nous n'en tenions aucun compte. Mais voici, dit-elle, que tout ce qui se passait là-bas est

145 ἐνταῦθα κακά, καὶ ἰδοὺ τῆς ἐκεῖσε ἀπάτης ἀξίως
ἀπολαμβάνομεν τὰς τιμωρίας, ἰδοὺ τῆς φιλοδοξίας ἀρκοῦσαν
ἐνταῦθα τὴν αἰσχύνην. Πάντων δὲ ὁμοῦ τῶν πράξεων
δικαίαν ἐκτίνομεν τὴν τιμωρίαν. Οὐδὲν ὑπ' οὐδενὸς τῶν
ἐκεῖσε φίλων καὶ γνωρίμων ἀξιούμεθα βοηθείας. Ἀλλ' εἴ
150 τις σοι νῦν παρρησία ἐστίν, ὀφείλεις ἐκ τοῦ βίου τοῦ σοῦ
πρὸς αὐτοὺς βοηθῆσαι ἡμῖν καὶ παραιτῆσαι ἡμᾶς ἐκ τῶν
κατεχόντων δεινῶν συναλγήσασα ἡμῖν, ἐφ' οἷς ἐφιστάμεθα
καὶ ἐφ' οἷς πάσχομεν χαλεπῆς ὥρας. Τὰ γὰρ φίλων καλὰ
ἐν τοῖς δεινοῖς καὶ χαλεποῖς μέγιστα ὑπάρχειν. Νῦν οὖν
155 μνήσθητι τῆς προτέρας φιλίας · νῦν οὖν δεῖξον τὴν πρὸς
ἡμᾶς στοργὴν καὶ ἀγάπην · μικρὸν ἡμῖν ἔλεος αἴτησον
παρὰ τῶν κολαζόντων.

Ἐγὼ δέ, ἄδελφέ μου, ἀπεκρινάμην πρὸς αὐτάς · Καὶ
ποῦ εἰσὶν αἱ τοσαῦται παραινέσεις καὶ συμβουλίαι τοῦ ἐμοῦ
160 ἀδελφοῦ; Ποῦ αἱ συνεχεῖς παρακλήσεις; ποῦ ἡ πολλὴ
αὐτοῦ ἐπιμέλεια ἡ ὑπὲρ ὑμῶν; ποῦ αἱ περὶ ὑμῶν συνεχεῖς
εὐχαί; Οὐδὲν τούτων ἤρησκεν ὑμῖν, ἀδελφαί μου, εἰς τὸ
μὴ ἐνταῦθα ὑμᾶς καταντῆσαι. Νῦν ἐστὶν εὑρεῖν ἀληθῶς
ὡς πᾶσα συμβουλὴ καὶ ἐπιμέλεια καὶ εὐχαὶ περί τινος
165 γενομέναι ἐξίτηλοι καὶ ἀνωφελεῖς ὑπάρχουσιν εἰ μὴ καὶ
αὐτὸς εἰς ταύτας ἑαυτὸν ὑπήκοον παρέχειεν. Αἱ δέ, φησίν,
αἰσχυνόμεναι πρῶτον μὲν ἐσιώπων εἶτα πάλιν ἔλεγον ·
Ἐγκλήσεων νῦν καὶ ὀνειδισμῶν οὔκ ἐστι χρεία, ἀλλὰ
παρακλήσεως καὶ βοηθείας · τὰ γὰρ συνέχοντα ἡμᾶς, φησίν,
170 κακὰ ἐλέους χρῄζει καὶ συμπαθείας καὶ οἰκτιρμῶν. Εἴ τι
οὖν δύνῃ βοήθησον ἡμῖν σπλαγχνισθεῖσα ἐφ' ἡμᾶς. Ἀλλ'
ἐγώ, φησίν, ἔφην · Εἴ τι ἂν δυναίμην ὑμῖν βοηθῆναι ἢ
ποιῆσαι ἀγαθόν, ποιῆσαι θέλω. Αἱ δέ τοὺς ἐφεστῶτας
ἔφασκον τῆς τιμωρίας περὶ αὐτῶν παρακαλεῖν · εἰ μὲν
175 δυνατὸν αὐτὰς ταύτης παρακαλεῖν ἐλευθερῶσαι τῆς

148 ἐκτίνομεν correxi : ἐντείνομεν H ‖ 151 βοήθησον H ‖ 167 ἐσιώπων :
-πουν H

devenu les malheurs d'ici; et voici que nous recevons à juste titre les châtiments pour notre fourberie de là-bas; voici la honte présente correspondant à notre amour de la gloire. Bref de toutes nos œuvres nous recueillons le juste châtiment. Nous ne méritons aucune aide d'aucun de nos amis ou connaissances de là-bas. Mais si tu as maintenant quelque liberté pour intervenir, tu dois par ta propre vie nous venir en aide auprès d'eux et, en souffrant avec nous, nous délivrer de ces horreurs dans lesquelles nous sommes retenues et souffrons en cette heure pénible. En effet, c'est surtout dans les circonstances dures et pénibles qu'importe le bienfait reçu des amis. Aussi souviens-toi maintenant de notre amitié d'autrefois; montre maintenant ta tendresse et ton amour pour nous; demande pour nous un peu de pitié à ceux qui nous punissent.'

Mais moi, mon frère, je leur répondis : 'Et où sont tous les conseils et les exhortations de mon frère? Où sont ses encouragements incessants? Où est le grand souci qu'il avait de vous? Où sont ses incessantes prières pour vous? Rien de cela ne vous a suffit, mes sœurs, pour ne pas vous trouver ici. Il faut maintenant constater en vérité combien tous conseils, soins ou prières pour quelqu'un sont vains et inutiles si, de son côté, l'intéressé n'y prête pas l'oreille.' Et elles, dit-elle, confuses, gardaient d'abord le silence puis disaient à leur tour : 'Point n'est besoin d'accusations ni de reproches, mais de réconfort et d'aide; car les maux qui nous accablent demandent pitié, sympathie et compassion. Si donc tu peux quelque chose, aide-nous en t'émouvant de pitié pour nous.' Mais moi, dit-elle, je disais : 'Si jamais je peux vous aider en quelque chose ou vous faire quelque bien, je veux le faire.' Elles me dirent d'intercéder pour elles auprès des préposés à leur châtiment : si c'était possible, de demander qu'elles soient totalement libérées de ce

κολάσεως παντελῶς, εἰ δὲ μή γε κἂν ἄνεσιν καὶ ἐνδοῦναι
καιρὸν αὐταῖς εἰς ἀνάπαυσιν · ἔσται γὰρ αὐταῖς καὶ τοῦτο
οὐ μικρὸν εἰς παραμυθίαν τῶν τηλικούτων κακῶν. Ἐγὼ
δέ, φησίν, προσπίπτουσα καὶ τῶν ποδῶν κατέχουσα μετὰ
180 δακρύων καὶ θρήνων ἱκέτευον αὐτοὺς λέγουσα · Μιμήσασθαι
δεῖ τὸν ἑαυτῶν δεσπότην φιλάνθρωπόν τε ὄντα καὶ ἀγαθόν,
καὶ τοῦ λοιποῦ τῆς κολάσεως ἐκείνης ἀνασπάσατε αὐτάς.
Οἱ δὲ μετὰ τοῦ φοβεροῦ τοῦ βλέμματος ἄπρακτόν με
ἔπεμπον λέγοντες μὴ εἶναι καιρὸν αὐταῖς νῦν μετανοίας
185 καὶ ἐξομολογήσεως · τὸν γὰρ ἐπὶ τοῦτο χρόνον ὑπὸ τοῦ
Θεοῦ ἀφορισθέντα αὐταῖς πορνείαις καὶ φόνοις καὶ τρυφῇ
καὶ πάσαις παρανομίαις προσαναλώσασαι, τυχεῖν αὐτῶν
ὧνπερ παρακαλεῖς ἐνταῦθα οὐκ ἰσχύουσιν. Μύθους γὰρ
ὑπολαμβάνουσαι τότε τὰ ἀγαθά, πῶς νῦν αἰτοῦσιν ἐκείνων
190 τὴν μετάληψιν; Δίκαιον δὲ αὐτὰς οἵας ἐκεῖ πράξεις
<πραξάσας> τούτων ἐνταῦθα θερίσαι τοὺς καρπούς. Ἔδει
γὰρ αὐτὰς ὅπου τὸ πτῶμα περιπεπτώκασιν ἐκ τῆς οἰκείας
κακοβουλίας, τούτων καὶ τὴν διόρθωσιν ἐκεῖθεν ἐνδείξασθαι,
καὶ τῶν ἐνταῦθα οὐκ ἂν ἐπειράσθησαν κακῶν. Πρέπει δὲ
195 αὐταῖς ὧν ἐκεῖ ὑπερεῖδον ἀγαθῶν τούτων ἐνταῦθα μὴ
ἐπιτυχεῖν, ὧν δὲ κατεφρόνησαν κολάσεως τούτων
πειρασθῆναι ἕως τέλους. Ἀλλ᾽ οὐδὲ ἀνέσεως αὐτὰς
ἀξιωθῆναι δίκαιον διὰ τὰ μέχρι θανάτου κακά · εἰ γὰρ
τοῖς ἑαυτῶν σώμασιν ἄνεσιν οὐκ ἔδωκαν εἰς τὰ κακά,
200 πῶς ἐνταῦθα ἀνέσεως ἀξιοῦσι τυχεῖν; Ἄπελθε, ὦ παρθένε,
τὰ ὧδε τοῖς ἐκεῖ ἀπαγγελοῦσα καλά τε καὶ κακά, εἴπερ
ἄρα μὴ καὶ σὺ ληρεῖν αὐταῖς πλεῖον πάντων δόξῃς. Αἱ
δὲ κατιδοῦσαι ἄπρακτόν <με> γεγονυῖαν, θρηνοῦσαι καὶ
τρίζουσαι τοὺς ὀδόντας ἔλεγον · Ὡς οὐδὲν ἄξιον, φησίν,
205 τῶν πεπραγμένων ἡμῖν, ὦ ἀδελφή, ἐνταῦθα ἅς τε ἡμεῖς
τῶν ἐν τῷ κόσμῳ ἐκείνων νουθετούντων καὶ παρακα-

180 δακρύων : δακρύ H ‖ 190 οἵας correxi : οἵαις sic H ‖ 191 πραξάσας
suppleui ‖ 203 με suppleui ‖ 205 ἡμεῖς correxi : ὑμεῖς H ‖ 206-207 παρα-
καλούν sic H

châtiment; sinon, que du moins leur soit accordé un répit
et un temps de repos. En effet, même cela ne leur serait
pas une maigre consolation dans d'aussi grands maux. Et
moi, dit-elle, me prosternant devant eux et leur prenant
les pieds, je les suppliais en pleurant et en gémissant :
'Il faut, disais-je, imiter votre propre maître qui est ami
des hommes et bon; retirez-les désormais de cette
punition.'

Mais eux avec un regard terrible me renvoyèrent bre-
douille en disant : 'Ce n'est plus désormais pour elles le
moment du repentir et de la confession; car, comme elles
ont dépensé en fornications, crimes, volupté et dérègle-
ments de toutes sortes le temps qui leur avait été départi
pour cela par Dieu, elles ne peuvent ici obtenir ce que
tu demandes. En effet, ayant alors considéré les biens
comme des fables, comment aujourd'hui demandent-elles
d'y avoir part? Il est juste qu'ayant commis là-bas de tels
actes, elles en récoltent ici les fruits. Il leur aurait fallu
en effet, là même où elles étaient tombées par suite de
leur propre mauvais vouloir, en manifester aussi la cor-
rection depuis là-bas, et elles n'auraient pas éprouvé les
malheurs d'ici. Mais il leur convient de ne pas obtenir
ici les biens que là-bas elles ont dédaignés, et d'éprouver
jusqu'à la fin une punition pour ce qu'elles ont méprisé.
Mais il n'est pas juste non plus qu'elles obtiennent un
répit, car elles ont fait le mal jusqu'à la mort; en effet,
puisqu'elles n'ont pas accordé à leur corps de répit dans
le mal, comment peuvent-elles obtenir ici du répit? Va
donc dire, ô vierge, à ceux de là-bas ce qui se passe
ici, en bien comme en mal, si toutefois tu ne leur sembles
pas toi aussi divaguer plus que tous les autres.' Alors
elles, me voyant sans résultat, disaient en se lamentant
et en grinçant des dents : 'Comme nous ne pouvons
obtenir ici aucune récompense pour nos actes passés, ô
sœur, et comme, nous bouchant les oreilles, nous n'avons

λούντων ἡμᾶς ἀξίως τῆς παρθενίας ζῆν τὰ ὦτα
ἀποφράξασαι οὐδενὸς ὑπηκούσαμεν, οὕτως καὶ ὑμῶν αἱ
παρακλήσεις ἐνταῦθα ἄπρακτοι ἀποφαίνουσιν, τὰ ὅμοια τοῖς
210 ὁμοίοις ἀντιπαρέχοντες ἡμῖν. Ἀλλ' ἐπειδή, φησίν,
καταλιμπάνουσα πάντως ἀπίεις πάλιν παρὰ τοὺς ἐκεῖ,
δεόμεθα αὐτὰ πάντα ἀπαγγεῖλαι τῇ ἡμετέρᾳ συνοίκῳ · τὴν
γὰρ παρθενίαν ὁμοίως μὲν ἡμῖν παίζει καὶ νηστείᾳ καὶ
ἐγκρατείᾳ πρὸς ἀπάτην τῶν ἀνθρώπων περιχριομένη,
215 καταγελῶσα μὲν τῶν ἐνταῦθα μύθους δὲ τὰ λεγόμενα
κρίνουσα, καθάπερ καὶ ἡμεῖς ποτέ · πείθειν δὲ αὐτὴν ὡς
ἔστιν ἀληθῶς πάντα. Δεῦρο ἵνα μὴ τὰ παραπλήσια ἡμῖν
διὰ τέλους πράξασα τῶν ὁμοίων κακῶν ἐνταῦθα πειραθῇ.
Παρακάλει δὲ αὐτὴν κἂν τοῦ λοιποῦ μετανοεῖν καὶ ἐν τῷ
220 ἀφορισμένῳ τόπῳ τῆς μετανοίας ἐξιλάσσασθαι τὰ παρ'
αὐτῆς σὺν ἡμῖν ἐπιτελεσθέντα κακά, ὅπως ἔσται σωτηρία
τῇ ταύτης ψυχῇ.

50   Ἔλεγον περὶ μεγάλου γέροντος ὅτι ἦν καθήμενος εἰς
τὸν Πορφυρίτην καὶ εἰ ἔπηρε τοὺς ὀφθαλμοὺς αὐτοῦ εἰς
τὸν οὐρανὸν ἔβλεπε πάντα τὰ ἐν αὐτῷ, καὶ εἰ προσεῖχεν
εἰς τὴν γῆν ἔβλεπε τὰς ἀβύσσους καὶ πάντα τὰ ἐν αὐτοῖς.

51   Εἶπε γέρων περί τινος διορατικοῦ ὅτι εἰσῆλθεν εἰς πόλιν
πωλῆσαι σκεύη, καὶ κατ' εὐκαιρίαν ἐκαθέσθη εἰς πυλῶνά
τινος πλουσίου μέλλοντος τελευτᾶν. Καὶ ὡς ἐκάθητο
προσέσχε καὶ ὁρᾷ ἵππους μελανοὺς καὶ τοὺς ἐπιβάτας
5 αὐτῶν μελανοὺς φόβου μεστούς, ἔχοντας πύρινα βάκλια.
Καὶ ὡς ἔφθασαν τὸν πυλῶνα, εἰσῆλθεν ἕκαστος αὐτῶν.
Καὶ ἰδὼν αὐτοὺς ὁ ἄρρωστος ἐκραύγαζε μεγάλῃ τῇ φωνῇ ·
Κύριε, βοήθησόν μοι. Καὶ λέγουσιν πρὸς αὐτὸν οἱ
ἀποσταλέντες · Ἄρτι ὅτε ὁ ἥλιος ἔδυσεν ἦλθες μνησθῆναι

208 αἱ correxi : τὰς H ‖ 212 ἡμετέρᾳ correxi : ὑμετ. H ‖ 213 παίζει :
παίζουσιν H ‖ 221 ὅπως ἔσται sic H
50 H
2 εἰ suppleui ‖ 3 post οὐρανὸν add. καὶ H

obéi à aucun de ceux qui dans le monde nous incitaient
et nous exhortaient à vivre d'une façon digne de la virginité, ainsi vos intercessions apparaissent-elles elles aussi
sans résultat ici, nous obtenant les mêmes effets. Mais
puisque, nous abandonnant définitivement, tu retournes
chez les gens de là-bas, nous te demandons d'informer
notre compagne de tout cela, car comme nous elle se
joue de la virginité et, s'étant parée du jeûne et de la
continence pour tromper les hommes, elle se moque de
ce qui se passe ici, estimant fabuleux ce qu'on en dit,
tout comme nous jadis. Aussi faut-il la persuader que
tout cela est vrai. Va, afin qu'elle n'agisse pas comme
nous jusqu'au bout et n'éprouve pas ici les mêmes maux.
Exhorte-la à faire pénitence au moins à partir de maintenant et, dans le lieu déterminé pour la pénitence, à
expier les mauvaises actions qu'elle a commises avec
nous, afin qu'il puisse y avoir un salut pour son âme.'»

50   On disait d'un grand vieillard qu'il demeurait à Por-   N 371
phyrite et que s'il levait les yeux vers le ciel il voyait
tout ce qu'il contient et s'il les fixait sur la terre il voyait
les abîmes et tout ce qu'ils contiennent.

51   Un vieillard dit d'un moine clairvoyant qu'il alla en   N 492
ville vendre ses produits et que par hasard il s'installa à
la porte d'un riche en train de mourir. Et comme il était
assis il prêta attention et vit des chevaux noirs et leurs
cavaliers noirs, pleins de crainte, avec des bâtons
enflammés. Parvenus à la porte ils entrèrent tous. Et les
voyant le malade cria d'une voix forte : «Seigneur, aide-
moi.» Et les envoyés lui dirent : «C'est maintenant, alors
que le soleil décline, que tu commences à te souvenir

51 H
   5 μεστούς *correxi* : μεστοῦ H ‖ 7 ὁ ἄρρωστος *correxi* : θάρρωστος
sic H

10 τοῦ Θεοῦ; Διὰ τί αὐγαζούσης ἡμέρας οὐκ ἐζήτησας αὐτόν;
Νῦν οὖν οὐκ ἔστι σοι μέρος ἐλπίδος οὐδὲ παράκλησις.
Καὶ οὕτως παραλαβόντες αὐτὸν ἀπῆλθον.

52   Ἔλεγε γέρων ὅτι· Καλὸν τὸ ἐξομολογήσασθαι τοῖς
πατράσι τοὺς λογισμούς. Ἰδοὺ γὰρ δύο τινὲς ἐλθόντες
πρός τινα γέροντα ἀδελφοί, ὁ εἷς γέρων καὶ ὁ εἷς νεώτερος ·
καὶ ὁ μείζων ἀνεκάλει κατὰ τοῦ νεωτέρου καὶ πάνυ παρὰ
5 τῷ γέροντι. Ὁ δὲ ἅγιος προσχὼν τῷ νεωτέρῳ ἔλεγεν
αὐτῷ· Ἀληθῆ λέγει περί σου; Ὁ δὲ συνέθετο λέγων·
Ναί, ἀληθῆ· πολλὰ γὰρ αὐτὸν θλίβω. Εἶτα ὁ ἄλλος ἐπὶ
πλεῖον ἐκατηγόρει. Ὑπογογγύζων δὲ ὁ νεώτερος εἶπε
ψιθυρίζων· Σιῶπα μὴ καὶ ἀληθῆ νομίσῃ ὁ ἅγιος εἶναι τὰ
10 παρά σου. Ὁ δὲ ἀκούσας ἀνέκραζεν. Τῶν δὲ ἀδελφῶν
ἐρωτώντων αὐτὸν διὰ τί τοῦτο ἐποίησεν, ἀπεκρίνατο ὁ
γέρων λέγων· Εἰσελθόντων δὲ τῶν δύο ἀδελφῶν τούτων
ἐγγύς μου, εἷς μαῦρος βαστάζων τόξον παρέστηκε καὶ
κατηγορίαν τοῦ μείζονος βέλος ἔπεμπε κατὰ τοῦ νεωτέρου,
15 τὸ δὲ βέλος οὐδὲ τῶν ἱματίων αὐτοῦ ἐπετύγχανεν. Τελευταῖον
ὑπογογγυσάντος τοῦ νεωτέρου ὁ μαῦρος πέμψας κατ᾽ αὐτοῦ
βέλος ἤμελλε πλήσσειν αὐτόν· ἵνα οὖν μὴ πληγῇ ἔκραξα.
Τῶν οὖν δύο ἀδελφῶν λαβεῖν θεραπείαν τοῦ πάθους παρακαλούντων, εἶπεν ὁ γέρων · Ὅταν ἐμπέσητε εἰς φιλονεικίαν
20 ἀναμιμνήσκεσθε τοῦ μαύρου καὶ παύεται. Καὶ ποιήσαντες
οὕτως ἐθεραπεύθησαν.

53   Ἀδελφός τις διαβαίνων πρὸς τὴν Σκῆτιν καὶ ἐλθὼν ἐπὶ
τὸν Νεῖλον ποταμὸν καὶ ὀλιγοθυμήσας ἐκ τῆς ὁδοιπορίας
καὶ ὥρας καύματος καταλαβούσης ἐκδυσάμενος τὰ ἱμάτια
αὐτοῦ κατῆλθεν πρὸς τὸ λούσασθαι αὐτόν. Δραμὼν δὲ
5 θηρίον ὁ λεγόμενος κροκόδειλος ἥρπαξεν αὐτόν. Γέρων τις
διορατικὸς ἐκεῖσε παρελθὼν ἰδὼν τὸν ἀδελφὸν ἁρπαγέντα

52 H
1 τὸ : τοῦ H ‖ 3 ὁ¹ suppleui ‖ 4 ἐνεκάλει H ‖ πάνυ scripsi : πα*υ
H ‖ 12 post γέρων add. ὁ H

de Dieu? Pourquoi ne l'as-tu pas cherché tandis que le
jour brillait? Désormais, tu n'as plus de part à l'espoir,
et plus d'intercession.» Et ainsi, se saisissant de lui, ils
partirent.

52   Un vieillard disait : « Il est bon de confesser aux pères   N 638
ses pensées. Deux frères en effet, l'un âgé et l'autre
jeune, se rendirent chez un vieillard, et le plus âgé en
appelait très violemment au vieillard contre le jeune. Et
le saint, fixant le jeune homme, lui disait : 'Est-ce vrai ce
qu'il dit de toi?' Celui-ci en convint, disant : 'Oui, c'est
vrai; je l'afflige en effet beaucoup.' Ensuite l'autre l'ac-
cusait encore plus. Et le jeune lui dit en rouspétant entre
les dents : 'Tais-toi, de peur que le saint ne croie vrai
ce que tu dis.' Entendant cela le vieillard poussa un cri.
Les frères lui demandant pourquoi il le faisait, le vieillard
répondit : 'Lorsque ces deux frères entrèrent chez moi,
un maure s'est présenté portant un arc, et il lançait l'accusation de l'aîné comme une flèche contre le plus jeune;
mais la flèche n'atteignait même pas ses vêtements. Finalement quand le jeune rouspéta, le maure s'apprêta à le
frapper en envoyant une flèche contre lui. J'ai donc crié
afin qu'il ne soit pas frappé.' Et les deux frères lui
demandant un remède à leur passion, le vieillard dit :
'Lorsque vous tombez dans la contestation, souvenez-vous
du maure, et elle s'arrêtera.' Et faisant ainsi ils furent
guéris. »

53   Un frère se rendait à Scété. Arrivé au fleuve Nil, accablé
par le voyage, à l'heure de la grosse chaleur il se désha-
billa et descendit se baigner. Une bête qu'on appelle cro-
codile courut le prendre. Un vieillard clairvoyant qui
passait par là, voyant le frère qui était pris, cria à la

κράξας τὸ θηρίον λέγει αὐτῷ · Διὰ τί ἔφαγες τὸν ἀββᾶ;
Τὸ δὲ θηρίον εἶπε πρὸς αὐτὸν ἀνθρωπίνη φωνῇ · Ἐγὼ
ἀββᾶ οὐκ ἔφαγον, κοσμικὸν ηὗρον καὶ αὐτὸν ἔφαγον · ὁ
10 δὲ μοναχὸς ἐκεῖ ἐστιν. Καὶ ἔνευε πρὸς τὸ σχῆμα. Καὶ
ἀνεχώρησεν ὁ γέρων πενθῶν τὸ γεγονός.

bête : «Pourquoi as-tu mangé-tu l'abba?» La bête lui dit d'une voix humaine : «Moi je n'ai pas mangé d'abba; j'ai trouvé un séculier et je l'ai mangé. Mais le moine, il est ici.» Et il inclinait la tête vers l'habit. Et le vieillard se retira affligé de ce qui s'était passé.

Περὶ σημειοφόρων γερόντων

1 Ἔλεγεν ἀββᾶ Δουλᾶς ὁ μαθητὴς τοῦ ἀββᾶ Βισσαρίωνος ὅτι· Ὁδευόντων ἡμῶν ποτε εἰς τὴν ὄχθαν τῆς θαλάσσης ἐδίψησα καὶ εἶπον τῷ ἀββᾶ Βισσαρίωνι· Ἀββᾶ, διψῶ πάνυ. Καὶ ποιήσας εὐχὴν ὁ γέρων λέγει μοι· Πίε ἐκ τῆς θαλάσσης. 5 Καὶ ἐγλυκάνθη τὸ ὕδωρ, καὶ ἔπιον. Ἐγὼ δὲ ἤντλησα εἰς τὸ ἀγγεῖον ὀλίγον μήποτε παρ' ἐκεῖ διψήσω. Καὶ ἰδὼν ὁ γέρων λέγει μοι· Ὁ Θεὸς ὧδε καὶ πάντῃ Θεός.

2 Ἄλλοτε πάλιν χρείας αὐτῷ γενομένης ἐποίησεν εὐχὴν καὶ διέβη τὸν Χρυσορρόαν πεζῇ, καὶ ἀπῆλθεν εἰς τὸ πέραν. Ἐγὼ δὲ θαυμάσας μετενόησα αὐτῷ λέγων· Πῶς ἠσθάνου τοὺς πόδας σου ἐν τῷ περιπατεῖν σε εἰς τὸ ὕδωρ; Καὶ 5 λέγει ὁ γέρων· Ἕως τῶν ἀστραγάλων ἠσθανόμην τοῦ ὕδατος· τὸ δὲ λοιπὸν ἦν στερεόν.

3 Ἄλλοτε πάλιν ὑπαγόντων ἡμῶν πρὸς ἄλλον γέροντα ἦλθεν ὁ ἥλιος εἰς τὸ δῦναι. Καὶ εὐξάμενος ὁ γέρων εἶπεν· Δέομαί σου, Κύριε, στήτω ὁ ἥλιος ἕως οὗ φθάσω πρὸς τὸν δοῦλόν σου. Καὶ ἐγένετο οὕτως.

Tit. YQRTMSH*l*
γερόντων : πατέρων MS ἁγίων γερόντων H*l*
1 YQRTMSH*l*
2 ποτε *om.* Q*l* ‖ ὄχθην MS ‖ 3 εἶπον : εἶπα YM ‖ πάνυ *om.* YQRT ‖ 5 *post* καὶ¹ *add.* εὐθέως QRT ‖ 6 ἀγγεῖον : ἄγγος MS ‖ ὀλίγον *om.* YQRT ‖ *post* διψήσω *add.* quod cum uidisset senex dixit mihi : ut quid uas implesti aqua? dixi ei : ignosce mihi, ne forte iterum sitiam *l cf.* Alph. ‖ 6-7 ἰδὼν – μοι H*l cf.* Alph.: εἶπεν ὁ γ. *cett.* ‖ 7 ὁ θεὸς *ad fin.* : ὁ ὧδε θεὸς καὶ πάντων θεός Qᵖᶜ ὁ θεὸς ὁ ὧδε καὶ πάντῃ S

XIX

Des vieillards faisant des prodiges

1   Abba Doulas, le disciple d'abba Bessarion, disait : «Un
jour que nous marchions sur le bord de la mer, j'eus
soif et je dis à abba Bessarion : 'Abba, j'ai bien soif.' Et
le vieillard fit une prière et me dit : 'Bois de l'eau de
mer.' L'eau se trouva adoucie et j'en bus. Mais moi, j'en
puisais dans la petite outre de peur d'avoir soif plus loin ;
ce que voyant, le vieillard me dit : 'Dieu est ici, et Dieu
est partout'.»

Bes 1
(137 C-
140 A)

2   Une autre fois encore, parce qu'il y était contraint, il
fit une prière, traversa à pied le fleuve Chrysoroas et
passa sur l'autre rive. Rempli d'admiration, je lui fis la
métanie en disant : «Comment sentais-tu tes pieds lorsque
tu marchais sur l'eau?» Le vieillard dit : «Je sentais l'eau
jusqu'au talon ; autrement, le sol était ferme.»

Bes 2
(140 A)

3   Une autre fois encore, tandis que nous nous rendions
chez un autre vieillard, le soleil fut sur le point de se
coucher. Et le vieillard pria en disant : «Je te le demande,
Seigneur, que le soleil s'arrête jusqu'à ce que j'arrive chez
ton serviteur.» Et c'est ce qui arriva.

Bes 3
(140 A)

---

2 YRTMSH*l*
1 αὐτῷ : αὐτῶν RH ‖ 2 καὶ[2] – πέραν *om. l* ‖ 3 αὐτῷ : τῷ γέροντι
Y ‖ 4 σε *om.* S
3 YQRTH*l*
3 πρὸς Y : εἰς *cett.*

4   Ἦλθέ ποτέ τις δαιμονιζόμενος εἰς τὴν Σκῆτιν καὶ
ἐγένετο εὐχὴ περὶ αὐτοῦ εἰς τὴν ἐκκλησίαν. Καὶ οὐκ
ἐξήρχετο ὁ δαίμων· ἦν γὰρ σκληρός. Καὶ λέγουσιν οἱ
κληρικοί· Τί ἔχομεν ποιῆσαι τῷ δαίμονι τούτῳ; Οὐδεὶς
5 δύναται αὐτὸν ἐκβαλεῖν εἰ μὴ ὁ ἀββᾶ Βισσαρίων καὶ ἐὰν
αὐτὸν παρακαλέσωμεν περὶ τούτου, οὔτε εἰς τὴν ἐκκλησίαν
εἰσέρχεται. Τοῦτο οὖν ποιήσωμεν· ἰδοὺ ἔρχεται πρωὶ πρὸ
πάντων εἰς τὴν ἐκκλησίαν· ποιήσωμεν τὸν πάσχοντα
καθῖσαι εἰς τὸν τόπον αὐτοῦ, καὶ ὅτε εἰσέρχεται στῶμεν
10 εἰς εὐχὴν καὶ εἴπωμεν αὐτῷ· Ἐξύπνησον καὶ τὸν ἀδελφόν,
ἀββᾶ. Ἐποίησαν δὲ οὕτως, καὶ ἐλθόντος τοῦ γέροντος τὸ
πρωὶ ἔστησαν εἰς εὐχὴν καὶ λέγουσιν αὐτῷ· Ἐξύπνησον
καὶ τὸν ἀδελφόν, ἀββᾶ. Καὶ εἶπεν αὐτῷ· Ἀνάστα, ἔξελθε
ἔξω. Καὶ εὐθέως ἀπῆλθεν ἀπ᾽ αὐτοῦ ὁ δαίμων καὶ ἰάθη
15 ὁ ἄνθρωπος ἀπὸ τῆς ὥρας ἐκείνης.

5   Ἔλεγον οἱ γέροντες τῷ ἀββᾶ Ἠλίᾳ εἰς Αἴγυπτον περὶ
τοῦ ἀββᾶ Ἀγάθωνος ὅτι καλός ἐστιν ἀδελφός. Καὶ λέγει
αὐτοῖς ὁ γέρων· Κατὰ τὴν γενεὰν αὐτοῦ καλός ἐστιν.
Καὶ λέγουσιν αὐτῷ· Κατὰ δὲ τοὺς ἀρχαίους, τί; Καὶ
5 ἀποκριθεὶς εἶπεν αὐτοῖς· Εἶπον ὑμῖν· Κατὰ τὴν γενεὰν
αὐτοῦ καλός ἐστιν· κατὰ δὲ τοὺς ἀρχαίους ἑώρακα
ἄνθρωπον εἰς Σκῆτιν ὅτι ἠδύνατο τὸν ἥλιον στῆσαι ἐν τῷ
οὐρανῷ καθάπερ Ἰησοῦς ὁ τοῦ Ναυῆ[a]. Καὶ ταῦτα
ἀκούσαντες ἐθαμβήθησαν καὶ ἐδόξασαν τὸν Θεόν.

6   Γυνή τις ἔχουσα πάθος τὸ λεγόμενον καρκίνον κατὰ τοῦ
μασθοῦ αὐτῆς ἀκούσασα περὶ τοῦ ἀββᾶ Λογγίνου ἐζήτησε
συντυχεῖν αὐτῷ. Ἐκαθέζετο οὖν οὗτος ἐν τῷ ἐνάτῳ σημείῳ

4 YQRTMSH*l*

3 καὶ *om.* YQ ‖ *post* λέγουσιν *add.* ad inuicem *l* ‖ 6 περὶ τούτου :
π. αὐτοῦ MS *om.* H ‖ οὔτε : οὐδὲ TMS *cf. Alph.* ‖ 7 εἰσέρχεται Y :
ἔρχεται *cett.* ‖ 7-8 ἰδοὺ – ποιήσωμεν *om.* Q ‖ 7 πρωί *om.* YRTH ‖
9 καθῖσαι : καθευδῆσαι MS ‖ 10 εἴπωμεν : λέγωμεν TMS ‖ 11 ἀββᾶ *om.*
QT ‖ 13 καὶ² : ὁ δὲ Q ‖ ἀναστὰς MS ‖ 14 ἀπῆλθεν : ἐξῆλθεν MS ‖
15 ὥρας : ἡμέρας YR
5 YQRTMSH*l*

4   Un possédé du démon vint une fois à Scété et on pria   Bes 5
sur lui à l'église; mais le démon ne sortait pas, car il   (141 A-B)
était opiniâtre. Et les clercs dirent : «Qu'avons-nous à
faire pour ce démon? Personne ne peut le chasser sinon
abba Bessarion; et si nous le lui demandons, il ne viendra
même pas à l'église. Faisons donc ainsi : puisqu'il vient
à l'église dès l'aube avant tout le monde, installons le
patient à sa place et, lorsqu'il viendra, mettons-nous
debout pour la prière et disons-lui : réveille aussi le frère,
abba.» Ainsi firent-ils. Lorsque vint le vieillard à l'aurore,
ils se mirent debout pour la prière et lui dirent : «Réveille
aussi le frère, abba.» Et il lui dit : «Lève-toi, sors.» Aussitôt le démon quitta l'homme qui fut guéri à cette heure
même.

5   Les vieillards disaient à abba Élie en Égypte à propos   Él 2
d'abba Agathon : «C'est un bon frère.» Le vieillard leur   (184 A-B)
dit : «Par rapport à sa génération, il est bon.» Ils lui
dirent : «Et par rapport aux anciens, qu'en est-il?» Il leur
répondit : «Je vous ai dit que par rapport à sa génération il est bon; mais par rapport aux anciens, j'ai vu
un homme à Scété[1] qui pouvait arrêter le soleil dans le
ciel comme Jésus le fils de Navé[a].» Entendant cela, ils
furent stupéfaits et glorifièrent Dieu.

6   Une femme qui avait au sein un mal qu'on appelle   Lon 3
cancer, entendant parler d'abba Longin, chercha à le ren-   (256 D-
contrer. Or celui-ci demeurait à la neuvième borne   257 A)

---

1 post γέροντες *add.* aliquando *l* ‖ 5 ἀποκρ. εἶπεν αὐτοῖς : ἀπεκρίθη
ὁ γέρων Q
6 YRTMSH
2 ἐζήτει RT ‖ 3 οὖν : δὲ RT ‖ οὗτος Y *om. cett.*

---

a. Cf. Jos 10, 12-13

---

1. Sans doute abba Bessarion (*supra*, n° 3).

Ἀλεξανδρείας, τῷ πρὸς δυσμάς. Ἐπιζητούσης δὲ τῆς
5 γυναικὸς συνέβη τὸν μακάριον ἐκεῖνον συλλέγειν ξύλα παρὰ
τὴν θάλασσαν. Καὶ εὑροῦσα αὐτὸν ἡ γυνὴ λέγει αὐτῷ ·
Ἀββᾶ, ποῦ μένει ὧδε ὁ δοῦλος τοῦ Θεοῦ ἀββᾶ Λογγῖνος;
μὴ εἰδυῖα ὅτι αὐτός ἐστιν. Ὁ δὲ φησί · Τί θέλεις τὸν
ἐπιθέτην ἐκεῖνον; Μὴ ἀπέλθῃς πρὸς αὐτόν · ἐπιθέτης γάρ
10 ἐστιν. Τί δέ ἐστιν ὁ ἔχεις; Ἡ δὲ γυνὴ ὑπέδειξε τὸ πάθος.
Ὁ δὲ γέρων σφραγίσας τὸν τόπον ἀπέλυσεν αὐτὴν εἰπών ·
ἄπελθε καὶ ὁ Κύριός σε θεραπεύει · Λογγῖνος γὰρ οὐδέν
σε δύναται ὠφελῆσαι. Ἀπῆλθε δὲ ἡ γυνὴ πιστεύσασα τῷ
λόγῳ καὶ ἐθεραπεύθη παραχρῆμα. Διηγησαμένη δέ τισι τὸ
15 πρᾶγμα καὶ τὰ σημεῖα εἰποῦσα τοῦ γέροντος, μανθάνει
ὅτι αὐτός ἐστιν ἀββᾶ Λογγῖνος.

7   Ἄλλοτε πάλιν γυνή τις πάθος ἔχουσα δυσίατον εἰς τὴν
χεῖρα ἐλθοῦσα μετὰ ἑτέρας γυναικὸς ἔξωθεν τοῦ κελλίου
αὐτοῦ εἰς τὸ βορινὸν θυρίδιν προσέσχεν αὐτῷ καθεζομένῳ.
Ὁ δὲ ἐπετίμα αὐτῇ λέγων · Ἄπελθε, γύναι. Ἡ δὲ ἐπέμενε
5 προσεχοῦσα καὶ μὴ λαλοῦσα. Ἐφοβεῖτο γάρ. Ὁ δὲ γνοὺς
καὶ πληροφορηθεὶς τί εἶχεν, ἀνέστη καὶ ἔκλεισε πρὸς αὐτὴν
τὸ θυρίδιν καὶ εἶπεν · Ἄπελθε, οὐδὲν κακὸν ἔχεις. Καὶ
ἐθεραπεύθη ἀπὸ τῆς ὥρας ἐκείνης.

8   Ἄλλοτε πάλιν φέρουσιν αὐτῷ δαιμονιῶντα. Ὁ δέ φησιν
πρὸς αὐτούς · Ἐγώ τι ποιῆσαι ὑμῖν οὐκ ἔχω, ἀλλὰ μᾶλλον
ἀπέλθατε πρὸς τὸν ἀββᾶ Ζήνωνα. Εἶτα ὡς ηὔξατο ἀββᾶ
Ζήνων ἤρξατο ἐπικεῖσθαι τῷ δαίμονι ἐκδιώκων αὐτόν. Ὁ
5 δὲ δαίμων ἐβόα · Ἄρτι νομίζεις ὅτι διὰ σὲ ἐξέρχομαι;

---

4 δυσμαῖς Y ‖ 5 ἐκεῖνον om. T ‖ 7 ὧδε om. H ‖ 9 γάρ om. H ‖
10 ὑπέδειξε : ἐπέδ- H ‖ 11 τὸν τόπον : αὐτὴν ἐπὶ τοῦ πάθους RT τὸ
πάθος M ‖ 12-13 οὐδέν – ὠφελῆσαι : οὐ δύναταί σε θεραπεῦσαι H ‖
14 διηγουμένη MSH ‖ δὲ : οὖν R om. Y ‖ 15 μανθάνει : ἔμαθεν RT ‖
16 ἐστιν : εἶ R ἦν T
7 YRTMSH
2 ἐλθοῦσα om. T ‖ 5 ὁ δὲ γνοὺς : γνοὺς οὖν ὁ γέρων TMSH ‖ 6 τί :

d'Alexandrie, vers l'ouest. Et tandis que la femme le recherchait, il se trouva que le bienheureux ramassait du bois au bord de la mer. Le rencontrant, la femme lui dit : «Abba, où demeure par ici le serviteur de Dieu abba Longin?» Elle ne savait pas que c'était lui. Il dit : «Pourquoi cherches-tu cet imposteur? Ne va pas chez lui, car c'est un imposteur. Qu'est-ce que tu as?» La femme lui montra son mal. Et le vieillard fit un signe de croix sur la plaie et la renvoya en disant : «Va, et le Seigneur te guérira; car Longin ne peut t'être utile en rien.» La femme partit, confiante en cette parole; et elle fut guérie aussitôt. Et racontant la chose à d'autres et donnant le signalement du vieillard, elle apprit que c'était lui abba Longin.

7   Une autre fois encore, une femme qui avait à la main un mal grave vint avec une autre femme à l'extérieur de sa cellule, du côté de l'ouverture au nord, et le regarda qui était assis. Il l'admonesta en lui disant : «Va-t'en, femme.» Mais elle demeurait à le regarder sans rien dire, car elle était effrayée. Il s'en rendit compte et, convaincu de ce qu'elle avait, il se leva, ferma sur elle l'ouverture et lui dit : «Va-t'en; tu n'as aucun mal.» Et à l'heure même elle fut guérie.

8   Une autre fois encore, on lui amena un possédé. Il leur dit : «Moi, je ne puis rien faire pour vous, mais allez plutôt chez abba Zénon.» Ensuite, tandis que priait abba Zénon, il commença à faire pression sur le démon pour le chasser. Et le démon criait : «Peut-être penses-tu que je pars à cause de toi? Voici, en effet, qu'abba

Lon 4
(257 A-B)

ὃ RT ‖ 7 θυρίδιον TH ‖ κακὸν : σαπρὸν MSH ‖ 8 *post* ἐθεραπ. *add.* ἡ γυνή RT

8 YQRTMSH

1 πάλιν *om.* MSH ‖ *post* αὐτῷ *add.* τινες MSH ‖ 5 ὅτι *om.*Y

Ἰδοὺ γὰρ ἀββᾶ Λογγῖνος ἐκεῖ προσεύχεται ἐντυγχάνων κατ' ἐμοῦ. Καὶ φοβούμενος τὰς εὐχὰς αὐτοῦ ἐξέρχομαι ἐπεὶ οὐκ ἐδίδουν σοι ἀπόκρισιν.

9 Ἄλλοτε πάλιν ἦλθέ τις παραβαλεῖν αὐτῷ. Καὶ ἔλαβεν αὐτοῦ τὸ κουκούλιον καὶ ἐλθὼν πρός τινα πάσχοντα· Ὡς ἤγγισε τῇ θύρᾳ εἰσελθεῖν ἔκραζεν ὁ πάσχων λέγων· Τί ἠνέγκατε ὧδε Λογγῖνον διῶξαί με; Καὶ αὐτῇ τῇ ὥρᾳ
5 ἐξῆλθεν ἀπ' αὐτοῦ τὸ δαιμόνιον.

10 Ἔλεγον περὶ τοῦ ἀββᾶ Μακαρίου τοῦ μεγάλου ὅτι ἀναβαίνων ἀπὸ Σκήτεως καὶ βαστάζων σπυρίδας κοπιάσας ἐκαθέσθη καὶ ηὔξατο λέγων· Ὁ Θεός, σὺ οἶδας ὅτι οὐκέτι ἰσχύω. Καὶ εὐθέως εὑρέθη ἐπὶ τὸν ποταμόν.

11 Εἶχέ τις υἱὸν παραλυτικὸν ἐν Αἰγύπτῳ καὶ ἤνεγκεν αὐτὸν εἰς τὸ κελλίον τοῦ ἀββᾶ Μακαρίου. Καὶ ἐάσας αὐτὸν παρὰ τὴν θύραν κλαίοντα ἀνεχώρησε μακράν. Παρακύψας οὖν ὁ γέρων εἶδε τὸ παιδίον κλαίοντα καὶ λέγει αὐτῷ·
5 Τίς ἤνεγκέ σε ὧδε; Λέγει τὸ παιδίον· Ὁ πατήρ μου ἔρριψέ με καὶ ἀπῆλθεν. Λέγει αὐτῷ ὁ γέρων· Ἀνάστα κατάλαβε αὐτόν. Καὶ εὐθέως ὑγιάνας ἀνέστη καὶ κατέλαβε τὸν πατέρα αὐτοῦ καὶ ἀπῆλθον εἰς τὸν οἶκον αὐτῶν.

12 Ἔλεγεν ἀββᾶ Σισόης ὅτι· Ὅτε ἤμην εἰς Σκῆτιν μετὰ τοῦ ἀββᾶ Μακαρίου ἀνέβημεν θερίσαι μετ' αὐτοῦ ἑπτὰ ὀνόματα. Καὶ ἰδοὺ μία χήρα καλαμωμένη ἦν ὀπίσω ἡμῶν καὶ οὐκ ἐπαύετο κλαίουσα. Ἐφώνησε δὲ τὸν κύριον τοῦ
5 χωρίου ὁ γέρων καὶ εἶπεν αὐτῷ· Τί ἔχει ἡ γραῦς αὕτη

6 γὰρ Y om. cett. ‖ 7 post ἐμοῦ add. τὸν θεόν R τῷ θεῷ MS
9 YQRTMSH
1 post ἦλθε add. πρὸς αὐτὸν MSH ‖ 3 ἤγγισε : ἦλθε H ‖ 4 αὐτῇ
τῇ ὥρᾳ : εὐθέως MSH ‖ 5 ἐξῆλθεν : ἀπῆλθεν H ‖ post δαιμόνιον add.
ἀπὸ τῆς ὥρας ἐκείνης MSH
10 YQRTMSHI
2 τὰς σπυρίδας Q ‖ 3 ἐκάθητο H ‖ σὺ om. MSH ‖ 4 post ποταμόν
add. πλησίον τοῦ τόπου οὗ ἀπήρχετο YQRT

Longin là-bas prie interpellant contre moi. Et c'est parce que je crains ses prières que je m'en vais ; car à toi, je n'aurais pas donné de réponse. »

9   Une autre fois encore, quelqu'un se rendit chez lui, prit sa cuculle et alla chez un malade. Comme il approchait de la porte pour entrer, le malade s'écria : « Pourquoi amenez-vous ici Longin pour me chasser ? » Et à l'heure même le démon le quitta.

10   On disait d'abba Macaire le Grand que, remontant de Scété avec un chargement de paniers, accablé par la fatigue il s'assit et pria en ces termes : « Dieu, tu sais, toi, que je n'en puis plus. » Et aussitôt il se trouva au fleuve.

Mac 14
(269 A)

11   Quelqu'un en Égypte avait un fils paralytique. Il l'amena à la cellule d'abba Macaire, le laissa pleurant à sa porte et partit plus loin. Alors le vieillard se pencha, vit l'enfant qui pleurait et lui dit : « Qui t'a conduit ici ? » L'enfant dit : « Mon père m'a jeté et est parti. » Le vieillard lui dit : « Lève-toi et va le rejoindre. » Aussitôt guéri, il se leva, rejoignit son père et ils revinrent dans leur maison.

Mac 15
(269 A-B)

12   Abba Sisoès disait : « Lorsque j'étais à Scété avec abba Macaire, nous montâmes à sept pour faire la moisson avec lui. Et il y avait une veuve qui glanait derrière nous et pleurait sans arrêt. Alors, le vieillard appela le propriétaire du champ et lui dit : « Qu'a donc cette vieille

Mac 7
(265 A-C)

11 YQRTMSH*l*
2 μάκαρι Y ‖ 3 παρὰ – κλαίοντα *om.* H ‖ *post* θύραν *add.* τοῦ ἀββᾶ QT ‖ ἀνεχώρ. : ἀπῆλθε QT ‖ 4 κλαίοντα : ὅτι ἔκλαιε QRT κλαίον MS ‖ 6 ἀναστὰς QRT ‖ 7 *post* ὑγιάνας *add.* ὁ παῖς QRT ‖ 8 τὸν πατ. αὐτοῦ : αὐτὸν H ‖ ἀπῆλθεν ... αὐτοῦ H
12 YQRTMSH*l*
2 αὐτοῦ : τοῦ ἀββᾶ μακαρίου T ‖ 2-3 ἑπτὰ ὀνόμ. *om.* T ‖ 3 μία MSH*l cf. Alph.* : γυνή τις *cett.* ‖ ἦν *om.* QT ‖ 5 χωρίου : χωραφίου R

ὅτι πάντοτε κλαίει; Καὶ λέγει αὐτῷ · Ὁ ἀνὴρ αὐτῆς εἶχε
παραθήκην τινὸς καὶ ἀπέθανεν ἄφνω καὶ οὐκ εἶπεν ποῦ
ἔθηκεν αὐτήν · καὶ θέλει ὁ κύριος τῆς παραθήκης λαβεῖν
αὐτὴν καὶ τὰ τέκνα αὐτῆς εἰς δούλους. Λέγει αὐτῷ ὁ
10 γέρων · Εἰπὲ αὐτῇ ἵνα ἔλθῃ πρὸς ἡμᾶς ὅπου ἀναπαυόμεθα
τὸ καῦμα. Καὶ ἐλθούσης αὐτῆς εἶπεν αὐτῇ ὁ γέρων · Τί
πάντοτε κλαίεις; Καὶ εἶπεν ἡ γυνή · Ὁ ἀνήρ μου ἀπέθανεν
λαβὼν παραθήκην παρά τινος καὶ οὐκ εἶπεν ἀποθνήσκων
ποῦ ἔθηκεν αὐτήν. Καὶ εἶπεν αὐτῇ ὁ γέρων · Δεῦρο, δεῖξόν
15 μοι ποῦ ἔθηκας αὐτόν. Καὶ λαβὼν τοὺς ἀδελφοὺς μεθ᾽
ἑαυτοῦ ἐξῆλθε σὺν αὐτῇ. Καὶ ἐλθόντων αὐτῶν ἐπὶ τὸν
τόπον εἶπεν αὐτῇ ὁ γέρων · Ἀναχώρησον εἰς τὸν οἶκόν
σου. Καὶ προσευξαμένων ἡμῶν ἐπὶ τὸν τόπον ἐφώνησεν
ὁ γέρων τὸν νεκρὸν λέγων · Ὁ δεῖνα, ποῦ ἔθηκας τὴν
20 ἀλλοτρίαν παραθήκην; Ὁ δὲ ἀποκριθεὶς εἶπεν · Εἰς τὸν
οἶκόν μου κέκρυπται ὑπὸ τὸν πόδα τῆς κλίνης. Καὶ εἶπεν
αὐτῷ ὁ γέρων · Κοιμῶ πάλιν ἕως τῆς ἡμέρας τῆς
ἀναστάσεως. Ἰδόντες δὲ οἱ ἀδελφοὶ ἔπεσαν εἰς τοὺς πόδας
αὐτοῦ. Καὶ εἶπεν αὐτοῖς ὁ γέρων · Οὐ δι᾽ ἐμὲ γέγονε
25 τοῦτο, οὐδὲν γάρ εἰμι, ἀλλὰ διὰ τὴν χήραν καὶ τὰ ὀρφανὰ
ὁ Θεὸς ἐποίησε τὸ πρᾶγμα τοῦτο. Τοῦτο δέ ἐστι τὸ μέγα
ὅτι ὁ Θεὸς ἀναμάρτητον ζητεῖ τὴν ψυχήν, καὶ εἴ τι ἐὰν
αἰτήσῃ λαμβάνει. Ἐλθὼν δὲ ἀνήγγειλε τῇ χήρᾳ ποῦ κεῖται
ἡ παραθήκη. Ἡ δὲ λαβοῦσα αὐτὴν ἔδωκε τῷ κυρίῳ αὐτῆς
30 καὶ ἠλευθέρωσε τὰ τέκνα αὐτῆς. Καὶ οἱ ἀκούσαντες
ἐδόξασαν τὸν Θεόν.

13   Παρερχόμενος ποτε ἀββᾶ Μίλης διά τινος τόπου εἶδέ
τινα μοναχὸν κρατούμενον ὑπό τινων ὡς φόνον ποιήσαντα.

6 post ὅτι add. οὕτως QRT ‖ πάντοτε : πάντα Η ‖ 7 παρακαταθήκην
Qᵖᶜ ‖ 8 ἔθηκεν : τέθεικεν S ‖ παρακαταθήκης Qᵖᶜ ‖ 9 εἰς δούλους : δοῦλα
Q ‖ 10 πρὸς ἡμᾶς om. YQRT ‖ 11 ἐλθ. αὐτῆς : ἐλθούσης Υ ἐλθοῦσα ἡ
γυνὴ QRT ‖ post τί add. οὕτως YQRT ‖ 12 πάντοτε : πάντα Η ‖ 13 παρακαταθήκην Qᵖᶜ ‖ παρά om. MSH ‖ 14-17 δεῦρο – γέρων om. Μ ‖ 14 δεῦρο :
δεῦ Υ ‖ 15-16 μεθ᾽ ἑαυτοῦ om. QRT ‖ 16 αὐτῇ : αὐτοῖς QT ‖ αὐτῶν :
ἡμῶν SH ‖ 17 ἀναχώρησον MSH cf. Alph. recede l : ὕπαγε cett. ‖ 18 ἡμῶν :

femme à pleurer tout le temps?» Il lui dit : «Son mari avait un dépôt de quelqu'un et il est mort subitement sans dire où il l'avait mis; et le propriétaire du dépôt veut la prendre, elle et ses enfants, comme esclaves.» Le vieillard lui dit : «Dis-lui de venir vers nous, là où nous ferons la pause de la grosse chaleur.» Et lorsqu'elle vint, le vieillard lui dit : «Pourquoi pleures-tu tout le temps?» La femme dit : «Mon mari est mort ayant reçu un dépôt de quelqu'un, et il n'a pas dit en mourant où il l'avait mis.» Le vieillard lui dit : «Viens, montre-moi où tu as mis ton mari.» Et emmenant les frères avec lui, il partit avec elle. Lorsqu'ils arrivèrent à l'endroit, le vieillard dit à la femme : «Retire-toi dans ta maison.» Et tandis que nous priions sur le lieu, le vieillard appela le mort disant : «Un tel, où as-tu mis le dépôt d'autrui?» Il répondit : «Il est caché dans ma maison, sous le pied du lit.» Et le vieillard lui dit : «Dors à nouveau jusqu'au jour de la Résurrection.» Ce que voyant, les frères tombèrent à ses pieds, et le vieillard leur dit : «Ce n'est pas à cause de moi que cela s'est produit, car je ne suis rien; mais c'est à cause de la veuve et des orphelins que Dieu a fait cette œuvre. Ce qui est grand, c'est que Dieu désire l'âme sans péché, et quoi qu'elle demande, elle le reçoit.» Il alla donc dire à la veuve où était le dépôt; et elle le prit, le donna à son propriétaire et il libéra ses enfants. Et ceux qui l'apprirent glorifièrent Dieu.»

13 Dans un endroit où il passait, abba Milès vit un moine qu'on avait arrêté comme assassin. Le vieillard s'approcha

Mil 1
(297 A-B)

illis *l* ‖ 20 παρακαταθήκην Q^pc ‖ 21 ὑπὸ : ὑποκάτω R ‖ *post* κλίνης *add.* μου QRT ‖ 23 *post* ἀδελφοὶ *add.* ἀπὸ τοῦ φόβου YRMSH ‖ 25 χήρα Y ‖ 26 τὸ² *om.* QR ‖ 27 *post* ψυχήν *add.* τοῦ ἀνθρώπου H ‖ 28 αἰτήσηται RTM ‖ 30 ἠλευθέρωσε MSH*l cf. Alph.* : ἐλευθερώθη αὕτη καὶ *cett.* ‖ καὶ οἱ : οἱ δὲ QRT ‖ 31 *post* θεόν *add.* μεγάλως QRT

13 YQRTMSH*l*
1 μίλις YQR μήληξ H emilis *l* ‖ 2 ὑπό τινων *om.* H ‖ πεποιήκοτα H

Προσεγγίσας δὲ ὁ γέρων καὶ ἐρωτήσας τὸν ἀδελφὸν καὶ
μαθὼν ὅτι συκοφαντεῖται λέγει πρὸς τοὺς κατέχοντας
5 αὐτόν · Ποῦ ἐστιν ὁ φονευθείς; Καὶ ἔδειξαν αὐτῷ τὸν
νεκρόν. Τότε προσεγγίσας τῷ φονευθέντι εἶπε πᾶσι προσεύ-
ξασθαι. Αὐτοῦ δὲ ἐκπετάσαντος τὰς χεῖρας πρὸς τὸν Θεόν,
ἀνέστη ὁ νεκρός. Καὶ εἶπεν αὐτῷ ἐπὶ πάντων · Εἰπὲ ἡμῖν
τίς ἐστιν ὁ φονεύσας σε. Ὁ δὲ εἶπεν ὅτι· Εἰσελθὼν εἰς
10 τὴν ἐκκλησίαν δέδωκα χρήματα τῷ πρεσβυτέρῳ. Ὁ δὲ
ἀναστὰς ἔσφαξέ με, καὶ ἀπενέγκας ἔρριψέ με εἰς τὸ
μοναστήριον τοῦ ἀββᾶ. Ἀλλὰ παρακαλῶ ὑμᾶς ληφθῆναι
παρ' αὐτοῦ τὰ χρήματα καὶ δοθῆναι τοῖς τέκνοις μοῦ.
Τότε εἶπεν αὐτῷ ὁ γέρων · Ἄπελθε, κοιμῶ ἕως ἔλθῃ ὁ
15 Κύριος καὶ ἐγείρῃ σε. Καὶ εὐθέως ἐκοιμήθη.

14   Παρέβαλόν ποτε πολλοὶ γέροντες τῷ ἀββᾶ Ποιμένι, καὶ
ἰδού τις κοσμικὸς συγγενὴς τοῦ ἀββᾶ Ποιμένος εἶχε παιδίον,
καὶ τὸ πρόσωπον αὐτοῦ κατ' ἐνέργειαν ἐστράφη εἰς τὰ
ὀπίσω. Καὶ ἰδὼν ὁ πατὴρ αὐτοῦ τὸ πλῆθος τῶν γερόντων,
5 λαβὼν τὸ παιδίον ἔξω τοῦ μοναστηρίου ἐκάθητο κλαίων.
Εὐκαίρησε δέ τινα γέροντα ἐξελθεῖν, καὶ ἰδὼν αὐτὸν εἶπεν
αὐτῷ · Τί κλαίεις, ἄνθρωπε; Ὁ δὲ εἶπεν · Συγγενής εἰμι
τοῦ ἀββᾶ Ποιμένος, καὶ ἰδοὺ συνέβη τῷ παιδίῳ τούτῳ ὁ
πειρασμὸς οὗτος · καὶ θέλοντες αὐτὸ τῷ γέροντι
10 προσενεγκεῖν ἐφοβήθημεν · οὐ γὰρ θέλει ἰδεῖν ἡμᾶς. Καὶ
νῦν ἐὰν μάθῃ ὅτι ὧδέ εἰμι πέμπει καὶ διώκει με. Ἐγὼ
δὲ ἰδὼν τὴν παρουσίαν ὑμῶν ἐτόλμησα ἐλθεῖν. Ὡς θέλεις
οὖν, ἀββᾶ, ἐλέησόν με καὶ λαβὲ τὸ παιδίον ἔσω καὶ εὔξασθε
ὑπὲρ αὐτοῦ. Καὶ λαβὼν αὐτὸ ὁ γέρων εἰσῆλθε καὶ ἐχρήσατο
15 φρονίμως, καὶ ὡς προσήνεγκεν αὐτὸ εὐθέως οὐκ εἶπεν τῷ

3 ἐπερώτησας MH ‖ 5 καὶ: οἱ δὲ Q ‖ 6 τότε : καὶ Y om. Q ‖
8 νεκρός : φονευθείς MSH ‖ post πάντων add. ὁ γέρων YQ ‖ εἰπὲ YQl :
εἶπον cett. ‖ 11 ἔρριψέ : ἔθηκε QT ‖ με om. Y ‖ 12 ὑμᾶς om. QR ‖
13 παρ' αὐτοῦ om. H ‖ 14 post ἄπελθε add. καὶ RTM ‖ ἕως οὗ Q
ἕως ἂν RTMS
14 YQRTMSHl
1 πολλοὶ om. MS ‖ γέροντες : fratres l ‖ ποιμὴν Y [et postea] ‖

et interrogea le frère. Apprenant qu'il avait été dénoncé
à tort, il dit à ceux qui le retenaient : «Où est celui qui
a été tué?» Ils lui montrèrent le mort. S'approchant alors
de lui, il dit à tous de prier. Et tandis qu'il tendait les
mains vers Dieu, le mort se leva. Il lui dit devant tout
le monde : «Dis-nous qui est ton meurtrier.» Et il dit :
«Entrant à l'église, j'ai donné de l'argent au prêtre; et
lui, il s'est levé et m'a égorgé, puis il m'a transporté et
jeté dans le monastère de l'abba. Aussi je vous supplie
de lui prendre l'argent et de le donner à mes enfants.»
Alors le vieillard lui dit : «Va, dors jusqu'à ce que vienne
le Seigneur et qu'il te réveille.» Et aussitôt il s'endormit.

14   De nombreux vieillards vinrent un jour chez abba   Poe 7
Poemen. Or un séculier, parent d'abba Poemen, avait un   (321 A-B)
enfant dont le visage, par une puissance mauvaise, était
tourné en arrière. Et son père, voyant le nombre des
vieillards, prit l'enfant et s'assit en pleurant à l'extérieur
du monastère. Un vieillard se trouvant à sortir le vit et
lui dit : «Pourquoi pleures-tu, homme?» L'autre dit «Je
suis parent d'abba Poemen, et voici cette épreuve qui
est survenue à mon fils que voici; nous voudrions le
conduire chez le vieillard, mais nous avons peur car il
ne veut pas nous voir. Et maintenant, s'il apprenait que
je suis ici, il enverrait quelqu'un me chasser. Pourtant,
voyant votre rencontre, j'ai osé venir. Si donc tu le veux
bien, père, aie pitié de moi, prends mon enfant à l'intérieur et priez pour lui.» Le vieillard prit l'enfant, rentra
et agit avec bon sens : lorsqu'il l'introduisit, il ne s'adressa

2 κοσμικὸς om. l ‖ 3 post ἐνέργειαν add. τοῦ δαίμονος R diaboli l ‖
8 τούτῳ MSl : om. cett. ‖ 9-10 θέλοντες ... ἐφοβήθημεν : uolens ... timui
l ‖ 10 νῦν MSHl : om. cett. ‖ 11 post με add. et minat me hinc l ‖
11-12 ἐγὼ δὲ ἰδὼν Y : ἰδὼν οὖν QRT ἐγὼ δὲ βλέπων MSH ‖ 12 ante
ὡς add. καὶ λοιπὸν QR ‖ 13 οὖν om. QR ‖ ἔσω – εὔξασθε : καὶ ἐλέησόν
με εὔξασθαι Q εὔξασθαι RT ‖ 15 ὡς om. M ‖ εὐθέως om. YQRT ‖
εἶπεν om. l

ἀββᾶ Ποιμένι ἀλλ' ἀρξάμενος ἀπὸ τῶν μικροτέρων ἀδελφῶν
ἔλεγε · σφραγίσατε τὸ παιδίον. Ποιήσας δὲ πάντας κατὰ
ἀκολουθίαν σφραγίσαι αὐτό, ὕστερον προσήνεγκε τῷ ἀββᾶ
Ποιμένι. Ὁ δὲ οὐκ ἤθελεν αὐτὸ σφραγίσαι · οἱ δὲ
20 παρεκάλουν αὐτὸν λέγοντες · Ὥσπερ πάντες καὶ σὺ ποίησον,
πάτερ. Καὶ στενάξας ἀναστὰς ηὔξατο λέγων · Ὁ Θεὸς
ἴασαι τὸ πλάσμα σου ἵνα μὴ κατακυριευθῇ ὑπὸ τοῦ ἐχθροῦ.
Καὶ σφραγίσας αὐτὸ ἐθεράπευσε καὶ ἀπέδωκεν ὑγιῇ τῷ
πατρί.

15   Διηγήσατό τις τῶν πατέρων περί τινος ἀββᾶ Παύλου
ὅτι ἦν ἐν τοῖς κάτω μέρεσι τῆς Αἰγύπτου οἰκῶν δὲ ἐν
τῇ Θηβαΐδι, ὅτι οὗτος ἐκράτει ταῖς χερσὶν αὐτοῦ τοὺς
κεράστας καὶ τοὺς ὄφεις καὶ τοὺς σκορπίους[b] καὶ ἔσχιζεν
5 αὐτοὺς μέσον. Καὶ ἔβαλον αὐτῷ οἱ ἀδελφοὶ μετάνοιαν
λέγοντες · Εἰπὲ ἡμῖν ποίαν ἐργασίαν ἐποίησας ἵνα λάβῃς
τὴν χάριν ταύτην. Ὁ δὲ ἔφη · Συγχωρήσατέ μοι, πατέρες,
ἐὰν κτήσηταί τις τὴν καθαρότητα πάντα ὑποταγήσεται
αὐτῷ, ὡς τῷ Ἀδὰμ ὅτε ἦν ἐν τῷ παραδείσῳ πρὶν ἢ
10 παραβῆναι τὴν ἐντολήν[c].

16   Cf. *supra* XII, 12.

17   Παρέβαλέ ποτέ τις κοσμικὸς ἔχων τὸν υἱὸν αὐτοῦ πρὸς
τὸν ἀββᾶ Σισόην εἰς τὸ ὄρος τοῦ ἀββᾶ Ἀντωνίου. Καὶ
κατὰ τὴν ὁδὸν ἀπέθανεν ὁ υἱὸς αὐτοῦ. Καὶ οὐκ ἐταράχθη
ἀλλ' ἔλαβεν αὐτὸν πρὸς τὸν γέροντα πίστει, καὶ προσέπεσε
5 μετὰ τοῦ υἱοῦ αὐτοῦ ὡς μετάνοιαν ποιῶν πρὸς τὸ
εὐλογηθῆναι ὑπὸ τοῦ γέροντος, καὶ ἀναστὰς ὁ πατὴρ

17 σφράγισον QRT ‖ 19 ὁ δὲ : οὐδὲ Υ ‖ σφραγίσαι : ἐγγίσαι MSH
tangere *l* ‖ 20 ποίησον *om.* MSH ‖ 21 ηὔχετο TMSH ‖ 24 *post* πατρί
add. αὐτοῦ YQRTH
    15 YQRTMSH*l*
3 οὗτος : οὕτως QRT ‖ 3-4 ταῖς — καὶ[1] *om.* YQRT ‖ 5 μέσον : μέσους
MSH ‖ *post* μέσον *add.* ὥσπερ τινὰ ἀραχνίων ὑφάσματα QRT ‖ *post*
καὶ *add.* uidentes autem hoc *l* ‖ 8 ὑποτάσσεται QRTH ‖ 10 παραβῇ
QRTMS

pas tout de suite à abba Poemen mais, commençant par les moindres frères, il disait : « Faites le signe de croix sur le petit enfant. » Et l'ayant fait signer par tous à tour de rôle, il le présenta enfin à abba Poemen. Mais lui, il ne voulait pas le signer. Les autres le supplièrent en disant : « Toi aussi, père, fais comme tout le monde. » Alors il se leva en gémissant et pria, disant : « Dieu, guéris ta créature afin qu'elle ne soit plus dominée par l'ennemi. » Et signant l'enfant, il le guérit et le rendit sain au père.

15 L'un des pères racontait d'un certain abba Paul, originaire des régions inférieures d'Égypte mais habitant en Thébaïde, qu'il prenait dans ses mains les aspics, les serpents et les scorpions[b] et les déchirait par le milieu. Les frères lui firent la métanie disant : « Dis-nous quelle œuvre tu as accomplie pour recevoir cette grâce. » Il dit : « Pardonnez-moi, pères, si quelqu'un acquérait la pureté, toutes choses lui seraient soumises, comme à Adam lorsqu'il était dans le paradis avant de transgresser le commandement[c]. »

Paul 1
(380 D-381 A)

16[1]

17 Un séculier vint un jour avec son fils chez abba Sisoès à la montagne d'abba Antoine. Son fils mourut en route. Il ne se troubla pas mais, avec foi, l'apporta chez le vieillard et s'inclina avec lui comme s'il faisait la métanie pour être béni par le vieillard ; puis il se releva, laissa

Sis 18
(397 B-C)

---

17 YQRTMSH*l*

1 ποτέ *om.* QRT ‖ 4 πίστει : μετὰ πίστεως H ‖ *post* πίστει *add.* ἀδιστάκτῳ YQRT ‖ 5 πρὸς τὸ : ὥστε MSH ‖ 6 ὑπὸ : παρὰ QT ‖ 6-7 ἀναστὰς – καὶ *om.* M

---

b. Cf. Lc 10, 19   c. Cf. Gn 1, 28

---

1. Récit concernant abba Publius (N 409), que seule la version latine range ici ; tous les manuscrits grecs le donnent en XII, 12 (cf. t. 2, *SC* 474, p. 216).

κατέλιπε τὸ παιδίον ὑπὸ τοὺς πόδας τοῦ γέροντος καὶ
ἐξῆλθεν ἐκ τοῦ κελλίου. Ὁ δὲ γέρων νομίζων ὅτι μετάνοιαν
αὐτῷ βάλλει τὸ παιδίον λέγει · Ἀνάστα, ἔξελθε ἔξω. Οὐ
10 γὰρ ᾔδει ὅτι ἀπέθανεν. Καὶ παραχρῆμα ἀνέστη καὶ ἐξῆλθεν.
Καὶ ἰδὼν αὐτὸν ὁ πατὴρ αὐτοῦ ἐξέστη καὶ εἰσελθὼν
προσεκύνησε τῷ γέροντι καὶ ἀνήγγειλεν αὐτῷ τὸ πρᾶγμα.
Ἀκούσας δὲ ὁ γέρων ἐλυπήθη · οὐ γὰρ ἤθελε τοῦτο
γενέσθαι. Παρήγγειλεν οὖν αὐτῷ ὁ μαθητὴς αὐτοῦ μηδενὶ
15 ἀναγγεῖλαι ἕως τῆς τελευτῆς τοῦ γέροντος.

18 Ἐπειράσθη ποτὲ Ἀβραὰμ ὁ μαθητὴς τοῦ ἀββᾶ Σισόη
ἀπὸ δαίμονος. Καὶ εἶδεν αὐτὸν ὁ γέρων ὅτι πέπτωκεν.
Καὶ ἀναστὰς ἐξέτεινε τὰς χεῖρας εἰς τὸν οὐρανὸν λέγων ·
Ὁ Θεός, θέλεις καὶ οὐ θέλεις, οὐκ ἐῶ σε ἐὰν μὴ αὐτὸν
5 θεραπεύσῃς. Καὶ εὐθέως ἐθεραπεύθη.

19 Γέρων τις ἦν ἀναχωρῶν ἐπὶ τὸν Ἰορδάνην, καὶ εἰσῆλθεν
ἐν καύματι εἰς σπήλαιον. Καὶ εὑρέθη ἔσω λέων καὶ
ἤρξατο βρύχειν τοὺς ὀδόντας καὶ ὠρύεσθαι. Καὶ λέγει
αὐτῷ ὁ γέρων · Τί θλίβῃ; Ἔνι τόπος χωρῶν ἐμὲ καὶ σέ ·
5 εἰ δὲ οὐ θέλεις, ἀναστὰς ἔξελθε. Ὁ δὲ λέων μὴ βαστάξας
ἐξῆλθεν.

20 Ἀνέβη τις τῶν γερόντων ἀπὸ Σκήτεως εἰς Τερενοῦθιν,
καὶ ὅπου κατέλυσεν ἤνεγκαν αὐτῷ διὰ τὸν κόπον τῆς
ἀσκήσεως ὀλίγον οἶνον. Καὶ ἄλλοι δὲ ἀκούσαντες περὶ
αὐτοῦ ἤνεγκαν αὐτῷ τινα δαιμονιζόμενον. Ἤρξατο δὲ ὁ
5 δαίμων λοιδορεῖν τὸν γέροντα καὶ λέγειν · Πρὸς τὸν
οἰνοπότην τοῦτον ἠνέγκατέ με. Ὁ δὲ γέρων ταπεινοφρονῶν
οὐκ ἤθελεν αὐτὸν ἐκβαλεῖν · διὰ δὲ τὸν ὀνειδισμὸν αὐτοῦ
εἶπεν · Πιστεύω τῷ Χριστῷ ὅτι οὐ μὴ τελέσω τὸ ποτήριον

7 ὑπὸ : παρὰ Q ‖ 8 ἐκ T : om. cett. ‖ 9 βάλλει : ποιεῖ QRT ‖ ἀναστὰς Q ‖
11 καὶ ἰδὼν : ἰδὼν δὲ Q ‖ 14 οὖν : δὲ QT ‖ 15 τοῦ γέροντος : αὐτοῦ QT
18 YQRTMSH*l*
1 post ποτὲ add. ἀββᾶ YQR ‖ 4 καὶ om. QTH ‖ αὐτὸν : τοῦτον
MSH ‖ 5 εὐθέως om. *l*
19 YQRTMS*l*

son fils aux pieds du vieillard et quitta la cellule. Et le
vieillard, pensant que l'enfant lui faisait la métanie, lui
dit : «Relève-toi, va dehors.» Car il ne savait pas qu'il
était mort. Aussitôt l'enfant se leva et sortit. En le voyant,
son père fut stupéfait; il rentra s'incliner devant le vieillard
et lui avoua l'affaire. Mais en l'entendant le vieillard fut
attristé, car il ne voulait pas que cela se produise. Aussi
son disciple recommanda-t-il au père de l'enfant de n'en
parler à personne jusqu'à la mort du vieillard.

18   Un jour Abraham, le disciple d'abba Sisoès, fut tenté   Sis 12
par un démon; et le vieillard vit qu'il avait cédé. Se   (396 A)
levant, il tendit les mains vers le ciel en disant : «Dieu,
que tu le veuilles ou non, je ne te laisserai pas que tu
ne l'aies guéri.» Et aussitôt il fut guéri.

19   Un vieillard vivait retiré le long du Jourdain. Au moment   N 333
de la grosse chaleur, il entra dans une grotte. S'y trouvait
un lion qui se mit à grincer des dents et à rugir. Le
vieillard lui dit : «Pourquoi t'affliger? Il y a de la place
assez pour moi et pour toi, mais si tu ne veux pas, lève-
toi et sors.» Et le lion, ne le supportant pas, sortit.

20   L'un des vieillards monta de Scété à Térénouthis. Et là   cf. Xan 2
où il rompit le jeûne, on lui apporta un peu de vin à   (313 B)
cause de la peine causée par l'effort. Et d'autres, ayant
entendu parler de lui, lui amenèrent un possédé. Le
démon se mit à injurier le vieillard et à dire : «C'est chez
ce buveur de vin que vous m'avez conduit!» Et le vieillard,
dans son humilité, ne voulait pas le chasser; mais à cause
de son reproche il dit : «J'ai confiance en Christ que je
n'achèverai pas de boire cette coupe que tu ne sortes.»

1 ἀναχωρητὴς MS ‖ 2 σπήλαιον : ἐν τῶν σπηλαίων YQRT ‖ 3 ὁρᾶσθαι
Y ‖ 4 ἐμὲ : καὶ ἐμὲ Q ‖ 5 ἀνάστα TM ‖ βαστάσας RMS
20 YQRTMSH/
2 κατέλυεν R ‖ 3-4 οἶνον – αὐτῷ om. T ‖ 6 ὁ δὲ γέρων : καὶ ὁ μὲν
γέρων [γ. om. M] MSH ‖ ταπεινοφρῶν RTMH cf. Alph.

τοῦτο πίνων ἕως οὗ ἐξέλθῃς. Καὶ ὡς ἤρξατο ὁ γέρων
10 πίνειν, ἔκραξεν ὁ δαίμων λέγων · Καίεις με. Καὶ πρὸ τοῦ
τελέσαι αὐτὸν τὸ ποτήριον ἐξῆλθεν ὁ δαίμων διὰ τῆς
χάριτος τοῦ Χριστοῦ.

21   Ἀπέστειλέ τις τῶν πατέρων τὸν μαθητὴν αὐτοῦ ἀντλῆσαι
ὕδωρ. Ἀπεῖχε δὲ τὸ φρέαρ ἀπὸ τοῦ κελλίου αὐτῶν πολὺ
διάστημα, καὶ ἐπελάθετο λαβεῖν τὸ σχοινίον. Ἐλθὼν οὖν
ἐπὶ τὸ φρέαρ καὶ γνοὺς ὅτι οὐκ ἤνεγκε τὸ σχοινίον ἐποίησεν
5 εὐχὴν καὶ φωνήσας εἶπεν · Λάκκε, λάκκε, ὁ ἀββᾶ μου
εἶπε · Γέμισον τὸ κεράμιον ὕδατος. Καὶ παραχρῆμα ἀνῆλθε
τὸ ὕδωρ ἕως ἄνω καὶ ἐγέμισεν ὁ ἀδελφός, καὶ πάλιν
ἀπεκατεστάθη τὸ ὕδωρ.

9 πίνων : ὃ πίνω H ‖ 12 χριστοῦ : θεοῦ YQRTH
21 YQRTMSH/
2-3 φρέαρ – διάστημα : ὕδωρ πολὺ διάστημα τοῦ κελλίου αὐτῶν H ‖

Et lorsque le vieillard commença à boire, le démon s'écria :
«Tu me brûles!» Et avant qu'il ait vidé la coupe le démon
sortit par la grâce du Christ.

21   L'un des pères envoya son disciple puiser de l'eau. Or   N 27
la citerne était très éloignée de leur cellule, et il oublia
de prendre la corde. Arrivant donc à la citerne et s'apercevant qu'il n'avait pas apporté la corde, il fit une prière
et appela à haute voix : «Réservoir, réservoir, mon abba
a dit : remplis la cruche d'eau.» Aussitôt l'eau monta jusqu'en haut, le frère remplit la cruche, et ensuite l'eau
revint à son niveau.

2 ἀπὸ om. MS ‖ 6 ἀνῆλθε : ἦλθε Y ‖ 8 ἀπεκατέστη RTMH ἀποκατέστη
S ‖ post ὕδωρ add. ὅπου ἦν Q in locum suum l

XX

Περὶ πολιτείας ἐναρέτου
διαφόρων πατέρων

1   Διηγήσατο ἀββᾶ Δοῦλας λέγων ὅτι· Περιπατοῦντές ποτε
ἐν τῇ ἐρήμῳ ἐγώ τε καὶ ἀββᾶ Βισσαρίων ἤλθομεν κατά
τινος σπηλαίου καὶ ηὕραμέν τινα ἀδελφὸν καθεζόμενον καὶ
ἐργαζόμενον τὴν σειρὰν καὶ μὴ ἀνανεύοντα πρὸς ἡμᾶς
5 μήτε ἀσπασάμενον μήτε ὅλως λόγον θελήσαντα συνάραι
μεθ᾿ ἡμῶν. Καὶ λέγει μοι ὁ γέρων· Ἄγωμεν ἐντεῦθεν,
τάχα οὐ πληροφορεῖται ὁ ἀδελφὸς λαλῆσαι μεθ᾿ ἡμῶν.
Ἐξελθόντες δὲ ἐκεῖθεν ὡδεύσαμεν εἰς τὴν Λυκὼ παραβαλεῖν
τῷ ἀββᾶ Ἰωάννῃ. Καὶ ἐν τῷ ὑποστρέφειν ἡμᾶς ἤλθομεν
10 πάλιν κατὰ τοῦ σπηλαίου ὅπου εἴδομεν τὸν ἀδελφόν. Καὶ
λέγει μοι ὁ γέρων· Εἰσέλθωμεν πρὸς αὐτόν, ἴσως ὁ Θεὸς
πληροφορεῖ αὐτὸν λαλῆσαι μεθ᾿ ἡμῶν. Καὶ ὡς ἤλθαμεν
ηὕραμεν αὐτὸν τελειωθέντα. Καὶ λέγει μοι ὁ γέρων· Δεῦρο,
ἄδελφε, συστείλωμεν τὸ σῶμα αὐτοῦ, εἰς τοῦτο γὰρ αὐτὸ
15 ἔπεμψεν ἡμᾶς ὁ Θεὸς ὧδε. Συστελλόντων δὲ ἡμῶν εἰς τὸ
θάψαι αὐτὸν ηὕραμεν ὅτι γυνὴ ἦν τῇ φύσει. Καὶ ἐθαύμασεν

Tit. YQRTMSH*l*
διαφ. πατέρων *om.* H ǁ πατέρων : sanctorum *l*
1 YQRTMSH*l*
2 *post* ἀββᾶ *add.* meus *l* ǁ 2-3 κατά τι σπήλαιον MS ǁ 3 ηὕραμέν
Y : εὕρομεν *cett.* ǁ 3-4 καὶ² – σειρὰν *om.* H ǁ 5 *post* θελήσαντα *add.*
δοῦναι ἢ H ǁ συνάραι : λαλῆσαι QRT ǁ 6 ἔνθεν QRT ǁ 7 μεθ᾿ ἡμῶν :
ἡμῖν MSH ǁ 8 εἰς τὴν λ. : illico *l* ǁ 10 πάλιν *om.* YQRT ǁ τὸ σπήλαιον MS ǁ 12 πληροφορήσει QT ǁ ἤλθαμεν Y : εἰσήλθομεν QRT ἤλθομεν
MSH ǁ 13 ηὕραμεν Y : εὕρομεν *cett.* ǁ δεῦ Y ǁ 14 αὐτοῦ : τοῦ ἀδελφοῦ

XX

De la conduite vertueuse
de différents pères [1]

1   Abba Doulas racontait ceci. «Marchant un jour dans le désert, abba Bessarion et moi, nous arrivâmes à une grotte et trouvâmes un frère assis, occupé à tresser une corde; il ne leva pas les yeux sur nous et ne nous salua pas, ne désirant pas du tout lier conversation avec nous. Le vieillard me dit : 'Partons; sans doute le frère ne désire-t-il pas parler avec nous.' Partant de là, nous fîmes route vers Lyco pour rencontrer abba Jean. Et à notre retour, nous arrivâmes de nouveau à la grotte où nous avions vu le frère. Et le vieillard me dit : 'Entrons chez lui; peut-être Dieu va-t-il le convaincre de parler avec nous.' Lorsque nous y fûmes, nous le trouvâmes mort. Le vieillard me dit : 'Viens, frère, recueillons son corps, car c'est pour cela que Dieu nous a envoyés ici.' Mais lorsque nous recueillîmes son corps pour l'enterrer, nous trouvâmes que c'était une femme. Le vieillard fut dans l'admiration

Bes 4 b
(140 B-
141 A)

R ‖ αὐτὸ *om.* RT ‖ 16 ηὕραμεν Y : εὕρομεν *cett.* ‖ 16-17 ἐθαύμ. ὁ γέρων καὶ : εὐθὺς θαυμάσας ὁ γέρων R

1. Il est assez remarquable que ce chapitre «à la louange de quelques moines célèbres» commence (n°s 1, 2, 3 et 5) et se termine (n°s 21, 22 et 24) par des récits relativisant la sainteté des grands maîtres au bénéfice d'obscurs séculiers et même, pour le dernier, d'un manœuvre «éthiopien», catégorie la plus méprisable aux yeux des moines (cf. *supra* XV, 43 et XVI, 9, *SC* 474, p. 317 et 397; et *SC* 387, p. 244-245, n. 1).

ὁ γέρων καὶ εἶπεν · Ἴδε πῶς καὶ γυναῖκες καταπαλαίουσι τὸν Σατανᾶν · καὶ ἡμεῖς ἐν ταῖς πόλεσιν ἀσχημονοῦμεν. Καὶ δοξάσαντες τὸν Θεὸν τὸν ὑπερασπίζοντα τοῖς ἀγαπῶσιν 20 αὐτὸν καὶ λοιπὸν ἀνεχωρήσαμεν ἐκεῖθεν.

2 Δύο τινὲς τῶν πατέρων παρεκάλεσαν τὸν Θεὸν ἵνα πληροφορήσῃ αὐτοὺς εἰς ποῖον ἔφθασαν μέτρον. Καὶ ἦλθεν αὐτοῖς φωνὴ λέγουσα ὅτι · Εἰς τήνδε τὴν κώμην τῆς Αἰγύπτου ἐστί τις κοσμικὸς Εὐχάριστος ὀνόματι καὶ ἡ 5 γυνὴ αὐτοῦ καλεῖται Μαρία · οὔπω ἤλθατε εἰς τὸ μέτρον αὐτῶν. Καὶ ἀναστάντες οἱ δύο γέροντες ἦλθον εἰς τὴν κώμην. Καὶ ἐρωτήσαντες εὗρον τὸ κελλίον αὐτοῦ καὶ τὴν γυναῖκα. Καὶ λέγουσιν αὐτῇ · Ποῦ ἐστιν ὁ ἀνήρ σου; Ἡ δὲ εἶπεν · Ποιμήν ἐστι καὶ βόσκει τὰ πρόβατα. Καὶ 10 εἰσήγαγεν αὐτοὺς εἰς τὸν οἶκον αὐτῆς. Ὡς δὲ ὀψία ἐγένετο, ἦλθεν ὁ Εὐχάριστος μετὰ τῶν προβάτων · καὶ ἰδὼν τοὺς γέροντας ἡτοίμασεν αὐτοῖς τράπεζαν καὶ ἤνεγκεν ὕδωρ νίψαι τοὺς πόδας αὐτῶν. Λέγουσιν αὐτῷ οἱ γέροντες · Οὐ μὴ γευσώμεθά τινος ἐὰν μὴ ἀναγγείλῃς ἡμῖν τὴν ἐργασίαν 15 σου. Ὁ δὲ Εὐχάριστος μετὰ ταπεινοφροσύνης εἶπεν · Ἐγὼ ποιμήν εἰμι καὶ αὕτη ἐστὶν ἡ γυνή μου. Καὶ ἐπέμειναν παρακαλοῦντες αὐτὸν οἱ γέροντες, καὶ οὐκ ἤθελεν εἰπεῖν. Τότε εἶπον αὐτῷ · Ὁ Θεὸς ἡμᾶς ἔπεμψεν πρὸς σέ. Ὡς δὲ ἤκουσε τὸν λόγον τοῦτον ἐφοβήθη καὶ εἶπεν αὐτοῖς · 20 Ἰδοὺ τὰ πρόβατα ταῦτα ἔχομεν ἀπὸ τῶν γονέων ἡμῶν, καὶ εἴ τι ἂν εὐοδώσῃ ὁ Θεὸς εἰσοδιάσαι ἐξ αὐτῶν ποιοῦμεν εἰς τρία μέρη · μέρος ἓν τοῖς πτωχοῖς, καὶ μέρος ἓν εἰς τὴν φιλοξενίαν, καὶ τὸ τρίτον μέρος εἰς τὴν χρείαν ἡμῶν. Ἀφ᾽ οὗ δὲ ἔλαβον τὴν γυναῖκά μου οὐκ ἐμιάνθην οὔτε 25 ἐγὼ οὔτε αὐτή, ἀλλὰ παρθένος ἐστίν, καὶ ἕκαστος ἡμῶν

18 σατανᾶν : diabolum in eremo *l* ‖ 19 τοὺς ἀγαπῶντας H ‖ 20 *post* αὐτὸν *add.* ἐθάψαμεν αὐτὸν [αὐτὴν Y] ἐν αὐτῷ τῷ σπηλαίῳ YQRT ‖ καὶ λοιπὸν *om.* H
2 YQRTMSH[Z]*l*
1 τινὲς *om.* MSH ‖ 5 *post* ἤλθατε [-θετε QMS] *add.* ὑμεῖς M ‖ 10 τὸν

et dit : 'Vois comment même des femmes combattent Satan, tandis que nous dans les villes nous nous déshonorons.' Et rendant gloire à Dieu qui protège ceux qui l'aiment, nous nous retirâmes désormais de là.»

2 Deux des pères supplièrent Dieu de leur manifester quelle mesure ils avaient atteinte. Et une voix vint leur dire : «Dans tel village d'Égypte, il y a un séculier du nom d'Eucharistos, et sa femme s'appelle Marie ; vous n'avez pas encore atteint leur mesure.» Les deux vieillards se levèrent et allèrent au village. S'étant informés, ils trouvèrent sa cellule et sa femme, et lui dirent : «Où est ton mari?» Elle dit : «Il est berger et paît les brebis.» Et elle les fit entrer dans sa maison. Lorsque arriva le soir, Eucharistos vint avec les brebis ; et voyant les vieillards, il leur prépara la table et apporta de l'eau pour leur laver les pieds. Les vieillards lui dirent : «Nous ne mangerons rien si tu ne nous exposes ta pratique.» Mais Eucharistos dit avec humilité : «Je suis berger, et elle est mon épouse.» Les vieillards insistèrent dans leur demande, mais il ne voulut pas parler. Alors ils lui dirent : «Dieu nous a envoyés chez toi.» Entendant cette parole, il fut effrayé et leur dit : «Voici ces brebis que nous avons de nos parents. De ce que, par la faveur de Dieu, nous en retirons, nous faisons trois parts : une pour les pauvres, une autre pour l'hospitalité et la troisième pour notre usage. Depuis que j'ai épousé ma femme, je ne me suis pas souillé, ni elle non plus, car elle est vierge et chacun

Euch 1 (168 D-169 C)

οἶκον : τὸ κελλίον QRT cf. Alph. ‖ 11 εὐχάριστος MSH*l* cf. Alph. : ἀνὴρ αὐτῆς cett. ‖ 12 post ἤνεγκεν add. αὐτοῖς MSH ‖ 13 post λέγουσιν add. δὲ RTMSH ‖ 14 ἀναγγείλῃς MSH*l* cf. Alph. : εἴπῃς cett. ‖ 15 εὐχάριστος MSH*l* cf. Alph. : om. cett. ‖ post μετὰ add. πάσης QRT ‖ 16 ἐπέμενον MSH ‖ 18 τότε : οἱ δὲ MSH ‖ 21 ἂν : ἐὰν Y ‖ εἰσοδιάσαι om. Y*l* ‖ 24-25 ἐμιάνθην – αὐτή : ἐγνώρισα αὐτὴν [om. T] QT ‖ 25 παρθένοι ἐσμέν H

καθ' ἑαυτὸν καθεύδει, τὴν δὲ νύκτα φοροῦμεν σάκκον τὰς
δὲ ἡμέρας τὰ ἱμάτια ἡμῶν. Καὶ ἕως ἄρτι οὐδεὶς ἀνθρώπων
ἔγνω ταῦτα. Καὶ ἀκουσάντες οἱ γέροντες ἐθαύμασαν καὶ
ἀνεχώρησαν δοξάζοντες τὸν Θεόν.

3   Ἔλεγεν ἀββᾶ Βήτιμος ὅτι διηγήσατο ἀββᾶ Μακάριος
λέγων· Καθημένου μου ποτέ, φησί, ἐν τῇ Σκήτει,
κατέβησαν δύο νεώτεροι ξενικοί· καὶ ὁ μὲν εἷς εἶχε γένειον,
ὁ δὲ ἄλλος ἀρχὴν ἦν βάλλων γενείου. Καὶ ἦλθον πρός με
5 λέγοντες· Ποῦ ἐστιν ἡ κέλλα τοῦ ἀββᾶ Μακαρίου; Κἀγὼ
εἶπον αὐτοῖς· Τί θέλετε αὐτόν; Οἱ δὲ λέγουσιν· Ἀκούσαντες
τὰ περὶ αὐτοῦ καὶ τῆς Σκήτεως ἤλθομεν ἰδεῖν αὐτόν.
Λέγω αὐτοῖς· Ἐγώ εἰμι. Καὶ ἔβαλον μετάνοιαν λέγοντες·
Ὧδε θέλομεν μεῖναι. Ἐγὼ δὲ βλέπων αὐτοὺς τρυφερούς
10 καὶ ὡς ἀπὸ πλούτου λέγω αὐτοῖς· Οὐ δύνασθε καθίσαι
ὧδε. Καὶ λέγει ὁ μειζότερος· Ἐὰν μὴ δυνάμεθα καθίσαι
ὧδε ἀπερχόμεθα ἀλλαχοῦ. Λέγω τῷ λογισμῷ· Διατί διώκω
αὐτοὺς καὶ σκανδαλίζονται; Ὁ κόπος ποιεῖ αὐτοὺς ἀφ'
ἑαυτῶν φυγεῖν. Καὶ λέγω αὐτοῖς· Δεῦτε, ποιήσατε ἑαυτοῖς
15 κελλίον εἰ δύνασθε. Καὶ λέγουσι καὶ αὐτοί· Δεῖξον ἡμῖν
τόπον καὶ ποιοῦμεν. Καὶ ἔδωκα αὐτοῖς πέλυκα καὶ
ἀναβολίδιον μεστὸν ψωμίων καὶ ἅλας, καὶ ἔδειξα αὐτοῖς
πέτραν σιδηρᾶν λέγων· Λατομήσατε ὧδε καὶ φέρετε ἑαυτοῖς
ξύλα ἐκ τοῦ ἕλους καὶ στεγάσαντες καθίσατε. Ἐνόμιζον
20 δὲ ἐγὼ ὅτι μέλλουσιν φεύγειν διὰ τὸν κόπον. Ἠρώτησαν
δέ με· Τί ἐργάζονται ὧδε; Καὶ λέγω αὐτοῖς· Τὴν σειράν.
Καὶ λαμβάνω βαΐα ἐκ τοῦ ἕλους καὶ δεικνύω αὐτοῖς τὴν
ἀρχὴν τῆς σειρᾶς καὶ πῶς δεῖ ῥάπτειν. Καὶ εἶπον αὐτοῖς·
Ποιεῖτε σπυρίδας καὶ παρέχετε τοῖς φύλαξι, καὶ φέρουσιν
25 ὑμῖν ψωμία. Καὶ λοιπὸν ἀνεχώρησα. Αὐτοὶ δὲ μεθ'

26-27 τὴν δὲ – ἡμῶν om. YQRT ‖ 27 ἕ[ως ἄρτι bic inc. Z ‖ ἀνθρώπων
om. QRT ‖ 28 οἱ γέροντες om. MSHZ cf. Alph. illi patres l ‖ ἐθαύμ.
καὶ om. Z ‖ 29 δοξάζ. τὸν Θεόν om. MSHZ
3 YQRTMSHZl
1 βιτίμης MSH uindemius l ‖ μάκαρις YR ‖ 2 μου om. M ‖ 4 ἄλλος :
ἕτερος H ‖ ἦν βάλλων : εἶχε τοῦ R εἶχε Q om. T ‖ 6 ἀκούοντες YZ ‖

de nous dort à part. La nuit nous portons un sac, et le jour nos vêtements. Et jusqu'à présent personne ne l'a su.» Entendant cela, les vieillards furent dans l'admiration, et ils se retirèrent en glorifiant Dieu.

3 Abba Bétimos disait qu'abba Macaire raconta ceci. Lorsque je demeurais à Scété, dit-il, deux jeunes étrangers y descendirent; l'un avait de la barbe, l'autre commençait à en avoir. Ils vinrent me trouver en disant : «Où est la cellule d'abba Macaire?» Et moi je leur dis : «Que lui voulez-vous?» Ils dirent : «Ayant entendu parler de lui et de Scété, nous sommes venus le voir.» Je leur dis : «C'est moi.» Et ils firent la métanie en disant : «Nous voulons demeurer ici.» Voyant qu'ils étaient délicats et sans doute élevés dans le luxe, je leur dis : «Vous ne pouvez demeurer ici.» L'aîné dit : «Si nous ne pouvons pas demeurer ici, nous allons ailleurs.» Je me dis en moi-même : «Pourquoi les chasser et les scandaliser? La peine les fera partir d'eux-mêmes.» Aussi je leur dis : «Venez, faites-vous une cellule si vous le pouvez.» Ils dirent alors : «Indique-nous un emplacement et nous la ferons.» Je leur donnai une hache, un panier plein de pains et du sel, et je leur montrai une pierre dure en disant : «Creusez ici, apportez du bois du marais, faites une toiture et demeurez-y.» Je pensais quant à moi qu'ils allaient fuir à cause de la peine; mais il demandèrent : «Quel travail fait-on ici?» Je leur dis : «Du tressage.» Et je pris des feuilles au marais et leur montrai les rudiments du tressage et comment il fallait coudre. Et je leur dis : «Faites des corbeilles; vous les donnerez aux gardiens et ils vous apporteront des pains.» Puis je me

Mac 33 (273 D-277 B)

7 καὶ τῆς σκ. : in scythi *l* ‖ 12 *post* λέγω *add.* ἐγὼ MSHZ ergo *l* ‖ 14 λέγω : λέγει MS ‖ 15 κελλία H ‖ καὶ¹ Y : *om. cett.* ‖ καὶ² YZ*l* : δὲ *cett.* ‖ 16 τόπον : μόνον MSZ*l* μόνον τόπον H ‖ ἔδωκε MS ‖ πέλεκυν MS ‖ 17 ἔδειξε MS ‖ 18 σιδηρὰν : σκληρὰν QRT duram *l* ‖ 21 ἐργάζονται : operabimur *l* ‖ 22 βαῒν Y ‖ 24 ποιήσατε H

162   APOPHTEGMES DES PÈRES

ὑπομονῆς πάντα ὅσα εἶπον αὐτοῖς ἐποίησαν, καὶ οὐ
παρέβαλόν μοι ἐπὶ τρία ἔτη.

Ἔμεινα οὖν πολεμῶν τοῖς λογισμοῖς λέγων · Τίς ἄρά
ἐστιν ἡ ἐργασία αὐτῶν ὅτι οὐκ ἦλθον ἐρωτῆσαί με
30 λογισμόν; Οἱ ἀπὸ μακρόθεν ἔρχονται πρὸς μὲ καὶ οὗτοι
ἐγγύτεροι οὐκ ἦλθον, οὐδὲ γὰρ πρὸς ἄλλον ὑπῆγον εἰ μὴ
μόνον εἰς τὴν ἐκκλησίαν σιωπῶντες λαβεῖν τὴν προσφοράν.
Καὶ ηὐξάμην τῷ Θεῷ νηστεύσας τὴν ἑβδομάδα ἵνα δείξῃ
μοι τὴν ἐργασίαν αὐτῶν. Ἀναστὰς δὲ μετὰ τὴν ἑβδομάδα
35 ἀπῆλθον πρὸς αὐτοὺς ἰδεῖν πῶς κάθηνται. Καὶ κρούσαντός
μου ἤνοιξαν καὶ ἠσπάσαντό με σιωπῶντες. Καὶ ποιήσας
εὐχὴν ἐκάθισα. Νεύσας δὲ ὁ μείζων τῷ μικροτέρῳ ἐξελθεῖν
ἐκάθισε πλέκων τὴν σειρὰν μηδὲν λαλήσας. Καὶ τῇ ὥρᾳ
τῆς ἐννάτης ἔκρουσε καὶ ἦλθεν ὁ μικρότερος καὶ ἐποίησε
40 μικρὸν ἕψημα, καὶ παρέθηκε τράπεζαν νεύσαντος αὐτῷ τοῦ
μειζοτέρου. Καὶ ἔθηκεν εἰς αὐτὴν τρεῖς παξαμάδας καὶ
ἔστη σιωπῶν. Ἐγὼ δὲ εἶπον · Ἐγείρεσθε, φάγωμεν. Καὶ
ἀναστάντες ἐφάγομεν, καὶ ἤνεγκε τὸ βαυκάλιον καὶ ἐπίομεν.
Ὡς δὲ ἐγένετο ἑσπέρα λέγουσί μοι · Ὑπάγεις; Ἐγὼ δὲ
45 εἶπον · Οὐχί, ἀλλ' ὧδε κοιμῶμαι. Καὶ ἔθηκάν μοι ψιάθιον
παρὰ μέρος καὶ ἑαυτοῖς εἰς τὴν ἄλλην γωνίαν παρὰ μέρος.
Καὶ ἦραν τὰς ζώνας αὐτῶν καὶ τοὺς ἀναλάβους καὶ ἔθηκαν
ἑαυτοὺς ὁμοῦ ἐν τῷ ψιαθίῳ ἔμπροσθέν μου.
Ὡς δὲ ἔθηκαν ἑαυτούς, ηὐξάμην τῷ Θεῷ ἵνα μοι
50 ἀποκαλύψῃ τὴν ἐργασίαν αὐτῶν. Καὶ ἰδοὺ ἠνεώχθη ἡ
στέγη καὶ ἐγένετο φῶς ὡς ἐν ἡμέρᾳ. Αὐτοὶ δὲ οὐκ
ἐθεώρουν τὸ φῶς. Καὶ ὡς ἐνόμισαν ὅτι κοιμῶμαι, νύσσει
ὁ μείζων τὸν μικρότερον εἰς τὴν πλευρὰν καὶ ἐγείρονται
καὶ ζωννύουσιν ἑαυτοὺς καὶ ἐκτείνουσι τὰς χεῖρας αὐτῶν
55 εἰς τὸν οὐρανόν. Καὶ ἔβλεπον αὐτούς, αὐτοὶ δὲ οὐκ ἐθεώρουν

28 οὖν : δὲ Z ‖ 30 οἱ : οἱ δὲ TMH ‖ 31 ἐγγύτερον S ‖ γὰρ : δὲ M ‖
35 πρὸς αὐτοὺς ἰδεῖν : ἰδεῖν αὐτοὺς YQT ‖ 37 ἐκάθισα : -θισαν RMSZ ‖
38 ἐκάθισαν πλέκοντες ... λαλήσαντες H ‖ 40 παρέθηκαν H ‖ 41 αὐτὴν :
τὴν τράπεζαν QRT ‖ παξαμάδας : ἄρτους H ‖ 43 ἤνεγκαν H ‖ 44 μοι :

retirai. Quant à eux, ils firent avec patience tout ce que je leur avais dit; et de trois années ils ne vinrent pas chez moi.

Aussi je demeurais à lutter contre mes pensées en disant : «Quelle est donc leur œuvre, qu'ils ne soient pas venus m'interroger sur une pensée? D'autres viennent chez moi de loin; et eux qui sont tout proches ne sont pas venus, ni ne sont d'ailleurs allés chez quelqu'un d'autre sinon à l'église en silence pour recevoir l'offrande. «Et je priais Dieu en jeûnant toute la semaine, afin qu'il me montre leur œuvre. A la fin de la semaine, je me levai et allai les voir pour savoir comment ils demeuraient. Lorsque je frappai, ils m'ouvrirent et me saluèrent sans rien dire. Après la prière, je m'assis. L'aîné fit signe au cadet de sortir et s'assit à tresser de la corde sans parler. A la neuvième heure il frappa, et le cadet vint, prépara un peu de nourriture et dressa la table sur un signe de l'aîné. Il y plaça trois petits pains et se tint en silence. Et moi, je dis : «Levez-vous, mangeons.» Nous nous levâmes pour manger; et il apporta une cruche et nous bûmes. Lorsque vint le soir, ils me dirent : «Est-ce que tu t'en vas?» Je dis : «Non, je vais dormir ici.» Alors ils placèrent pour moi une natte d'un côté et une autre pour eux à l'angle opposé. Ils ôtèrent leur ceinture et leur capuchon et se couchèrent ensemble sur la natte en face de moi.

Lorsqu'ils furent installés, je priai Dieu qu'il me révèle leur œuvre. Et voici que le toit s'ouvrit et que se fit de la lumière comme pendant le jour; mais eux, ils ne voyaient pas la lumière. Lorsqu'ils pensèrent que je dormais, l'aîné touche l'autre au côté, et ils se lèvent, remettent leur ceinture et tendent les mains vers le ciel. Je les regardais, mais eux ne me voyaient pas. Et je vis

πρός με Q ‖ 45 εἶπον : λέγω MSHZ ‖ 50 ἰδοὺ *om.* MSHZ ‖ 51-52 αὐτοὶ – φῶς *om.* MS ‖ 54 αὐτῶν *om.* RTMSHZ

με. Καὶ εἶδον τοὺς δαίμονας ὥσπερ μυίας ἐρχομένους ἐπὶ
τὸν μικρότερον, καὶ οἱ μὲν ἤρχοντο ἐπὶ τὸ στόμα αὐτοῦ,
οἱ δὲ ἐπὶ τοὺς ὀφθαλμούς. Καὶ εἶδον ἄγγελον Κυρίου
ἔχοντα ῥομφαίαν πυρὸς καὶ περιχαρακοῦντα αὐτὸν καὶ
60 διώκοντα τοὺς δαίμονας ἀπ᾽ αὐτοῦ. Τῷ δὲ μειζοτέρῳ οὐκ
ἠδύναντο πλησιάσαι. Καὶ ὡς περὶ τὸ πρωῒ ἔθηκαν ἑαυτούς,
κἀγὼ ἐποίησα ἑαυτὸν ὅτι διυπνίσθην καὶ αὐτοὶ ὡσαύτως.
Εἶπε δέ μοι ὁ μείζων τὸν λόγον τοῦτον μόνον · Κελεύεις
βάλωμεν τοὺς δώδεκα ψαλμούς; Κἀγὼ εἶπον · Ναί. Καὶ
65 ψάλλει ὁ μικρότερος πέντε ψαλμοὺς ἀπὸ ἓξ στίχων καὶ
ἓν Ἀλληλούϊα. Καὶ κατὰ στίχον ἐξήρχετο λαμπὰς πυρὸς
ἐκ τοῦ στόματος αὐτοῦ καὶ ἀνήρχετο εἰς τοὺς οὐρανούς.
Ὡσαύτως καὶ ὁ μείζων ὅτε ἤνοιγε τὸ στόμα αὐτοῦ ψάλλων
ὡς σχοινίον πυρὸς ἐξήρχετο καὶ ἔφθανεν εἰς τὸν οὐρανόν.
70 Κἀγὼ προσετίθουν μικρόν. Καὶ ἐξελθὼν λέγω · Εὔξασθε
ὑπὲρ ἐμοῦ. Αὐτοὶ δὲ ἔβαλον μετάνοιαν σιωπῶντες. Καὶ
ἔμαθον ὅτι ὁ μείζων τέλειός ἐστιν, τῷ δὲ μικροτέρῳ ἀκμὴν
ἐπολέμει ὁ ἐχθρός. Μετὰ δὲ ὀλίγας ἡμέρας ἐκοιμήθη ὁ
μείζων ἀδελφὸς καὶ τῇ τρίτῃ ἡμέρᾳ ὁ μικρότερος. Καὶ
75 ὅτε παρέβαλόν τινες τῶν πατέρων πρὸς τὸν ἀββᾶ Μακάριον
ἐλάμβανεν αὐτοὺς εἰς τὴν κέλλαν αὐτῶν λέγων · Δεῦτε,
ἴδετε τὸ μαρτύριον τῶν μικρῶν ξένων.

4   Ἦλθέ ποτε ἀββᾶ Μακάριος ὁ αἰγύπτιος ἀπὸ Σκήτεως
εἰς τὸ ὄρος τῆς Νιτρίας εἰς τὴν προσφορὰν τοῦ ἀββᾶ
Παμβώ. Καὶ λέγουσιν αὐτῷ οἱ γέροντες · Εἰπὲ ῥῆμα τοῖς
ἀδελφοῖς, πάτερ. Ὁ δὲ εἶπεν · Ἐγὼ οὔπω γέγονα μοναχός,
5 ἀλλ᾽ εἶδον μοναχούς. Καθημένου γὰρ μοῦ ποτε ἐν τῷ
κελλίῳ εἰς Σκῆτιν ὤχλησάν μοι οἱ λογισμοὶ λέγοντες ·
Ἄπελθε ἔσω εἰς τὴν ἔρημον καὶ ἴδε τί βλέπεις ἐκεῖ.
Ἔμεινα οὖν πολεμῶν τῷ λογισμῷ πέντε ἔτη λέγων ·

56 ἐπὶ : εἰς MS ‖ 57-58 οἱ ... οἱ : αἱ ... αἱ MS ‖ 63 τὸν λόγον om. Q ‖
κελεύεις : θέλεις MSHZ ‖ 65 πέντε om. Q ‖ 67 τὸν οὐρανόν MSHZ ‖ 69 ἕως
τοῦ οὐρανοῦ HZ ‖ 70 προσετίθουν : ἐπροσετίθουν Z εἶπον ἀπὸ στήθους HI ‖
post μικρὸν add. sicut et illi opus dei I ‖ ὅτε ἐξῆλθον QRT ‖ 72 post μείζων
add. ἀδελφὸς H ‖ ἐστιν : ἦν Q ‖ 73 πολεμεῖ QTH ‖ 74 ἀδελφὸς om. H

les démons venir comme des mouches sur le cadet, les
uns sur sa bouche, les autres sur ses yeux; je vis aussi
l'ange du Seigneur portant un glaive de feu pour le protéger et chasser les démons. Mais ils ne pouvaient s'ap-
procher de l'aîné. Aux approches de l'aurore, ils se couchèrent; et moi je fis comme si je me réveillais, et eux
de même. Alors l'aîné me dit cette seule parole : «Veux-
tu que nous récitions les douze psaumes?» Et je dis que
oui. Le plus jeune chanta cinq psaumes par groupe de
six versets avec un alleluia; et à chaque verset une lampe
de feu sortait de sa bouche et montait aux cieux. De
même, lorsque l'aîné ouvrit la bouche pour chanter, sortait
comme une corde de feu qui allait jusqu'au ciel. Moi
aussi, j'en ajoutai un peu. En partant, je dis : «Priez pour
moi.» Mais eux, ils firent en silence une métanie. Et je
sus que l'aîné était parfait tandis que l'ennemi combattait
encore le cadet. Quelques jours plus tard, le frère aîné
s'endormit, et trois jours après son cadet. Et lorsque des
pères venaient chez abba Macaire, il les conduisait à leur
cellule en disant : «Venez voir le martyrium des jeunes
étrangers».»

4   Abba Macaire l'égyptien se rendit un jour de Scété à
la montagne de Nitrie pour l'offrande en mémoire d'abba
Pambo. Les vieillards lui dirent : «Père, dis une parole
aux frères.» Il dit : «Moi, je ne suis pas encore devenu
moine, mais j'ai vu des moines. En effet, un jour que
j'étais assis dans ma cellule à Scété, des pensées me tra-
cassèrent qui me disaient : «Pars à l'intérieur du désert
et regarde ce que tu y verras.» Aussi je restai à lutter
contre cette pensée pendant cinq ans, me disant que

Mac 2
(260 B-
261 A)

4 YQRTMSHZ*l*

1 μάκαρις YRZ ‖ 2 *post* προσφορὰν *add.* ad monasterium *l* ‖ 3 γέροντες
MSHZ*l* : ἀδελφοί *cett.* ‖ **3**-4 εἰπὲ – πάτερ *om.* R ‖ 5 ἀλλ' εἶδον μον.
om. M ‖ 7 ἴδε τί βλ. : βλέπε τί ὁρᾷς Q ‖ 8 οὖν : δὲ MSZ *cf. Alph.*

Μήπως ἀπὸ δαιμόνων ἐστιν. Καὶ ὡς ἐπέμενεν ὁ λογισμὸς
10 ἀπῆλθον εἰς τὴν ἔρημον. Καὶ ηὗρον ἐκεῖ λίμνην ὑδάτων
καὶ νῆσον ἐν μέσῳ αὐτῆς. Καὶ ἦλθον τὰ κτήνη τῆς ἐρήμου
πιεῖν ἐξ αὐτῆς. Καὶ θεωρῶ ἐν μέσῳ αὐτῆς δύο ἀνθρώπους
γυμνούς, καὶ ἐδειλίασε τὸ σῶμά μου · ἐνόμισα γὰρ ὅτι
πνεύματά εἰσιν. Αὐτοὶ δὲ ὡς εἶδόν με δειλιῶντα ἐλάλησαν
15 πρός με · Μὴ φόβου, καὶ ἡμεῖς ἄνθρωποί ἐσμεν. Καὶ εἶπον
αὐτοῖς · Πόθεν ἐστέ, καὶ πῶς ἤλθετε εἰς τὴν ἔρημον
ταύτην; Οἱ δὲ εἶπαν · Ἀπὸ κοινοβίου ἐσμὲν καὶ γέγονεν
ἡμῖν συμφωνία καὶ ἐξήλθομεν ὧδε · ἰδοὺ τεσσαράκοντα
ἔτη ἔχομεν. Καὶ ὁ μὲν εἷς ἦν αἰγύπτιος, ὁ δὲ ἕτερος
20 λιβυκός. Καὶ ἐπερώτησάν με καὶ αὐτοὶ λέγοντες · Πῶς ὁ
κόσμος; Καὶ εἰ ἔρχεται τὸ ὕδωρ κατὰ καιρὸν αὐτοῦ; καὶ
εἰ ἔχει ὁ κόσμος τὴν εὐθηνίαν αὐτοῦ; Καὶ εἶπον αὐτοῖς ·
Ναί. Κἀγὼ δὲ αὐτοὺς ἠρώτησα · Πῶς δύναμαι γενέσθαι
μοναχός; Καὶ λέγουσί μοι · Ἐὰν μὴ ἀποτάξηταί τις πᾶσι
25 τοῖς τοῦ κόσμου οὐ δύναται γενέσθαι μοναχός. Καὶ εἶπον
αὐτοῖς · Ἐγὼ ἀσθενής εἰμι καὶ οὐ δύναμαι ὡς ὑμεῖς. Καὶ
εἶπόν μοι καὶ αὐτοί · Ἐὰν μὴ δύνασαι ὡς ἡμεῖς κάθου
εἰς τὸ κελλίον σου καὶ κλαῖε τὰς ἁμαρτίας σου. Καὶ
ἠρώτησα αὐτοὺς λέγων · Ὅτε οὖν γίνεται χειμὼν οὐ ῥιγᾶτε;
30 Καὶ ὅτε γίνεται καῦμα οὐ καυσοῦται τὰ σώματα ὑμῶν;
Οἱ δὲ εἶπον · Ὁ Θεὸς ἐποίησε ἡμῖν τὴν οἰκονομίαν ταύτην
ὅτι οὔτε τῷ χειμῶνι ῥιγῶμεν οὔτε τὸ καῦμα καίει ἡμᾶς.
Διὰ τοῦτο εἶπον ὑμῖν ὅτι οὔπω γέγονα μοναχός ·
συγχωρήσατέ μοι, ἀδελφοί.

5   Ἐκάθητό ποτε ἀββᾶ Σισόης μόνος εἰς τὸ ὄρος τοῦ ἀββᾶ
Ἀντωνίου. Καὶ χρονίσαντος τοῦ διακονητοῦ αὐτοῦ ἐλθεῖν
πρὸς αὐτόν, ἕως δέκα μηνῶν οὐκ εἶδεν ἄνθρωπον.

10 ἐκεῖ om. QT ‖ 12 αὐτῆς² : αὐτῶν QHl ‖ 13 γυμνούς om. T ‖
16 ἤλθετε : εἰσήλθετε R ‖ 17 εἶπαν Y : εἶπον cett. ‖ 19 ἦν : ὑπῆρχεν
QT ὑπάρχει R ‖ 20 λυβικός Y ‖ 21 ἔρχεται : εἰσέρχ. H ‖ καιρούς QRT ‖
22 εἰ om. M ‖ 27 μὴ : οὐ RTM cf. Alph. ‖ 28 κλαῖε : κλαῦσον TMSHZ

peut-être elle venait des démons. Mais comme la pensée
demeurait, je partis au désert. Et là, je trouvai une nappe
d'eau et une île au milieu; et les bêtes du désert venaient
y boire. Au milieu de l'île, je vis deux hommes nus; et
mon corps trembla de crainte, car je crus que c'étaient
des esprits. Mais eux, en me voyant trembler, m'adres-
sèrent la parole : «N'aies pas peur; nous aussi, nous
sommes des hommes.» Je leur dis : «D'où êtes-vous? Et
comment êtes-vous venus en ce désert?» Ils dirent : «Nous
venons d'un cénobium et, nous étant mis d'accord, nous
sommes venus ici, il y a de cela quarante ans.» L'un
était égyptien et l'autre libyen. Et à leur tour ils me ques-
tionnèrent : «Comment va le monde? L'eau vient-elle bien
en son temps? Le monde jouit-il de la prospérité?» Je
leur dis que oui, puis je leur demandai : «Comment puis-
je devenir moine?» Ils me dirent : «Si l'homme ne renonce
pas à tout ce qui est du monde, il ne peut devenir
moine.» Je leur dis : «Moi, je suis faible et ne puis être
comme vous.» Ils me dirent à leur tour : «Si tu ne peux
être comme nous, assieds-toi dans ta cellule et pleure tes
péchés.» Je leur demandai : «Lorsque vient l'hiver, n'êtes-
vous pas gelés? Et lorsque vient la chaleur, vos corps
ne brûlent-ils pas?» Ils dirent : «Dieu nous a ainsi organisé
les choses que ni nous ne gelons durant l'hiver, ni la
chaleur ne nous brûle.» C'est pour cela que je vous disais
que je ne suis pas encore devenu moine. Pardonnez-moi,
frères.»

5   Abba Sisoès demeura seul une fois à la montagne
d'abba Antoine; et comme celui qui le servait tardait à
venir chez lui, pendant dix mois il ne vit personne.

     Sis 7
     (393 A-B)

cf. Alph. ‖ 30 καυσοῦνται QRM ‖ τὸ σῶμα H*l* ‖ 31 ἡμῖν QRZ*l* : *om.*
cett. ‖ 32 τὸ καῦμα καίει ἡμᾶς : τῷ καύματι καυσούμεθα QRT ‖
34 ἀδελφοί *om.* QT
   5 YQRTMSHZ*l*

Περιπατῶν δὲ ἐν τῷ ὄρει εὑρίσκει τινὰ φαρανίτην θηρεύοντα
5 ἄγρια ζῷα. Καὶ λέγει αὐτῷ· Πόθεν ἔρχῃ, καὶ πόσον
χρόνον ἔχεις ὧδε; Ὁ δὲ ἔφη· Φύσει, ἀββᾶ, ἔχω ἔνδεκα
μῆνας ἐν τῷ ὄρει τούτῳ καὶ οὐκ εἶδον ἄνθρωπον εἰ μὴ
σέ. Ἀκούσας δὲ ὁ γέρων ταῦτα, εἰσελθὼν εἰς τὸ ἑαυτοῦ
κελλίον ἔτυπτεν ἑαυτὸν λέγων· Ἰδού, Σισόη, ἐνόμισας
10 τίποτε πεποιηκέναι, καὶ ἀκμὴν οὐδὲ ὡς ὁ κοσμικὸς οὗτος
πεποίηκας.

6   Ὁ αὐτὸς ἀββᾶ Σισόης καθήμενος εἰς τὸ κελλίον πάντοτε
τὴν θύραν ἔκλειεν.

7   Ἔλεγον δὲ περὶ αὐτοῦ ὅτι ὡς ἔμελλε τελευτᾶν,
καθημένων τῶν πατέρων πρὸς αὐτὸν ἔλαμψε τὸ πρόσωπον
αὐτοῦ ὡς ὁ ἥλιος, καὶ λέγει αὐτοῖς· Ἰδοὺ ἀββᾶ Ἀντώνιος
ἦλθεν. Καὶ μετὰ μικρὸν πάλιν λέγει αὐτοῖς· Ἰδοὺ ὁ χορὸς
5 τῶν προφητῶν ἦλθεν. Καὶ πάλιν τὸ πρόσωπον αὐτοῦ
περισσότερον ἔλαμψε καὶ εἶπεν· Ἰδοὺ ὁ χορὸς τῶν
ἀποστόλων ἦλθεν. Καὶ ἐδιπλασίασε τὸ πρόσωπον αὐτοῦ,
καὶ πάλιν ἰδοὺ αὐτὸς ὡς μετά τινων λαλῶν. Καὶ ἐδεήθησαν
αὐτοῦ οἱ γέροντες λέγοντες· Μετὰ τίνος προσομιλεῖς,
10 πάτερ; Καὶ εἶπεν· Ἰδοὺ ἄγγελοι ἦλθον λαβεῖν με καὶ
παρακαλῶ αὐτοὺς ἵνα ἀφεθῶ μετανοῆσαι μικρόν. Καὶ
λέγουσιν αὐτῷ οἱ πατέρες· οὐ χρείαν ἔχεις μετανοῆσαι,
πάτερ. Εἶπεν δὲ αὐτοῖς ὁ γέρων· Φύσει, οὐκ οἶδα ἐμαυτὸν
ὅτι ἔβαλον ἀρχήν. Καὶ ἔμαθον πάντες ὅτι τέλειός ἐστιν.
15 Καὶ πάλιν ἄφνω ἐγένετο τὸ πρόσωπον αὐτοῦ ὡς ὁ ἥλιος,
καὶ ἐφοβήθησαν πάντες. Καὶ λέγει αὐτοῖς· Βλέπετε, ἰδοὺ
ὁ Κύριος ἦλθε καὶ λέγει· Φέρετέ μοι τὸ σκεῦος τῆς

4 τῷ ὄρει : τῇ ἐρήμῳ H ‖ τινὰ om. M cf. Alph. ‖ 8 ἑαυτοῦ YQl :
om. cett. ‖ 10 τίποτε : τι RT
6 YQRTMSHZl
7 YQRTMSHZl
1 ἔλεγον : dicebatur l ‖ 3 ὁ om. T ‖ 3-4 ἀββᾶ – ἰδοὺ om. Q ‖
4 πάλιν om. YQRT ‖ 6 περισσοτέρως H ‖ 7 post αὐτοῦ add. τῷ φωτί

Marchant dans la montagne, il rencontra un pharanite qui chassait des bêtes sauvages, et il lui dit : «D'où viens-tu? Et depuis combien de temps es-tu ici?» L'autre dit : «En vérité, abba, voici onze mois que je suis dans cette montagne et je n'ai vu personne d'autre que toi.» Ayant entendu cela, le vieillard rentra dans sa cellule et se frappa la poitrine en disant : «Voilà, Sisoès, tu pensais avoir fait quelque chose, et tu n'as même pas encore fait comme ce séculier.»

6   Le même abba Sisoès, lorsqu'il demeurait dans sa cellule, fermait toujours la porte.

Sis 24
(400 C)

7   On disait aussi de lui que, sur le point de mourir, alors que les pères étaient assis auprès de lui, son visage brilla comme le soleil et qu'il leur dit : «Voici que vient abba Antoine.» Un peu plus tard, il leur dit encore : «Voici que vient le chœur des prophètes.» Et à nouveau son visage brilla plus intensément et il dit : «Voici que vient le chœur des apôtres.» Puis son visage redoubla d'éclat, et voici qu'il semblait converser; et les vieillards lui demandèrent : «Avec qui t'entretiens-tu, père?» Il dit : «Voici que des anges viennent me prendre et que je les supplie de me laisser faire un peu pénitence.» Les pères lui dirent : «Tu n'as pas besoin de faire pénitence, père.» Le vieillard leur dit : «En vérité, je n'ai pas conscience d'en être encore au commencement.» Et tous surent qu'il était parfait. Puis son visage redevint subitement comme le soleil, et tous furent remplis de crainte. Il leur dit : «Regardez, voici que le Seigneur vient et dit : Apportez-

Sis 14
(396 B-C)

QRT ‖ 8-9 καὶ ἐδεήθ. αὐτοῦ : εἶπον δὲ αὐτῷ QR ‖ 9 λέγοντες *om.* Q ‖ ὁμιλεῖς TMSHZ *cf. Alph.* loqueris *l* ‖ 11 αὐτοὺς Y *om. cett.* ‖ 12 πατέρες YQ : γέροντες *cett.* ‖ 13 ὁ γέρων *om.* YQ ‖ 17-18 τῆς ἐκλογῆς *om.* QTH

ἐκλογῆς[a] τῆς ἐρήμου. Καὶ εὐθέως ἀπέδωκε τὸ πνεῦμα, καὶ ἐγένετο ἀστραπή, καὶ ἐπλήσθη ὅλος ὁ τόπος εὐωδίας.

8   Ἔλεγον περὶ τοῦ ἀββᾶ Ὤρ ὅτι οὔτε ἐψεύσατό ποτε οὔτε ὤμοσεν οὔτε κατηράσατο ἄνθρωπον οὔτε ἐκτὸς ἀνάγκης ἐλάλησεν.

9   Ὁ αὐτὸς ἔλεγεν τῷ μαθητῇ αὐτοῦ · Βλέπε μηδέποτε ἀλλότριον λόγον εἰσενέγκῃς εἰς τὸ κελλίον τοῦτο.

10   Ἔλεγον περὶ τῶν Σκητιωτῶν ὅτι οὐχ ὑπῆρχεν ἔπαρσις ἀνὰ μέσον αὐτῶν διὰ τὸ ὑπερβαίνειν αὐτοὺς ἐν ἀρεταῖς. Ὁ μὲν γὰρ ἤσθιε διὰ δύο, ὁ δὲ διὰ τεσσάρων, ὁ δὲ διὰ ἑβδομάδος · ὁ δὲ ἄρτον οὐκ ἤσθιε · καὶ ἵνα συντόμως 5 εἴπωμεν ἐν πάσῃ ἀρετῇ ἦσαν κεκοσμημένοι οἱ ἅγιοι.

11   Ἦν τις γέρων μέγας καὶ διηγήσατο ὁ τούτου μαθητὴς περὶ αὐτοῦ ὅτι ἐν ὅλοις εἴκοσι ἔτεσιν οὐκ ἐκοιμήθη ἐπὶ τὸ πλευρόν, ἀλλ᾽ εἰς τὸ κάθισμα ἑαυτοῦ εἰς ὃ εἰργάζετο ἐκεῖ ἐκάθευδεν καθήμενος. Ἤσθιε δὲ ἢ διὰ δύο ἢ τεσσάρων 5 ἢ διὰ πέντε. Οὕτως δὲ ἐποίησεν ἐπὶ εἴκοσι ἔτη. Καὶ ἐμοῦ, φησί, εἰπόντος · Τί ἐστι τοῦτο, διὰ τί οὕτως ποιεῖς, ἀββᾶ; Ἀπεκρίνατο πρός με · Ὅτι τὸ κρῖμα τοῦ Θεοῦ ἔρχεται πρὸ ὀφθαλμῶν μου καὶ οὐ δύναμαι καρτερῆσαι. Ἐγένετο δέ ποτε, ἐπιτελούντων ἡμῶν τὴν σύναξιν, παρῆλθέ με καὶ 10 ἐπλανήθην λόγον ἀπὸ τοῦ ψαλμοῦ · καὶ ὡς ἐτελέσαμεν τὴν σύναξιν ἀποκριθεὶς ὁ γέρων εἶπέ μοι · Ἐγὼ ὅταν ποιῶ σύναξιν ὡς πῦρ ἡγοῦμαι ὑποκάτω μου καὶ καίομαι, καὶ οὐ δύναται ὁ λογισμὸς ἐκκλῖναι δεξιᾷ ἢ ἀριστερᾷ · καὶ

---

18 παρέδωκε Q ‖ 19 post ἐγένετο add. sicut l cf. Alph. ‖ ἐπλήσθη : ἐπληρώθη Η ‖ ὅλος om. QTMSZ
8 YQRTMSHZl
1-2 οὔτε quater : οὐδὲ MS
9 YQRTMSHZl
2 εἰσενέγκῃς Y adducas l : ἐνέγκῃς cett. cf. Alph.
10 YQRTMSHZ
2 αὐτῶν : τῶν σκητιωτῶν Q ‖ διὰ τὸ om. Q ‖ ὑπερβάλλειν Μ ‖
5 εἴπωμεν : εἴπω QRT ‖ ἐν om. Η ‖ κατακεκοσμημένοι QT

moi le vase d'élection[a] du désert.» Aussitôt il rendit l'esprit, et il y eut un éclair fulgurant et tout le lieu fut rempli de bonne odeur.

8   On disait d'abba Or que jamais il ne mentit, ni ne jura, ni ne maudit quelqu'un, ni ne parla sans nécessité.   Or 2 (437 B)

9   Le même disait à son disciple : «Veille à ne jamais introduire un mot étranger dans cette cellule.»   Or 3 (437 B)

10   On disait des scétiotes qu'il n'y avait pas de rivalité parmi eux, du fait qu'ils se surpassaient en vertus. En effet, l'un mangeait un jour sur deux, un autre un jour sur quatre, un autre une fois la semaine; tel autre ne mangeait pas de pain. Pour le dire en un mot, ces saints étaient accomplis en toute vertu.   N 467

11   Il y avait un grand vieillard dont le disciple raconta que pendant vingt années complètes il ne se coucha pas sur le côté, mais qu'il dormit assis sur le siège même sur lequel il travaillait. Il mangeait un jour sur deux ou sur quatre ou sur cinq. Ainsi fit-il pendant vingt ans. Et le disciple dit : «Comme je lui demandai : 'Qu'est ceci? Pourquoi fais-tu ainsi, abba?', il me répondit : 'Parce que le jugement de Dieu vient devant mes yeux et je ne puis le supporter.' Il arriva une fois, tandis que nous accomplissions la synaxe, que par distraction je me trompai, sur une parole du psaume. Lorsque nous achevâmes la synaxe, le vieillard me dit : 'Moi, lorsque je fais la synaxe, je me considère comme au-dessus d'un feu qui me brûle, et ma pensée ne peut pas divaguer à droite ou à gauche;   N 146

11 YQRTMSHZ

3 ἑαυτοῦ Y : αὐτοῦ *cett.* ‖ 4 *post* ἐκάθευδεν *add.* καθημέραν RMSHZ ‖ ἤ1 *om.* QRMS ‖ 6 φησι *om.* MSHZ ‖ *post* εἴποντος *add.* αὐτῷ MSZ ‖ τί ἐστι τοῦτο *om.* M ‖ 9 παρῆλθε : ἔλαθε M ‖ 11 *post* ἀποκρ. *add.* δὲ Y ‖ ποιῶ : βάλλω TM ‖ 12 καὶ καίομαι : καιόμενον TM

a. Cf. Ac 9, 15

σοῦ ποῦ ἦν ὁ λογισμὸς ὅτε ἐβάλομεν σύναξιν ὅτι παρῆλθέ
15 σε λόγος ἐκ τοῦ ψαλμοῦ; Οὐκ οἶδας ὅτι ἐνώπιον τοῦ
Θεοῦ ἔστηκας καὶ τῷ Θεῷ λαλεῖς ὅτε ἐπιτελεῖς τὴν
σύναξιν; Ἐξῆλθε δὲ πάλιν ἐν τῇ νυκτὶ καὶ εὑρέ με
κοιμώμενον εἰς τὴν αὐλὴν τοῦ κελλίου. Καὶ ἔστη ὁ γέρων
θρηνῶν καὶ λέγων · Ἄρα ποῦ ἐστιν ὁ λογισμὸς τοῦ ἀδελφοῦ
20 τούτου ὅτι οὕτως καθεύδει ἀμερίμνως;

12   Δύο τινὲς μεγάλοι γέροντες ὥδευον εἰς τὴν ἔρημον τῆς
Σκήτεως, καὶ ἀκούσαντές τινος γογγύζοντος ἐκ τῆς γῆς
ἐζήτησαν τὴν εἴσοδον τοῦ σπηλαίου. Καὶ εἰσελθόντες εὗρον
γραῦν παρθένον ἁγίαν κειμένην καὶ λέγουσιν αὐτῇ · Πόθεν
5 ἦλθες ὧδε, γραῦ; Καὶ τίς ἐστιν ὁ διακονῶν σοι; Οὐδὲν
γὰρ εὗρον ἐν τῷ σπηλαίῳ εἰ μὴ αὐτὴν μόνην κειμένην
καὶ ἀσθενοῦσαν. Ἡ δὲ εἶπε · Τριακοστὸν ὄγδοον ἔτος ἔχω
ἐν τῷ σπηλαίῳ τούτῳ βοτάναις ἀρκουμένη καὶ δουλεύουσα
τῷ Χριστῷ καὶ οὐκ εἶδον ἄνθρωπον εἰ μὴ σήμερον.
10 Ἀπέστειλε γὰρ ὑμᾶς ὁ Θεὸς ἵνα θάψητε τὸ λείψανόν μου.
Καὶ εἰποῦσα τοῦτο ἐκοιμήθη. Οἱ δὲ γέροντες ἐδόξασαν
τὸν Θεὸν καὶ θάψαντες τὸ σῶμα αὐτῆς ἀνεχώρησαν.

13   Διηγήσαντο περί τινος ἀναχωρητοῦ ὅτι ἐξῆλθεν εἰς τὴν
ἔρημον ἔχων λεβιτῶνα μόνον. Καὶ περιπατήσας τρεῖς
ἡμέρας, ἀνέβη εἰς πέτραν καὶ εἶδεν ὑποκάτω αὐτῆς χλόην
καὶ ἄνθρωπον βοσκόμενον ὡς τὰ θηρία. Καὶ κατέβη ἐν
5 κρυφῇ καὶ ἐπίασεν αὐτόν. Ὁ δὲ γέρων γυμνὸς ἦν · καὶ
ὀλιγωρήσας μὴ δυνάμενος βαστάσαι τὴν ὀσμὴν τῶν

---

15 λόγος YZ : λόγον cett. ‖ ἐκ : ἀπὸ QRT ‖ 18 ἐν τῇ αὐλῇ MS ‖
20 ἀμέριμνος RH
12 YQRTMSHZl
1 εἰς om. R ‖ 3 ἐζήτ. : ἐξέστησαν H ‖ 4 post κειμένην add. infirmam
l ‖ 8 post τούτῳ add. eremi l ‖ βοτάναις ἀρκ. καὶ : cum tanta suffi-
cientia l ‖ βοτάνας RTH ‖ ἀρκουμένη : τρεφομένη QRT ‖ 11 τοῦτο Yl :
ταῦτα cett.

mais toi, où était ta pensée lorsque nous faisions la synaxe et que t'a échappé une parole du psaume? Ne sais-tu pas que tu te tenais en présence de Dieu, et que tu parles à Dieu lorsque tu accomplis la synaxe?' Une autre fois, il sortit la nuit et me trouva en train de dormir dans la cour de la cellule; et le vieillard se tint là, se lamentant et disant : 'Où est donc la pensée de ce frère, qu'il dorme ainsi dans l'insouciance?'»

12   Deux grands vieillards marchaient dans le désert de   N 132 C
Scété. Entendant une voix étouffée venant de la terre, ils cherchèrent l'entrée de la grotte[1]. A l'intérieur, ils trouvèrent une vieille femme couchée, vierge sainte, et lui dirent : «Comment es-tu venue ici, femme? Et qui est celui qui te sert?» Car ils ne trouvèrent rien d'autre dans la grotte qu'elle seule, couchée et malade. Elle dit : «Depuis trente huit ans je suis dans cette grotte, me contentant d'herbes et servant le Christ; et je n'ai vu personne jusqu'à aujourd'hui. Car Dieu vous a envoyés pour enterrer ma dépouille.» Disant cela, elle s'endormit. Et les vieillards rendirent gloire à Dieu et, ayant enterré son corps, se retirèrent.

13   On racontait d'un anachorète qu'il partit dans le désert   N 132 D
avec seulement un lébiton. Ayant marché trois jours, il monta sur un rocher et il vit, en dessous, de la verdure et un homme qui broutait comme les bêtes. Il descendit sans se faire voir et le saisit. Or le vieillard était nu. Affaibli car il ne pouvait supporter l'odeur des hommes,

---

13 YQRTMSHZ*l*
1 διηγήσατο HZ ‖ 6 μὴ δυνάμ. : διὰ τὸ μὴ δύνασθαι QRT

---

1. L'ermitage de cette vieille femme peut avoir été souterrain, construit à la façon de ceux du désert d'Esna étudiés par S. SAUNERON, *Les ermitages chrétiens du désert d'Esna*, vol. IV : *Essai d'histoire*, IFAO, Le Caire 1972.

ἀνθρώπων ἠδυνήθη ἐξειλῆσαι ἀπ' αὐτοῦ καὶ φυγεῖν. Καὶ
κατεδίωξεν ὁ ἀδελφὸς ὀπίσω αὐτοῦ καὶ ἔκραζε · Διὰ τὸν
Θεὸν διώκω σε, μεῖνόν με. Ὁ δὲ στραφεὶς εἶπεν αὐτῷ ·
10 Κἀγὼ διὰ τὸν Θεὸν φεύγω ἀπὸ σοῦ. Ὕστερον δὲ ἔρριψε
τὸν λεβιτῶνα καὶ ἐδίωξεν ὀπίσω αὐτοῦ. Ὡς δὲ εἶδεν ὅτι
ἔρριψεν ἀπ' αὐτοῦ τὸ ἱμάτιον, καὶ ὡς ἔγγισεν αὐτῷ εἶπεν ·
Ὅτε ἔρριψας τὴν ὕλην τοῦ κόσμου ἀπὸ σοῦ, κἀγὼ σὲ
περιέμεινα. Παρεκάλει δὲ αὐτὸν ὁ ἀδελφὸς λέγων · Πάτερ,
15 εἰπέ μοι ῥῆμα πῶς σωθῶ. Ὁ δὲ εἶπεν αὐτῷ · Φεῦγε τοὺς
ἀνθρώπους καὶ σιώπα καὶ σωζῇ.

14 Ἔλεγον περί τινος εἰς τὰ Κελλία οἰκοῦντος ὅτι οὕτως
εἶχε τὸν κανόνα · τέσσαρας ὥρας ἐκοιμᾶτο τῆς νυκτός,
καὶ τέσσαρας ἵστατο εἰς τὴν σύναξιν καὶ τέσσαρας
εἰργάζετο · καὶ εἰς τὴν ἡμέραν πάλιν εἰργάζετο ἕως ὥρας
5 ἕκτης, καὶ ἀπὸ ἕκτης ἀνεγίνωσκεν ἕως ἐννάτης καὶ ἔσχιζεν
ἑαυτῷ θαλλία, καὶ λοιπὸν ἀπὸ ἐννάτης ἐφρόντιζε τῆς
τροφῆς καὶ εἶχε τὸ κελλίον παρέργιον, καὶ οὕτως διετέλει
τὴν ἡμέραν.

15 Διηγήσατό τις τῶν ἀναχωρητῶν τοῖς ἀδελφοῖς τοῖς ἐν
Ῥαιθοῦ ὅπου τὰ ἑβδομήκοντα στελέχη τῶν φοινίκων ἔνθα
παρενέβαλε Μωϋσῆς μετὰ τοῦ λαοῦ ὅτε ἐξῆλθεν ἐκ γῆς
Αἰγύπτου[b], καὶ ἔλεγεν οὕτως · Ἐλογισάμην ποτὲ εἰσελθεῖν
5 εἰς τὴν ἔρημον τὴν ἐσωτέραν εἴπως εὕρω τινὰ ἐνδότερόν
μου διάγοντα καὶ δουλεύοντα τῷ δεσπότῃ Χριστῷ. Καὶ
ὁδεύσας νυχθήμερα τέσσαρα εὗρον σπήλαιον καὶ
προσεγγίσας βλέπω ἔσω καὶ θεωρῶ καθήμενον ἄνθρωπον,
καὶ κρούω κατὰ τὸ ἔθος τῶν μοναχῶν πρὸς τὸ ἐξελθόντα
10 αὐτὸν ἀσπάσασθαί με. Ὁ δὲ οὐκ ἐκινεῖτο. Ἦν γὰρ ἀναπε-

---

7 ἀπ' αὐτοῦ : de manibus eius *l om.* Y ‖ 9 διώκω σε *om.* QRT ‖
12 *post* ἱμάτιον *add.* sustinuit eum *l* ‖ ὡς ἤγγισε : προσήγγισε QRT ‖
13 ὅτε : ὅτι QT ‖ ἀπό σου *om.* QR ‖ 14 ὁ ἀδελφὸς QR*l* : *om. cett.*
14 YQRTMSHZ
2 ἐκοιμᾶτων *sic* MH ‖ 3 *post* τέσσαρας *add.* ὥρας RTMHZ ‖ 4 εἰργάζετο
– πάλιν *om.* H ‖ 5-6 καὶ ἔσχ. ἑ. θαλλία *om.* R ‖ 6 ἑαυτῷ *om.* Q ‖
7 πάρεργον H ‖ ἐτέλει R

il réussit à se libérer de lui et à fuir. Et le frère le poursuivit en criant : «C'est à cause de Dieu que je te poursuis,
attends-moi.» Mais l'autre se retourna et dit : «Et moi,
c'est à cause de Dieu que je te fuis.» Ensuite, il retira
son lébiton pour courir derrière lui. Lorsque l'autre vit
qu'il retirait son manteau, quand il fut près de lui, il lui
dit : «Lorsque tu as rejeté de toi la matière du monde,
moi aussi je t'ai attendu.» Et le frère le suppliait : «Père,
dis-moi une parole, que je sois sauvé.» Il lui dit : «Fuis
les hommes et tais-toi, et tu seras sauvé.»

14   On disait d'un habitant des Cellules qu'il avait la règle
suivante : la nuit, il dormait quatre heures, restait quatre
heures debout pour la synaxe, et travaillait quatre heures ;
et de même le jour, il travaillait jusqu'à la sixième heure,
de la sixième à la neuvième heure il lisait et se fendait
des palmes, et enfin à partir de la neuvième heure il
s'occupait de la nourriture et considérait la cellule comme
un travail accessoire. Ainsi passait-il la journée.

15   Un des anachorètes fit le récit suivant aux frères de   N 132 A
Raïthou, là où sont les soixante-dix palmiers où Moïse
campa avec le peuple lorsqu'il partit du pays d'Égypte[b].
«J'eus un jour la pensée de pénétrer dans le désert plus
intérieur, dans l'espoir de trouver quelqu'un menant une
vie plus retirée et servant le maître Christ. Après quatre
jours et quatre nuits de marche, je trouvai une grotte.
M'approchant, je regarde à l'intérieur et je vois un homme
assis. Selon la coutume des moines, je frappe afin qu'il
sorte et que je le salue. Mais il ne bougea pas, car il

---

15 YQRTHZ*l*

1 ἐν : εἰς Y ‖ 3 παρενέβαλε Y : παρέβαλε *cett.* applicuit *l* ‖ γῆς : τῆς
H ‖ 5 ἐσωτέραν : ἐνδότεραν QT ‖ 6 διάγοντα καὶ *om.* Y ‖ δεσπότῃ
om. QT ‖ 9 ἐξελθεῖν QRT

---

b. Cf. Ex 15, 27

παυμένος. Ἐγὼ δὲ μηδὲν μελλήσας εἰσέρχομαι καὶ κρατῶ
αὐτὸν τοῦ ὤμου αὐτοῦ, καὶ εὐθέως διελύθη καὶ ἐγένετο
κόνις. Ἔτι δὲ προσεσχηκὼς θεωρῶ κολόβιον κρεμαμένον.
Ὡς δὲ καὶ τοῦτο ἐκράτησα διελύθη καὶ ἐγένετο εἰς οὐδέν.
15 Ὡς δὲ διηπόρουν ἐξῆλθον ἐκεῖθεν καὶ διηρχόμην τὴν
ἔρημον. Καὶ εὗρον ἕτερον σπήλαιον καὶ ἴχνη ἀνδρός.
Εὔθυμος δὲ γενόμενος προσήγγιζον τῷ σπηλαίῳ. Ὡς δὲ
πάλιν ἔκρουσα καὶ οὐδείς μου ὑπήκουσεν, εἰσελθὼν οὐδένα
εὗρον. Στὰς δὲ ἔξω τοῦ σπηλαίου ἔλεγον ἐν ἑαυτῷ ὅτι
20 δεῖ τὸν δοῦλον τοῦ Θεοῦ ἐλθεῖν ὅπου ἐὰν εἴη.
Ὡς δὲ ἡ ἡμέρα λοιπὸν διήρχετο ὁρῶ βουβάλους
ἐρχομένους καὶ τὸν δοῦλον τοῦ Θεοῦ ἐν μέσῳ αὐτῶν
γυμνὸν ταῖς θριξὶν αὐτοῦ σκέποντα τὰ ἀσχήμονα μέλη τοῦ
σώματος. Ὡς δὲ προσήγγισέ μοι νομίσας πνεῦμα εἶναί
25 με, ἔστη εἰς προσευχήν. Ἦν γὰρ ὡς ἔλεγεν ὕστερον πολλὰ
πειρασθεὶς ὑπὸ τῶν ἀκαθάρτων πνευμάτων. Ἐγὼ δὲ νοήσας
τοῦτο ἔλεγον αὐτῷ ὅτι· Ἄνθρωπός εἰμι, δοῦλε τοῦ Θεοῦ,
ὅρα τὰ ἴχνη μου καὶ ψηλάφησόν με ὅτι σὰρξ καὶ αἷμά
εἰμι. Ὡς δὲ ἐτέλεσε τὴν εὐχὴν μετὰ τὸ ἀμήν, πρόσεσχέ
30 μοι καὶ παρακληθεὶς λαβών με ἐν τῷ σπηλαίῳ ἠρώτα·
Πῶς, λέγων, ἐνταῦθα παρεγένου. Ἐγὼ δὲ εἶπον· Χάριν
τοῦ ἐπιζητῆσαι τοὺς δούλους τοῦ Θεοῦ ἦλθον εἰς τὴν
ἔρημον ταύτην, καὶ οὐχ ὑστέρησέ με τῆς ἐπιθυμίας μου
ὁ Θεός. Κἀγὼ δὲ ἠρώτησα αὐτὸν λέγων· Πῶς δὲ καὶ
35 αὐτὸς ἐνταῦθα παρεγένου; Καὶ πόσον ἔχεις χρόνον; Καὶ
πῶς τρέφῃ; Καὶ πῶς γυμνὸς ὢν οὐ δέῃ ἐνδύματος; Ὁ
δὲ ἔφη· Ἐγὼ ἐν κοινοβίῳ ἤμην τῆς Θηβαΐδος, ἔργον ἔχων
τὸ λινυφικόν. Ὑπεισῆλθε δέ μοι λογισμὸς λέγων· Ἔξελθε
καὶ καθ᾽ ἑαυτὸν καθέζου, καὶ δύνασαι ἡσυχάζειν καὶ
40 φιλοξενεῖν καὶ μισθὸν πλεῖον κτήσασθαι ἀπὸ τοῦ πόνου

---

11 μηδὲν μελλήσας: οὐδὲν λαλήσας H ‖ 13 θεωρῶ : ὁρῶ H ‖ 15 ὡς
δὲ διηπόρουν : διαπορευόμενος [διαπορούμ. R] δὲ QRT ‖ ἐξῆλθον om.
H ‖ 16 ἀνδρός : ἀνθρώπου QRT ‖ 19 post ὅτι add. πάντως QRT hic
l ‖ 22 ἐν μέσῳ αὐτῶν om. H ‖ 23 ἀσχημονοῦντα H ‖ μέλη : μέρη
QT ‖ 26 ἀκαθάρτων om. l ‖ νοήσας : νομίσας Y intelligens l ‖ 29 ἐτέλεσε

était mort. Et moi, sans me soucier de rien, j'entre et lui
prend l'épaule ; mais aussitôt il se décomposa et devint
poussière. Regardant encore, je vois un colobion sus-
pendu. Lui aussi, lorsque je le pris, il se décomposa et
devint rien. Dans ma perplexité, je partis de là et par-
courais le désert. Et je trouvai une autre grotte et des
traces de pas. Encouragé, je m'approchais de la grotte ;
mais lorsque, cette fois encore, je frappai et que personne ne me répondit, j'entrai et ne trouvai personne.
Me tenant à l'extérieur de la grotte, je me dis : « For-
cément, le serviteur de Dieu va venir, où qu'il soit. »

Comme le jour s'achevait, je vois venir des buffles et
le serviteur de Dieu parmi eux, nu et couvrant de sa
chevelure les membres honteux de son corps. Quand il
s'approcha de moi, croyant que j'étais un esprit, il se tint
en prière. En effet, comme il me le dit plus tard, il était
fortement tenté par les esprits impurs. Mais moi, comprenant cela, je lui dis : « Je suis un homme, serviteur
de Dieu ; vois mes traces de pas et touche-moi : je suis
chair et sang. » Une fois achevée la prière avec l'Amen,
il m'observa et, rassuré, me prit dans la grotte et me
demanda : « Comment es-tu venu ici ? » Je lui dis : « Je
suis venu dans ce désert à la recherche des serviteurs
de Dieu, et Dieu ne m'a pas frustré de mon désir. » Et
à mon tour je lui demandai : « Comment toi-même es-tu
venu ici ? Depuis combien de temps ? Comment te nourris-
tu ? Et comment, étant nu, n'as-tu pas besoin de
vêtement ? » Il dit : « J'étais dans un cénobion de Thébaïde, ayant comme travail le tissage du lin. Et une pensée
s'insinua en moi disant : Pars, installe-toi à ton compte,
et tu pourras vivre dans le recueillement, accueillir des
hôtes et obtenir une plus grande récompense à cause de

τὴν εὐχὴν om. H ‖ 31 post εἶπον add. χαριεντιζόμενος H ‖ 40 ἀπὸ
τοῦ πόνου : ὑπὸ τοῦ πόρου H ex eo quod acquisieris l

τοῦ ἔργου σου. Ὡς δὲ συνεθέμην τῷ λογισμῷ ἤδη καὶ
τὸ ἔργον διήνυον. Οἰκοδομήσας γὰρ μοναστήριον εἶχον τοὺς
ἐπιτάσσοντας, πολλὰ δὲ πορίζων τὰ συναγόμενα,
ἠγωνιζόμην πτωχοῖς καὶ ξένοις διανέμειν. Ὁ δὲ ἐχθρὸς
45 ἡμῶν διάβολος φθονήσας ὡς ἀεὶ καὶ τότε τῇ μελλούσῃ
ἀνταποδώσει γίνεται εἰς ἐμὲ ὑπὲρ ὧν ἔσπευδον τοὺς κόπους
μου τῷ Θεῷ ἀναθῆναι. Ἰδὼν γὰρ μίαν παρθένον ἐπιτάξασάν
μοι ἤδη καὶ τοῦτό μου ποιήσαντος καὶ δεδωκότος ὑποβάλλει
αὐτῇ πάλιν ἐπιτάξαι μοι ἄλλα. Ὡς δὲ λοιπὸν συνήθεια
50 ἐγένετο καὶ παρρησία περισσοτέρα τέλος καὶ ἀφὴ χειρῶν
καὶ γέλως καὶ συναλισμός, καὶ λοιπὸν ὠδινήσαντες ἐτέκαμεν
τὴν ἀνομίαν ᶜ. Ὡς οὖν ἔμεινα ἐν τῷ πτώματι μετ' αὐτῆς
μῆνας ἓξ ἐλογισάμην ὅτι κἂν σήμερον κἂν αὔριον κἂν
μετὰ πολλὰ ἔτη θανάτῳ ὑποβληθεὶς τὴν αἰώνιον ὑφέξω
55 δίκην. Εἰ γὰρ γυναῖκά τις ἀνθρώπου διαφθείρας κολάσει
αἰωνίᾳ ὑπὸ τοῦ νόμου ὑποβάλλεται, πόσων τιμωριῶν ἄξιος
ὁ τὴν νύμφην τοῦ Χριστοῦ διαφθείρας. Καὶ οὕτως εἰς τὴν
ἔρημον ταύτην λαθραίως ἀνέδραμον, ἐάσας πάντα τῇ
γυναικί. Καὶ ἐλθὼν ἐνταῦθα εὗρον τὸ σπήλαιον τοῦτο καὶ
60 τὴν πηγὴν ταύτην καὶ τὸν φοίνικα τοῦτον φέροντά μοι
σπαθία δώδεκα φοινίκων· κατὰ μῆνα φέρει ἓν σπαθίον
ὅπερ ἐπαρκεῖ μοι τὰς τριάκοντα ἡμέρας, καὶ μετὰ τοῦτο
ἀκμάζει τὸ ἕτερον. Μετὰ δὲ χρόνον τινὰ ηὔξησαν αἱ τρίχες
μου καὶ φθαρέντων τῶν ἱματίων μου ἐν αὐταῖς τὰ ἀσχήμονα
65 σκέπω τοῦ σώματος μέρη.

Ὡς δὲ πάλιν ἠρώτων αὐτὸν εἰ ἐν ταῖς ἀρχαῖς ἐδυσχέ-
ραινεν ἐκεῖ ἔφη· Ἐν μὲν ταῖς ἀρχαῖς πάνυ ἐθλίβην ὥστε
χαμαὶ κεῖσθαί με ἀπὸ τοῦ ἥπατος καὶ μὴ δύνασθαί με

---

41 τοῦ ἔργου: τῶν χειρῶν QRT ‖ 42 διήνυον *conieci*: διήνουον
codd. ‖ 43 ἐπιτασσ.: διακονοῦντάς με Q ‖ 46 γίνεται: γίνεσθαι QT ‖
46-47 ὑπὲρ – ἀναθῆναι: ὑπὲρ ὃ [ὃν Q] ἔσπευδον ἐναντίων [ἐναντιώθη
μοι Q] QRT ὑπὲρ ὧν μέλλων [festinabam *l*] τοὺς κόπους μου τῷ θεῷ
ἀνατιθέναι H*l* ‖ 47 γὰρ *om.* Y ‖ 48 ποιήσαντος: ποιλίσαντος T ‖
50 χειρὸς QRT ‖ 51 ἐτέκομεν Y ‖ 55 *post* γὰρ *add.* ὁ Q ‖ τις: τινος

la peine de ton travail. Aussitôt consenti à cette pensée, j'en conçus la réalisation. En effet, ayant construit un monastère, j'avais des clients et, acquerrant beaucoup de ressources, je m'efforçais de les distribuer aux pauvres et aux étrangers. Mais notre ennemi le diable, jalousant ici comme toujours la récompense finale, vient contre moi à l'occasion des peines que je m'efforçais d'offrir à Dieu. En effet, voyant qu'une vierge m'avait commandé une pièce que j'avais faite et que je lui avais remise, il lui suggère de m'en commander d'autres. Dès lors une habitude se créa, une plus grande liberté, on en vint au contact des mains, au rire, à être ensemble, et finalement nous conçûmes et enfantâmes l'iniquité[c]. Au bout de six mois que je demeurai dans le péché avec elle, je pensai que, ou aujourd'hui ou demain ou après de longues années, livré à la mort, je subirai une punition éternelle. En effet, si quelqu'un qui a violé la femme d'un autre est astreint par la loi à une peine à perpétuité, combien de châtiments mérite celui qui a violé l'épouse du Christ! Et c'est ainsi que je m'enfuis secrètement dans ce désert, abandonnant tout à la femme. Venant ici, je trouvai cette grotte et cette source et ce palmier qui me fournit douze régimes de dattes : chaque mois, il porte un régime qui me suffit pour les trente jours, et ensuite un autre mûrit. Avec le temps mes cheveux ont poussé, et lorsque mes vêtements furent usés je couvris de ma chevelure les parties honteuses de mon corps.»

Et comme je lui demandais encore si les débuts avaient été difficiles, il me dit : «Au début, j'ai beaucoup souffert du foie, au point de me coucher par terre et de ne

---

QRT ‖ φθείρας QRT ‖ 56 αἰωνίᾳ : καὶ τιμωρίᾳ QRT ‖ 60 ταύτην om. H ‖ τοῦτον om. H ‖ 61 φοινικίων T ‖ 63 τινα : πολὺν H*l* ‖ 65 μέρη : μέλη R ‖ 66 ἠρωτοῦν *sic* Y

c. Cf. Ps 7, 15

ἑστῶτα τὴν σύναξιν ἐπιτελεῖν ἀλλὰ κείμενον χαμαὶ βοᾶν
70 πρὸς τὸν Ὕψιστον. Ὡς δὲ ἤμην ἐν τῷ σπηλαίῳ ἐν ἀθυμίᾳ
πολλῇ καὶ πόνῳ ὥστε με λοιπὸν μηδὲ ἐξιέναι δύνασθαι
θεωρῶ ἄνδρα εἰσελθόντα καὶ πλησίον μου στάντα καὶ
λέγοντά μοι · Τί πάσχεις; Ἐγὼ δὲ παρ' αὐτὰ δυναμωθεὶς
μικρὸν εἶπον · Τὸ ἧπαρ πάσχω. Καὶ εἶπεν μοι · Ποῦ
75 πάσχεις; Ἐγὼ δὲ ἔδειξα αὐτῷ τὸν τόπον. Τοὺς οὖν
δακτύλους τῆς χειρὸς αὐτοῦ εἰς ὀρθὸν συζεύξας διχοτομεῖ
τὸν τόπον ὥσπερ ἐν ξίφει · καὶ ἐκσπάσας τὸ ἧπαρ ἔδειξέ
μοι τὰ τραύματα καὶ τῇ χειρὶ ξέσας ἐν ῥάκκει τὸν ἰχῶρα
ἐξέβαλεν · καὶ πάλιν ἐνθεὶς τὸ ἧπαρ τῇ χειρὶ τὸν τόπον
80 ἀπήλειψε καὶ εἶπέ μοι · Ἰδοὺ ὑγιὴς γέγονας, δούλευε τῷ
δεσπότῃ Χριστῷ ὡς πρέπει. Καὶ ἐκ τότε γέγονα ὑγιὴς
καὶ λοιπὸν ἀκόπως διατρίβω ἐνταῦθα. Πολλὰ δὲ παρεκάλεσα
αὐτὸν ὥστε με διατρῖψαι ἐν τῷ σπηλαίῳ τῷ προτέρῳ,
καὶ εἶπέ μοι μὴ δύνασθαί με ὑπενεγκεῖν τῶν δαιμόνων
85 τὰς ὁρμάς. Κἀγὼ τοῦτο αὐτὸ πεισθεὶς παρεκάλουν
εὐξάμενον ἀπολῦσαί με. Καὶ εὐξάμενος ἀπέλυσέ με. Ταῦτα
διηγησάμην ὑμῖν ὠφελείας χάριν.

16 Ἔλεγε πάλιν ἄλλος γέρων ὃς ἠξιώθη τῆς ἐπισκοπῆς
πόλεως Ὀξυρύγχου ὡς ἑτέρου τινὸς αὐτῷ διηγησαμένου,
ἢν δὲ αὐτὸς ὁ τοῦτο πεποιηκώς · Ἔδοξέ μοι, φησί, ποτε
εἰς τὴν ἔρημον τὴν ἐσωτέραν τὴν κατ' ὄασαν ἔνθα τὸ
5 τῶν Μαζήκων γένος εἰσελθεῖν καὶ ἰδεῖν εἴ που εὕρω τινὰ
τῷ Χριστῷ δουλεύοντα. Καὶ δὴ λαβὼν ὀλίγα παξαμάδια
καὶ ὡς ἡμερῶν τεσσάρων ὕδατος μεταλαμβάνων, τὴν
πορείαν ἐποιούμην. Ὡς δὲ διῆλθον αἱ τέσσαρες ἡμέραι,

---

69 τὴν σύναξιν ἐπιτελεῖν : psalmum dicere *l* ‖ βοᾶν : βοῶν RTH ‖
74 καὶ Y : ὁ δὲ *cett.* ‖ 76 τῆς χειρὸς αὐτοῦ *om.* Y ‖ ζεύξας H ‖ 78 τὸν
ἰχῶρα *correxi* : τὰς χάρας Y τὰς σχάρας QRT τὰς εἰχώρας H scabies
l ‖ 79 ἐντιθεὶς QRTH ‖ 80 ἀπήλειψε : reclusit *l* ‖ 81 ὡς : καθὼς QT ‖
83 προτέρῳ : in interiorem eremum *l* ‖ 86 καὶ – με² *om.* Q ‖ *post*
ταῦτα *add.* οὖν QRT

pouvoir accomplir debout la synaxe mais, prostré à terre, de crier vers le Très-Haut. Et tandis que j'étais dans la grotte dans un profond découragement et une peine tels que je ne pouvais même plus sortir, je vois un homme entrer, se tenir près de moi et me dire : De quoi souffres-tu? Et moi, ainsi un peu réconforté, je dis : Je souffre du foie. Il me dit : Où souffres-tu? Je lui montrai l'endroit. Joignant alors les doigts tendus de sa main, il tranche l'endroit comme avec un poignard; puis, ayant retiré le foie, il me montra les lésions et, les grattant de la main, il jeta le pus dans un linge; replaçant ensuite le foie de sa main, il essuya l'endroit et me dit : Voilà; tu es en bonne santé; sers comme il convient le maître Christ. Et à partir de ce jour je fus en bonne santé, et désormais je vis ici sans peine.» Je lui demandai avec insistance de vivre dans la première caverne, et il me dit que je ne pourrais supporter les attaques des démons. J'en fus convaincu, et je lui demandais de me congédier après avoir prié. Et ayant prié, il me congédia. Je vous ai raconté cela pour votre utilité.»

16   Un autre vieillard qui avait été jugé digne de l'épis-   N 132 B
copat de la ville d'Oxyrhynque, disait aussi, comme si un autre le lui avait raconté bien qu'il s'agisse de lui-même, le fait suivant : «Je décidai un jour de pénétrer dans le désert intérieur, du côté de l'Oasis, là où est le peuple des Maziques, et de voir si je trouverais quelqu'un servant le Christ. Prenant donc quelques petits pains et de l'eau pour environ quatre jours, j'entreprenais le voyage. Lorsque passèrent les quatre jours et que les pro-

    2 ὀξυρίχου Q ‖ post ὡς add. περὶ QRT ‖ αὐτῷ διηγ. : αὐτοῦ διη-
γουμένου Η τοῦτο πεποιηκότος QRT ‖ 3 ἦν – πεποιηκώς om. QT ‖
4 κατ' ὄασαν scripsi : κατώασαν codd. circa oasa l ‖ 5 post εὕρω add.
ἐν αὐτῇ QRT ‖ 6 ὀλίγας παξαμάδας QT ‖ 7 μεταλαμβ. om. RH

τῶν τροφῶν ἀναλωθεισῶν, διηπόρουν τί πράξω. Θαρρήσας
10 οὖν ἐξέδωκα ἐμαυτὸν καὶ ὁδεύσας ἄλλας τέσσαρας ἡμέρας
ἔμεινα ἄσιτος. Τῆς δὲ ἀσιτείας καὶ τοῦ κόπου τῆς ὁδοῦ
τὴν τάσιν μὴ φέροντός μου λοιπὸν εἰς λιποθυμίαν ἦλθον
καὶ δὴ ἐκείμην χαμαί. Ἐλθὼν δέ τις τῷ δακτύλῳ αὐτοῦ
ἥψατο τῶν χειλέων μου καθάπερ ἰατρὸς τῇ μήλῃ τῶν
15 ὀφθαλμῶν παρατρέχων. Εὐθὺς δὲ ἐνεδυναμώθην ὥστε
νομίσαι με μήτε ὁδευκέναι μήτε λιμῶξαι. Ὡς οὖν εἶδον
τὴν δύναμιν ταύτην ἐπελθοῦσάν μοι ἀναστὰς διόδευσα τὴν
ἔρημον. Ὡς δὲ διῆλθον ἄλλαι τέσσαρες ἡμέραι πάλιν
ἠτόνησα· καὶ ἐξέτεινα τὰς χεῖράς μοῦ εἰς τὸν οὐρανόν,
20 καὶ ἰδοὺ ὁ ἀνὴρ ὁ πρότερον ἐνδυναμώσας με πάλιν τῷ
δακτύλῳ αὐτοῦ χρίσας τὰ χείλη μου ἐστερέωσέ με. Διῆλθον
δὲ ἡμέραι δεκαεπτὰ καὶ μετὰ τοῦτο εὑρίσκω καλύβην καὶ
φοίνικα καὶ ὕδωρ καὶ ἄνδρα στήκοντα οὗ αἱ τρίχες τῆς
κεφαλῆς αὐτοῦ ἦσαν ἔνδυμα αὐτῷ πεπολιωμέναι οὖσαι
25 πᾶσαι. Ἦν δὲ φοβερὸς τῇ ὄψει. Ὡς δὲ ἐθεάσατό με ἔστη
εἰς προσευχήν. Καὶ εἰπὼν τὸ ἀμήν, ἔγνω εἶναί με ἄνθρωπον.
Καὶ κρατήσας με τῆς χειρὸς ἔστη πάλιν εἰς προσευχήν,
καὶ ἠρώτα με λέγων· Πῶς ἐνταῦθα παραγέγονας; Καὶ εἰ
ἔτι συνέστηκε τὰ ἐν τῷ κόσμῳ καὶ εἰ ἐπικρατοῦσιν οἱ
30 διωγμοί; Ἐγὼ δὲ εἶπον· Χάριν ὑμῶν τῶν ἐν ἀληθείᾳ
δουλευόντων τῷ δεσπότῃ Χριστῷ ταύτην τὴν ἔρημον
διέρχομαι, τὸ δὲ τοῦ διωγμοῦ πέπαυται διὰ τῆς χάριτος
τοῦ Θεοῦ. Φράσον δέ μοι καὶ αὐτὸς πῶς ἐνταῦθα
παρεγέγονας.

35 Ὁ δὲ ἀποδυρόμενος καὶ κλαίων ἤρξατο λέγειν· Ἐγὼ
ἐπίσκοπος ἐτύγχανον καὶ διωγμοῦ γενομένου πολλῶν
τιμωριῶν προσενεχθεισῶν μοι καὶ μὴ δυνηθεὶς ὑπενεγκεῖν
τοὺς αἰκισμοὺς ὕστερον ἐπέθυσα. Ὡς δὲ ἐν ἐμαυτῷ
ἐγενόμην καὶ ἐπέγνων τὴν ἀνομίαν μου, καὶ ἔδωκα ἐμαυτὸν

9 πράξαι H ‖ 10 post οὖν add. τῷ θεῷ QRT ‖ 12 φέρ. μου : φέρων
R φέροντος τοῦ σώματος H ‖ 13 δὴ ἐκείμην : διεκείμην H ‖ 17 ἐλθοῦσάν
QT ‖ διοδεύσω Y ‖ 23 τρίχαις Q τρίχαι H ‖ 26 εἰπὼν : τελειώσας H ‖
27 καὶ om. Q ‖ ἔστη π. εἰς προς. om. Hl ‖ 28 με om. Y ‖ παραγένου

visions furent épuisées, je ne savais que faire. Avec confiance, je poursuivis et marchai encore quatre jours en demeurant à jeûn. Mais ne supportant plus l'effort demandé par l'absence de nourriture et par la peine du chemin, je perdis connaissance et je gisais par terre. Alors vint quelqu'un qui de son doigt me toucha les lèvres à la manière d'un médecin qui, avec un instrument tranchant, effleure les yeux. Aussitôt je fus rempli de force au point de croire que je n'avais ni marché ni eu faim. Lors donc que je vis cette puissance venir en moi, je me levai et marchai dans le désert. Quatre autres jours passèrent, et je perdis force à nouveau. Alors je tendis les mains vers le ciel, et voici que l'homme qui une première fois m'avait fortifié, à nouveau m'oignit les lèvres de son doigt et me raffermit. Dix-sept jours passèrent, après quoi je trouve une cabane, un palmier et de l'eau, et un homme debout à qui la chevelure, complètement blanchie, servait de vêtement. Son aspect était terrible. Lorsqu'il me vit, il se tint en prière. Et après avoir dit Amen, il sut que j'étais un homme. Il me prit la main, à nouveau se tint en prière puis me demandait : «Comment es-tu parvenu ici? Est-ce que les affaires du monde tiennent encore? Les persécutions durent-elles?» Je dis : «C'est à cause de vous qui en vérité servez le maître Christ que j'ai traversé ce désert. Quant à la persécution, elle est finie par la grâce de Dieu. Mais dis-moi à ton tour comment tu es venu ici.»

En se lamentant et en pleurant il se mit à dire : «Moi, j'étais évêque et, pendant la persécution, comme on m'infligea beaucoup de supplices, je ne pus en supporter la violence et je finis par sacrifier. Lorsque je revins à moi et que je reconnus ma faute, je me condamnai à mourir

40 ἀποθανεῖν ἐν τῇ ἐρήμῳ ταύτῃ. Καί εἰμι διάγων ἐνταῦθα
ἔτη τεσσαράκοντα ἐννέα ἐξομολογούμενος καὶ παρακαλῶν
τὸν Θεόν, εἴ πως ἀφεθῇ μοι ἡ ἁμαρτία μου. Καὶ τὴν
μὲν τροφὴν παρέχει μοι ὁ Κύριος ἐκ τοῦ φοίνικος τούτου.
Παράκλησιν δὲ τῆς συγχωρήσεως οὐκ ἔλαβον ἕως ἐτῶν
45 τεσσαράκοντα ὀκτώ · ἐν δὲ τῷ ἐνιαυτῷ τούτῳ παρεκλήθην.
Ὡς δὲ ταῦτα ἔλεγεν ἄφνω ἀναστὰς δρομαίως ἔξω ἔστη
εἰς προσευχὴν ἐπὶ πολλὰς ὥρας. Ὡς δὲ ἐτέλεσε τὴν εὐχὴν
ἦλθε πρός με · θεωρήσας δὲ τὸ πρόσωπον αὐτοῦ εἰς
ἔκπληξιν ἦλθον καὶ δειλίαν. Ἦν γὰρ γενόμενος ὡς πῦρ.
50 Καὶ λέγει μοι · Μὴ φοβοῦ, ὁ γὰρ Κύριος ἀπέσταλκέ σε
ἵνα κηδεύσῃς μου τὸ σῶμα καὶ θάψῃς. Ὡς δὲ ἐτέλεσε
λέγων εὐθὺς ἐκτείνας τὰς χεῖρας καὶ τοὺς πόδας τέλος
ἔσχε τοῦ βίου. Παραλύσας δὲ ἐγὼ τὸν λεβίτονά μου τὸ
ἥμισυ ἑαυτῷ ἐάσας καὶ τὸ ἥμισυ περιπτύξας αὐτοῦ τὸ
55 σῶμα τὸ ἅγιον, ἀπέκρυψα αὐτὸ ἐν τῇ γῇ. Ὡς δὲ ἔθαψα
αὐτὸν εὐθέως ὁ φοῖνιξ ἐξηράνθη καὶ ἡ καλύβη ἔπεσεν.
Ἐγὼ δὲ πολλὰ ἔκλαυσα δεόμενος τοῦ Θεοῦ εἴ πως
παράσχει μοι τὸν φοίνικα καὶ διατελέσω ἐν τῷ τόπῳ
ἐκείνῳ τὸν ἐπίλοιπόν μου χρόνον. Τούτου δὲ μὴ γενομένου
60 εἶπον ἐν ἑαυτῷ μὴ εἶναι θέλημα Θεοῦ τοῦ εἶναί με ἐκεῖ.
Καὶ ποιήσας εὐχὴν πάλιν ὥρμων ἐπὶ τὴν οἰκουμένην. Καὶ
ἰδοὺ ὁ ἄνθρωπος ὁ χρίσας τὰ χείλη μου ἦλθε καὶ
ἐνεδυνάμωσέ με, καὶ οὕτως ἔφθασα ἐλθεῖν πρὸς τοὺς
ἀδελφοὺς καὶ διηγησάμην αὐτοῖς πάντα, καὶ παρεκάλουν
65 μὴ ἀπελπίζειν ἑαυτῶν ἀλλὰ τῇ ὑπομονῇ εὑρίσκειν τὸν
Θεόν.

17   Frater quidam interrogauit senem dicens : Nomen est
quod saluat, aut opus ? Respondit ei senex : Opus. Et ait
senex : Scio enim fratrem orantem aliquando, et statim

---

40 εἰς τὴν ἔρημον ταύτην QRT ‖ 43 τροφὴν : ζωὴν H ‖ κύριος Yl :
θεὸς cett. ‖ 47 τὴν εὐχὴν : εὐχόμενος H ‖ 49 γενάμενος H γεγονὼς
QRT ‖ 51 καὶ θάψῃς om. QRTH ‖ 54 ἑαυτῷ – ἥμισυ² om. QR ‖ καὶ

dans ce désert. Et je vis ici depuis quarante-neuf ans confessant ma faute et suppliant Dieu qu'elle soit effacée. Le Seigneur me fournit ma nourriture avec ce palmier. Mais ma demande de pardon n'a pas été exaucée pendant quarante-huit ans : c'est cette année que j'ai été exaucé.» Cela dit, il se leva subitement, sortit en courant et se tint en prière pendant de longues heures. Ayant achevé la prière, il vint vers moi. Voyant son visage, je fus dans la stupéfaction et la crainte, car il était devenu comme du feu. Et il me dit : «N'aie pas peur, car le Seigneur t'a envoyé pour ensevelir mon corps et l'enterrer.» Lorsqu'il acheva de parler, étendant aussitôt ses mains et ses pieds, il termina sa vie. Et moi, retirant mon lébiton, j'en gardai la moitié pour moi et de l'autre moitié j'enveloppai son corps saint et le cachai dans la terre. Aussitôt que je l'eus enterré, le palmier se dessécha et la cabane s'écroula. Quant à moi, je demandai à Dieu avec beaucoup de larmes qu'il me donne ce palmier et que je passe en ce lieu le restant de mes jours. Comme cela ne se produisait pas, je me dis que ce n'était pas la volonté de Dieu que je sois ici. Et après une prière, je repartais vers le monde habité. Et voici que l'homme qui m'avait oint les lèvres vint me remplir de force. Ainsi je parvins chez les frères et leur racontai tout, les exhortant à ne pas désespérer d'eux-mêmes mais, par l'endurance, à trouver Dieu.»

17   Un frère interrogea un vieillard en disant : «Est-ce le   N 491
nom qui sauve ou l'œuvre?» Le vieillard lui répondit : «C'est l'œuvre.» Et le vieillard dit : «Je connais, en effet, un frère dont, lorsqu'il priait, la prière était aussitôt

τὸ : τὸ δὲ ἕτερον Τ ‖ 55 ἐν om. YH ‖ 60 τοῦ – ἐκεῖ om. l ‖ 61 ὥρμων : ὅρμησα QTH ‖ 63 post με add. ὁ πρώην ὠφθείς μοι Y ὀφθείς μοι H ‖ 64 διηγησάμενος R ‖ πάντα om. H ‖ καὶ² om. QRT ‖ παρακαλῶν QT
17 l

audiebatur oratio eius. Subintrauit autem in animo eius
5 cogitatus, uelle uidere animam peccatoris et iusti, quomodo
substrahitur a corpore. Et nolens Deus constristare eum
in desideriis eius, dum sederet in cella sua, ingressus est
lupus ad eum, et tenens ore suo uestimenta ipsius fratris,
trahebat eum foras. Surgens autem frater sequebatur eum :
10 lupus autem duxit eum usque ad aliquam ciuitatem, et
dimittens fratrem illum, recessit. Cum uero sederet foras
ciuitatem in monasterio, in quo erat quidam habitans, qui
habebat nomen quasi magni solitarii, ipse uero solitarius
infirmus erat, exspectans horam mortis suae. Frater ille
15 qui ibidem uenerat, uidebat multam praeparationem fieri
cereorum et lampadarum propter solitarium illum, tanquam
per ipsum Deus panem et aquam inhabitantibus ciuitatem
illam praestaret atque saluaret eos, et dicebant : Si hic
finierit, simul omnes moriemur. Facta autem exitus eius
20 hora, uidit frater ille tartaricum inferni descendentem super
solitarium illum, habentem tridentem igneum, et audiuit
uocem dicentem : Sicut anima ista non me fecit quiescere,
neque una hora in se, sic neque tu miserearis eius euellens
eam. Deponens igitur tartaricus ille quem tenebat tridentem
25 igneum in cor solitarii illius, per multas horas torquens
eum, abstraxit animam eius.

Posthaec autem ingressus frater ille in ciuitatem, inuenit
hominem peregrinum iacentem in platea aegrotum, non
habentem qui ei curam adhiberet; et mansit cum eo die
30 una. Et cum uenisset hora dormitionis eius, conspicit frater
ille Michaelem et Gabrielem descendentes propter animam
eius. Et sedens unus a dextris et alius a sinistris eius,
rogabant animam eius, ut egrederetur foras; et non exibat,
quasi nolens relinquere corpus suum. Dixit autem Gabriel
35 ad Michaelem : Assume iam animam istam ut eamus. Cui
Michael respondit : Iussi sumus a Domino, ut sine dolore
eiiciatur, ideoque non possumus cum ui euellere eam.
Exclamauit ergo Michael uoce magna dicens : Domine,

entendue. Or lui vint dans l'esprit la pensée de voir comment l'âme du pécheur et celle du juste sont séparées du corps. Et comme Dieu ne voulait pas le contrister dans ses désirs, une fois qu'il était assis dans sa cellule, un loup est entré et, prenant le vêtement du frère dans sa gueule, l'attirait dehors. Le frère se lève et le suivait; et le loup le conduisit jusqu'à une ville où il le laissa et se retira. Tandis qu'il demeurait à l'extérieur de la ville dans un monastère où habitait quelqu'un renommé comme grand solitaire, ce solitaire était malade, attendant l'heure de sa mort. Et le frère qui était venu là voyait que l'on préparait beaucoup de cierges et de lampes à cause de ce solitaire, parce que par lui Dieu procurait le pain et l'eau aux habitants de cette cité et les sauvait; et ils disaient : «S'il meurt, nous mourrons tous avec lui.» Lorsque arriva l'heure de sa mort, ce frère vit un habitant de l'enfer descendre sur le solitaire avec un trident enflammé et il entendit une voix dire : «De même que cette âme ne m'a pas laissé en repos, pas même une heure, en elle, toi non plus n'en aie pas pitié en la séparant.» Cet être infernal introduisit donc le trident enflammé qu'il tenait dans le cœur du solitaire, le torturant de longues heures, et retira son âme.

Entrant ensuite dans la ville, le frère rencontra un étranger gisant malade sur la place, sans personne pour prendre soin de lui; et il demeura avec lui un jour entier. Et lorsque vint l'heure de sa mort, le frère vit Michel et Gabriel qui descendaient à cause de son âme. Assis l'un à sa droite et l'autre à sa gauche, ils demandaient à son âme de sortir dehors; et elle ne sortait pas, comme si elle ne voulait pas abandonner son corps. Gabriel dit à Michel : «Maintenant, prends cette âme, que nous partions.» Michel répondit : «Nous avons reçu l'ordre du Seigneur de la faire sortir sans douleur, aussi ne pouvons-nous pas l'arracher de force.» Alors Michel s'écria à haute

quid uis de anima hac, quia non acquiescet nobis, ut
40 egrediatur? Venit autem ei uox : Ecce mitto Dauid cum
cithara, et omnes Deo psallentes in Ierusalem, ut audiens
psalmum ad uocem ipsorum egrediatur. Cumque descen-
dissent omnes in circuitu animae illius cantantes hymnos,
sic exiens anima illa sedit in manibus Michael, et assumpta
45 est cum gaudio.

18   Cf. *supra* XVIII, 51.

19   Dixerunt Patres, fuisse quemdam Macarium, qui Scythi
primus monasterium fecit. Est enim locus ipse eremi longe
a Nitria, habens interuallum itineris die noctuque. Est
autem et grande periculum euntibus ibidem; si enim
5 modicum quis errauerit, uagatur pereclitans per eremum.
Sunt autem illic omnes perfecti uiri, nec aliquis imperfectus
potest in eodem loco tam feroci perdurare, quia omnino
aridus est, absque ulla consolatione eorum quae necessaria
sunt. Hic igitur praedictus uir Macarius, cum esset homo
10 de ciuitate, coniunctus est aliquando illi Macario maiori.
Et cum uenissent ad transfretandum Nilum fluuium, contigit
eos ingredi in naui maiore, in qua tribuni duo quidam
cum multa intrauerant extollentia, habentes intus rhedam
totam aeream, et equos quibus freni aurei erant, et obse-
15 cundantes quosdam milites, et pueros torque utentes,
atque aliquos aureos habentes cingulos. Videntes ergo
tribuni illi hos duos monachos ueteres pannos indutos,
et in angulo sedentes, beatificabant exiguitatem ipsorum.
Unus uero ex tribunis illis ait ad eos : Beati estis uos,
20 qui mundo huic illusistis. Respondens autem ille urbanus

18 *l*
19 *l*

---

1. Ce récit étrange est rapporté ici par la seule version latine; on le retrouve en grec dans la section VII, tardive et composite, de la série des anonymes (N 491). Il a été repris par Cyrille de Scythopolis, *Vie*

voix : «Seigneur, que veux-tu pour cette âme, car elle ne consent pas à sortir?» Et une voix vint lui dire : «Voici que j'envoie David avec une cithare et tous ceux qui psalmodient pour Dieu à Jérusalem, afin qu'entendant le psaume elle sorte à leur voix.» Et lorsque tous furent descendus autour de cette âme en chantant des hymnes, alors elle sortit, s'assit dans les mains de Michel et fut emportée dans la joie[1].»

18[2]

19   Les pères disaient qu'il y eut un certain Macaire qui le premier établit un monastère à Scété. Car cet endroit du désert est loin de Nitrie, éloigné d'un jour et d'une nuit de chemin, et ceux qui s'y rendent sont en grand danger : en effet, que l'on dévie un petit peu et l'on erre à l'aventure dans le désert. Il n'y a là que des hommes parfaits ; un imparfait ne peut demeurer dans un lieu si rude, car il est très aride, dépourvu de tout le nécessaire. Or ce Macaire en question, bien qu'il soit de la ville, se joignit une fois à Macaire le Grand. Et comme ils arrivaient au Nil pour le traverser, ils montèrent sur un grand bateau dans lequel deux tribuns avaient pris place avec beaucoup d'arrogance, ayant avec eux un char tout entier de bronze, des chevaux dont les mors étaient en or, quelques soldats les accompagnant et des esclaves portant des colliers et des ceintures dorées. Et comme les tribuns voyaient ces deux moines revêtus de vieilles fripes et assis dans un coin, ils béatifiaient leur pauvreté. Et l'un d'eux leur dit : «Bienheureux êtes-vous, qui vous moquez de ce monde!» Macaire le Citadin lui répondit :

Hist. Mon.
30

d'*Euthyme* 24 (éd. E. Schwartz, *Kyrillos von Skythopolis*, TU 49-2, Leipzig 1939, p. 37).

2. La version latine rapporte ici un récit que seul le ms H donnait déjà en XVIII, 51 (*supra*, p. 132-134). Comme le précédent, il se retrouve dans la section VII de la série des anonymes.

Macarius, dixit ad eos : Nos quidem mundo isti illusimus, uobis autem mundus hic illusit. Scito tamen quia non uolens hoc dixisti; utrique enim beati dicimur, id est Macarii; At ille tribunus compunctus in uerbo eius, ²⁵ regressus domum, exspoliauit se uestimenta sua, et coepit esse monachus, faciens eleemosynas multas.

20   Cf. *supra* III, 19.

21   Εὐχομένου τινὸς γέροντος ἐν τῷ κελλίῳ ἑαυτοῦ ἦλθεν αὐτῷ φωνὴ λέγουσα · Οὔπω ἔφθασας εἰς τὸ μέτρον τῶν δύο γυναικῶν τῆσδε τῆς πόλεως. Ἀναστὰς δὲ τῷ πρωὶ ὁ γέρων καὶ λαβὼν τὴν ῥάβδον ἤρξατο τὴν ὁδὸν ποιεῖν
⁵ ἐπὶ τὴν πόλιν. Φθάσας οὖν ἐν αὐτῇ καὶ μαθὼν τὸν τόπον ἔκρουσε τὴν θύραν. Ἐξελθοῦσα δὲ ἡ μία ἐδέξατο αὐτὸν εἰς τὸν οἶκον αὐτῆς. Καθεζομένου δὲ αὐτοῦ ἐκάλεσεν αὐτάς. Αἱ δὲ ἐλθοῦσαι ἐκαθέσθησαν ἔγγιστα αὐτοῦ. Λέγει οὖν πρὸς αὐτὰς ὁ γέρων · Δι' ὑμᾶς τὸν τοσοῦτον κάματον
¹⁰ ὑπέμεινα, εἴπατε οὖν μοι τὴν ἐργασίαν ὑμῶν πῶς ἐστιν. Λέγουσιν αὐτῷ · Πίστευσον ἡμῖν, ἀββᾶ, ὅτι οὐκ ἐσμὲν ἐκτὸς τῆς κοίτης τῶν ἀνδρῶν ἡμῶν μίαν νύκτα · πῶς οὖν ἐργασίαν δυνάμεθα ἔχειν; Μετανοήσας δὲ ὁ γέρων παρεκάλει αὐτὰς φανερῶσαι αὐτῷ τὴν ἐργασίαν αὐτῶν.
¹⁵ Τότε λέγουσιν αὐτῷ · Ἡμεῖς κατὰ τὸν κόσμον ξέναι ἐσμὲν ἀλλήλων · ἔδοξε δὲ ἡμῖν προσομιλῆσαι γάμῳ δύο ἀδελφοῖς κατὰ σάρκα. Δεκαπέντε ἔτη οἰκοῦμεν σήμερον ἐν τῇ οἰκίᾳ ταύτῃ αἱ δύο. Οὐκ οἴδαμεν εἴποτε ἐμαχησάμεθα πρὸς

1 τινὸς γέρ. : eodem abbate macario *l* ‖ 2 *post* λέγουσα *add.* macari *l* ‖ 4 ῥάβδον : uirgam suam palmeam *l* ‖ 12 μίαν νύκτα : hac nocte *l*

«Nous, nous nous moquons de ce monde; mais de vous ce monde se moque. Sache cependant que tu as dit cela sans le vouloir : tous deux, en effet, nous nous appelons «bienheureux», c'est-à-dire Macaire.» Touché de cette parole, ce tribun rentra chez lui, se dépouilla de ses vêtements et entreprit d'être moine, faisant beaucoup d'aumônes[1].

20[2]   Mac 38

21   Tandis qu'un vieillard priait dans sa cellule, une voix   N 489
vint lui dire : «Tu n'as pas encore atteint la mesure des deux femmes qui sont dans telle ville.» Se levant de bon matin, le vieillard prit un lébiton et commença à faire route pour la ville. Quand il y fut parvenu et qu'il sut l'endroit, il frappa à la porte. L'une des femmes sortit et l'accueillit dans sa maison. Il s'assit et les appela. Elles vinrent et s'assirent auprès de lui. Alors le vieillard leur dit : «C'est à cause de vous que j'ai enduré toute cette peine; dites-moi donc quelle est votre pratique.» Elles lui disent : «Crois-nous, abba, nous ne quittons pas une seule nuit la couche de nos maris; aussi quelle pratique pouvons-nous avoir?» Mais le vieillard, après une métanie, leur demandait de lui manifester leur pratique. Alors elles lui disent : «Nous, selon le monde, nous sommes étrangères l'une à l'autre; mais nous avons décidé d'épouser deux frères selon la chair. Voici quinze ans aujourd'hui que nous habitons toutes deux dans cette maison, et nous n'avons pas conscience de nous être chamaillées

---

1. Reprise par la seule version latine de *Hist. Mon.*, texte latin, 29 (*PL* 21, 453 C et 455 BC), ou texte grec 23 (Festugière, p. 130-131).
2. La version latine donne ici un récit sur Macaire (*Alph.* Macaire 38) que la plupart des manuscrits grecs contiennent en III, 19 (cf. *supra*, *SC* 387, p. 158-160). On notera que ce curieux récit est repris, au ixe siècle, par une aristocrate de la société carolingienne : DHUODA, *Manuel pour mon fils* VIII, 13 (éd. P. Riché, *SC* 225 bis, p. 316).

ἀλλήλας ἢ αἰσχρὸν ῥῆμα εἴπωμεν πρὸς ἑαυτάς, ἀλλ' ἐν
20 εἰρήνῃ διάγομεν καὶ ὁμονοίᾳ ὅλον τὸν καιρὸν τοῦτον.
Παρεισῆλθε δὲ τῷ λογισμῷ ἡμῶν εἰσελθεῖν εἰς τὸ τῶν
παρθένων σχῆμα, καὶ παρακληθέντες οἱ ἄνδρες ἡμῶν οὐκ
ἐπείσθησαν ἡμῖν εἰς τοῦτο. Ἀποτυχοῦσαι δὲ τοῦ σκοποῦ
τούτου διεθέμεθα αἱ δύο διαθήκην τοιαύτην μεταξὺ ἡμῶν
25 καὶ τοῦ Θεοῦ ὥστε ἕως θανάτου μὴ λαλῆσαι λόγον
κοσμικόν. Ἀκούσας δὲ ὁ γέρων εἶπεν · Ἐπ' ἀληθείας οὐκ
ἔστι παρθένος ἢ ὕπανδρος ἢ μοναχὸς ἢ κοσμικός · ἀλλ'
ὁ Θεὸς τοῖς τοιούτοις τῇ προαιρήσει τὸ Πνεῦμα δίδωσιν.

22   Εἶπε γέρων ὅτι ἦν τις γέρων καθεζόμενος ἐν τῇ ἐρήμῳ
πολλοῖς ἔτεσι δουλεύων τῷ Θεῷ, καὶ ἤρξατο παρακαλεῖν
τὸν Θεὸν λέγων · Κύριε, πληροφόρησόν με εἰ εὐηρέστησά
σοι. Καὶ ὁρᾷ ἄγγελον λέγοντα αὐτῷ · Οὔπω ἐγένου κατὰ
5 τὸν λαχανᾶν τὸν ἐν τῷδε τῷ τόπῳ. Ὁ δὲ γέρων θαυμάσας
εἶπεν ἐν ἑαυτῷ · Ἀπέρχομαι εἰς τὴν πόλιν ἰδεῖν αὐτόν ·
τί ἄρα ἐστιν ὃ ἠργάσατο ὥστε ὑπερβῆναι τὴν ἐργασίαν
καὶ τὸν πόνον τῶν τοσούτων μου ἐτῶν; Ἀπῆλθεν οὖν ὁ
γέρων καὶ ἦλθεν εἰς τὸν τόπον ὅπου ἤκουσε παρὰ τοῦ
10 ἀγγέλου, καὶ εὗρε τὸν ἄνθρωπον καθεζόμενον καὶ πωλοῦντα
τὰ λάχανα. Καὶ ἐκαθέσθη μετ' αὐτοῦ τὸ ἐπίλοιπον τῆς
ἡμέρας. Καὶ ὡς κατέλυσεν ὁ ἄνθρωπος λέγει αὐτῷ ὁ
γέρων · Δύνῃ, ἄδελφε, ὑποδέξασθαί με ἐν τῷ κελλίῳ σου
τὴν νύκτα ταύτην; Περιχαρὴς γενάμενος ὁ ἄνθρωπος
15 ὑπεδέξατο αὐτόν. Ἀνελθὼν οὖν ἐν τῷ κελλίῳ, καὶ τοῦ
ἀνθρώπου εὐτρεπίσαντος τὰ πρὸς τὴν χρείαν καὶ ἀνάπαυσιν
τοῦ γέροντος, λέγει αὐτῷ ὁ γέρων · Ποίησον ἀγάπην,
ἄδελφε, καὶ εἰπέ μοι τὴν πολιτείαν σου. Τοῦ δὲ ἀνθρώπου
μὴ βουλομένου ἐξειπεῖν, ὡς ἐπὶ πολὺ ὁ γέρων ἐνέμενε
20 παρακαλῶν, δυσωπηθεὶς ὁ ἄνθρωπος εἶπεν · Ὅτι κατ' ὀψὲ
ἐσθίω τὸ δι' ὅλου, καὶ ὡς καταλύω τὸ τῆς τροφῆς μου

---

22 σχῆμα : monasterium *l* ‖ 26 ὁ γέρων : abbas macarius *l* ‖ 28 δίδωσιν
suppleui : praestat *l*
22 H

ou de nous être dit une parole grossière, mais nous passons tout ce temps dans la paix et la concorde. Nous avons bien pensé à entrer dans un monastère de vierges mais, l'ayant demandé à nos maris, ils n'y consentirent point. Ayant échoué dans ce projet, nous avons conclu toutes deux ce pacte entre nous et Dieu de ne pas prononcer une parole séculière jusqu'à notre mort.» Entendant cela, le vieillard dit : «En vérité, il ne s'agit pas d'être vierge ou mariée, moine ou séculier; mais Dieu donne son Esprit à ceux qui par leurs choix ressemblent à ces femmes.»

22   Un vieillard dit qu'il y avait un vieillard au désert, qui servait Dieu depuis de longues années et qui se mit à supplier Dieu disant : «Seigneur, montre-moi si je t'ai plu.» Et il voit un ange qui lui dit : «Tu n'es pas encore comme ce jardinier qui est à tel endroit.» Étonné, le vieillard se dit : «Je vais à la ville pour le voir; qu'a-t-il donc fait pour dépasser ma pratique et ma peine de toutes ces années?» Le vieillard partit donc, et il arriva au lieu dont l'ange lui avait parlé et trouva l'homme assis à vendre des légumes; il s'assit à côté de lui tout le reste du jour. Lorsque l'homme s'en alla, le vieillard lui dit : «Frère, peux-tu me recevoir cette nuit dans ta cellule?» L'homme l'accueillit avec grande joie. Il monta donc à la cellule et, tandis que l'autre préparait ce qu'il fallait pour le besoin et le repos du vieillard, celui-ci lui dit : «Fais-moi la charité, frère, de me dire ta façon de vivre.» L'autre ne voulait pas parler mais, comme le vieillard restait longtemps à le supplier, décontenancé il dit : «Je mange seulement le soir; et lorsque je termine ma journée, j'emporte seulement ce qu'il me faut pour

10 πουλοῦντα H ‖ 13 δύνῃ *correxi* : δύνει H

μόνον ἐπαίρω καὶ τὸ λοιπὸν παρέχω τοῖς δεομένοις, καὶ
ἐάν τινα τῶν δούλων τοῦ Θεοῦ ὑποδέξωμαι αὐτοῖς ἀναλίσκω
αὐτό · καὶ ὡς ἀνίσταμαι τῷ πρωῒ πρὶν καθίσω εἰς τὸ
25 ἐργόχειρόν μου λέγω ὅτι ἡ πόλις αὕτη ἀπὸ μικροῦ ἕως
μεγάλου εἰσέρχονται εἰς τὴν βασιλείαν τοῦ Θεοῦ διὰ τὰς
δικαιοσύνας αὐτῶν, κἀγὼ μόνος κληρονομῶ τὴν κόλασιν
διὰ τὰς ἁμαρτίας μου. Καὶ πάλιν ὀψέ, πρὶν κοιμηθῆναί
με λέγω τὸν αὐτὸν λόγον.
30 Ἀκούσας δὲ ὁ γέρων εἶπε · Καλὴ μὲν ἡ ἐργασία αὕτη,
οὐ καταξίαν δὲ τοῦ ὑπερβαλεῖν τοὺς πόνους τῶν τοσούτων
μου ἐτῶν. Μελλόντων δὲ αὐτῶν γεύσασθαι ἀκούει ὁ γέρων
τινῶν ᾀσμάτα λεγόντων. Ἦν γὰρ τὸ κελλίον τοῦ λαχανᾶ
ἐν ἐπισήμῳ τόπῳ. Λέγει οὖν αὐτῷ ὁ γέρων · Ἀδελφε,
35 οὕτως βουλόμενος κατὰ Θεὸν ζῆν πῶς μένεις ἐν τῷ τόπῳ
τούτῳ; Ἄρτι οὐ ταράσσῃ ὅτε ἀκούεις τῶν λεγόντων τὰ
ᾄσματα ταῦτα; Λέγει ὁ ἄνθρωπος · Λέγω σοι, ἀββᾶ,
οὐδέποτε ἐταράχθην οὐδὲ ἐσκανδαλίσθην. Ἀκούσας δὲ
ταῦτα ὁ γέρων λέγει · Τί οὖν λογίζῃ ἐν τῇ καρδίᾳ σου
40 ὅταν ταῦτα ἀκούῃς; Λέγει καὶ αὐτός · Λογίζομαι ὅτι
πάντες εἰς τὴν βασιλείαν ἀπέρχονται. Ἀκούσας δὲ ὁ γέρων
ἐθαύμασε καὶ εἶπεν ὅτι · Αὕτη ἐστὶν ἡ ἐργασία ἡ ὑπερβᾶσα
τὸν κόπον τῶν τοσούτων μου ἐτῶν. Καὶ βαλὼν μετάνοιαν
εἶπεν · Συγχώρησόν μοι, ἀδελφε, οὔπω ἔφθασα εἰς τὸ
45 μέτρον τοῦτο. Μὴ γευσάμενος ἀνεχώρησεν πάλιν εἰς τὴν
ἔρημον.

23　　Dicebant Patres de aliquo sene magno, quia cum
ambularet in eremo, uidit duos angelos comitantes secum,
unum a dextris, et alium a sinistris suis. Dum uero
ambularent, inuenerunt cadauer in uia iacens. Et cooperiit
5 ille senex nares suas propter fetorem : fecerunt autem et
angeli similiter. Et profecti pusillum, dixit senex : Et uos
hoc odorastis? Qui dixerunt ei : Nequaquam, sed propter

28 καὶ πάλιν ὀψέ bis rep. H ‖ 33 ᾄσματα correxi (cf. N 67) ᾀσμάτων
H ‖ 40 ἀκούεις H

ma nourriture; le reste, je le donne aux nécessiteux. Et
si je reçois un des serviteurs de Dieu, je le dépense pour
lui. Et lorsque je me lève le matin, avant de m'installer
à mon travail je dis que cette ville, du plus petit au plus
grand, va entrer dans le royaume de Dieu à cause de
ses actes de justice et que moi seul j'hériterai du châtiment à cause de mes fautes. Et encore le soir, avant
de me coucher, je me tiens le même discours.»

Entendant cela, le vieillard dit : «Cette pratique est
bonne, pourtant elle ne mérite pas de surpasser mes
peines de tant d'années.» Comme ils allaient manger, le
vieillard entend des gens qui chantaient des chansons.
La cellule du jardinier était en effet dans un lieu fré-
quenté. Alors le vieillard lui dit : «Frère, voulant ainsi
vivre selon Dieu, comment demeures-tu en ce lieu? N'es-
tu pas dérangé d'entendre chanter ces chansons?
«L'homme dit : «Je t'assure, abba, je n'ai jamais été
dérangé ni scandalisé.» Entendant cela, le vieillard dit :
«Que penses-tu donc en ton cœur lorsque tu entends
ces chansons?» L'autre dit : «Je pense que tous vont au
royaume.» A ces mots, le vieillard fut dans l'admiration
et dit : «Voilà la pratique qui dépasse la peine de toutes
mes années.» Et faisant la métanie, il dit : «Pardonne-
moi, frère, je ne suis pas encore parvenu à cette mesure.»
Et sans avoir mangé, il repartit pour le désert.

3   Les pères disaient d'un grand vieillard que, alors qu'il   N 19
marchait dans le désert, il vit deux anges l'escortant, l'un
à droite et l'autre à gauche. Comme ils marchaient, ils
trouvèrent un cadavre gisant sur le chemin. Le vieillard
se boucha les narines à cause de l'odeur; et les anges
firent de même. Et parvenus un peu plus loin, le vieillard
dit : «Vous aussi, vous sentez cette odeur?» Ils lui dirent :
«Pas du tout, mais c'est à cause de toi que nous aussi

196 APOPHTEGMES DES PÈRES

te cooperuimus et nos; nam immunditiam mundi huius
non odoramus nos, neque appropiat nobis; sed animas,
10 quae fetorem peccatorum habent, ipsarum odorem nos
odoramus.

24   Διηγήσατό τις τῶν πατέρων λέγων ὅτι χώρας τινὸς
ἐτελεύτησεν ὁ ἐπίσκοπος, καὶ ἔρχονται οἱ ἐγχώριοι εἰς τὴν
μητρόπολιν πρὸς τὸν ἀρχιεπίσκοπον αἰτοῦντες ἵνα
χειροτονήσῃ αὐτοῖς ἐπίσκοπον ἀντὶ τοῦ τελευτήσαντος
5 ἐπισκόπου. Καὶ εἶπεν αὐτοῖς ὁ ἀρχιεπίσκοπος · Δότε μοι
ὃν οἴδατε ὅτι δόκιμός ἐστι τοῦ ποιμαίνειν τὸ ποίμνιον τοῦ
Χριστοῦ, κἀγὼ χειροτονῶ ὑμῖν αὐτὸν ἐπίσκοπον. Οἱ δὲ
εἶπον · Ἡμεῖς τινα οὐκ ἐπιστάμεθα, εἰ μὴ ὃν ὁ ἄγγελός
σου παράσχῃ ἡμῖν. Καὶ εἶπεν αὐτοῖς ὁ ἀρχιεπίσκοπος ·
10 Πάντες ὧδε ἐστέ; Καὶ εἶπον · Οὔ. Ὁ δὲ εἶπεν αὐτοῖς ·
Ἀπέλθατε καὶ συναθροίσθητε πάντες καὶ οὕτως ἔλθετε
πρός με ἵνα ἐκ συμφώνου πάντων ὑμῶν γένηται ὁ
ψηφιζόμενος ὑμῖν ἐπίσκοπος. Οἱ δὲ ἀπελθόντες συνήχθησαν
πάντες καὶ ἦλθον δεόμενοι χειροτονηθῆναι αὐτοῖς τὸν
15 ἐπίσκοπον. Καὶ εἶπεν αὐτοῖς · Εἴπατέ μοι εἰς ὃν
πληροφορεῖσθε. Οἱ δὲ εἶπον · Ἡμεῖς τινα οὐκ ἐπιστάμεθα
εἰ μὴ ὃν ὁ ἄγγελός σου χαρίσηται ἡμῖν. Καὶ εἶπεν αὐτοῖς ·
Πάντες ὧδε ἐστέ; Οἱ δὲ εἶπον · Πάντες ὧδε ἐσμέν. Καὶ
πάλιν εἶπεν · Οὐδεὶς ὑμῶν ὑπολέλειπται ἔξω; Καὶ εἶπον ·
20 Οὐδεὶς ἡμῶν παραλέλειπται εἰ μὴ ὁ κατέχων τὸν ὄνον
τοῦ πρωτεύοντος ἡμῶν. Λέγει αὐτοῖς ὁ ἀρχιεπίσκοπος ·
Πληροφορεῖσθε ἐὰν δῶ ὑμῖν εἰς ὃν ἐγὼ πληροφοροῦμαι;
Καὶ εἶπον πάντες · Πληροφορούμεθα καὶ δεόμεθα τῶν ἰχνῶν
τῆς ἁγιοσύνης σου ἵνα εἰς ὃν πληροφορήσει σε ὁ Θεὸς

24 YRTHZ
2-3 εἰς – ἀρχιεπ. : πρὸς τὸν μητροπολίτην RT ‖ 4 ἀντὶ τοῦ τελ. om.
H ‖ 5 ἐπισκόπου om. RTH ‖ 6 ποιμαίνειν : ποιμέναι Y ‖ 7 ἐπίσκοπον
om. H ‖ 8 ὃν add. supra lin. Y om. RT ‖ 10 εἶπον : εἶπαν Y ‖ 11 ἔλθατε
Y ‖ 13 ὑμῖν om. RT ‖ 14 post δεόμενοι add. τοῦ RTH ‖ 16 post πληροφ.
add. καὶ χειροτονῶ ὑμῖν αὐτὸν ἐπίσκοπον H ‖ 17 ὃν om. RT ‖ 19 ὑμῶν

nous nous sommes bouché le nez. Car nous ne sentons pas l'impureté de ce monde, qui ne nous atteint pas; mais les âmes qui ont une odeur de péché, celles-là nous les sentons[1].»

24 L'un des pères racontait ceci. L'évêque d'un certain lieu N 628 mourut, et les habitants allèrent à la métropole demander à l'archevêque qu'il leur ordonne un évêque à la place de l'évêque défunt. L'archevêque leur dit : «Donnez-moi celui que nous savez apte à paître le troupeau du Christ, et moi je vous l'ordonne comme évêque.» Ils dirent : «Nous ne connaissons personne sinon celui que ton ange nous donnera.» L'archevêque leur dit : «Êtes-vous tous ici?» Ils dirent que non. Il leur dit : «Allez, réunissez-vous tous et venez alors chez moi afin que celui qui sera élu votre évêque le soit de votre accord à tous.» Ils partirent donc, se réunirent tous et vinrent demander que l'évêque leur soit ordonné. Il leur dit : «Dites-moi en qui vous avez toute confiance.» Ils dirent : «Nous ne connaissons personne, sinon celui que ton ange nous accordera.» Il leur dit : «Êtes-vous tous ici?» Ils dirent : «Nous sommes tous ici.» Il reprit : «Aucun de vous n'a-t-il été laissé de côté? «Ils dirent : «Aucun de nous n'a été laissé de côté, hormis celui qui garde l'âne de notre chef.» L'archevêque leur dit : «Aurez-vous confiance si je vous donne celui en qui j'ai moi-même pleine confiance?» Ils dirent tous : «Nous avons confiance, et nous supplions les traces de ta sainteté de nous donner celui en qui

— ἔξω : παραλέλυπται ἔξωθεν ὑμῶν H ‖ 20 ὑπολέλειπται T ‖ 22 δῶ : δώσω H ‖ 24 εἰς om. RTH

1. Présent ici par la seule version latine, ce récit se retrouve dans la série des anonymes (N 19). Selon certains manuscrits, ce «grand vieillard» serait Macaire (ms *Coislin 283*, f. 66ᵛ); le même récit se retrouve dans un *Sermo de exitu animae* mis sous son nom (*PG* 34, 385 D - 392 A).

25 δώσης ἡμῖν. Καὶ ἐκέλευσεν ὁ ἀρχιεπίσκοπος ἐνεχθῆναι τὸν κατέχοντα τὸν ὄνον τοῦ πρωτεύοντος αὐτῶν. Καὶ λέγει αὐτοῖς· Πληροφορεῖσθε ἐὰν χειροτονήσω ὑμῖν τοῦτον ἐπίσκοπον; Οἱ δὲ εἶπον· Ναί. Καὶ ἐχειροτόνησεν αὐτόν. Καὶ λαβόντες αὐτὸν ἀπῆλθον μετὰ πολλῆς χαρᾶς εἰς τὴν
30 χώραν αὐτῶν. Ἐγένετο δὲ ἀβροχία πολλὴ καὶ παρεκάλεσε τὸν Θεὸν ὁ γενόμενος ἐπίσκοπος ἵνα βρέξῃ. Καὶ ἦλθεν αὐτῷ φωνὴ λέγουσα· Ἄπελθε εἰς τήνδε τὴν πόρταν τῆς πόλεως ἀπὸ ὄρθρου καὶ ὃν ἐὰν ἴδῃς εἰσερχόμενον πρῶτον κάτεχε
35 καὶ εὔξηται, καὶ ἔρχεται ὁ ὑετός. Ἐποίησε δὲ οὕτως. Καὶ ἀπελθὼν μετὰ τοῦ κλήρου αὐτοῦ ἐκαθέσθη, καὶ ἰδοὺ εἰσέρχεταί τις γέρων αἰθίοψ φορτίον ξύλων βαστάζων ἵνα πωλήσῃ εἰς τὴν πόλιν. Καὶ ἀναστὰς ὁ ἐπίσκοπος κατέσχεν αὐτόν. Ὁ δὲ εὐθὺς ἀπέθετο τὸ φορτίον τῶν ξύλων, καὶ
40 παρεκάλεσεν αὐτὸν ὁ ἐπίσκοπος λέγων· Εὖξαι, ἀββᾶ, ἵνα ἔλθῃ ὁ ὑετός. Ὁ δὲ γέρων οὐκ ἤθελεν. Ὅμως δὲ πολλὰ βιασθεὶς ηὔξατο. Καὶ ἰδοὺ εὐθὺς ὁ ὑετὸς ὡς οἱ καταράκται τοῦ οὐρανοῦ, καὶ εἰ μὴ πάλιν ηὔξατο οὐκ ἐκόπασεν. Καὶ παρεκάλεσε τὸν γέροντα ὁ ἐπίσκοπος λέγων· Ποίησον
45 ἀγάπην, ἀββᾶ, καὶ ὠφέλησον ἡμᾶς καὶ εἰπὲ ἡμῖν τὸν βίον σου ἵνα καὶ ἡμεῖς ζηλώσωμεν. Καὶ εἶπεν ὁ γέρων· Συγχώρησον, κύρι πάπα, ἰδοὺ καθὼς βλέπεις με, ἐξέρχομαι καὶ κόπτω ἐμαυτῷ τὸ μικρὸν φορτίον τοῦτο τῶν ξύλων, καὶ εἰσέρχομαι καὶ πωλῶ αὐτό, καὶ περισσότερον τῶν δύο
50 ψωμίων οὐ κατέχω, τὰ δὲ λοιπὰ τοῖς πτωχοῖς δίδωμι, καὶ κοιμῶμαι εἰς τὴν ἐκκλησίαν, καὶ πάλιν ἐξέρχομαι εἰς τὴν ἑξῆς καὶ ὡσαύτως ποιῶ· ἐὰν δὲ χειμὼν γένηται μίαν ἢ δύο ἡμέρας μένω νήστης ἕως οὗ πάλιν γένηται εὐδία καὶ δυνηθῶ ἐξελθεῖν καὶ κόψαι. Καὶ πολλὰ ὠφεληθέντες
55 ἐκ τῆς ἐργασίας τοῦ γέροντος ὑπέστρεψαν δοξάζοντες τὸν Θεόν.

Dieu te donnera confiance.» Et l'archevêque ordonna
d'amener celui qui gardait l'âne de leur chef, et il leur
dit : «Aurez-vous confiance si je vous ordonne cet homme
comme évêque?» Ils dirent que oui; aussi l'ordonna-t-il.
Et les gens l'accueillirent et le conduisirent en grande
liesse dans leur pays.

Or survint une grande sécheresse et le nouvel évêque
supplia Dieu pour la pluie. Et une voix vint lui dire :
«Va à telle porte de la ville dès l'aurore, arrête celui que
tu verras rentrer le premier; qu'il prie et la pluie viendra.»
Ainsi fit-il. Il partit avec son clergé et s'assit; et voici
qu'entra un vieillard éthiopien portant une charge de bois
pour la vendre à la ville. L'évêque se leva et l'arrêta;
l'autre déposa aussitôt son chargement de bois et l'évêque
lui demanda : «Prie, abba, afin que vienne la pluie.»
Mais le vieillard n'y consentait point. Pourtant, à force
d'instances, il pria; et aussitôt survint la pluie comme les
cataractes du ciel; et elle ne se serait pas arrêtée s'il
n'avait prié à nouveau. Et l'évêque demanda au vieillard :
«Aie la bonté, abba, de nous être utiles en nous disant
ta vie afin qu'à notre tour nous l'imitions.» Et le vieillard
dit : «Pardonne-moi, seigneur pape, comme tu me vois,
je sors et je me coupe ce petit chargement de bois, puis
je rentre le vendre; et je ne garde pas plus de deux
pièces de monnaie, le reste je le donne aux pauvres. Je
dors à l'église, et le lendemain je sors à nouveau pour
recommencer. S'il fait mauvais temps pendant un ou deux
jours, je reste à jeûn jusqu'à ce que le beau temps
revienne et que je puisse sortir couper du bois.» Et très
édifiés de cette pratique du vieillard, ils s'en allèrent en
rendant gloire à Dieu.

41-42 γέρων – βιασθείς om. H ‖ 48 τοῦτο om. H ‖ 49 περισσὸν Y ‖
54 post δυνηθῶ add. πάλιν RT ‖ 55-56 δοξ. τὸν θεόν : μετὰ χαρᾶς
μεγάλης H

XXI

*Ἀποφθέγματα τῶν ἐν ἀσκήσει
γηρασάντων πατέρων ὡς ἐν ἐπιτομῇ τὴν εἰς
ἄκρον αὐτῶν ἀρετὴν δηλοῦντα.*

1 Ἠρωτήθη γέρων · Τί ἐστι φιλαργυρία; Καὶ ἀπεκρίθη ·
Τὸ μὴ πιστεῦσαι τῷ Θεῷ ὅτι ποιεῖται σου φροντίδα καὶ
τὸ ἀπελπίσαι τῶν ἐπαγγελιῶν τοῦ Θεοῦ καὶ τὸ φιλεῖν τὰς
βλαβερὰς ἡδονάς.

2 Ἠρωτήθη πάλιν · Τί ἐστι καταλαλιά; Καὶ ἀπεκρίθη ·
Τὸ μὴ γνῶναι τὸν Θεὸν ἢ τὴν δόξαν τοῦ Θεοῦ, καὶ ὁ
φθόνος ὁ πρὸς τὸν πλησίον.

3 Ἠρωτήθη πάλιν · Τί ἐστιν ὀργή; Καὶ ἀπεκρίθη · Ἔρις
καὶ ψεῦδος καὶ ἀγνωσία.

4 Ἠρωτήθη γέρων · Ποῖον δεῖ εἶναι τὸν μοναχόν; Καὶ
ἀπεκρίθη · Ἐὰν τὸ κατ᾽ ἐμὲ ὡς μόνος πρὸς μόνον.

Tit. YQRTMSHZ
post ἀποφθ. *add.* τῶν ἁγίων πατέρων TH ‖ πατέρων : ἁγίων πατ.
Q *om.* RTMSHZ ‖ ὡς *ad fin. om.* H ‖ ἐπιτόμῳ Y ‖ δηλούντων QT
1 YQRTMSHZ
1 γέρων : ἀββᾶ ἡσαίας MSHZ ‖ 2 πιστεύειν H ‖ σου : σοι M
2 YQRTMSHZ
2 τὸν θεὸν ἢ *om.* H ‖ τοῦ θεοῦ : αὐτοῦ Q ‖ 3 ὁ *om.* R
3 YQRTMSHZ
1 ἔρις : αἵρεσις MSZ

XXI[1]

Apophtegmes des pères qui vieillirent dans l'ascèse, montrant comme en résumé leur éminente vertu

1 On demanda à un vieillard : «Qu'est-ce que l'amour de l'argent?» Et il répondit : «Ne pas croire que Dieu se soucie de toi, désespérer des promesses de Dieu et aimer les plaisirs nuisibles.»

Isa 9
(181 D-184 A)

2 On lui demanda encore : «Qu'est-ce que la calomnie?» Et il répondit : «Ne pas connaître Dieu ou la gloire de Dieu, et être jaloux du prochain.»

Isa 10
(184 A)

3 On lui demanda encore : «Qu'est-ce que la colère?» Et il répondit : «Rivalité, mensonge et ignorance.»

Isa 11
(184 A)

4 On demanda à un vieillard : «Quel doit être le moine?» Et il répondit : «A mon avis, comme seul en face du seul.»

N 89

---

4 YQRTMSZ*l*
1 ὁποῖον QRT ‖ 2 τὸ : ὡς MSZ ‖ ὡς *om.* Z

1. Le texte latin de ce chapitre XXI n'a pas été édité par Rosweyde et ne figure donc pas en *PL* 73. On le trouvera édité par A. WILMART, *Revue Bénédictine* XXXIV, 1922, p. 196-198.

5   Ἠρωτήθη γέρων · Διατί εἰς τὴν ἔρημον περιπατῶν φοβοῦμαι; Καὶ ἀπεκρίθη · Ἀκμὴν ζῇς.

6   Ἠρωτήθη πάλιν · Τί δεῖ ποιοῦντα σωθῆναι; Ἦν δὲ σειρὰν πλέκων καὶ μὴ ἀνανεύων ἐκ τοῦ ἔργου, καὶ ἀπεκρίθη · Ἰδοὺ ὡς βλέπεις.

7   Ἠρωτήθη γέρων · Διατί οὐδέποτε ὀλιγώρησας; Καὶ ἀπεκρίθη · Ἐπειδὴ καθ᾽ ἡμέραν ἀποθανεῖν προσδοκῶ.

8   Ἠρωτήθη πάλιν · Διατί συνεχῶς ῥαθυμῶ; Καὶ ἀπεκρίθη · Ἐπειδὴ οὐδέποτε τὸν ἥλιον εἶδες.

9   Ἠρωτήθη γέρων · Τί ἐστι τὸ ἔργον τοῦ μοναχοῦ; Καὶ ἀπεκρίθη · Ἡ διάκρισις.

10   Ἠρωτήθη γέρων · Πόθεν μοι τὸ εἰς πορνείαν πειράζεσθαι · Καὶ ἀπεκρίθη · Διὰ τὸ ἐσθίειν πολλὰ καὶ κοιμᾶσθαι.

11   Ἠρωτήθη γέρων · Τί δεῖ ποιεῖν τὸν μοναχόν; Καὶ ἀπεκρίθη · Παντὸς ἀγαθοῦ ἐργασίαν καὶ παντὸς κακοῦ ἀποχήν.

12   Ἔλεγον οἱ γέροντες ὅτι ἔσοπτρόν ἐστι τοῦ μοναχοῦ ἡ εὐχή.

13   Ἔλεγον οἱ γέροντες · Οὐδὲν χεῖρόν ἐστι τοῦ κρίνειν.

5 YQRTMSHZ*l*
6 YQRTMSHZ*l*
1 πάλιν : γέρων RMSHZ
7 YQRTMSHZ*l*
2 προσεδόκουν H
8 YQRT*l*
1 πάλιν : γέρων R ‖ 2 οὐδέπω Y ‖ τὸν ἥλιον : terminum *l*
9 YQRTMSHZ*l*
10 YQRTMSHZ*l*

5   On demanda à un vieillard : «Pourquoi ai-je peur quand   N 90
je circule dans le désert?» Et il répondit : «Tu vis encore.»

6   On lui demanda encore : «Que dois-je faire pour être   N 91
sauvé?» Or il était en train de tresser une corde sans
lever les yeux de son ouvrage, et il répondit : «Ceci,
comme tu vois.»

7   On demanda à un vieillard : «Pourquoi n'es-tu jamais
découragé?» Et il répondit : «Parce que chaque jour je
m'attends à mourir.»

8   On lui demanda encore : «Pourquoi suis-je continuel-   N 92
lement négligent?» Et il répondit : «Parce que tu n'as
jamais vu le soleil.»

9   On demanda à un vieillard : «Quelle est l'œuvre du   N 93
moine?» Et il répondit : «Le discernement.»

10   On demanda à un vieillard : «D'où me vient d'être   N 94
tenté par la fornication?» Et il répondit : «De manger
beaucoup et de dormir.»

11   On demanda à un vieillard : «Que doit faire le moine?»   N 95
Et il répondit : «Pratiquer tout bien et s'abstenir de tout
mal.»

12   Les vieillards disaient : «La prière est le miroir du   N 96
moine.»

13   Les vieillards disaient : «Rien n'est pire que juger.»   N 97

2 διὰ τὸ : ἀπὸ τοῦ H
11 YQRTMSHZ*l*
1 γέρων : πάλιν YQT
12 YQRTMSHZ*l*
13 YQRTMSHZ*l*
1 ἔλ. οἱ γέρ. : καὶ ὅτι Q idem ipsi *l*

14 Ἔλεγον οἱ γέροντες ἐνέχυρα μηδέποτε διδόναι τοῖς λογισμοῖς.

15 Ἔλεγον οἱ γέροντες ὅτι ὁ στέφανος τοῦ μοναχοῦ ἐστιν ἡ ταπεινοφροσύνη.

16 Ἔλεγον οἱ γέροντες · Παντὶ τῷ ἐπαναβαίνοντί σοι λογισμῷ λέγε · Ἡμέτερος εἶ ἢ τῶν ὑπεναντίων; Καὶ πάντως ὁμολογήσει.

17 Ἔλεγον οἱ γέροντες ὅτι ἡ ψυχὴ πηγή ἐστιν, ἐὰν ὀρύξῃς καθαρίζεται, ἐὰν δὲ προσχώσῃς ἀφανίζεται.

18 Εἶπε γέρων · Ἐγὼ πιστεύω ὅτι οὐκ ἔστιν ἄδικος ὁ Θεὸς δυνάμενος ἀπὸ φυλακῆς ἆραι καὶ εἰς φυλακὴν ἐμβαλεῖν.

19 Εἶπε γέρων · Τὸ εἰς πάντα ἑαυτὸν βιάζεσθαι αὕτη ἐστιν ἡ ὁδὸς τοῦ Θεοῦ.

20 Εἶπε πάλιν · Μοναχὸς μὴ ἐργαζόμενος ὡς πλεονέκτης κρίνεται.

21 Εἶπε γέρων · Εἰ τὰ κακὰ ποιοῦμεν συγχωρεῖ ἡμῖν ὁ Θεὸς μακροθυμῶν, τὰ καλὰ ἐὰν ποιῶμεν οὐ πολλῷ μᾶλλον ἡμῖν συνεργήσει;

14 YQRTHZ*l*
1 ἐνέχυρα [-ρον T] μηδέποτε : οὐ χρὴ ἐνέχυρον Q
15 YQRTMSHZ*l*
16 YQRTZ*l*
1 ἔλ. οἱ γέρ. : καὶ QT referebant rursum *l* ‖ ἐπεμβαίνοντί QRT ‖ 2 post ὑπεναντ. add. ἡμῶν T
17 YQRTMSHZ*l*
1 ἔλ. οἱ γέρ. : καὶ QRT ‖ 2 δὲ om. S ‖ si stercores sordescit *l*
18 YQRTHZ*l*
2 δυνάμενος : τοῦ QRT om. H*l* ‖ ἆραι : αἴρει H ‖ βαλεῖν Z βάλλει H
19 YQRTMSZ*l*
1 εἶπε γ. : εἶπε πάλιν Y ἀλλὰ καὶ QRT ‖ βιάσασθαι R

14   Les vieillards disaient de ne jamais donner de gages aux pensées.

P 48 (Recherches, p. 89)

15   Les vieillards disaient : « La couronne du moine, c'est l'humilité. »

N 98 Or 9 (440 A)

16   Les vieillards disaient : « A toute pensée qui te survient, dis : es-tu nôtre ou des adversaires? Et certainement elle le confessera. »

N 99

17   Les vieillards disaient : « L'âme est une source; si tu creuses, elle se purifie, mais si tu y amasses de la terre, elle disparaît. »

N 100

18   Un vieillard dit : « Moi, je crois que Dieu n'est pas injuste, qui peut nous sortir de prison et nous y enfermer. »

N 101

19   Un vieillard dit : « Se faire violence en tout, tel est le chemin de Dieu. »

N 102

20   Il dit encore[1] : « Un moine qui ne travaille pas est jugé comme arrogant. »

21   Un vieillard dit : Si Dieu nous pardonne avec patience alors que nous faisons le mal, lorsque nous ferons le bien ne nous aidera-t-il pas beaucoup plus? »

---

20 YQRTMSZ
1 εἶπε πάλιν : εἶπε γέρων MSZ καὶ ὅτι QT
21 YQRTMSHZ
1 ποιοῦσι MS ‖ *post* ποιοῦμεν *add.* καὶ QRT ‖ 2 *post* μακροθ. *add.* ἐφ᾽ ἡμᾶς QRT ‖ τὸ καλὸν QRT ‖ ποιοῦμεν Z

---

1. Cf. SOCRATE, *Histoire ecclésiastique* IV, 23 (*PG* 67, 513 B).

22   Εἶπε γέρων · Μὴ πρότερον ποίει τι πρὶν ἐξετάσῃς τὴν καρδίαν σου εἰ διὰ τὸν Θεὸν γίνεται ὃ μέλλεις ποιεῖν.

23   Εἶπε γέρων · Ἐὰν μοναχὸς ὅτε ἵσταται εἰς προσευχὴν τότε μόνον εὔχεται, ὁ τοιοῦτος ὅλως οὐκ εὔχεται.

24   Εἶπε γέρων · Εἴκοσι ἔτη ἔμεινα πρὸς ἕνα λογισμὸν πολεμῶν ἵνα πάντας τοὺς ἀνθρώπους ὡς ἕνα βλέπω.

25   Εἶπε γέρων ὅτι πασῶν τῶν ἀρετῶν μείζων ἡ διάκρισις.

26   Ἠρωτήθη γέρων πόθεν κτᾶται ταπείνωσιν ἡ ψυχή. Καὶ ἀπεκρίθη · Ὅταν μόνα τὰ ἑαυτῆς κακὰ μεριμνᾷ.

27   Εἶπε γέρων · Ὁ ἀκούων καταλαλιὰς ὀφείλει φυγεῖν, καὶ καταλαλῶν διορθοῦται.

28   Εἶπε γέρων ὅτι · Ὅσα ἠδυνήθην καταλαβεῖν οὐκ ἐδευτέρωσα.

29   Εἶπε γέρων · Ὡς ἡ γῆ οὐ πίπτει ποτὲ κάτω, οὐδὲ ὁ ταπεινῶν ἑαυτὸν πίπτει ποτέ.

30   Εἶπε γέρων · Αἰσχύνη ἐστι μοναχῷ ἐὰν ἐάσας τὰ ἑαυτοῦ καὶ ξενιτεύσας διὰ τὸν Θεὸν μετὰ ταῦτα εἰς κόλασιν ἀπέλθῃ.

---

22 YQRTMSHZ*l*
1-2 τὴν καρδίαν : conscientiam *l*
23 YQRTMSHZ*l*
1 εἶπε γέρων : εἶπε πάλιν QRT *om.* H ‖ προσευχὴν : εὐχὴν Q
24 YQRTMSHZ*l*
1 γέρων : τις τῶν πατέρων Y ‖ 2 πολεμῶν *om.* H ‖ ὡς *om.* MSH
25 YQRTMSHZ*l*
1 *post* μείζων *add.* ἐστιν QZ
26 YQRTMSZ*l*
27 H

22   Un vieillard dit : «Ne fais rien sans examiner d'abord   N 103
en ton cœur si ce que tu t'apprêtes à faire est selon
Dieu.»

23   Un vieillard dit : «Si un moine prie seulement lorsqu'il   N 104
est debout pour la prière, un tel moine ne prie pas du
tout.»

24   Un vieillard dit : «J'ai passé vingt ans à combattre contre   N 105
une seule pensée, afin de voir tous les hommes comme
un seul.»

25   Un vieillard dit : «De toutes les vertus, la plus grande   N 106
est le discernement.»

26   On demanda à un vieillard : «Comment l'âme acquiert-   N 107
elle l'humilité?» Et il répondit : «Lorsqu'elle ne se soucie
que de ses propres fautes.»

27   Un vieillard dit : «Celui qui entend une calomnie doit
fuir, et le calomniateur est corrigé.»

28   Un vieillard dit : «Tout ce que j'ai pu atteindre, je ne   N 109
l'ai pas négligé.»

29   Un vieillard dit : «De même que la terre ne tombe   N 108
jamais, jamais non plus ne tombe celui qui s'humilie.»

30   Un vieillard dit : «C'est une honte pour un moine que   N 110
d'abandonner ses biens et de s'expatrier à cause de Dieu
et ensuite d'aller au châtiment.»

28 YQRTZ*l*
29 YQRTMSHZ*l*
1 εἶπε γέρων: εἶπε πάλιν Y καὶ QRT ‖ ὡς : ὥσπερ QRTH ‖ ποτὲ
om. RT ‖ *post* κάτω *add.* οὕτως QTMS
30 YQRTMSZ*l*
1 εἶπε γ. : καὶ QT ‖ ἐὰν ἐάσας : ἐάσαντι MS ‖ 2 ξενιτεύσαντι MS ‖
3 ἀπελθεῖν MS

31   Εἶπε γέρων · Ἡ γενεὰ αὕτη οὐ ζητεῖ τὸ σήμερον ἀλλὰ
τὸ αὔριον.

32   Ἔλεγον οἱ γέροντες ὅτι · Τὸ ἔργον ἡμῶν καίειν ἐστὶ
ξύλα.

33   Εἶπε πάλιν · Μὴ θέλε εἶναι ἀκαταφρόνητος.

34   Εἶπε γέρων · Οὐκ ὀργίζεται ἡ ταπείνωσις οὐδὲ παροργίζει
τινά.

35   Εἶπε πάλιν · Τὸ καθέζεσθαι ἐν τῷ κελλίῳ καλῶς
ἐμπίπλησι τῶν ἀγαθῶν.

36   Εἶπε γέρων · Οὐαὶ ἀνθρώπῳ ὅταν τὸ ὄνομα αὐτοῦ μεῖζόν
ἐστι τῆς ἐργασίας αὐτοῦ.

37   Εἶπε γέρων · Ἡ παρρησία καὶ ὁ γέλως ἐοίκασι πυρὶ
καλάμην κατεσθίοντι.

38   Εἶπε γέρων · Ὁ βιαζόμενος ἑαυτὸν διὰ τὸν Θεὸν ὅμοιός
ἐστιν ἀνθρώπῳ ὁμολογητῇ.

39   Εἶπεν ὁ αὐτός · Ὃς ἐὰν γένηται μωρὸς διὰ τὸν Κύριον
συνετιεῖ αὐτὸν ὁ Κύριος.

40   Εἶπε γέρων · Ἄνθρωπος ἔχων τὸν θάνατον πρὸ ὀφθαλμῶν
πᾶσαν ὥραν νικᾷ τὴν ὀλιγοψυχίαν.

31 YQRTZ*l*
1 εἶπε γέρων : εἶπε πάλιν YZ καὶ ὅτι QT
32 YQRTHZ*l*
1 ἔλεγον οἱ γέροντες : εἶπε γέρων YH καὶ QT
33 YQTZ*l*
1 εἶπε π. : καὶ QT ‖ ἀκαταφρ. : cogitans *l*
34 YQRTMSHZ*l*
1 εἶπε γ. : καὶ ὅτι QT
35 YQRTMSZ*l*
1 εἶπε π. : καὶ QT ait iterum senex *l* ‖ post καθέζ. add. τὸν μοναχὸν
QRT ‖ 2 post ἐμπίπλ. add. αὐτὸν QRT ‖ τῶν : παντοίων QRT ‖ post
ἀγαθῶν add. τὸν μοναχόν Y
36 YQRTMSHZ*l*
1 εἶπε γ. : καὶ QT ‖ 2 αὐτοῦ om. Y

31   Un vieillard dit : «Cette génération ne cherche pas l'au- N 112
jourd'hui mais le demain.»

32   Les vieillards disaient : «Notre œuvre, c'est de brûler N 113
des bois.»

33   Il dit encore : «Ne veuille pas être estimé.» N 114

34   Un vieillard dit : «L'humilité ne se fâche pas et ne N 115
fâche personne.»

35   Il dit encore : «Bien demeurer dans la cellule comble N 116
de biens.»

36   Un vieillard dit : «Malheur à l'homme dont le nom est N 117
supérieur à la pratique.»

37   Un vieillard dit : «La liberté de parole[1] et le rire res- N 118
semblent à un feu dévorant du chaume.»

38   Un vieillard dit : «Celui qui se fait violence à cause N 119
de Dieu est semblable à un confesseur.»

39   Le même dit : «Celui qui devient fou à cause du Sei- N 120
gneur, le Seigneur le rendra sage.»

40   Un vieillard dit : «L'homme qui a la mort devant les N 121
yeux à toute heure vainc la pusillanimité.»

37 YQRTMSHZ*l*
1 εἶπε γ. : καὶ ὅτι QT ‖ ὁ γέλως καὶ ἡ παρρησία *transp.* YQRT ‖
2 κατεσθίοντες R -θίοντα H
38 YQRTMSHZ*l*
1 εἶπε γ. : εἶπε πάλιν Y καὶ ὅτι QT ‖ *post* ἑαυτὸν *add.* εἰς πάντα
MS ‖ θεὸν : κύριον YMSH
39 YQRTMSHZ*l*
1 εἶπεν ὁ αὐτός : καὶ QT ‖ 2 συνετίσει MSHZ
40 YQRTMSHZ*l*
1 εἶπε : εἴρηχε RMSHZ ‖ *post* ὀφθαλμῶν *add.* αὐτοῦ R ‖ 2 ὀλιγορίαν QRT

1. On peut traduire aussi παρρησία par «familiarité», ce qui met
plutôt l'accent sur le mode de relation aux autres.

41   Εἶπε γέρων· Ταῦτα ζητεῖ ὁ Θεὸς ἀπὸ τοῦ ἀνθρώπου, τὸν νοῦν καὶ τὸν λόγον καὶ τὴν πρᾶξιν.

42   Ὁ αὐτὸς εἶπεν ὅτι χρῄζει ὁ ἄνθρωπος τούτων· φοβεῖσθαι τὸ τοῦ Θεοῦ κρῖμα καὶ μισῆσαι τὴν ἁμαρτίαν καὶ ἀγαπῆσαι τὴν ἀρετὴν καὶ δέεσθαι τοῦ Θεοῦ διαπαντός.

43   Εἶπε γέρων· Ὥσπερ τὴν πνοὴν τῆς ῥινὸς πανταχοῦ περιφέρομεν, οὕτως καὶ τὸν φόβον τοῦ θανάτου καὶ τὸ κλαίειν πάντοτε ἔχειν μεθ᾽ ἑαυτῶν ὅπουδ᾽ ἂν ἐσμεν.

44   Εἶπε γέρων ὅτι καὶ τὸ ἀναγνῶναι τὰς θείας Γραφὰς φοβεῖ τοὺς δαίμονας.

45   Εἶπε γέρων· Ἐὰν μὴ ἐκριζώσῃς τὴν μικρὰν βοτάνην ἥτις ἐστὶν ἀμέλεια, μέγας ἧλος γίνεται.

46   Εἶπε γέρων· Τὸ ἀνθρώπινον φρόνημα πᾶσαν τὴν πιότητα τοῦ ἀνθρώπου ἀναιρεῖ καὶ ἀφίει ἑαυτὸν ξηρόν.

47   Εἶπε γέρων· Ποίησον τὴν δύναμιν εἶναι ἄμεμπτος καὶ μὴ ζήτει κόσμησιν.

48   Εἶπε γέρων· Ἡ εὐχαριστεία πρεσβεύει ὑπὲρ τῆς ἀδυναμίας ἔναντι Κυρίου.

49   Εἶπε γέρων· Ἕως οὗ ὁ ποιεῖς μετὰ ἀναπαύσεως οὐ δύνασαι τὸν Θεὸν ἀναπαῦσαι.

---

41 YQRTMSHZ*l*
1 εἶπε γ.: εἶπε πάλιν Y καὶ QT ‖ ἀπὸ: παρὰ QT ‖ 2 τὴν πρ. καὶ τὸν λόγον *transp.* Q
42 YQRTMSHZ*l*
1 ὁ αὐτὸς εἶπεν: εἶπε γέρων Y καὶ QT ‖ 3 *post* διαπαντός (semper) *add.* cui est honor gloria et imperium in saecula saeculorum amen *l*
43 QRT
44 H
44 H

41   Un vieillard dit : «Voici ce que Dieu attend de l'homme :   N 122
l'esprit, la parole et l'action.»

42   Le même dit : «L'homme a besoin de ceci : craindre   N 123
le jugement de Dieu, haïr le péché, aimer la vertu et
supplier Dieu.»

43   Un vieillard dit : «De même que nous portons partout
le souffle de nos narines, de même devons-nous avoir
toujours avec nous, où que nous soyons, la crainte de
la mort et les larmes.»

44   Un vieillard dit : «Le seul fait de lire les divines Écritures fait peur aux démons.»

45   Un vieillard dit : «Si tu ne déracines pas cette petite
plante qu'est l'insouciance, elle devient une grande
excroissance[1].»

46   Un vieillard dit : «Les préoccupations humaines enlèvent
toute sa graisse à l'homme et le laissent sec[2].»

47   Un vieillard dit : «Fais ton possible pour être sans
reproche et ne cherche pas de parure.»

48   Un vieillard dit : «L'action de grâces intercède pour   N 637
l'impuissance devant le Seigneur.»

49   Un vieillard dit : «Aussi longtemps que tu agis avec
repos tu ne peux pas reposer Dieu.»

---

45 H
2 μέγας ἧλος *correxi* : μέγα ὅλος H
46 H
47 H
48 H
49 H

---

1. Doublet de XI, 100 (*SC* 474, p. 190).
2. Doublet de VIII, 29 (*SC* 387, p. 418).

50 Εἶπε γέρων · Κολόβωσον τὴν φροντίδα σου καὶ τὴν κοιλίαν σου καὶ ἕξεις ἀνάπαυσιν.

51 Εἶπε γέρων · Ὕπαγε ἀγάπα τὸ ἑαυτὸν βιάζεσθαι.

52 Εἶπε γέρων · Ἐμὲ τέως οὐκ ἐβάστασε τὸ σῶμά μου τὴν προαίρεσιν.

53 Εἶπε γέρων · Γενοῦ ἐλεύθερος καὶ μὴ γίνου δοῦλος, ἐν τῷ λαλῆσαι καὶ θυμοῦ καὶ ἐπιθυμίας κράτησον, καὶ οὐ ταραχθήσει εἰς τὴν ἔξοδόν σου ἑτοιμάσας τὰ ἔργα σου.

54 Ἔλεγε γέρων · Ὁ ἐπαινῶν μοναχὸν παραδίδει αὐτὸν εἰς χεῖρας ἐχθροῦ.

55 Εἶπε γέρων · Ὁ λαλῶν λόγον παρακλήσεως ἐὰν μὴ πρῶτον νοήσῃ αὐτὸν ὠφελούμενον οὐκ ὀφείλει λαλεῖν.

56 Ἔλεγον οἱ πατέρες ὅτι οὐδεὶς δύναται ἀγαπῆσαι τὸν Ἰησοῦν εἰ μὴ ἀγαπήσῃ πρῶτον τὸν κόπον.

57 Εἶπε γέρων · Ἡ ξενιτεία ἡ διὰ τὸν Θεὸν καλή ἐστιν ἐὰν ἔχῃ τὸ σιωπᾶν · ἡ γὰρ παρρησία οὐκ ἔστι ξενιτεία.

58 Εἶπε γέρων · Τὸ ἑαυτὸν ἐξουθενεῖν περίτειχός ἐστιν.

59 Εἶπε γέρων · Τὸν ὀκνηρὸν καὶ τὸν ἀεργὸν οὐ θέλει ὁ θεός.

60 Εἶπε γέρων · Φύλαξον τὴν συνείδησίν σου μετὰ τοῦ πλησίον σου καὶ ἕξεις ἀνάπαυσιν.

50 H
51 H
52 H
53 H
54 H
55 H
56 H
57 H

50   Un vieillard dit : «Restreins ta préoccupation et ton ventre, et tu auras le repos.»

51   Un vieillard dit : «Va, aime te faire violence.»   N 25 a

52   Un vieillard dit : «Pour moi, mon corps n'a pas encore   J 661 b
soutenu mon choix.»

53   Un vieillard dit : «Sois libre et ne deviens pas esclave ;
lorsque tu parles, maîtrise la passion et le désir et tu
seras sans trouble, ayant préparé tes œuvres en vue de
ton exode.»

54   Un vieillard dit : «Celui qui loue un moine le livre aux   N 498
mains de l'adversaire.»

55   Un vieillard dit : «Celui qui prononce une parole de   cf. N 433
réconfort, s'il ne pense pas qu'il en est le premier béné-
ficiaire, il ne doit pas parler.»

56   Les pères disaient que personne ne peut aimer Jésus
s'il n'aime d'abord le labeur.

57   Un vieillard dit : «S'expatrier pour Dieu est une bonne
chose si l'on garde le silence ; car la liberté de parole
n'est pas l'expatriation.»

58   Un vieillard dit : «Se mépriser soi-même est un
rempart.»

59   Un vieillard dit : «Le nonchalant et le paresseux, Dieu   N 602
n'en veut pas.»

60   Un vieillard dit : «Surveille ta conscience avec ton prochain et tu auras le repos.»

58 H
59 H
60 H

61   Εἶπε γέρων · Ῥίζα πάντων τῶν καλῶν ἔργων ἐστὶν ἡ ἀλήθεια.

62   Εἶπε γέρων · Ὁ μὴ δεχόμενος πάντας ἀνθρώπους ἐξ ἴσου ἀλλὰ διακρίνων, οὐ δύναται ὁ τοιοῦτος εἶναι τέλειος.

63   Ἔλεγον οἱ γέροντες ὅτι ὥσπερ τὸ πῦρ καίει τὰ ξύλα, οὕτως τὸ ἔργον τοῦ μοναχοῦ ὀφείλει καίειν τὰ πάθη.

64   Εἶπε γέρων · Χρὴ τὸν μοναχὸν μὴ ἀκροατὴν εἶναι μὴ κατάλαλον μὴ σκανδαλίζεσθαι.

65   Ἀδελφὸς ἠρώτησε γέροντα · Ἕως πότε ἐστὶ τὸ σιωπᾶν; Ὁ δὲ εἶπεν · Ἕως οὗ ἐπερωτήθῃς · γέγραπται γάρ · «Πρὸ τοῦ ἀκοῦσαί σε μὴ ἀποκρίνου[a].»

66   Ἀδελφὸς ἠρώτησε γέροντα περὶ ζωῆς, καὶ ἀπεκρίθη λέγων · Χόρτον φάγε, χόρτον φόρεσον, εἰς χόρτον κοιμοῦ, τὴν δὲ καρδίαν κέκτησο σιδηρᾶν. Σπούδαζε καθ' ἑκάστην ἡμέραν παρα ***

61 H
62 H
63 H
64 H
65 H
66 [H]
4 παρα[hic des. H

61   Un vieillard dit : « La racine de toutes les bonnes œuvres, c'est la vérité[1]. »

62   Un vieillard dit : « Celui qui n'accueille pas tout le monde de la même façon mais fait des différences, un tel homme ne peut être parfait[2]. »

63   Les vieillards disaient : « De même que le feu brûle le bois, de même l'œuvre du moine doit brûler les passions. »

64   Un vieillard dit : « Le moine ne doit ni écouter ni calomnier, ni se scandaliser[3]. »

65   Un frère interrogea un vieillard : « Jusqu'à quand y a-t-il lieu de se taire ? » L'autre dit : « Jusqu'à ce que tu sois interrogé, car il est écrit : *Ne réponds pas avant d'avoir écouté*[a]. »

66   Un frère interrogea un vieillard sur la vie, et il lui répondit : « Mange de la paille, porte de la paille, dors sur la paille, et acquiers un cœur de fer. Efforce-toi chaque jour[4]... »

---

a. Si 11, 8

1. Doublet de X, 158 (*SC* 474, p. 118).
2. Doublet de I, 33 (*SC* 387, p. 120).
3. Doublet de X, 159 (*SC* 474, p. 118).
4. Doublet de I, 28 (*SC* 387, p. 116-118). Cette sentence est attribuée par *Alph.* à Euprépios (n° 4). La phrase interrompue, qui ne se trouve pas dans les parallèles, peut être le début d'un nouvel apophtegme.

CONCORDANCE
ENTRE LA COLLECTION ALPHABÉTIQUE ET LA COLLECTION SYSTÉMATIQUE

Nous donnons ci après la correspondance, lorsqu'elle existe, entre la collection alphabétique (anonymes exclus) et la présente collection. Le numéro qui suit le nom est le numéro d'ordre de l'apophtegme dans la collection alphabétique (*PG* 65); les deux chiffres qui suivent renvoient respectivement au chapitre et à l'apophtegme de la présente collection. Cette concordance reprend les attributions mentionnées en marge de la traduction (elle intègre donc les attributions non explicites, par exemple, Évagre, et quelques parallèles approximatifs).

Abraham 1	10, 19	Agathon 13	7, 2
Achille 1	10, 18	Agathon 14	10, 15
Achille 3	4, 10	Agathon 15	4, 7
Achille 4	4, 9	Agathon 19	10, 16
Agathon 1	10, 11	Agathon 25	17, 7
Agathon 2	11, 8	Agathon 29b	11, 9
Agathon 4	17, 8	Agathon 29b	11, 10
Agathon 5	10, 12	Alonios 1	11, 13
Agathon 6	6, 4	Alonios 3	11, 14
Agathon 7	6, 5	Ammoès 1	11, 11
Agathon 8	10, 13	Ammoès 2	11, 12
Agathon 9	12, 2	Ammoès 3	4, 11
Agathon 10	10, 14	Ammonas 1	3, 4
Agathon 11	4, 8	Ammonas 3	7, 3

Poemen 18	10, 65	Poemen 55	15, 54
Poemen 19	4, 34	Poemen 56	8, 19
Poemen 20	10, 59	Poemen 57	4, 39
Poemen 21	10, 60	Poemen 58	13, 5
Poemen 22	10, 66	Poemen 59	2, 25
Poemen 23	10, 68	Poemen 60	1, 23
Poemen 24	10, 71	Poemen 61	15, 57
Poemen 25	10, 72	Poemen 62	5, 9
Poemen 26	3, 24	Poemen 63	8, 18
Poemen 27	10, 75	Poemen 64	9, 9
Poemen 28	10, 81	Poemen 65	11, 59
Poemen 29	10, 76	Poemen 66	1, 24
Poemen 30	18, 22	Poemen 67	10, 91
Poemen 31	10, 61	Poemen 68	1, 21
Poemen 32	11, 58	Poemen 69b	13, 7
Poemen 33	10, 82	Poemen 70a	17, 27
Poemen 34	18, 23	Poemen 72	3, 25
Poemen 35	1, 20	Poemen 73	15, 51
Poemen 36	15, 50	Poemen 76	4, 40
Poemen 37	16, 12	Poemen 86	10, 62
Poemen 39	3, 26	Poemen 91	10, 78
Poemen 40	10, 83	Poemen 93	10, 63
Poemen 41	15, 53	Poemen 100	10, 70
Poemen 42	4, 36	Poemen 102	7, 19
Poemen 43	2, 24	Poemen 103	10, 74
Poemen 44	7, 20	Poemen 105	15, 58
Poemen 45	10, 86	Poemen 109	14, 13
Poemen 47	4, 37	Poemen 113	9, 21
Poemen 48	11, 62	Poemen 114	9, 22
Poemen 49	15, 48	Poemen 115	5, 11
Poemen 50	3, 28	Poemen 116	17, 13
Poemen 51	13, 6	Poemen 118	10, 67
Poemen 52	10, 88	Poemen 119a	3, 29
Poemen 53	1, 22	Poemen 119b	3, 30
Poemen 54	10, 89	Poemen 127b	10, 55

Index scripturaire des trois volumes

Les simples allusions sont en italiques; les deux chiffres de la colonne de droite renvoient au chapitre et à l'apophtegme, la lettre à l'appel de note.

Ancien Testament

Nouveau Testament

INDEX DES NOMS DE LIEUX

Le premier chiffre indique le chapitre (de 1 à 21), le second le numéro de l'apophtegme, le troisième la ligne. Une référence en italique renvoie à un apophtegme conservé seulement dans la version latine. Les adjectifs renvoyant à des noms de lieux (comme αἰγύπτιος, ῥωμαῖος, σκητιωτής) sont inclus dans l'index.

INDEX DES NOMS DE PERSONNES

Le premier chiffre indique le chapitre (de 1 à 21), le second le numéro de l'apophtegme, le troisième la ligne ; l'abréviation 'Pr.' renvoie au Prologue (vol. I, *SC* 387, p. 92-100). Une référence en italique renvoie à un apophtegme conservé seulement dans la version latine. Une référence suivie de 'app' indique que le nom ne se trouve que dans une variante, signalée dans l'apparat critique.

Dans la mesure du possible, les homonymes ont été distingués. Ne sont indiqués que les passages qui citent explicitement le nom, à l'exception des apophtegmes commençant par 'le même', pour éviter tout risque d'erreur. Pour retrouver tous les apophtegmes attribués à un personnage donné, le présent index est à compléter par la concordance entre la collection alphabétique et la collection systématique éditée ici.

On trouvera dans cet index, outre les noms de personnes, les titres divins (Πατήρ, Υἱός, Πνεῦμα) ou ceux du Christ (Χριστός, Κύριος, Δεσπότης) ainsi que les occurrences de Γραφή dans le sens d'Écriture (sainte).

42,1; 13,17,11; 14,4,1; 15,34,
1; 16,4,1 (v. Ἰωάννης)
[16].

Κόπρις (abba) : 15,38,2; 15,38,
5
[2].

Κοσμίτης (abba Paul le —) :
16,10,1
[1].

Κύριλλος (d'Alexandrie) : 10,
178,1; 18,5,4; 18,5,18; 18,5,26
[4].

Κύριος (titre du Christ ou de
Dieu) : 1,8,3; 1,14,2; 1,14,5;
1,32,3; 1,35,6; 2,3,2; 3,14,4;
3,20,5; 3,27,6; 3,50,6; 4,6,3;
4,27,31; 4,29,7; 4,32,2; 4,34,4;
4,47,3; 4,64,7; 4,77,5; 4,90,5;
4,102,13; 5,1,8; 5,4,34; 5,20,10;
5,23,7; 5,43,31; 5,44,38;
5,45,21; 5,46,12; 5,46,52; 5,
46,62; 5,46,75; 5,46,75; 5,46,
78; 5,46,83; 5,46,88; 5,46,91;
5,46,93; 5,46,98; 5,46,100; 5,
47,11; 5,49,2; 6,25,13; 6,25, 15;
6,25,18; 6,26,8; 6,26,15; 6,28,1;
7,1,3; 7,1,9; 7,12,9; 7, 23,16;
7,24,13; 7,29,14; 7,31, 4;
7,31,45; 7,31,106; 7,38,7; 7,
44,6; 7,44,8; 7,47,3; 7,48,6; 7,
53,18; 7,56,7; 7,59,5; 7,62,21;
8,6,12; 9,5,3; 9,6,12; 10,39,7;
10,94,13; 10,112,9; 10,134,2;
10,137,7; 11,6,3; 11,7,1; 11,
27,6; 11,27,8; 11,32,1; 11,44, 7;
11,49,4; 11,49,10; 11,50,3;
11,50,20; 11,50,20; 11,50,21;
11,50,21; 11,50,28; 11,51,1;
11,51,23; 11,51,25; 11,51,31;

11,60,2; 11,60,4; 11,61,2; 11,
116,4; 11,116,6; 11,116,7; 12,
3,14; 12,11,4; 12,11,5; 12,12,
19; 12,21,7; 12,27,4; 12,28,4;
12,28,6; 12,28,7; 14,19,4; 14,
25,27; 14,29,10; 14,29,20; 14,
32,6; 15,1,2; 15,41,3; 15,55,1;
15,70,3; 15,73,7; 15,91,7; 15,
112,7; 15,114,25; 15,118,5;
15,118,6; 15,119,2; 15,119,23;
15,119,28; 15,129,45; 15,129,
56; 15,130,19; 16,8,5; 16,8,6;
16,17,9; 16,27,15; 17,21,8; 18,
4,26; 18,4,28; 18,4,30; 18,4,39;
18,4,46; 18,12,8; 18,13,41;
18,17,13; 18,22,10; 18,24,24;
18,25,13; 18,26,79; 18,26,92;
18,30,6; 18,39,3; 18,41,8; 18,
41,12; 18,42,11; 18,46,18; 18,
46,37; 18,46,84; 18,47,7; 18,48,
65; 18,48,69; 18,48,77; 18,51,8;
19,3,3; 19,6,12; 19,13,15; 20,
3,58; 20,7,17; 20,16,43; 20,16,
50; 20,17,36; 20,17,38; 20,22,3;
21,39,1; 21,39,2; 21, 48,2
[165].

Κῦρος (abba) : 5,5,2
[1].

Κωνσταντῖνος (empereur) : 7,
61,4
[1].

Λάζαρος (cf. Lc 16) : 7,47,1
[1].

Λογγῖνος (abba) : 4,28,1; 7,13,
1; 10,45,1; 15,113,1; 16,7, 1;
18,11,1; 18,11,11; 18,11,19;
18,12,10; 19,6,2; 19,6,7; 19,6,
12; 19,6,16; 19,8,6; 19,9,4
[15].

Μελχισεδέκ (cf. Gn 14) : 15, 38,2; 18,5,3; 18,5,9; 18,5,19; 18,5,22; 18,5,23; 18,5,25 [7].

Μίλης : 7,17,1; 19,13,1 [1].

Μίλις : v. Μίλης
Michael : 20,17,31; 20,17,35; 20, 17,36; 20,17,38; 20,17,44 [5].

Μωάβ (cf. 2 R 3) : 11,33,7 [1].

Μωϋσῆς (abba) : 2,19,1; 2,20, 1; 3,21,1; 4,27,1; 5,4,1; 5,40, 4app; 6,27,1; 7,46,3; 8,13,1; 8,13,5; 8,13,8; 8,13,11; 8, 13,16; 9,7,2; 10,91,8; 10,92,2; 10,145,1; 10,178,6; 11,52,1; 11,69,1; 12,7,1; 13,4,3; 13, 4,6; 13,4,9; 13,4,10; 14,6,1; 15,19,1; 15,20,1; 15,43,1; 15,43,3; 15,43,6; 15,44,1; 16, 9,2; 18,17,1; 18,17,16; 18, 18,1 [36].

Μωϋσῆς (Bible) : 11,44,6; 15, 68,2; 20,15,3 [3].

Μωϋσῆς (autre) : 15,129,5 [1].

Ναβουζαρδάν (cf. 2 R 25) : 4, 32,1; 4,90,4 [2].

Ναβουχοδονόσωρ (cf. Dn 3) : 10,84,3 [1].

Νατῆρα (abba) : 10,50,1 [1].

Ναυή (Bible, père de Josué) : 11,44,5; 15,75,3; 19,5,8 [3].

Νεῖλος (abba) : 2,23,1; 10,25, 1app [2].

Νεσθερός (abba, le Grand) : 8, 15,1; 1,18,4 [2].

Νεσθερός (abba, le cénobite) : 15,46,1; 15,46,13 [2].

Νεσθερός (abba, indéterminé) : 1,19,1 [1].

Νησθερῶος : v. Νεσθερός
Νικήτας (abba) : 17,33,1 [1].

Νίκων (abba, Sinaï) : 16,30,3; 16,30,6 [2].

Νισθερός : v. Νεσθερός
Νισθέρωος : v. Νεσθερός
Νῶε (patriarche) : 1,23,3; 1,23, 4; 15,10,34 [3].

Ὀλύμπιος (abba) : 15,47,1 [1].

Ὀνώριος (empereur) : 15,11,14 [1].

Ὀρσιήσιος (abba) : 11, 78, 1; 15,69,1 [2].

Παησία : 13, 17, 2app [1].

Παήσιος (abba) : 4,86,2; 11, 59,1; 16,11,1; 16,11,4 [4].

Παίσιος : v. Παήσιος
[1].

Παλλάδιος (abba) : 10,96,1
[1].

Παμβώ (abba) : 1,2,1; 1,25,1;
3,32,1; 4,37,2; 4,86,1; 6,10,2;
6,11,1; 10,58,1app; 10,94,1;
10,94,17; 10,94,19; 10,95,1;
14,14,2; 14,14,7; 15,59,2;
17,14,1; 20,4,3
[17].

Πατήρ (titre divin) : 3,5,11; 10,
17,1; 11,51,13; 11,51,23;
15,122,20
[5].

Παῦλος (abba, le Cosmète) :
11,64,1; 11,64,5; 16,10,1; 16,
10,3
[4].

Παῦλος (abba, le Galate) : 7,
21,1
[1].

Παῦλος (abba, le Simple) :
18,26,1; 18,26,6; 18,26,17; 18,
26,25; 18,26,29; 18,26,36; 18,
26,48; 18,26,52
[8].

Παῦλος (abba, autres) : 4,41,1;
14,5,2; 15,135,4; 19,15,1
[4].

Παῦλος (apôtre) : 5,1,7app; 7,
23,22; 7,59,6
[3].

Παφνούτιος (abba) : 9,14,1;
9,14,6; 16,29,2; 16,29,9; 16,
29,16; 16,29,18; 16,29,29; 17,
15,1
[8].

Παχώμιος (abba) : 10,46,1; 10,
46,2; 18,25,1; 18,25,2
[4].

Πάχων : 5,54,1; 5,54,11; 5,54,
60; 5,54,70
[4].

Πέτρος (abba, disciple d'Isaïe) :
3,8,1; 3,10,1; 11,27,1; 11,31,1
[4].

Πέτρος (abba, disciple de Lot) :
10,11,1app; 11,65,1; 11,65,5
[2].

Πέτρος (apôtre) : 10,62,5
[1].

Πέτρος (ὁ Πιονίτης, des Cellules) : 4,43,1
[1].

Πέτρος (autres) : 16,26,4
[1].

Πιονίτης : v. Πέτρος

Πιστάμων (abba) : 6,15,1
[1].

Pisteramon : 6,15,1app
[1].

Πιστός (abba) : 15,60,1
[1].

Πιτηροῦμ (abba) : v. Pyoterius

Πίωρ (abba) : 4,42,1; 9,13,2
[2].

Πνεῦμα (Esprit Saint) : 3,50,3;
5,46,22; 5,46,96; 10,110,76;
10,168,5; 10,184,4; 11,33,3;
11,33,5; 11,37,7; 11, 51, 13;
11,51,24; 3,55,6; 11,78,14;
12,7,3; 15,11,20; 15,19,5;
15,95,2; 16,22,8; 18,7,14;
18,34,4; 18,34,6; 18,37,2;
18,48,74; 18,48,75; 20,21,28
[25].

INDEX DES MOTS GRECS

Cet index donne toutes les occurrences des mots retenus. Ont été **exclus** sauf exceptions :

– les mots-outils : articles, conjonctions, particules (μέν, δέ, γάρ, ἄν, ἄρα etc.), prépositions, pronoms (personnels, réfléchis, possessifs, relatifs, interrogatifs, indéfinis);

– les adverbes les plus usuels comme πάντοτε, ἀεί, ἅμα, ἄνω, δεῦτε, δεῦρο, εἶτα, κάτω, μόνον, νῦν, οὕτως, πάλιν, ποῦ, πῶς, τάχα, etc.; mais on trouvera ἄνωθεν, ἐκεῖ, ἔξω, ἔσω, qui peuvent avoir un sens spirituel, ou des adverbes plus rares comme ὑποκάτω; μᾶλλον et ὕστερον sont supprimés, mais non μάλιστα et πρότερον, moins fréquents;

– les adjectifs ἄλλος, ἅπας, ἕτερος, μόνος, πᾶς, πολύς; tous les adjectifs numéraux (sauf les ordinaux, conservés); les adjectifs interrogatifs, démonstratifs, possessifs (ποῖος, τοιοῦτος, ἡμέτερος...); sauf exception, on cherchera les comparatifs et superlatifs à la forme simple;

– les substantifs ἀββᾶ, ἀδελφός (mais on trouvera ἀδελφή), ἀμμᾶ, ἄνθρωπος, γέρων, θεός, πατήρ (mais on trouvera μήτηρ);

– les verbes ἀποκρίνειν, γίγνεσθαι, δεῖν, εἶναι, ἐνεῖναι, ἔρχεσθαι, ἐρωτᾶν, ἔχειν, λαμβάνειν, λέγειν (εἰπεῖν), ποιεῖν, φάναι, χρῆναι ; avec ἔρχεσθαι sont exclues les formes du type ἐλθεῖν, ἰέναι; mais les composés de ἔρχεσθαι sont donnés (sous la forme -έρχεσθαι plutôt que -ιέναι pour éviter la confusion avec les composés de ἵημι); le verbe ὁρᾶν est retenu, sauf pour la forme ἰδού.

Les formes concurrentes en -σσειν/-ττειν, -σσος/ττος étant toutes attestées dans les apophtegmes, on cherchera à l'une ou l'autre entrée (mais pour un mot donné, toutes les occurrences sont rassemblées sous une seule entrée).

Le premier chiffre indique le chapitre (de 1 à 21), le second le numéro de l'apophtegme, le troisième la ligne; l'abréviation

'Pr.' renvoie au Prologue (vol. I, *SC* 387, p. 92-100), 'tit.' renvoie aux titres des chapitres.

Le P. Guy avait préparé un index manuel des *Apophtegmes*. Pour diverses raisons, il n'a pas été possible de le reprendre, mais il a grandement facilité la préparation de celui-ci, effectué grâce au logiciel *Lexis* d'indexation du grec ancien, créé par Richard Goulet : http://callimac.vjf.cnrs.fr/LEXIS.html

Je remercie mes collègues D. Gonnet et M.-G. Guérard pour leur aide technique précieuse. [B.M.]

ἄβατος : 18,45,35
[1].

ἀβλαβής : 5,32,23; 14,25,30
[2].

ἀβλαβῶς : 4,65,3
[1].

ἀβροχία : 12,17,3; 15,129,36; 20,24,31
[3].

ἄβυσσος : 18,50,4
[1].

ἀγαθοεργία : 1,7,12
[1].

ἀγαθοποιεῖν : 10,19,19; 10,153, 10
[2].

ἀγαθός : 2,35,19; 2,35,39; 3,5, 11; 3,5,18; 3,47,2; 4,23,2; 4, 39,5; 5,43,24; 5,46,15; 5,51,7; 6,17,1; 6,17,2; 7,7,5; 7,13,21; 8,1,7; 8,32,43; 9,18,20; 9, 24,18; 10,54,38; 10,70,8; 10, 70,16; 10,87,2; 10,87,5; 10, 95,2; 10,99,4; 10,99,14; 10, 110,57; 10,121,2; 10,142,1; 10,151,8; 10,163,4; 10,163,4; 11,26,6; 11,41,23; 11,47,2; 11,

50,27; 11,50,30; 11,51,10; 11, 51,37; 11,61,3; 11,79,4; 11, 89,1; 11,125,4; 11,125,8; 13, 10,3; 13,16,4; 13,17,8; 15,5,5; 15,6,2; 15,11,20; 15,20,3; 15, 100,8; 15,118,30; 15,122,10; 15,136,32; 15,136,33; 17,27,5; 17,31,1; 18,26,62; 18,26,85; 18,33,2; 18,45,51; 18,45,53; 18,45,60; 18,45,111; 18,45, 131; 18,45,133; 18,46,59; 18, 46,68; 18,46,79; 18,46,95; 18, 49,173; 18,49,181; 18,49,189; 18,49,195; 21,11,2; 21,35,2
[77].

ἀγαθότης : 5,43,21; 7,8,9; 10, 77,2; 10,102,5; 18,26,38; 18, 26,82; 18,46,77
[7].

ἀγάλλειν : 3,5,18
[1].

ἀγαλλιᾶν : 5,46,85; 7,23,21
[2].

ἄγαλμα : 15,12,9; 15,12,11; 15, 12,15; 15,12,19; 15,12,24
[5].

11,30,1; 11,83,1; 11,89,1; 15,
61,4; 15,69,15; 15,89,2; 17,
13,4; 18,25,13; 20,15,44
[26].

ἀγωνιστής : 4,3,2; 5,26,1; 7,57,
7; 7,58,2; 7,58,5; 7,58,8; 15,
123,4; 15,129,42; 17,21,3
[9].

ἄδεια : 18,45,37
[1].

ἄδειν : 10,84,2; 10,84,5
[2].

ἀδέκαστος : 15,136,9
[1].

ἀδελφή : 4,74,1; 8,16,3; 8,16,6;
10,156,2; 13,17,12; 17,34,25;
17,34,26; 18,49,5; 18,49,162;
18,49,205
[10].

ἀδεῶς : 7,25,14
[1].

ἄδηλος : 11,75,2
[1].

ἀδηφαγία : 14,18,7
[1].

ἀδιακρισία : 10,135,3
[1].

ἀδιάκριτος : 10,100,24
[1].

ἀδιάλειπτος : 2,17,3; 11,51,36;
12,21,14; 17,9,2
[4].

ἀδιαλείπτως : Pr.11,18; 1,7,3;
1,7,14; 1,16,21; 3,44,6; 7,
42,13; 10,36,4; 11,51,29; 11,
61,2; 11,126,12; 12,tit.,1; 12,
6,8; 12,10,5; 12,10,12; 12,
10,23; 12,20,1; 15,103,8;

15,135,8; 18,14,49; 18,42,18;
18,49,18
[21].

ἀδιαφορία : 5,1,13
[1].

ἀδιαφόρως : 4,90,2
[1].

ἀδιήγητος : 18,49,43
[1].

ἀδικεῖν : 10,104,7; 11,95,1; 16,
13,1; 16,13,2
[4].

ἀδικία : 18,46,89; 18,49,84; 18,
49,93
[3].

ἄδικος : 1,32,5; 15,1,4; 21,18,1
[3].

ἀδίκως : 15,111,40
[1].

ἀδολεσχεῖν : 2,31,1; 5,23,11; 5,
39,14; 9,13,11; 10,112,16; 10,
187,7
[6].

ἀδολεσχία : 17,9,1
[1].

ἄδολος : 11,50,29
[1].

ἀδυναμεῖν : 9,24,12
[1].

ἀδυναμία : 21,48,2
[1].

ἀδύναμος : 18,10,8; 18,10,12
[2].

ἀδύνατος : 1,11,4; 2,34,1; 5,
12,1; 5,46,58; 6,13,1; 7,43,1;
8,25,2; 10,139,1; 11,29,5; 11,
85,1; 12,16,1; 14,16,6; 15,10,
54; 15,12,32; 15,45,3; 15,66,1;

15,119,6; 15,119,11; 16,18,6
[19].

ἀείμνηστος : 7,11,7
[1].

ἀεργός : 21,59,1
[1].

ἀετός : 18,32,2; 18,32,7; 18,32,
9; 18,32,13; 18,32,19
[5].

ἀηδία : 16,18,5; 16,18,8
[2].

ἀηδίζειν : 5,16,10
[1].

ἀήρ : 2,16,2; 7,13,11; 7,13,15;
10,81,3; 10,147,4; 11,47,18;
11,51,3; 11,111,10; 18,45,28;
18,45,35; 18,45,43
[11].

ἀθάνατος : 1,5,3; 10,194,3; 15,
117,15
[3].

ἀθήρα : 4,78,3; 4,78,9; 8,20,6;
8,20,10; 16,1,13
[5].

ἀθλητής : 5,52,19; 5,52,21; 10,
106,1; 15,117,7
[4].

ἄθλιος : 5,4,11; 5,42,12; 5,42,
26; 15,39,28; 18,14,23; 18,45,
62; 18,49,82
[7].

ἀθρόως : 18,12,2
[1].

ἀθυμεῖν : 5,4,28; 10,68,4; 12,4,1
[3].

ἀθυμία : 5,4,18; 9,10,6;
15,119,20; 20,15,70
[4].

ἀθῷος : 7,17,28
[1].

αἰγύπτιος : v. Index Noms de
lieux

αἰδεῖσθαι : 5,4,46; 15,39,17; 18,
13,31
[3].

αἰθιόπισσα : v. Index Noms de
lieux

αἰθίοψ : v. Index Noms de
lieux

αἰκισμός : 20,16,38
[1].

αἷμα : 4,9,2; 4,9,6; 4,78,2; 5,1,6;
5,44,10; 5,44,25; 7,17,28;
7,17,30; 10,156,4; 15,119,33;
15,124,8; 17,21,7; 17,33,12;
18,4,16; 18,4,41; 18,4,47; 18,
4,52; 18,22,10; 18,47,3; 18,
47,6; 18,48,5; 18,48,20; 18,
48,53; 20,15,28
[24].

αἱματώδης : 18,4,45
[1].

αἰνεῖν : 18,48,86
[1].

αἴνεσις : 12,27,5
[1].

αἱρεῖν : 2,29,2; 4,36,3; 5,46,77;
10,175,8; 15,81,5; 18,45,48;
18,45,55; 18,46,65
[8].

αἴρειν : 2,26,6; 3,36,9; 4,9,5;
4,16,2; 4,17,3; 4,39,2; 4,63,2;
4,100,14; 5,32,20; 5,44,33;
5,50,13; 6,2,6; 6,8,39; 6,24,4;
7,10,4; 7,12,2; 7,12,8; 7,29,11;
8,32,11; 8,32,16; 9,10,10; 9,
12,7; 9,16,8; 10,112,16; 11,

41,20; 14,28,20; 15,10,43; 15,
92,6; 15,92,8; 15,129,45; 17,
26,9; 18,3,8; 18,16,5; 20,3,47;
21,18,2
[35].

αἵρεσις : 10,32,4; 10,151,5; 14,
16,5
[3].

αἱρετίζειν : 5,54,29
[1].

αἱρετικός : 1,27,2; 1,34,5; 4,
102,9; 8,13,6; 8,13,12; 10,12,
8; 10,12,8; 10,12,12
[8].

αἰσθάνεσθαι : 4,25,1; 4,42,5; 5,
36,15; 5,42,24; 10,63,14; 15,
111,53; 15,133,6; 15,136,18;
16,24,9; 18,45,23; 19,2,3;
19,2,5
[12].

αἴσθησις : 4,49,5; 11,73,1; 18,
46,45
[3].

αἰσθητός : 10,101,1
[1].

αἰσθητῶς : 14,23,22
[1].

αἰσχρός : 3,32,7; 3,56,5; 5,41,4;
7,24,5; 7,41,3; 10,26,3; 11,
88,1; 18,45,58; 18,45,132; 18,
49,85; 20,21,19
[11].

αἰσχρότης : 5,48,6
[1].

αἰσχρῶς : 5,54,30; 9,14,3
[2].

αἰσχύνειν : 5,54,68; 9,12,2; 9,
12,14; 10,26,10; 10,26,11; 10,

39,9; 10,63,5; 10,63,10; 17,
10,6; 18,48,14; 18,49,167
[11].

αἰσχύνεσθαι : 4,27,8
[1].

αἰσχύνη : 2,10,16; 3,5,5; 3,
38,25; 5,4,47; 5,30,8; 6,21,4;
9,12,17; 10,26,10; 10,63,8; 10,
139,3; 10,152,3; 11,31,6; 11,
31,13; 18,49,132; 18,49,147;
21,30,1
[16].

αἰτεῖν : 2,17,4; 2,19,2; 4,27,18;
4,65,2; 5,4,71; 6,8,10; 8,32,7;
10,134,1; 11,29,1; 11,31,8; 11,
31,10; 11,31,16; 11,32,2; 11,
50,11; 11,87,3; 12,18,4; 14,
13,2; 15,1,2; 15,91,2; 15,92,1;
15,123,8; 17,19,1; 17,19,5;
18,5,7; 18,32,4; 18,32,17; 18,
49,156; 18,49,189; 19,12,28;
20,24,3
[30].

αἴτησις : 7,23,7; 11,31,8; 11,
49,12; 12,20,3
[4].

αἰτία : 4,82,4; 5,4,17; 5,4,45;
5,23,15; 8,4,21; 10,148,8; 15,
39,38; 15,135,15; 16,7,7; 18,
14,20; 18,26,50; 18,45,76; 18,
45,125; 18,49,116
[14].

αἰτιᾶσθαι : 9,26,9; 15,31,5; 16,
19,1
[3].

αἴτιος : 5,23,17; 5,54,56; 7,
60,11; 15,111,6; 16,16,3; 18,
46,3
[6].

15,112,13; 15,114,6; 15,116,
10; 15,118,26; 15,127,6; 15,
129,51; 15,135,22; 16,1,3;
16,1,4; 16,2,19; 16,7,3; 16,7,7;
16,9,4; 16,13,9; 16,24,4; 16,
27,1; 17,11,6; 17,11,23; 17,
13,3; 17,18,5; 17,20,2; 17,
21,2; 17,24,22; 17,24,25; 17,
27,2; 18,4,6; 18,4,9; 18,7,11;
18,13,24; 18,19,7; 18,21,10;
18,26,47; 18,26,56; 18,26,78;
18,48,63; 18,48,84; 18,49,39;
18,49,87; 18,52,10; 19,5,9;
19,6,2; 19,12,30; 19,17,13; 19,
20,3; 20,2,19; 20,2,28; 20,3,6;
20,5,8; 20,12,2; 20,21,26; 20,
22,9; 20,22,30; 20,22,32; 20,
22,36; 20,22,38; 20,22,40; 20,
22,41; 21,27,1; 21,65,3
[264].
ἀκούσιος : 7,23,5
[1].
ἀκουσίως : 11,114,5; 15,10,54
[2].
ἀκριβάζειν : 4,22,5
[1].
ἀκρίβεια : 4,102,1; 14,2,14
[2].
ἀκριβεύεσθαι : 13,16,13
[1].
ἀκριβής : 11,41,1; 18,46,9
[2].
ἀκριβολογία : 13,16,2
[1].
ἀκριβῶς : Pr.3,1; 4,102,5; 7,35,4;
10,110,48; 15,18,3; 18,49,125
[6].
ἀκροᾶσθαι : 3,48,2; 7,56,12
[2].

ἀκροατής : 10,159,1; 10,188,1;
21,64,1
[3].
ἄκρος : Pr.11,28; 4,26,3; 4,49,2;
11,47,2; 21,tit.,3
[5].
ἀκρότομος : 15,68,3
[1].
ἀκτημοσύνη : Pr.11,10; 1,12,2;
1,23,4; 1,29,3; 6,tit.,1; 6,7,6;
6,14,4; 6,17,2; 6,18,2; 15,76,4
[10].
ἀκτήμων : 14,14,4
[1].
ἄλαλος : 14,32,24; 14,32,26
[2].
ἅλας : 4,10,3; 4,10,8; 4,10,10;
4,84,4; 4,103,4; 4,103,6; 8,4,4;
8,4,10; 8,26,4; 8,26,6; 10,6,4;
10,150,18; 10,150,20; 14,3,5;
14,23,10; 14,31,2; 15,73,7; 15,
85,11; 20,3,17
[19].
ἀλᾶσθαι : 5,54,55
[1].
ἀλγεῖν : 5,4,66; 7,23,28
[2].
ἀλείφειν : Pr.11,13; 5,54,71; 7,
tit.,2; 7,58,6; 12,14,5; 15,119,
30
[6].
ἄλευρον : 8,10,5
[1].
ἀλήθεια : 1,3,3; 1,17,2; 4,78,7;
5,30,13; 5,46,52; 5,49,11;
6,26,6; 6,26,8; 7,57,5; 8,4,27;
8,4,34; 10,39,14; 10,157,2; 10,
158,1; 12,24,11; 14,7,2; 15,10,
45; 15,10,46; 15,85,16; 15,

111,38; 15,111,43; 15,111,48;
15,132,8; 17,11,23; 18,4,16;
18,4,21; 18,4,28; 18,5,13; 18,
26,44; 20,16,30; 20,21,26; 21,
61,2
[32].

ἀληθεύειν : 10,160,2
[1].

ἀληθής : 5,46,37; 10,51,5; 11,
51,15; 12,20,5; 18,46,39; 18,
46,40; 18,52,6; 18,52,7; 18,52,
9
[9].

ἀληθινός : 1,7,10; 1,35,2; 4,77,
8; 7,17,16; 7,17,19; 7,17,21;
10,2,3; 10,2,9; 10,54,39; 10,
134,4; 11,31,16; 11,49,11; 12,
6,7; 18,41,19
[14].

ἀληθῶς : 10,15,6; 10,109,1; 10,
184,3; 11,2,8; 14,29,26; 15,88,
1; 15,129,40; 15,134,4; 16,25,
9; 18,7,6; 18,49,163; 18,49,
217
[12].

ἀλίζειν : 10,6,5
[1].

ἀλλάττειν : 4,5,1; 4,5,4; 10,
132,1; 10,132,2; 13,1,14; 13,1,
15; 13,1,17; 15,71,3; 17,21,5;
18,49,144
[10].

ἀλλαχοῦ : 10,66,10; 10,118,3;
20,3,12
[3].

ἀλληλούϊα : 20,3,66
[1].

ἀλλήλων : 3,37,3; 4,15,4; 4,86,3;
4,96,2; 5,39,2; 7,17,30; 7,17,

34; 7,53,8; 9,10,21; 9,10,23;
9,10,27; 10,37,2; 10,54,17;
10,107,3; 10,150,8; 10,165,2;
11,41,23; 12,8,3; 12,14,9; 12,
14,10; 12,18,3; 12,25,21; 15,
10,10; 15,10,13; 15,12,7; 15,
12,13; 15,12,23; 15,12,29; 15,
70,10; 15,111,25; 15,111,32;
15,111,55; 15,112,2; 15,114,3;
15,114,4; 16,21,10; 17,18,15;
17,26,1; 17,26,10; 17,33,2; 17,
33,11; 18,7,4; 18,12,6; 18,26,
10; 18,37,2; 20,21,16; 20,21,19
[47].

ἀλλοιοῦν : 8,12,12
[1].

ἄλλοτε : 2,7,1; 3,9,1; 3,25,1; 4,
64,1; 8,23,1; 12,19,3; 15,117,
1; 18,12,1; 19,2,1; 19,3,1; 19,
7,1; 19,8,1; 19,9,1
[13].

ἀλλότριος : 1,32,6; 4,68,4; 5,20,
3; 6,21,5; 8,9,7; 9,7,9; 10,8,2;
12,16,3; 12,23,4; 15,103,6; 19,
12,20; 20,9,2
[12].

ἀλλοτριοῦν : 3,5,20; 8,6,4
[2].

ἄλλως : 10,38,13; 16,2,16
[2].

ἁλμυρός : 8,4,24; 15,82,2
[2].

ἀλογία : 10,102,7
[1].

ἄλογος : 15,53,3; 15,125,2; 15,
131,12; 15,131,13; 16,7,9
[5].

ἀλόγως : 5,54,30
[1].

ἀλφάβητος : 15,7,7
[1].

ἁμαρτάνειν : Pr.9,7; 3,5,4; 4,47,
5; 4,49,5; 5,31,13; 5,31,16;
5,31,16; 5,32,22; 5,47,10; 5,
52,3; 5,53,9; 6,25,17; 9,2,1;
9,5,9; 9,10,12; 9,17,1; 9,19,1;
9,21,2; 9,21,5; 9,22,5; 10,52,1;
10,52,3; 10,52,4; 10,68,1; 10,
68,2; 11,82,1; 11,114,1; 11,
114,5; 12,22,3; 15,78,2; 15,
111,8; 15,111,9; 15,119,7; 15,
123,9; 15,127,5; 15,129,47;
16,29,19; 16,29,23; 18,32,16;
18,43,9; 18,46,71
[41].

ἁμαρτάνεσθαι : 17,2,4
[1].

ἁμάρτημα : 2,35,11; 3,46,3; 3,
49,10; 9,3,2; 9,7,10; 9,13,11;
10,100,2; 11,74,6; 11,108,5;
15,24,11; 18,26,86; 18,46,50;
18,46,60; 18,46,69; 18,46,82;
18,46,100; 18,46,101
[17].

ἁμαρτία : 1,9,3; 1,34,3; 2,29,18;
3,7,3; 3,22,2; 3,23,3; 3,23,9;
3,23,10; 3,23,11; 3,27,4; 3,
27,6; 3,29,2; 3,29,3; 3,47,3; 3,
50,5; 4,25,2; 4,47,3; 4,54,2; 4,
72,15; 5,5,5; 5,5,13; 5,22,2;
5,47,3; 5,51,5; 5,51,8; 5,53,15;
7,13,19; 7,17,11; 7,17,20; 7,
25,3; 8,1,16; 8,28,3; 9,7,8; 9,
14,9; 9,18,15; 9,19,3; 10,
18,14; 10,27,5; 10,51,17; 10,
52,2; 10,57,2; 10,57,8; 10,90,
13; 10,102,3; 10,110,65; 10,
151,9; 11,29,2; 11,44,11; 11,

49,8; 11,51,6; 11,51,6; 11,77,
2; 11,104,2; 11,114,2; 11,125,
2; 13,7,4; 15,23,6; 15,24,2; 15,
79,2; 15,88,3; 15,103,6; 15,
108,2; 15,110,3; 15,118,7; 15,
118,14; 15,118,32; 15,118,33;
15,120,24; 15,122,10; 15,123,
8; 15,124,2; 15,124,3; 15,124,
6; 15,126,2; 15,130,3; 15,130,
15; 15,130,17; 16,30,19; 16,
30,21; 17,16,1; 17,18,13; 17,
34,20; 17,34,31; 18,3,24; 18,
26,46; 18,26,61; 18,26,74; 18,
26,88; 18,30,2; 18,46,13; 18,
46,74; 18,46,94; 18,49,123;
20,4,28; 20,16,42; 20,22,28;
21,42,2
[97].

ἁμαρτωλός : 3,5,15; 3,48,4; 7,
17,10; 7,23,11; 8,12,3; 8,
12,14; 9,2,3; 9,3,3; 9,6,9; 9,6,
11; 9,6,13; 9,16,4; 9,19,2; 11,
50,17; 15,26,2; 15,41,2; 15,
72,5; 15,103,4; 15,118,23; 15,
120,7; 15,122,14; 15,125,2;
17,18,3; 17,34,28; 18,26,54;
18,26,66; 18,26,68; 18,26,93;
18,46,13
[29].

ἀμαυροῦν : 10,42,4
[1].

ἄμαχος : 11,50,28
[1].

ἀμβλύνειν : 7,24,6; 15,21,5
[2].

ἀμέλεια : 3,38,5; 3,38,20; 5,20, 2;
7,41,2; 7,49,9; 10,63,23; 10,63,
24; 11,35,2; 11,72,2; 11,75,12;
11,78,18; 11,100,2; 11,100,3;

11,104,3; 11,104,5; 11,121,5; 11, 121,9; 11,121,11; 14,23,20; 16, 27,22; 18,14,8; 21,45,2
[22].

ἀμελεῖν : 3,21,2; 5,20,6; 5,23,6; 5,37,6; 5,45,25; 10,93,7; 11, 78,3; 11,78,5; 11,78,13; 11, 104,5; 11,107,4; 11,121,2; 11, 121,3; 11,121,3; 11,121,11; 11,126,6; 11,126,8; 12,6,3; 13, 6,8; 15,22,5; 15,23,2; 15,129, 21; 15,135,28; 18,14,49; 18, 46,101
[25].

ἀμελής : 4,67,3; 15,132,1; 18, 14,12; 18,40,3; 18,40,8; 18,40, 12; 18,40,17
[7].

ἄμεμπτος : 15,42,18; 21,47,1
[2].

ἀμεριμνεῖν : 10,69,3; 10,82,8; 11,62,2
[3].

ἀμεριμνία : 5,29,1
[1].

ἀμέριμνος : 1,26,2; 7,12,3; 10, 36,2; 10,36,3; 11,75,1; 15,85, 16; 15,96,5
[7].

ἀμερίμνως : 7,34,13; 20,11,20
[2].

ἀμετακίνητος : 15,69,8
[1].

ἀμεταμέλητος : 2,35,23
[1].

ἀμετανόητος : 18,49,85
[1].

ἀμετρία : 3,38,22; 10,105,8
[2].

ἄμετρος : 10,25,6; 12,24,4; 18, 26,39
[3].

ἀμήχανος : 11,122,6; 15,66,2
[2].

ἄμμος : 7,58,8; 7,58,12
[2].

ἀμοιβή : 6,12,2
[1].

ἄμπελος : 4,58,2; 18,6,2; 18,6,5
[3].

ἀμφιβάλλειν : 3,52,3
[1].

ἄμφοδος : 15,39,12
[1].

ἀμφότερος : 9,10,21; 9,10,29; 9, 12,6; 10,19,13; 10,105,11; 10, 178,7; 11,41,20; 13,1,17; 13,13, 10; 14,16,5; 15,10,26; 15,24,3; 15,42,14; 15,111,55; 16,15,2; 16, 27,8; 18,4,33; 18γ 45,78
[18].

ἄμωμος : 10,89,4
[1].

ἀναβαίνειν : 4,71,7; 5,30,13; 5, 30,19; 7,15,1; 10,100,4; 10, 173,2; 12,8,5; 14,27,15; 15, 22,3; 17,10,1; 17,11,3; 18,13, 40; 18,26,40; 19,10,2; 19,12,2; 19,20,1; 20,13,3
[17].

ἀναβάλλειν : 14,25,8
[1].

ἀναβλέπειν : 7,55,2; 7,55,4; 7, 60,27; 9,12,10; 15,20,5; 18,35, 3
[6].

ἀναβοᾶν : 18,26,78
[1].

100,16; 10,194,2; 13,18,14;
14,23,6; 14,23,10; 15,111,28;
17,11,17; 18,5,4; 18,45,72; 18,
45,132; 18,46,7; 18,48,14; 18,
48,17; 18,48,33; 18,49,201;
18,49,212
[21].

ἀπάγειν : 15,61,2; 15,61,3; 15,
135,1; 18,49,40
[4].

ἀπαγορεύειν : 5,4,33; 18,26,26
[2].

ἀπάθεια : 1,4,3; 2,21,7; 10,193,3;
11,25,1; 15,25,4; 17, 35,3
[6].

ἀπαθής : 5,1,4
[1].

ἀπαιτεῖν : 1,3,1; 3,39,8; 4,28,2;
13,2,10; 15,136,10
[5].

ἀπαλείφειν : 20,15,80
[1].

ἀπαλλάττειν : 2,2,2; 5,4,70; 7,
60,12; 16,18,2; 16,18,6; 16,
18,8; 16,18,10; 18,46,83
[8].

ἀπαλός : 18,21,7; 18,21,9
[2].

ἀπανθρώπως : 5,49,7
[1].

ἀπαντᾶν : 2,10,8; 2,10,30; 2,11,
3; 3,6,3; 3,14,3; 3,40,8; 4,13,4;
4,40,5; 4,45,2; 4,45,5; 4,75,1;
4,89,5; 4,103,2; 6,1,8; 7,6,4;
7,6,4; 7,25,10; 8,16,2; 8,27,10;
10,20,8; 11,9,11; 14,12,16; 15,
12,7; 15,12,13; 15,136,6; 18,
25,2; 18,45,23
[27].

ἀπαντή : 13,1,19
[1].

ἀπάντησις : 3,7,2; 5,45,9; 9,7,6;
13,1,2; 15,111,37; 18,13,25
[6].

ἀπαρέσκειν : 18,49,96
[1].

ἀπάρτι : 4,100,9
[1].

ἀπαρχή : 4,64,1
[1].

ἀπασχολεῖν : 11,36,1; 11,68,11;
18,45,9
[3].

ἀπατᾶν : 4,23,3; 5,27,20; 7,23,5;
11,114,6; 15,90,2
[5].

ἀπάτη : 5,48,6; 11,51,5; 18,
49,145; 18,49,214
[4].

ἄπαυστος : 3,2,10; 10,129,3
[2].

ἀπαύστως : 11,49,9; 15,119,15
[2].

ἀπειλεῖν : 18,49,143
[1].

ἀπειλή : 5,37,11
[1].

ἀπεῖναι : 17,31,3
[1].

ἀπειρία : 5,4,6; 5,48,3
[2].

ἄπειρος : 5,4,10; 5,46,16;
10,100,5
[3].

ἀπελαύνειν : 4,50,2; 17,17,9
[2].

ἀπελπίζειν : 5,4,26; 5,46,22;

ἀπογιγνώσκειν : 5,4,13; 5,4,23; 15,118,30
[3].

ἀπόγνωσις : 5,4,6; 5,4,55; 5,34, 4; 5,34,12
[4].

ἀποδεικνύναι : 18,45,39
[1].

ἀπόδειξις : 4,27,32
[1].

ἀποδημία : 10,54,22
[1].

ἀποδιδόναι : 5,42,34; 6,8,15; 6, 8,34; 6,8,36; 15,117,14; 15, 119,11; 15,135,27; 17,13,6; 18,26,85; 18,47,3; 19,14,23; 20,7,18
[12].

ἀποδιώκειν : 4,14,4
[1].

ἀποδύειν : 3,49,4; 10,36,4; 15, 117,6; 15,117,11; 15,117,12
[5].

ἀποδύρεσθαι : 18,26,27; 20,16, 35
[2].

ἀποθνήσκειν : 1,8,6; 2,10,33; 3, 25,7; 3,38,6; 3,39,3; 4,28,2; 5, 26,5; 5,40,6; 5,43,51; 5,46,31; 5,54,30; 5,54,57; 6,2,7; 7,17, 35; 8,16,13; 9,10,11; 10,2,4; 10,2,5; 10,6,2; 10,19,10; 10, 21,5; 10,53,8; 10,60,4; 10,170, 16; 11,15,1; 11,51,20; 11,81,2; 11,81,4; 11,81,5; 11,111,5; 11, 115,1; 13,6,12; 13,17,50; 15, 39,15; 15,117,4; 15,117,5; 15, 126,6; 15,129,13; 15,129,41; 15,129,52; 15,132,2; 17,10,5;

18,8,4; 18,18,12; 18,25,9; 18, 41,4; 18,45,27; 18,46,65; 18, 46,96; 18,48,12; 19,12,7; 19, 12,12; 19,12,13; 19,17,3; 19, 17,10; 20,16,40; 21,7,2
[57].

ἀποκαθαίρειν : 13,7,4
[1].

ἀποκαθιστάναι : 5,4,67; 7,49, 27; 14,25,30; 16,21,8; 18,49, 66; 19,21,8
[6].

ἀποκαλεῖν : 5,4,11; 18,45,84
[2].

ἀποκαλύπτειν : 3,39,5; 5,16,11; 5,23,7; 5,23,9; 5,30,14; 5,47,11; 5,47,14; 5,53,17; 11,109,5; 14, 27,21; 15,14,7; 15,70,6; 15, 91, 4; 15,111,36; 15,111,41; 18,1,1; 18,4,25; 18,4,28; 18,4,31; 18, 5,7; 18,5,13; 18,5,20; 18,25,5; 18,39,2; 18,39,4; 18,42,11; 18, 43,6; 18,43,11; 20,3, 50
[29].

ἀποκάλυψις : Pr.9,2; 5,46,99; 18,26,82; 18,46,36
[4].

ἀποκεῖσθαι : 3,5,4; 3,5,10; 3,5, 18; 5,38,8; 18,45,129
[5].

ἀποκεφαλίζειν : 7,17,23
[1].

ἀποκλαίειν : 18,26,19
[1].

ἀποκλείειν : 1,13,18; 4,30,6; 5, 39,8; 10,172,2
[4].

ἀποκλίνειν : 18,45,91
[1].

ἀποκόπτειν : 5,11,5; 10,112,14
[2].

ἀπόκρισις : 8,16,7; 10,53,5; 10,
53,6; 10,54,20; 10,94,8; 12,
12,3; 14,32,15; 19,8,8
[8].

ἀποκρύπτειν : 5,4,2; 7,62,23;
20,16,55
[3].

ἀπόκρυφος : 14,16,3
[1].

ἀποκτείνειν : 4,72,15; 5,35,2; 5,
44,17; 7,17,6; 7,17,20; 10,19,3
[6].

ἀπολαμβάνειν : 4,5,7; 18,41,13;
18,41,16; 18,49,146
[4].

ἀπολαύειν : 2,34,7; 3,5,19; 4,5,
6; 15,85,17
[4].

ἀπόλαυσις : 3,5,14; 6,14,3; 18,
46,68
[3].

ἀπολείπειν : 11,72,3; 18,46,71;
18,49,94
[3].

ἀπολιθοῦν : 5,42,27
[1].

ἀπόλλειν : 3,55,5; 7,60,16; 8,24,
4; 11,2,11; 11,92,2; 15,100,9;
15,122,6
[7].

ἀπολλύειν : 4,60,3; 18,26,91
[2].

ἀπολλύναι : 2,9,4; 2,27,2; 4,20,
3; 4,31,3; 4,39,4; 5,32,12; 5,
42,32; 5,47,8; 6,8,28; 6,8,30;
6,8,32; 6,14,7; 6,19,6; 7,49,2;
7,51,3; 7,51,4; 7,60,9; 8,6,9;

9,1,8; 9,14,7; 10,50,11; 10,
63,18; 10,90,2; 10,99,3; 10,
100,6; 10,100,7; 10,104,5; 10,
129,7; 10,130,4; 11,74,7; 11,
92,1; 11,96,2; 11,113,6; 13,
16,3; 15,13,7; 15,32,4; 15,
73,5; 15,86,4; 15,100,5; 15,
116,9; 15,116,10; 15,116,13;
15,118,36; 15,120,10; 18,3,28;
18,4,32; 18,4,54; 18,18,11;
18,45,119; 18,49,140; v.
ἀπολλύειν
[50].

ἀπολογεῖν : 3,4,9; 5,46,43; 8,1,
19
[3].

ἀπολογία : 3,41,3
[1].

ἀπολύειν : 2,17,4; 4,30,2; 5,
32,15; 7,52,4; 7,52,19; 7,52,
23; 7,61,4; 8,16,5; 8,16,11;
9,20,10; 10,150,26; 10,170,16;
11,27,3; 11,47,7; 11,68,3; 12,
18,10; 14,12,17; 14,25,17; 14,
27,9; 14,30,28; 15,39,20; 15,
46,6; 15,46,8; 15,46,10; 15,
70,20; 16,9,4; 16,25,17; 18,
2,7; 18,19,10; 18,26,28; 18,
27,11; 18,46,51; 18,48,29; 19,
6,11; 20,15,86; 20,15,86
[36].

ἀπόλυσις : 7,52,14; 7,52,40
[2].

ἀπομάχεθαι : 7,25,12
[1].

ἀπομείνειν : 16,22,4
[1].

ἀπομέμφεσθαι : 5,54,72; 6,2,8
[2].

ἀποταγή : 1,9,4; 1,16,17; 1,16,
18; 1,16,19
[4].
ἀποταξία : 1,13,12
[1].
ἀποτάττειν : 1,14,7; 3,1,4; 6,1,
1; 6,1,12; 6,14,1; 11,118,1; 14,
23,5; 14,23,7; 15,131,3; 18,26,
70; 20,4,24
[11].
ἀποτιθέναι : 6,8,40; 17,16,3; 20,
24,39
[3].
ἀποτομία : 10,182,2
[1].
ἀποτυγχάνειν : 20,21,23
[1].
ἀποφαίνειν : 18,49,209
[1].
ἀπόφασις : 3,6,3; 12,3,14; 15,
136,13
[3].
ἀποφέρειν : 4,44,3; 4,83,6; 6,22,
4; 6,22,7; 7,62,11; 7,62,16;
10,137,3; 14,13,8; 14,13,10;
14,28,23; 14,32,20; 15,8,8; 18,
3,5; 18,13,10; 18,41,7; 19,13,
11
[16].
ἀποφεύγειν : 4,102,10; 15,28,6;
15,69,7
[3].
ἀποφθέγγεσθαι : 6,14,6
[1].
ἀπόφθεγμα : Pr.10,2; Pr.11,27;
21,tit.,1
[3].
ἀποφράττειν : 18,49,208
[1].

ἀποχή : 21,11,3
[1].
ἄπρακτος : 10,63,6; 12,12,8; 12,
12,10; 12,12,13; 18,49,183;
18,49,203; 18,49,209
[7].
ἀπρεπής : 12,25,3; 12,25,8; 16,
23,3; 18,14,4
[4].
ἀπρεπῶς : 4,49,6
[1].
ἀπροαιρέτως : 18,49,73
[1].
ἀπρόσδεκτος : 15,124,9
[1].
ἀπροσεξία : 5,46,19
[1].
ἅπτειν : 4,83,5; 5,46,73; 5,46,74;
6,8,17; 6,25,19; 10,19,9; 11,41,
12; 11,41,13; 11,41,14; 11,41,16;
15,10,19; 15,109,10; 15,112,3;
15,121,7; 15,130,17; 15,135,6;
16,29,4; 18,45,124; 20,16,14
[19].
ἀπωθεῖν : 11,47,11; 16,19,2
[2].
ἀπώλεια : 3,32,5; 6,26,13; 11,
42,4; 15,120,32; 18,49,116
[5].
ἀράκιον : 4,8,2
[1].
ἀργεῖν : 2,21,5; 10,58,5; 10,93,
8; 10,149,13; 12,6,6
[5].
ἀργία : 11,48,12
[1].
ἀργολογεῖν : 11,50,5; 12,21,8;
15,26,8
[3].

ἀργολογία : 11,48,4; 11,48,7
[2].
ἀργός : 8,12,19; 10,73,5; 10,83,
4; 10,119,4; 10,163,3; 10,191,
4; 11,23,2; 11,48,16; 15,
22,5
[9].
ἄργυρον : 11,92,1
[1].
ἀργυροῦς : 10,70,5; 10,70,12
[2].
ἀρέσκειν : 2,11,6; 3,32,6; 3,32,
7; 8,17,3; 9,3,4; 10,153,4; 11,
2,10; 11,22,3; 18,13,11; 18,13,
13; 18,43,3; 18,49,162
[12].
ἀρεστός : 11,112,2
[1].
ἀρετή : Pr.4,8; Pr.11,28; 1,13,2;
1,13,4; 1,17,5; 1,19,4; 1,20,2;
2,21,6; 2,35,5; 3,17,4; 3,22,2;
3,55,7; 4,88,1; 4,102,13; 5,
54,18; 6,8,2; 7,23,26; 7,30,3;
7,47,2; 8,24,2; 8,28,2; 8,32,50;
10,7,3; 10,7,6; 10,54,5; 10,73,
5; 10,85,2; 10,137,14; 10,142,
3; 10,184,3; 11,3,4; 11,9,18;
11,50,14; 11,51,9; 11,51,19;
11,80,3; 12,2,2; 13,15,23; 14,
8,3; 14,14,3; 14,14,8; 14,14,9;
14,29,23; 15,24,6; 15,28,5; 15,
35,2; 15,46,14; 15,70,2; 15,
99,1; 15,105,3; 16,29,3; 18,41,
15; 20,10,2; 20,10,5; 21,tit.,3;
21,25,1; 21,42,3
[57].
ἀριθμεῖν : 7,38,6; 7,38,8
[2].
ἀριστερός : 3,22,4; 3,22,5; 8,32,

44; 8,32,46; 10,146,4; 11,71,3;
13,1,7; 20,11,13
[8].
ἀριστοποιεῖν : 10,82,6
[1].
ἄριστος : 15,135,4
[1].
ἀρκεῖν : 1,31,7; 3,23,12; 6,21,2;
7,59,6; 11,64,5; 11,121,9; 12,
21,4; 14,31,2; 15,77,8; 17,5,7;
18,49,91; 18,49,97; 18,49,146;
20,12,8
[14].
ἀρκετός : 4,3,1; 10,103,5
[2].
ἄρκος : 5,11,4
[1].
ἁρμόδιος : 15,10,30
[1].
ἁρμόζειν : 10,121,2
[1].
ἀρνεῖσθαι : 3,14,3; 3,19,22; 5,
43,9; 5,43,11; 5,43,22; 10,
68,2; 10,155,2; 18,45,74
[8].
ἀρνίον : 15,84,7; 15,84,8
[2].
ἄρουρα : 17,24,2; 17,24,19
[2].
ἁρπάζειν : 1,16,11; 1,31,5; 1,32,
6; 3,33,6; 3,38,8; 4,2,4; 5,11,2;
5,54,37; 7,52,47; 11,78,18; 11,
95,5; 12,13,2; 12,13,5; 15,122,
20; 18,27,10; 18,53,5; 18,53,6
[17].
ἅρπαξ : 11,50,24
[1].
ἀρραβών : 10,98,3
[1].

7,50,1; 7,53,1; 7,53,9; 10,23,
10; 10,50,9; 10,50,12; 10,76,2;
10,177,7; 12,14,5; 14,2,16; 14,
29,5; 15,10,12; 15,10,27; 15,
120,21; 15,129,43; 15,129,50;
15,136,19; 16,1,13; 16,5,3; 17,
10,7; 17,21,1; 17,22,3; 17,22,
7; 17,24,2; 17,24,5; 17,24,15;
17,27,6; 17,29,1; 17,29,5; 18,
27,7; 20,12,7
[46].

ἀσθενής : 2,10,29; 2,29,8; 5,37,
13; 5,45,10; 6,24,2; 10,5,3;
11,44,3; 12,14,2; 16,6,2; 18,
10,8; 18,10,11; 18,45,6; 18,
46,77; 18,48,11; 20,4,26
[15].

ἀσιτεία : 20,16,11
[1].

ἀσιτία : 2,13,3
[1].

ἄσιτος : 20,16,11
[1].

ἀσκανδάλιστος : 7,39,5
[1].

ἀσκεῖν : 2,34,9; 4,24,4; 4,82,1;
7,23,30; 10,41,1; 10,50,6; 10,
96,1; 11,105,1; 15,135,3; 15,
135,17; 17,25,3; 18,13,32; 18,
13,38
[13].

ἄσκησις : Pr.1,1; Pr.11,27; 1,12,
3; 1,13,14; 4,77,4; 4,85,2; 4,
86,5; 5,14,4; 5,17,2; 7,24,9; 7,
52,6; 10,1,2; 10,105,1; 10,105,
3; 10,170,3; 10,170,6; 10,170,
19; 10,170,21; 14,13,15; 14,
17,2; 14,27,21; 15,121,2; 15,
121,6; 15,121,11; 15,132,7;

15,135,8; 17,17,7; 18,43,2; 18,
49,2; 19,20,3; 21,tit.,1
[31].

ἀσκητήριον : 18,49,60; 18,49,
115
[2].

ἀσκητής : 4,77,2; 4,77,8; 8,4,2;
8,27,1; 8,27,4; 10,104,7;
12,12,19; 14,27,2; 14,27,6; 14,
27,10; 14,27,15; 14,27,17; 14,
27,20; 14,27,25; 15,117,3; 17,
17,1; 17,17,6
[17].

ἀσκητικός : 5,54,12; 15,73,2
[2].

ᾆσμα : 7,27,4; 20,22,33; 20,22,
37
[3].

ἀσπάζεσθαι : 7,29,5; 9,10,16;
9,10,27; 10,54,17; 10,110,10;
10,150,11; 11,9,15; 12,3,12;
12,18,2; 14,28,16; 15,70,10;
15,111,55; 17,14,3; 18,12,6;
18,37,2; 20,1,5; 20,3,36;
20,15,10
[18].

ἀσπασμός : 18,44,10
[1].

ἄσπιλος : 1,16,16
[1].

ἀσπίς : 5,54,55
[1].

ἀστεῖος : 15,11,8
[1].

ἀστήρ : 10,100,22
[1].

ἀστράγαλος : 19,2,5
[1].

ἀστραπή : 18,45,28; 18,48,45; 20,7,19
[3].

ἀσύντακτος : Pr.4,1
[1].

ἀσυντάκτως : 5,36,11
[1].

ἀσύστροφος : 9,26,10
[1].

ἀσφάλεια : Pr.11,8; 4,27,19; 4, 102,12; 5,tit.,1; 7,1,10; 11,78, 21
[6].

ἀσφαλίζειν : 5,34,2; 5,40,18; 7, 56,9; 10,130,3; 15,113,4
[5].

ἀσφαλῶς : 10,104,4
[1].

ἄσχετος : 7,23,11
[1].

ἀσχημονεῖν : 5,54,30; 20,1,18
[2].

ἀσχημοσύνη : 5,46,80; 9,12,16
[2].

ἀσχήμων : 20,15,23; 20,15,64
[2].

ἀσχολεῖν : 5,51,18; 11,9,14; 12, 23,2; 12,23,6
[4].

ἀσώματος : 15,116,5
[1].

ἀσωτία : 5,1,8; 18,45,38; 18,45, 40; 18,46,88
[4].

ἄτακτος : 10,46,3
[1].

ἀτάκτως : 4,49,6; 18,14,9
[2].

ἀτάραχος : 2,35,24; 9,11,5
[2].

ἀταράχως : 6,15,11; 10,93,9
[2].

ἄταφος : 15,129,59; 18,45,30
[2].

ἀτεχνοῦν : 7,17,28
[1].

ἀτελεύτητος : 3,5,8
[1].

ἀτενίζειν : 1,7,10; 4,78,6; 9,18,7; 15,1,1
[4].

ἀτιμάζειν : 1,13,9; 4,64,5; 10, 153,11; 16,17,2; 16,18,9
[5].

ἀτιμία : 8,2,3; 10,47,3; 10,153,2; 10,153,4; 10,153,7; 11,95,6; 15,76,3; 16,19,3
[8].

ἄτιμος : 13,1,14
[1].

ἀτιμώρητος : 18,49,96
[1].

ἀτονεῖν : 20,16,19
[1].

ἀτονία : 10,105,7
[1].

ἄτρακτος : 3,52,3
[1].

ἄτρωτος : 2,23,1; 10,48,5
[2].

αὐγάζειν : 18,51,10
[1].

αὐγή : 11,29,12
[1].

αὐθεντία : 15,93,5; 15,93,9; 15,93,10
[3].

22,5; 16,24,7; 16,30,14; 17,7,
6; 17,8,2; 17,11,4; 17,15,15;
17,16,5; 17,16,6; 17,20,8; 18,
4,53; 18,20,4; 18,26,45; 20,7,
11; 20,16,42; 21,46,2
[80].

ἀφιλάργυρος : 11,50,29
[1].

ἀφιλόσοφος : 7,6,2
[1].

ἀφιστάναι : 5,13,3; 5,43,17; 5,
43,20; 5,46,71; 5,54,28; 7,34,
6; 7,53,16; 8,17,2; 9,18,8; 11,
63,1; 15,71,4; 15,91,12; 15,
136,14;. 18,32,10; 18,32,12;
18,34,5; 18,46,46
[17].

ἄφνω : 7,10,1; 18,49,8; 19,12,7;
20,7,15; 20,16,46
[5].

ἀφορίζειν : 15,8,4; 15,111,16;
18,49,186; 18,49,220
[4].

ἀφορμή : 9,10,22; 10,177,10
[2].

ἀφρίζειν : 15,71,2
[1].

ἀφρόνως : 5,36,10
[1].

ἀφροσύνη : 4,49,4; 10,86,4
[2].

ἀφυπνοῦν : 10,152,5
[1].

ἄφωνος : 18,45,12; 18,49,9
[2].

ἀχρεῖος : 15,72,5
[1].

ἄχρις : 10,67,4
[1].

ἀχώριστος : 15,124,6
[1].

ἀψήφιστος : 15,27,1; 15,60,38
[2].

βαθμός : Pr.8,3; 18,49,51
[2].

βάθος : 3,56,3; 12,20,2; 15,1,1;
15,52,3
[4].

βάθρον : 18,26,40
[1].

βαθύς : 2,22,5; 2,25,3; 6,8,2; 11,
48,10; 18,49,11; 18,49,100
[6].

βαϊνός : 3,19,3; 7,13,5
[2].

βαῖον : 4,5,2; 4,5,5; 6,22,6; 7,60,
14; 14,2,6; 18,13,24; 18,31,8;
18,31,9; 20,3,22
[9].

βάκλια : 18,51,5
[1].

βαλανεῖον : 7,15,7; 10,110,39;
10,110,62
[3].

βαλάντιον : 6,19,4; 6,19,8
[2].

βάλλειν : 1,26,2; 2,10,28; 2,25,6;
2,29,12; 2,32,3; 2,33,2; 3,37,2;
3,53,2; 3,55,4; 4,7,2; 4,10,3;
4,10,7; 4,10,10; 4,12,3; 4,13,3;
4,72,7; 4,72,18; 4,77,4; 4,78,3;
4,100,5; 5,22,4; 5,22,10; 5,22,
11; 5,35,4; 5,35,6; 5,35,7;
5,36,9; 5,37,14; 5,37,15; 5,
40,21; 5,42,23; 6,4,14; 6,11,2;
6,19,9; 6,26,7; 7,17,4; 7,25,2;
7,49,2; 8,10,4; 8,11,4; 8,16,4;
8,20,15; 8,32,43; 8,32,44; 9,5,8;

9,10,6; 9,12,8; 9,13,4; 10,3,5;
10,13,6; 10,24,5; 10,36,14; 10,
60,3; 10,64,4; 10,64,7; 10,66,
17; 10,99,5; 10,99,16; 10,110,
21; 10,110,62; 10,136,7; 10,
136,11; 10,149,13; 10,150,6;
10,150,20; 10,150,20; 10,172,
4; 10,174,11; 11,2,1; 11,69,2;
11,69,4; 11,78,18; 11,111,17;
11,127,1; 12,14,4; 14,23,14;
14,27,17; 14,28,20; 14,30,4;
15,2,3; 15,5,6; 15,10,42; 15,
12,20; 15,12,27; 15,33,13;
15,47,4; 15,50,2; 15,60,7;
15,69,1; 15,85,10; 15,100,1;
15,104,2; 15, 109,2; 15,109,13;
15,111,50; 15,112,5; 15,112,15;
15,118,3; 15,130,8; 15,130,11;
16,22,7; 16,26,2; 16,26,3; 16,
30,20; 17,1,2; 17,20,2; 17,20,4;
17,20,6; 17,29,5; 17,34,32; 18,
26,15; 18,31,2; 18,48,16; 19,
15,5; 19,17,9; 20,3,4; 20,3,8;
20,3,64; 20,3,71; 20,7,14;
20,11,14; 20,22,43
[122].

βαπτίζειν : 18,45,97
[1].

βάπτισμα : 1,3,2; 5,43,9;
5,43,11; 5,43,23
[4].

βάρβαρος : 5,46,51; 10,21,2;
10,21,4; 18,18,3; 18,18,6;
18,18,14
[6].

βαρεῖν : 5,1,9; 10,152,2
[2].

βαρέως : 7,24,11
[1].

βάρος : 7,7,3; 7,27,2; 10,64,2;
15,69,7; 15,109,1
[5].

βαρυαχθεῖν : 7,27,4
[1].

βαρύνειν : 4,90,6; 7,58,14; 17,
17,6
[3].

βαρύς : 7,23,7; 10,100,2; 14,3,
12; 15,47,7
[4].

βασανίζειν : 4,29,5; 5,26,13; 7,
17,21; 7,17,23; 7,17,24; 7,61,
2; 10,114,4; 15,15,16; 15,39,
28; 15,112,8
[10].

βάσανος : 3,5,10; 3,19,18; 3,19,
19; 15,10,55; 18,45,105; 18,
45,113
[6].

βασιλεία : Pr.1,4; 1,16,10; 2,35,
9; 3,5,13; 3,33,8; 4,74,6; 4,
88,3; 6,12,1; 7,52,47; 11,50,
22; 11,50,25; 11,51,15; 11,
76,2; 11,99,3; 12,23,5; 12,25,
21; 14,29,23; 15,20,7; 15,36,4;
15,69,14; 15,85,9; 15,85,16;
15,111,15; 15,111,18; 16,28,
11; 18,3,23; 20,22,26; 20,22,
41
[28].

βασιλεύειν : 3,12,5
[1].

βασιλεύς : 4,20,1; 5,7,1; 7,17,3;
7,56,10; 7,61,4; 9,6,25; 10,
110,47; 11,71,2; 11,80,4; 11,
80,4; 11,95,2; 14,13,8; 14,13,
11; 15,85,2; 15,85,3; 15,85,7;

15,85,12; 15,85,14; 15,85,15;
15,85,19
[20].

βασιλικός : 4,102,4; 7,5,2; 10,
61,8; 10,105,3
[4].

βασκανία : 5,54,22
[1].

βαστάζειν : 2,35,26; 2,35,26; 4,
83,6; 5,16,17; 5,32,4; 5,40,16;
7,13,4; 7,47,5; 8,1,4; 8,2,3;
9,7,6; 9,13,4; 9,13,5; 10,5,4;
10,12,11; 10,23,10; 10,88,1;
10,93,5; 10,133,6; 11,27,2; 14,
32,19; 15,40,2; 15,42,10; 15,
52,4; 15,62,7; 15,117,9; 16,
10,5; 16,10,6; 16,14,1; 16,14,
2; 16,14,2; 16,23,9; 16,23,10;
16,23,11; 17,4,5; 17,11,13; 17,
13,4; 17,13,5; 17,18,13; 18,3,
7; 18,3,15; 18,3,20; 18,11,16;
18,15,5; 18,52,13; 19,10,2; 19,
19,5; 20,13,6; 20,24,37; 21,
52,1
[50].

βαττολογεῖν : 12,11,3
[1].

βαυκάλιον : 4,82,2; 5,28,10; 5,
28,18; 5,28,20; 7,40,6; 8,4,18;
8,4,23; 10,37,3; 10,37,8; 10,
69,5; 16,4,4; 18,8,6; 18,21,7;
20,3,43
[14].

βδέλυγμα : 10,97,11; 10,97,12
[2].

βδελύσσειν : 3,13,3
[1].

βέβαιος : 1,16,20; 11,49,11
[2].

βεβαιοῦν : 4,67,2
[1].

βέλος : 2,23,1; 2,35,6; 5,4,40; 7,
17,30; 7,17,34; 10,3,5; 18,52,
14; 18,52,15; 18,52,17
[9].

βῆμα : 3,4,8; 7,38,6; 7,38,8; 11,
2,1; 11,32,5; 15,10,39; 15,136,
9
[7].

βήττειν : 4,85,2
[1].

βία : 12,24,1; 12,24,2; 12,24,6;
14,22,11; 15,15,17; 15,40,5;
17,13,6
[7].

βιάζειν : 1,6,6; 1,16,8; 2,13,1;
2,21,3; 2,25,7; 3,49,3; 4,40,20;
4,71,3; 4,72,10; 4,97,5; 5,37,7;
5,37,9; 6,23,4; 7,48,5; 7,52,14;
7,52,46; 10,116,3; 11,41,23;
13,9,3; 13,12,10; 14,22,12; 14,
25,24; 15,26,10; 15,46,15; 15,
60,9; 15,117,16; 15,118,2; 15,
118,6; 17,19,2; 17,24,5; 18,
49,74; 20,24,42; 21,19,1; 21,
38,1; 21,51,1
[35].

βιαίως : 6,17,5
[1].

βιαστής : 1,16,10; 1,16,11; 7,52,
46; 7,52,47
[4].

βιβλίον : Pr.4,4; Pr.5,12; Pr.10,1;
5,38,1; 6,7,1; 6,7,3; 6,16,4; 10,
24,5; 10,191,1; 16,2,1; 16,2,6;
16,2,12; 16,2,23; 16,29,8; 16,
29,10; 16,29,13; 16,29,17
[17].

18,29,3; 18,32,3; 18,42,9; 18,
50,3; 18,50,4; 20,3,9; 20,3,55;
20,4,7; 20,7,16; 20,9,1; 20,
15,8; 20,24,47; 21,6,3; 21,24,2
[98].
βλέφαρον : 11,48,11
[1].
βοᾶν : 7,15,12; 7,23,26; 11,75,
11; 11,111,17; 12,25,9; 12,25,
9; 14,25,27; 15,5,3; 15,84,8;
16,21,6; 17,30,4; 18,26,37; 18,
45,100; 18,45,117; 18,49,137;
19,8,5; 20,15,69
[17].
βοήθεια : 1,7,13; 2,25,7; 5,10,2;
5,23,12; 5,54,63; 7,40,13; 7,
58,4; 11,22,4; 11,51,8; 11,114,
4; 11,122,12; 18,17,13; 18,45,
110; 18,49,149; 18,49,169
[15].
βοηθεῖν : 5,19,6; 5,43,18; 5,43,
20; 5,43,24; 5,46,31; 11,118,6;
11,122,10; 12,11,5; 13,17,15;
15,119,31; 15,129,38; 15,129,
52; 15,136,22; 18,13,41; 18,
45,117; 18,45,117; 18,46,91;
18,49,151; 18,49,171; 18,49,
172; 18,51,8
[21].
βοήθημα : 2,21,7
[1].
βόλβιτον : 14,5,4
[1].
βολή : 12,3,9
[1].
βόρβορος : 15,52,3; 18,35,5
[2].
βορβοροῦν : 18,26,89
[1].

βορινός : 19,7,3
[1].
βόσκειν : 15,70,8; 15,70,14; 15,
70,14; 15,70,16; 15,70,18; 16,
23,3; 20,2,9; 20,13,4
[8].
βοτάνη : Pr.9,6; 7,13,9; 8,25,1;
11,100,3; 20,12,8; 21,45,1
[6].
βούβαλος : 20,15,21
[1].
βούλεσθαι : Pr.1,5; Pr.4,7; Pr.7,
3; 2,7,1; 2,35,23; 3,34,3; 3,38,
1; 4,42,2; 6,14,3; 6,21,2; 7,25,
2; 7,45,5; 7,60,5; 8,16,14;
9,16,11; 10,96,3; 10,127,1; 10,
164,5; 11,73,2; 11,107,3; 12,
2,6; 12,23,7; 13,12,6; 15,46,4;
15,60,17; 15,116,9; 15,132,4;
15,132,11; 16,18,1; 17,15,8;
17,25,2; 18,26,30; 18,26,92;
18,45,79; 18,45,129; 20,22,19;
20,22,35
[37].
βραδέως : 10,160,2; 13,17,41
[2].
βραδύνειν : 2,1,2; 2,1,6; 10,32,
6; 11,47,18; 11,47,20; 12,12,9;
12,12,10; 14,25,2; 16,24,11
[9].
βρασμός : 5,4,62
[1].
βραχύς : Pr.3,2
[1].
βρεκτός : 8,27,5; 11,111,11
[2].
βρέχειν : 4,69,3; 4,71,4; 7,14,9;
7,14,11; 7,14,11; 7,14,12; 11,
37,4; 11,111,1; 12,10,13; 12,

17,6; 15,85,10; 18,19,8; 18,49, 71; 20,24,32
[14].

βροντή : 18,45,28
[1].

βροχή : 6,27,9; 12,17,9; 18,45,27
[3].

βρυγμός : 3,5,9; 18,45,93; 18, 49,101
[3].

βρύειν : 18,7,12
[1].

βρύχειν : 3,48,2; 18,39,6; 19,19, 3
[3].

βρῶμα : Pr.11,5; 4,tit.,1; 4,23,4; 4,42,3; 4,67,4; 4,72,7; 5,1,5; 10,110,36; 15,126,3; 17,11,11; 17,11,13; 18,42,12; 18,45,99
[13].

βρῶμος : 15,126,5
[1].

βρῶσις : 5,54,37; 10,99,3; 10,99, 13
[3].

βυθίζειν : 11,75,12
[1].

βυθός : 4,55,2; 10,32,6; 10,165,5
[3].

γαλήνη : 2,22,5; 2,35,21; 11,75,12
[3].

γαληνός : 11,75,5; 11,75,5
[2].

γάμος : 5,44,24; 18,49,55; 20,21,16
[3].

γαργαλίζειν : 18,45,46
[1].

γαστήρ : 4,81,1; 4,93,2; 5,40,10; 15,39,8
[4].

γαστριμαργία : 2,35,20; 4,32,3; 4,62,1; 4,80,1
[4].

γέεννα : 18,45,119
[1].

γειτνιᾶν : 11,111,12; 16,28,1; 18,40,1
[3].

γείτων : 3,49,1; 5,47,11; 5,54,7; 9, 20,7; 10,150,11; 13,4,4; 15,129, 37; 15,129,42; 16,24,8; 17,20,2
[10].

γελᾶν : 3,16,2; 3,16,4; 3,41,1; 3,41,3; 3,51,1; 3,51,2; 4,49,6; 7,17,17; 8,32,4; 8,32,34; 8,32, 36; 11,115,4; 11,115,4; 11,115, 6; 11,115,7; 11,115,8; 11,115,9
[17].

γέλως : 2,35,35; 3,55,3; 3,55,3; 3,55,4; 3,55,6; 3,55,7; 3,56,2; 3,56,5; 3,56,7; 5,51,6; 20,15, 51; 21,37,1
[12].

γέμειν : 7,35,4; 15,120,22; 16,4, 5; 18,26,42; 18,49,100
[5].

γεμίζειν : 4,82,2; 5,28,9; 5,28, 18; 6,25,6; 6,27,10; 7,38,2; 7, 40,5; 7,40,7; 7,40,8; 9,7,5; 10, 147,4; 10,147,7; 17,15,5; 19, 21,6; 19,21,7
[15].

γενεά : 10,5,2; 10,191,3; 15,121,1; 18,9,2; 18,9,8; 18, 10,10; 19,5,3; 19,5,5; 21,31,1
[9].

γένειον : 20,3,3; 20,3,4
[2].

γενναῖος : 5,54,70
[1].

γενναίως : 8,12,18
[1].

γεννᾶν : 3,19,16; 4,90,2; 4,90,3;
5,40,14; 5,50,7; 8,16,10; 9,20,
4; 10,58,2; 14,6,2; 15,85,16
[10].

γέννημα : 4,6,1
[1].

γέννησις : 10,33,2; 18,45,24
[2].

γεννητήρ : 2,35,14; 2,35,18; 14,
29,22
[3].

γεννητικός : 5,54,56
[1].

γεννήτρια : 2,35,5; 10,11,12
[2].

γένος : 18,46,72; 20,16,5
[2].

γεύειν : 2,34,3; 4,6,2; 4,10,10;
4,48,2; 4,69,7; 4,72,8; 4,72,13;
4,76,9; 4,78,4; 4,96,3; 4,96,4;
8,12,6; 8,20,3; 9,10,18; 9,24,3;
9,24,8; 10,143,5; 10,150,18;
11,48,6; 13,3,2; 13,10,5; 14,
2,2; 14,2,7; 15,42,4; 15,135,
19; 16,22,6; 16,24,11; 17,11,
12; 17,11,22; 17,21,6; 18,42,7;
20,2,14; 20,22,32; 20,22,45
[34].

γεῦμα : 18,13,9
[1].

γεωργία : 11,124,1; 11,124,3;
11,126,2
[3].

γεωργός : 11,126,1; 13,6,6
[2].

γῆ : 3,19,10; 3,19,24; 3,28,2;
3,28,4; 3,41,2; 3,45,5; 3,45,5;
3,45,8; 4,56,1; 6,25,25; 7,10,3;
7,19,4; 7,44,7; 7,58,9; 8,30,2;
8,30,4; 9,1,9; 9,1,10; 9,10,33;
10,51,13; 10,94,17; 10,137,7;
11,44,7; 11,51,3; 11,51,16; 11,
55,13; 11,62,2; 14,23,15; 14,
29,24; 15,3,2; 15,29,4; 15,33,
10; 15,55,1; 15,82,3; 18,4,17;
18,26,63; 18,35,2; 18,45,8; 18,
45,33; 18,45,53; 18,46,105;
18,48,72; 18,50,4; 20,12,2; 20,
15,3; 20,16,55; 21,29,1
[47].

γήϊνος : 11,80,13; 11,87,3
[2].

γηρᾶν : Pr.11,27; 2,26,2; 4,43,2;
5,54,10; 6,24,2; 6,25,5; 12,21,
16; 21,tit.,2
[8].

γῆρας : 5,4,36; 5,40,19; 10,105,
13; 16,26,8
[4].

γῆρος : 11,126,8; 15,11,11
[2].

γιγνώσκειν : Pr.9,9; 3,14,2;
3,22,4; 3,56,3; 4,102,5; 5,4,46;
5,4,72; 5,23,15; 5,24,8; 5,54,
34; 6,19,11; 7,8,8; 7,17,16; 7,
40,10; 9,24,12; 9,24,17; 10,20,
7; 10,24,6; 10,63,9; 10,96,3;
10,150,26; 10,183,3; 12,17,7;
12,21,6; 12,21,11; 12,26,1; 13,
12,7; 13,15,22; 14,30,20; 15,
10,32; 15,22,5; 15,30,2; 15,
109,6; 15,132,6; 16,17,7; 17,

γραῦς : 4,40,13; 4,83,2; 4,83,3; 19,12,5; 20,12,4; 20,12,5 [6].

γράφειν : 1,16,10; 1,23,2; 1, 32,3; 2,34,4; 4,36,1; 5,2,5; 5, 42,34; 5,54,34; 9,6,10; 9,14, 10; 9,22,1; 10,13,5; 10,15,5; 10,27,3; 10,46,6; 10,86,3; 10, 94,16; 10,97,7; 10,146,2; 10, 147,6; 10,152,6; 10,191,3; 11, 60,2; 11,125,3; 12,4,1; 12, 27,3; 13,7,3; 15,11,4; 15,73,6; 15,111,46; 15,129,7; 15,129, 10; 15,129,14; 15,129,14; 15, 129,16; 16,2,3; 16,16,5; 17,19, 3; 17,31,3; 18,7,3; 18,22,1; 18, 30,1; 18,33,1; 18,44,8; 21,65,2 [45].

γραφή : Pr.3,4; v. Γραφή (Index de personnes) [1].

γράψιμον : 15,129,13 [1].

γρηγορεῖν : 5,18,3; 11,27,7; 11, 112,1 [3].

γυμνασία : 9,25,2 [1].

γυμνάσιον : 7,23,30 [1].

γυμνητεύειν : 3,1,6 [1].

γυμνός : Pr.9,5; 5,54,33; 6,1,6; 6,20,4; 6,22,9; 7,58,5; 7,58,6; 9,12,6; 9,12,13; 9,12,15; 10, 105,9; 15,117,8; 15,117,10; 15,117,17; 15,117,18; 15,129, 45; 15,129,54; 16,27,11; 20,

4,13; 20,13,5; 20,15,23; 20,15, 36 [22].

γυμνότης : 1,13,18 [1].

γυναικεῖος : 5,54,4 [1].

γυναικομανία : 5,54,66 [1].

γυνή : 1,34,4; 2,10,19; 2,10,21; 2,10,22; 2,10,34; 2,10,35; 2, 26,3; 2,26,5; 3,24,2; 3,25,3; 3,25,6; 3,32,3; 4,74,4; 4,75,3; 4,83,8; 4,83,9; 5,5,8; 5,5,10; 5,25,2; 5,25,4; 5,25,6; 5,25,11; 5,26,2; 5,26,5; 5,28,27; 5,30,7; 5,39,2; 5,41,2; 5,42,3; 5,42,28; 5,43,4; 5,43,17; 5,45,2; 5, 45,14; 5,46,18; 5,47,2; 5,48,1; 5,48,6; 5,50,2; 5,50,3; 5,50,4; 5,50,8; 5,50,12; 5,52,18; 5,53,2; 7,15,6; 9,12,5; 9,20,3; 9,20,10; 9,22,5; 10,19,8; 10, 19,8; 10,107,6; 10,107,7; 10, 124,2; 11,118,4; 13,13,4; 13, 18,2; 13,18,7; 13,18,21; 14, 16,3; 15,13,3; 15,39,24; 15, 39,25; 17,18,11; 17,34,15; 17, 34,17; 17,34,20; 18,14,4; 18, 46,23; 18,46,27; 18,46,39; 18, 46,53; 18,49,47; 18,49,60; 19, 6,1; 19,6,5; 19,6,6; 19,6,10; 19,6,13; 19,7,1; 19,7,2; 19,7,4; 19,12,12; 20,1,16; 20,1,17; 20, 2,5; 20,2,8; 20,2,16; 20,2,24; 20,15,55; 20,15,59; 20,21,3 [93].

γυρεύειν : 15,116,5 [1].

18,49,66; 18,49,71; 18,49,133;
18,49,180
[33].

δάκτυλος : 4,30,4; 5,42,23; 5,
42,26; 5,42,33; 12,9,6; 15,
130,17; 20,15,76; 20,16,13;
20,16,21
[9].

δαμάζειν : 4,29,8; 4,73,3; 11,50,
12
[3].

δανείζειν : 6,28,3
[1].

δαπανᾶν : 10,110,58; 18,45,52;
18,45,113
[3].

δεδιέναι : 18,26,23
[1].

δέειν : 7,37,4; 10,19,11; 10,19,
15; 11,32,3; 14,5,7; 14,5,12;
14,5,14
[7].

δέησις : 12,20,3; 17,17,5
[2].

δεικνύειν : 10,138,3; 10,164,4;
12,10,12; 20,3,22; v. δεικνύναι
[4].

δεικνύναι : 2,35,11; 5,25,3;
5,25,11; 5,42,31; 5,48,5;
6,22,3; 7,52,24; 7,52,26; 9,
6,17; 10,2,7; 10,73,4; 10,73,6;
10,186,4; 11,48,11; 15,33,9;
15,70,3; 15,118,11; 16,2,17;
18,3,4; 18,3,6; 18,3,10; 18,
3,13; 18,11,16; 18,28,7; 18,
45,93; 18,46,36; 18,48,24; 18,
48,32; 18,49,15; 18,49,40; 18,
49,72; 18,49,155; 19,12,14;
19,13,5; 20,3,15; 20,3,17;

20,3,33; 20,15,75; 20,15,77;
v. δεικνύειν
[39].

δειλία : 7,7,4; 7,10,4; 20,16,49
[3].

δειλιάζειν : 20,4,13
[1].

δειλιᾶν : 5,20,8; 15,127,7; 20,
4,14
[3].

δεῖνα : 2,10,6; 5,36,5; 5,47,12;
7,15,6; 7,53,9; 8,26,3; 8,26,6;
9,26,3; 10,34,2; 10,128,2; 10,
128,2; 10,137,10; 14,11,8; 15,
39,32; 15,70,7; 18,7,5; 18,45,
68; 19,12,19
[18].

δεινός : 3,2,9; 15,115,2; 15,131,
1; 16,18,1; 18,49,152; 18,49,
154
[6].

δεινῶς : 3,25,3; 5,41,2; 7,50,3;
7,51,2; 15,71,2; 15,116,6
[6].

δείρειν : 15,18,4
[1].

δεκτός : 10,16,2; 10,45,8; 15,22,
2
[3].

δελεάζειν : 4,51,1
[1].

δέλεαρ : 7,23,2
[1].

δένδρον : Pr.5,3; 3,9,7; 7,43,1;
10,11,9; 10,13,3; 10,13,5; 10,
88,3; 10,88,4; 10,120,2; 10,
121,1; 10,185,1; 11,40,2; 11,
40,4; 11,68,11; 13,10,8; 13,

10,12; 15,67,1; 18,16,4; 18, 45,82
[19].

δεξιά : 3,22,4; 8,32,33; 10,146,3; 10,146,5; 11,51,31; 11,71,2; 13,1,8; 20,11,13
[8].

δεξιός : 7,25,8; 8,32,43; 8,32,45; 10,67,4; 16,1,6
[5].

δέρειν : 15,46,19
[1].

δέρμα : 10,110,12; 10,110,55; 14,14,2; 16,2,2
[4].

δεσμεύειν : 14,5,11
[1].

δεσμός : 7,14,11
[1].

δεσμοῦν : 10,19,21
[1].

δεσμωτήριον : 2,35,38
[1].

δεσπότης : 5,46,55; 7,42,12; 7,54,2; 10,70,8; 10,70,16; 12,27,8; 14,31,3; 15,114,8; 15,114,17; 15,114,21; 15,116, 8; 15,118,10; 15,119,8; 15, 119,10; 15,119,14; 15,132,12; 18,18,9; 18,26,72; 18,46,58; 18,46,98; 18,46,104; 18,49, 181; 20,15,6; 20,15,81; 20, 16,31
[25].

δεύτερος : 1,14,4; 2,29,4; 4,44, 5; 5,23,4; 5,43,38; 7,23,26; 7, 40,7; 10,83,3; 10,147,5; 11, 104,2; 11,115,8; 13,1,18; 14,

13,16; 14,14,4; 14,29,6; 18,8, 9; 18,23,4
[17].

δευτεροῦν : 3,53,3; 21,28,2
[2].

δέχεσθαι : 1,33,1; 2,10,5; 2,22, 2; 2,23,3; 4,43,4; 4,44,5; 4, 63,4; 4,72,1; 4,102,12; 5,4,12; 5,4,54; 5,37,7; 5,37,7; 5,43,31; 5,43,49; 5,49,2; 6,2,8; 6,21,4; 6,23,8; 7,58,14; 7,59,3; 8,4,16; 9,1,7; 9,1,12; 10,37,9; 10,37,9; 10, 37,11; 10,54,16; 10,57,9; 10, 110,26; 10,150,2; 10,151,3; 10, 176,1; 11,80,7; 11,107,4; 11,107, 4; 11,116,3; 12,28,3; 13,1,22; 13, 2,11; 13,12,8; 13,12,10; 14,32,3; 14,32,4; 14, 32,6; 14,32,14; 15, 47,10; 15, 85,5; 15,111,46; 15,111,47; 15,116,12; 15,119,8; 15,122, 15; 15,136,20; 16,2,22; 16,2,25; 16,15,2; 16,15,3; 16,17, 8; 16,17,10; 16,29,24; 17,22,4; 18,3,12; 18,4,25; 18,4,52; 18,11, 3; 18,26,73; 18,34,1; 18, 49,18; 20,21,6; 21,62,1
[71].

δῆλος : 10,105,4; 11,29,11
[2].

δηλοῦν : Pr.11,28; 2,7,3; 4,74,4; 12,6,1; 12,6,6; 14,32,23; 15, 46,3; 15,46,9; 17,11,17; 18,44, 10; 21,tit.,3
[11].

δημιουργεῖν : 11,51,3; 15,135, 22; 18,49,44
[3].

δῆμος : 3,5,13
[1].

11, 64,6; 11,84,3; 12,27,7;
18,26, 65; 18,45,74; 18,45,
77
[19].
διανοίγειν : 18,49,29
[1].
διανύειν : Pr.2,8; 18,49,62; 20,
15,42
[3].
διαπεραίνειν : 2,21,1
[1].
διαπερᾶν : 18,49,7
[1].
διάπλασις : 18,35,2
[1].
διαπονεῖν : 9,12,15
[1].
διαπορεῖν : 20,15,15; 20,16,9
[2].
διαπράττειν : 18,46,66; 18,49,
105; 18,49,142
[3].
διαρρηγνύναι : 3,49,5
[1].
διασκορπίζειν : 4,18,2; 5,46,58
[2].
διάστημα : 2,9,1; 7,17,4; 7,38,1;
13,17,44; 19,21,3
[5].
διαστρέφειν : 18,13,49
[1].
διάστροφος : 13,17,7
[1].
διασώζειν : 4,60,4
[1].
διατάττειν : 10,83,3; 10,83,3;
13,17,40; 15,129,53
[4].

διατελεῖν : 4,2,2; 20,14,7; 20,
16,58
[3].
διατηρεῖν : 2,35,32
[1].
διατιθέναι : 20,21,24
[1].
διατρίβειν : 2,1,3; 18,45,18; 20,
15,82; 20,15,83
[4].
διατριβή : 18,46,105
[1].
διαφαύσκειν : 5,46,92
[1].
διαφέρειν : 4,102,6
[1].
διαφεύγειν : 3,5,23
[1].
διαφθείρειν : 3,55,2; 3,55,7; 10,
11,10; 18,49,112; 20,15,55;
20,15,57
[6].
διαφθορά : 18,49,139
[1].
διαφορά : 18,46,81
[1].
διαφορεῖν : 2,12,5
[1].
διάφορος : Pr.3,6; Pr.6,1; Pr.11,
8; Pr.11,12; 5,tit.,1; 5,45,15;
7,tit.,1; 10,151,9; 13,3,4;
18,14,6; 18,49,44; 18,49,
59; 18,49,103; 18,49,116;
18,49,117; 18,49,122; 20,
tit.,2
[17].
διαφόρως : 10,151,5; 10,178,4;
16,10,2
[3].

4,44; 18,10,7; 18,11,7; 18,11, 12; 18,11,17; 18,13,12; 18,14, 17; 18,26,9; 18,26,68; 18,45, 114; 18,46,64; 18,48,62; 18, 48,73; 18,49,199; 19,8,8; 19, 12,29; 19,13,10; 19,13,13; 20, 3,16; 20,15,48; 20,16,39; 20, 21,28; 20,24,5; 20,24,22; 20, 24,25; 20,24,50; 21,14,1 [191].

διεγείρειν : Pr.3,5; 5,1,6; 10, 18,15; 10,68,5; 11,121,6; 11, 121,13; 18,45,124 [7].

διελέγχειν : 4,27,25; 18,26,52 [2].

διεξέρχεσθαι : 7,51,11 [1].

διέρχεσθαι : 5,54,36; 7,23,24; 8, 32,14; 15,85,2; 18,49,42; 20, 15,15; 20,15,21; 20,16,8; 20, 16,18; 20,16,21; 20,16,32 [11].

διετία : 5,54,52 [1].

διηγεῖσθαι : 1,15,1; 1,25,1; 2,29, 1; 2,29,10; 3,19,1; 3,37,1; 3, 38,1; 3,44,5; 3,49,6; 4,13,1; 4, 26,1; 4,27,1; 4,34,1; 4,40,1; 4, 73,1; 5,13,1; 5,30,3; 5,32,8; 5, 42,33; 5,43,26; 5,45,2; 5,45, 12; 5,45,14; 5,47,15; 5,49,5; 5, 52,1; 5,52,7; 6,2,1; 6,4,1; 6,8, 1; 6,9,1; 6,25,1; 7,17,1; 7,29,3; 7,49,6; 7,52,44; 7,56,1; 7,56, 13; 7,60,1; 9,6,19; 9,10,13; 9, 25,3; 10,11,1; 10,20,1; 10,23, 1; 10,50,1; 10,100,21; 10,100, 23; 10,110,43; 10,137,1; 10,

148,1; 11,48,1; 11,55,7; 11, 80,1; 11,111,15; 12,3,1; 12, 18,1; 14,4,1; 14,28,7; 14,29,3; 14,32,1; 15,11,1; 15,12,1; 15, 14,1; 15,39,1; 15,57,1; 15, 60,1; 15,89,1; 15,91,1; 15,111, 11; 15,112,10; 15,114,2; 15, 134,1; 15,135,18; 16,24,1; 16, 25,1; 16,27,3; 18,4,1; 18,5,1; 18,11,12; 18,11,19; 18,26,2; 18,26,48; 18,26,53; 18,32,1; 18,41,1; 18,42,1; 18,43,12; 18, 45,1; 18,45,77; 18,45,125; 18,46,1; 18,46,5; 18,48,44; 18, 49,1; 19,6,14; 19,15,1; 20,1,1; 20,3,1; 20,11,1; 20,13,1; 20, 15,1; 20,15,87; 20,16,2; 20,16, 64; 20,24,1 [106].

διήγημα : Pr.3,7; Pr.11,8; Pr.11, 12; 4,93,2; 5,tit.,1; 7,tit.,1 [6].

διήγησις : Pr.4,2; 18,45,82; 18, 49,15; 18,49,33; 18,49,70 [5].

διηνεκῶς : 2,35,28; 2,35,32 [2].

δικάζειν : 15,13,2; 16,13,11; 17, 24,12 [3].

δικαιοκρισία : 17,24,26 [1].

δίκαιος : 3,5,10; 3,5,18; 5,46,80; 7,23,18; 10,52,5; 10,52,5; 15,1,5; 15,118,8; 15,136,13; 18,7,7; 18,33,1; 18,33,5; 18, 33,8; 18,46,78; 18,49,148; 18, 49,190; 18,49,198 [17].

δικαιοσύνη : 1,2,3; 1,16,14; 10,
15,6; 11,75,8; 11,75,13; 11,
125,3; 18,3,20; 18,46,85; 18,
49,104; 20,22,27
[10].

δικαιοῦν : 4,36,2; 11,113,4; 15,
111,6; 15,111,10; 15,111,39
[5].

δικαίωμα : 5,51,8; 5,51,10; 10,
89,5; 10,129,6
[4].

δικαίως : 7,62,23; 10,46,5; 18,
46,52; 18,46,57; 18,49,49; 18,
49,52; 18,49,94; 18,49,115
[8].

δικαστικός : 7,23,13
[1].

δίκη : 6,27,12; 18,26,86; 18,45,
107; 18,46,14; 20,15,55
[5].

διό : 5,1,6; 5,4,50; 5,54,29; 11,
48,16; 11,113,7; 12,21,12; 15,
10,49; 17,34,15; 18,3,23; 18,
45,132
[10].

διοδεύειν : 20,16,17
[1].

διοικεῖν : 9,23,3; 10,50,3; 18,45,
18
[3].

διοίκησις : 18,45,20
[1].

διομνύναι : 5,54,26
[1].

διόνυξ : 10,151,2
[1].

διορατικός : Pr.11,24; 5,52,8;
10,110,7; 10,110,16; 11,111,
12; 12,14,1; 18,tit.,1; 18,14,7;

18,29,2; 18,36,1; 18,40,4; 18,
42,6; 18,51,1; 18,53,6
[14].

διορθοῦν : 18,3,21; 18,26,84;
21,27,2
[3].

διόρθωσις : 7,1,9; 18,46,75; 18,
49,193
[3].

διπλασιάζειν : 20,7,7
[1].

διπλοῦς : 3,26,1; 5,46,66; 6,21,
4; 17,27,5
[4].

δισακχία : 4,100,11
[1].

διστάζω : 18,5,12
[1].

διυπνίζειν : 7,52,17; 12,19,2;
13,17,46; 20,3,62
[4].

διχοτομεῖν : 20,15,76
[1].

δίψα : 1,13,18
[1].

διψᾶν : 3,1,6; 4,82,5; 8,4,18;
11,33,5; 12,3,7; 12,3,8; 17,
29,6; 19,1,3; 19,1,3; 19,1,6
[10].

δίψος : 7,23,10
[1].

διωγμός : 7,61,1; 20,16,30; 20,
16,32; 20,16,36
[4].

διώκειν : 2,7,5; 3,51,2; 5,30,5;
6,9,3; 9,1,2; 9,1,5; 9,10,5;
9,10,5; 10,23,9; 10,23,11; 10,
80,1; 10,80,2; 10,113,2; 10,
147,10; 11,11,4; 11,20,1; 11,

33,2; 11,82,2; 14,5,10; 14,29,
7; 14,29,8; 15,43,7; 15,43,9;
15,126,3; 16,7,2; 16,7,6; 16,
30,13; 19,9,4; 19,14,11; 20,
3,12; 20,3,60; 20,13,9; 20,13,
11
[33].
δογματίζειν : 15,27,4
[1].
δοκεῖν : 1,13,19; 2,25,3; 4,49,3;
5,54,40; 5,54,48; 6,25,11;
7,49,10; 10,75,1; 10,110,10;
10,138,21; 11,27,11; 11,75,6;
15,10,2; 15,73,6; 15,111,16;
15,113,3; 15,117,2; 16,16,2;
16,21,3; 18,45,12; 18,45,15;
18,45,42; 18,45,62; 18,45,71;
18,49,202; 20,16,3; 20,21,16
[27].
δοκιμάζειν : 3,1,8; 4,17,5; 5,42,
21; 7,8,9; 7,23,23; 7,59,4; 10,
12,3; 10,61,6; 10,90,13; 10,
118,2; 10,171,7; 14,27,7; 14,
32,14; 15,4,2; 15,43,5; 16,2,
11; 16,2,13; 16,9,2; 16,22,2;
16,25,1; 17,18,8
[21].
δόκιμος : 4,53,2; 4,102,4; 7,
23,20; 7,28,3; 7,52,2; 10,38,
17; 10,71,2; 10,112,6; 14,15,9;
14,30,29; 16,26,1; 16,27,24;
16,28,12; 18,9,10; 20,24,6
[15].
δοκός : 10,51,16; 10,51,18
[2].
δόλιος : 18,46,90
[1].
δόξα : 5,52,20; 7,23,3; 7,24,13;
8,3,3; 8,8,2; 8,20,18; 8,25,2;

9,6,27; 9,6,29; 10,47,3; 10,
51,22; 10,54,26; 10,110,72;
10,153,2; 10,153,4; 10,153,7;
10,184,2; 14,18,6; 14,28,23;
14,29,12; 14,29,14; 14,29,18;
15,21,1; 15,21,5; 16,18,12;
18,27,10; 18,40,13; 18,42,26;
18,49,48; 18,49,142; 21,2,2
[31].
δοξάζειν : Pr.9,11; 5,30,21; 6,
22,17; 6,25,25; 7,19,5; 7,33,5;
7,53,17; 8,4,4; 8,7,1; 8,9,8;
8,20,18; 10,58,4; 10,137,13;
10,152,8; 10,153,6; 10,153,10;
12,27,7; 13,1,25; 13,15,23; 14,
27,5; 14,32,9; 14,32,28; 15,
15,19; 15,74,3; 18,14,47; 18,
17,11; 18,25,13; 18,41,18; 18,
48,86; 19,5,9; 19,12,31; 20,
1,19; 20,2,29; 20,12,11; 20,
24,55
[35].
δοξολογεῖν : 18,42,24
[1].
δουλεία : 2,16,4
[1].
δουλεύειν : 2,34,5; 3,13,2; 5,
46,7; 5,46,8; 5,46,71; 10,79,2;
10,142,2; 11,31,2; 11,31,3; 11,
31,12; 11,51,22; 14,18,3; 15,
47,9; 15,47,12; 18,26,71; 18,
41,11; 20,12,8; 20,15,6; 20,
15,80; 20,16,6; 20,16,31; 20,
22,2
[22].
δοῦλος : 4,2,4; 5,48,4; 6,27,14;
6,28,1; 8,6,7; 10,110,3; 10,
114,3; 11,31,4; 11,31,4; 11,31,
10; 11,44,6; 11,116,6; 12,

25,12; 12,28,6; 14,31,4; 15,
47,2; 15,47,8; 15,72,4; 15,114,
18; 15,135,15; 16,29,26; 16,
30,22; 19,3,4; 19,6,7; 19,12,9;
20,15,20; 20,15,22; 20,15,27;
20,15,32; 20,22,23; 21,53,1
[31].

δράκων : 8,15,2
[1].

δράσσεσθαι : 7,40,9
[1].

δρέπανον : 11,3,2; 15,40,3
[2].

δριμύς : 4,50,1
[1].

δρομαῖος : 14,30,18
[1].

δρομαίως : 20,16,46
[1].

δρόμος : 7,42,9; 15,11,20
[2].

δρόσος : 14,28,23
[1].

δρυμός : 5,54,36
[1].

δύειν : 14,30,15; 18,51,9; 19,3,2
[3].

δύναμις : Pr.9,3; 2,15,4; 5,34,3;
5,36,8; 5,37,18; 5,37,21;
5,37,22; 5,37,24; 5,46,26; 5,
47,17; 7,14,17; 7,59,4; 7,59,6;
7,59,9; 9,6,28; 9,16,16; 9,
24,18; 9,26,7; 10,48,3; 10,
79,1; 10,95,7; 10,100,15; 10,
137,6; 11,4,2; 11,9,6; 11,29,2;
11,50,12; 11,98,4; 11,104,1;
12,9,2; 12,9,4; 12,27,9; 14,
30,27; 15,4,5; 15,27,1; 15,
27,3; 15,60,34; 15,112,7;

15,112,12; 15,112,15; 15,129,
29; 15,136,6; 15,136,24; 15,
136,32; 16,17,10; 17,8,3; 17,
12,1; 17,16,2; 18,36,2; 18,
46,97; 18,48,24; 18,48,27; 18,
48,83; 20,16,17; 21,47,1
[55].

δυναμοῦν : 20,15,73
[1].

δύνασθαι : Pr.3,1; Pr.4,5; Pr.6,3;
1,15,6; 1,16,23; 1,24,2; 1,31,6;
2,5,3; 2,5,6; 2,11,9; 2,16,4;
2,21,4; 2,29,6; 2,34,5; 2,34,7;
2,34,10; 3,2,5; 3,4,10; 3,9,4;
3,14,2; 3,14,3; 3,25,10; 3,48,5;
3,49,13; 4,10,10; 4,17,6;
4,17,8; 4,17,9; 4,27,6; 4,38,5;
4,40,3; 4,72,1; 4,72,11; 4,81,1;
4,83,3; 4,100,2; 5,4,41; 5,4,53;
5,4,61; 5,22,9; 5,27,16;
5,42,22; 5,43,5; 5,43,19; 5,
45,5; 5,45,22; 5,46,41; 5,50,8;
5,54,52; 5,54,62; 6,9,5; 6,
15,11; 6,17,2; 6,27,3; 7,13,17;
7,15,9; 7,15,11; 7,19,7; 7,23,5;
7,24,3; 7,33,4; 7,34,2; 7,41,6;
7,56,10; 7,59,2; 7,59,4;
7,62,17; 8,4,20; 8,7,2; 8,7,3;
8,12,13; 9,24,17; 10,19,8; 10,
19,13; 10,20,12; 10,26,8; 10,
32,3; 10,34,4; 10,40,2; 10,40,
3; 10,45,12; 10,58,5; 10,66,16;
10,69,4; 10,72,3; 10,81,5; 10,
81,6; 10,81,6; 10,105,13; 10,
105,14; 10,112,4; 10,119,2;
10,150,21; 10,153,6; 10,153,8;
10,182,2; 11,26,3; 11,31,6; 11,
35,3; 11,40,3; 11,44,9; 11,44,
10; 11,45,1; 11,48,11; 11,52,1;

ἐγκάρδιος : 13,1,24
[1].

ἐγκαρτερεῖν : 7,24,10; 7,37,7;
12,2,9; 18,49,3
[4].

ἐγκαταλείπειν : 7,39,2; 7,50,3;
7,53,18; 10,139,2; 10,151,5;
15,5,4; 15,38,5; 15,118,12
[8].

ἐγκατάλειψις : 9,24,13; 9,24,15
[2].

ἐγκεῖσθαι : 10,72,4; 18,49,121
[2].

ἐγκλείειν : 10,20,7; 15,130,9
[2].

ἔγκλειστος : 14,32,2; 14,32,25
[2].

ἔγκλημα : 14,20,4; 18,46,51
[2].

ἔγκλησις : 18,49,168
[1].

ἐγκράτεια : Pr.8,3; Pr.11,5; 4,
tit.,1; 4,27,14; 4,87,1; 4,102,7;
11,50,12; 11,124,4; 14,1,1; 15,
61,4; 18,49,6; 18,49,140; 18,
49,214
[13].

ἐγκρατεύεσθαι : 2,21,2; 4,100,
3; 5,52,12; 9,24,17
[4].

ἐγκρατής : 1,2,4; 1,16,10
[2].

ἐγκρύπτειν : 1,17,7
[1].

ἐγκωμιάζειν : 10,99,19
[1].

ἐγρηγορότως : 12,4,3
[1].

ἐγχειρίζειν : 18,7,5; 18,7,7; 18,
7,9
[3].

ἐγχρονίζειν : 2,1,1; 5,9,4; 10,
132,2
[3].

ἐγχώριος : 18,40,2; 18,40,3; 20,
24,2
[3].

ἔδαφος : 3,19,2; 4,27,18; 6,4,15
[3].

ἑδραῖος : 7,8,4; 15,69,8
[2].

ἑδραίωμα : 2,35,19
[1].

ἔθειν : 4,27,17
[1].

ἐθέλειν : Pr.1,4; 3,31,5; 3,33,9;
3,38,23; 4,2,2; 4,12,2; 4,22,2;
4,48,4; 4,72,11; 4,72,17; 4,78,7;
4,85,7; 5,46,22; 5,46,28; 6,2,4;
6,19,9; 6,22,5; 6,22,11; 6,22,12;
7,29,5; 8,12,5; 8,16,1; 9,1,6;
9,7,3; 9,10,11; 10,18,11; 10,
18,14; 10,26,7; 10,50,8; 10,
110,41; 10,112,13; 10,138,1;
10,150, 23; 10,170,4; 10,170,7;
10,174,1; 10,189,4; 11,9,12; 13,
10,5; 14,28,8; 15,11,2; 15,11,
3; 15,14,3; 15,33,2; 15,40,4;
15,42,5; 15,42,8; 15,58,1; 15,
112,1; 16,2,23; 16,6,3; 16,8,6;
16,11,3; 16,25,1; 16,30,13;
17,18,5; 17,21,2; 17,21,6;
18,3,16; 18,11,3; 18,15,6;
18,20,1; 18,21,3; 18,47,4;
19,14,19; 19,17,13; 19,20,7;
20,2,17; 20,24,41
[69].

ἐθελόκακος : 10,63,31
[1].

ἐθίζειν : 2,23,5
[1].

ἐθνικός : 10,63,20
[1].

ἔθνος : 10,187,1
[1].

ἔθος : 4,67,2; 5,35,5; 7,17,3;
7,29,8; 7,52,2; 7,52,9; 8,32,34;
9,6,3; 9,6,15; 9,18,7; 10,63,11;
10,138,11; 10,150,3; 10,150,
17; 10,150,25; 11,80,9; 14,25,
3; 15,15,20; 17,5,1; 17,25,1;
18,32,7; 18,32,9; 18,41,6; 18,
48,2; 18,48,7; 18,48,8; 18,48,
18; 20,15,9
[28].

εἰδέα : 7,17,8
[1].

εἰδέναι : Pr.2,1; Pr.6,2; 1,18,3;
1,34,9; 2,5,2; 2,10,19; 2,10,34;
2,33,5; 3,48,1; 4,11,6; 4,14,2;
4,22,1; 4,44,6; 4,77,4; 4,84,1;
4,99,1; 4,100,11; 4,104,6; 5,
1,12; 5,25,2; 5,28,23; 5,37,18;
5,37,21; 5,37,22; 5,37,24; 5,
46,75; 5,48,4; 7,6,5; 7,34,4; 7,
34,6; 8,1,8; 8,20,14; 8,32,36;
9,20,3; 9,20,7; 9,26,8; 10,2,6;
10,5,3; 10,38,13; 10,39,14; 10,
49,1; 10,49,2; 10,54,31; 10,66,
16; 10,66,19; 10,85,3; 10,96,2;
10,103,4; 10,115,5; 10,125,2;
10,149,11; 10,162,1; 11,1,1;
11,2,8; 11,9,7; 11,26,4; 11,33,
7; 11,41,10; 11,60,4; 11,72,2;
11,113,3; 11,116,4; 11,116,5;
11,126,3; 12,2,6; 12,8,4;

12,11,4; 12,11,5; 12,28,4; 13,
12,7; 13,14,28; 13,18,12; 14,
8,3; 14,13,6; 14,23,12; 14,
26,4; 15,4,8; 15,4,9; 15,10,41;
15,10,42; 15,15,4; 15,18,3; 15,
18,7; 15,30,7; 15,39,30; 15,
42,5; 15,42,11; 15,42,12; 15,
42,13; 15,53,3; 15,62,6; 15,
72,6; 15,83,2; 15,84,8; 15,85,
12; 15,85,13; 15,86,2; 15,95,2;
15,114,7; 15,119,6; 15,122,6;
15,122,10; 15,127,4; 15,129,
33; 15,132,9; 15,136,31; 16,
18,8; 17,7,3; 17,15,4; 17,26,4;
18,4,50; 18,5,6; 18,5,20; 18,
13,49; 18,21,4; 18,26,29; 18,
45,73; 18,46,68; 18,46,68; 19,
6,8; 19,10,3; 19,17,10; 20,7,
13; 20,11,15; 20,21,18; 20,
24,6
[126].

εἶδος : Pr.3,7; 5,41,2; 10,102,5;
15,11,7; 15,129,30; 18,49,26
[6].

εἴδωλον : 5,5,10; 5,28,14; 5,44,
2; 5,44,4; 10,97,3; 10,97,5; 10,
97,7; 10,97,8; 10,97,11; 11,
109,1
[10].

εἰδωλωλατρεῖν : 7,19,4
[1].

εἴθε : 2,10,30
[1].

εἰκῇ : Pr.7,1; 10,67,2; 10,67,5
[3].

εἰκών : 4,102,9; 10,84,2; 10,84,
4; 14,16,4; 15,125,4; 18,4,18;
18,4,19
[7].

18,49,94; 18,49,102; 18,49,
102; 18,49,144; 18,49,190; 18,
49,195; 18,49,201; 18,49,211;
18,53,10; 19,1,6; 19,8,6; 20,
4,7; 20,4,10; 20,11,4; 20,15,
67; 20,16,60
[88].

ἐκεῖθεν : 7,45,5; 9,1,2; 9,10,7;
10,173,3; 12,12,3; 12,17,2;
12,17,11; 15,117,13; 15,131,8;
16,30,27; 18,46,9; 18,49,79;
18,49,98; 18,49,193; 20,1,8;
20,1,20; 20,15,15
[17].

ἐκεῖσε : 5,4,41; 5,32,2; 7,37,4;
9,21,4; 15,10,2; 18,49,34;
18,49,45; 18,49,145; 18,49,
149; 18,53,6
[10].

ἐκζητεῖν : 14,16,4; 18,26,60
[2].

ἔκθαμβος : 18,2,5
[1].

ἔκθεσις : Pr.4,5
[1].

ἐκθηριοῦν : 5,52,18
[1].

ἐκκαθαίρειν : 10,70,6; 10,70,14
[2].

ἐκκαίειν : 5,42,20
[1].

ἐκκακεῖν : 12,21,4
[1].

ἐκκενοῦν : 18,48,53
[1].

ἐκκλησία : 4,16,3; 4,30,2; 4,40,
5; 4,45,2; 4,84,3; 4,89,2; 4,
91,1; 5,17,4; 5,40,17; 6,9,2;
6,23,5; 7,29,8; 7,29,17; 8,1,12;

8,13,7; 8,26,2; 9,2,2; 9,23,4;
10,44,2; 10,82,6; 10,110,2;
10,110,6; 10,151,4; 10,170,5;
11,11,2; 11,47,4; 12,25,19; 14,
4,8; 15,6,3; 15,11,5; 15,27,4;
15,33,13; 15,39,3; 15,83,3; 16,
2,4; 16,4,2; 16,29,7; 16,29,17;
16,29,22; 16,29,27; 16,30,11;
16,30,20; 17,25,6; 18,4,14; 18,
4,35; 18,14,2; 18,14,29; 18,19,
5; 18,19,9; 18,19,10; 18,26,5;
18,26,7; 18,26,19; 18,26,28;
18,26,32; 18,26,49; 18,26,56;
18,26,75; 18,48,3; 18,48,7; 18,
48,14; 18,48,19; 18,48,25; 18,
48,29; 18,49,84; 18,49,88; 19,
4,2; 19,4,6; 19,4,8; 19,13,10;
20,3,32; 20,24,51
[72].

ἐκκλίνειν : 10,143,4; 11,125,3;
15,120,8; 20,11,13
[4].

ἐκκόπτειν : 1,8,5; 7,16,3; 7,25,
7; 7,55,2; 10,13,6; 10,32,5; 10,
38,9; 10,38,19; 10,68,3; 11,
27,7; 11,52,4; 12,2,6
[12].

ἐκλαμβάνειν : 10,110,41
[1].

ἐκλέγειν : 10,99,4; 10,99,15; 18,
45,79
[3].

ἐκλείπειν : Pr.6,6; 5,46,62; 10,60,
5; 13,15,10; 13,15,17; 18,8,4
[6].

ἔκλειψις : Pr.6,5
[1].

ἐκλιμπάνειν : 1,25,2
[1].

ἐκλογή : 20,7,18
[1].

ἐκλύειν : 2,1,4; 10,42,3
[2].

ἐκμάττειν : 5,26,8
[1].

ἐκνεύειν : 3,9,7; 5,8,4
[2].

ἐκούσιος : 6,17,6; 6,18,1; 7,25,
3
[3].

ἐκουσίως : 15,10,54
[1].

ἐκπετεννύναι : 19,13,7
[1].

ἐκπηδᾶν : 9,12,11
[1].

ἐκπίπτειν : 10,102,4; 15,39,8;
17,32,6
[3].

ἔκπληξις : 18,26,42; 20,16,49
[2].

ἐκπλήττειν : 6,25,24; 7,17,8; 14,
32,22; 15,114,18
[4].

ἐκπορεύεσθαι : 15,48,3; 18,7,14
[2].

ἐκπορνεύειν : 5,2,3; 5,2,4
[2].

ἐκπριᾶν : 5,4,57
[1].

ἐκριζοῦν : 10,9,4; 11,100,2;
21,45,1
[3].

ἐκριζωτής : 5,19,7
[1].

ἐκσπᾶν : 20,15,77
[1].

ἔκστασις : 3,31,2; 3,33,2; 3,38,

8; 3,39,4; 7,52,24; 9,16,9; 11,
1,2; 18,10,2; 18,27,2
[9].

ἐκταράττειν : 4,14,3
[1].

ἐκτείνειν : 5,43,46; 5,49,10; 7,
56,11; 7,58,4; 12,3,4; 12,11,3;
12,17,8; 15,119,25; 15,119,29;
16,30,9; 18,4,38; 18,45,121;
18,49,9; 18,49,28; 19,18,3; 20,
3,54; 20,16,19; 20,16,52
[18].

ἐκτελεῖν : 7,25,15; 18,14,38; 18,
30,5
[3].

ἐκτενής : 12,26,2; 18,14,25
[2].

ἐκτενῶς : 5,43,38; 5,46,46; 12,
17,7; 14,22,9; 15,119,6
[5].

ἐκτήκειν : 5,50,10
[1].

ἐκτιθέναι : Pr.3,8
[1].

ἐκτίνειν : 18,49,148
[1].

ἐκτός : 1,25,5; 2,21,3; 7,33,2; 8,
7,2; 10,75,4; 11,74,6; 15,23,9;
15,29,3; 20,8,2; 20,21,12
[10].

ἕκτος : 4,5,3; 4,69,4; 4,71,4; 4,
71,4; 12,6,4; 18,27,4; 20,14,5;
20,14,5
[8].

ἐκτρέπειν : 10,155,4
[1].

ἐκφαίνειν : 8,27,7; 9,9,5; 9,9,6;
15,96,11; 18,49,81
[5].

ἐνισχύειν : 5,13,4; 5,46,86; 9,
24,19
[3].

ἔννατος : v. ἔνατος

ἐννοεῖν : 1,35,5; 3,2,3; 5,8,3; 7,
52,41; 10,87,4; 10,110,17; 11,
49,3
[7].

ἔννοια : 2,12,6; 11,84,2; 11,
122,9; 15,136,10; 18,45,47
[5].

ἔννους : 18,45,126
[1].

ἐνοικεῖν : 5,46,96; 5,53,20; 11,
51,27; 11,112,5; 15,122,7
[5].

ἐνοικίζειν : 11,33,3
[1].

ἐνορία : 6,8,28; 15,60,10
[2].

ἐνοχλεῖν : 7,24,1; 18,13,36
[2].

ἔνοχος : 18,49,87
[1].

ἐνταῦθα : Pr.9,8; 6,1,6; 10,6,5;
10,112,10; 11,75,1; 13,10,9;
13,17,43; 14,18,7; 18,41,17;
18,45,87; 18,49,93; 18,49,136;
18,49,143; 18,49,145; 18,49,
147; 18,49,163; 18,49,188;
18,49,191; 18,49,194; 18,49,
195; 18,49,200; 18,49,205; 18,
49,209; 18,49,215; 18,49,218;
20,15,31; 20,15,35; 20,15,59;
20,15,82; 20,16,28; 20,16,33;
20,16,40
[32].

ἐνταφιάζειν : 15,10,41
[1].

ἐντελής : Pr.8,4
[1].

ἐντέλλειν : 1,1,3; 5,1,9; 10,62,3;
10,62,4; 15,38,5; 15,55,1
[6].

ἐντεῦθεν : 4,17,6; 5,42,22; 6,
4,6; 7,11,4; 7,11,6; 18,45,115;
20,1,6
[7].

ἐντιθέναι : 4,102,9; 20,15,79
[2].

ἔντιμος : 1,14,2; 10,70,8; 10,70,
16; 18,42,2; 18,46,31
[5].

ἐντολή : 1,13,4; 1,16,21; 1,17,4;
2,29,9; 3,17,4; 5,17,5; 5,27,26;
5,31,12; 5,46,70; 5,53,8; 6,10,5;
7,2,1; 7,2,3; 7,2,3; 7,2,5;
10,39,9; 10,138,22; 10,150,25;
10,177,3; 10,177, 14; 10,177,
15; 10,188,2; 11, 1,4; 11,9,7;
11,44,4; 11,50,4; 11,51,14; 11,
52,4; 11,123,3; 11,125,6; 13,4,1;
13,4,6; 13, 4,10; 13,11,5;
13,11,6; 14,7,5; 14,16,2; 14,
20,3; 14,30,26; 14, 32,6; 14,32,7;
14,32,13; 14,32,27; 15,15,16;
15,15,17; 15,23,7; 15,25,2; 15,
36,3; 15,72,3; 15,120,9; 16,
30,15; 17,15,7; 17,34,26; 18,9,
4; 18,18,2; 19,15,10
[56].

ἐντόπιος : 10,117,3; 18,40,9
[2].

ἐντός : 4,78,2; 8,1,19; 10,168,2;
15,18,6
[4].

ἐντρέπειν : 3,38,13
[1].

ἔντρομος : 18,45,70; 18,49,11;
18,49,81
[3].
ἐντυγχάνειν : 15,111,19; 19,8,6
[2].
ἐντυλίσσειν : 4,83,7
[1].
ἐντυποῦν : 4,102,13
[1].
ἔνφοβος : 18,49,11
[1].
ἐνώπιον : 1,14,2; 1,14,5; 2,15,4;
3,5,5; 3,14,5; 5,27,15; 5,46,80;
7,60,25; 8,26,9; 9,14,4; 9,14,8;
9,19,1; 9,24,14; 10,27,3; 10,
27,8; 11,9,4; 11,29,7; 11,31,
14; 11,37,9; 11,51,31; 11,71,4;
12,8,5; 14,23,16; 15,2,3; 15,5,
5; 15,14,5; 15,24,12; 15,25,1;
15,26,4; 15,50,1; 15,96,9; 15,
96,10; 15,120,4; 15,120,20;
15,120,31; 15,122,8; 15,136,
11; 18,5,22; 18,26,52; 18,40,
12; 18,41,8; 18,41,17; 20,11,
15
[43].
ἐξαγγέλλειν : 5,4,3
[1].
ἐξάγειν : 5,30,18; 10,63,34
[2].
ἐξαγορεύσις : 11,50,17
[1].
ἐξαγωγή : 8,10,7
[1].
ἐξαιρεῖν : 15,69,12; 20,13,7
[2].
ἐξαίφνης : 7,40,6; 8,1,9; 14,25,
29
[3].

ἐξακολουθεῖν : 1,8,2; 13,10,10
[2].
ἐξαλείφειν : 2,10,25; 2,10,32;
12,10,16; 14,22,11
[4].
ἐξαλύειν : 7,17,32
[1].
ἐξανιστάναι : 7,22,3
[1].
ἐξαντλεῖν : 11,74,9
[1].
ἐξαποστέλλειν : 11,51,8
[1].
ἐξάπτειν : 3,34,3; 3,34,7
[2].
ἐξαρχεῖν : Pr.4,3
[1].
ἐξάρχειν : 18,49,50
[1].
ἐξασθενεῖν : 4,20,6; 5,45,5; 5,
45,16
[3].
ἐξαφιέναι : 6,19,4
[1].
ἐξεγείρειν : 5,44,9; 5,44,16; 5,
44,24; 5,46,61; 10,138,2; 15,
120,15
[6].
ἐξειπεῖν : 4,27,23; 5,4,5; 5,4,20;
10,63,6; 10,63,8; 10,63,10; 10,
63,15; 10,63,16; 13,5,2; 15,
46,7; 15,130,3; 18,49,75; 20,
22,19
[13].
ἐξέρχεσθαι : 2,9,2; 2,9,4; 2,
10,20; 2,10,27; 3,6,2; 3,6,4;
3,33,9; 3,33,10; 3,39,2; 4,11,5;
4,15,3; 4,23,5; 4,27,28; 4,48,3;
4,65,4; 4,97,3; 4,99,4; 4,104,7;

ἐπάγγελμα : 4,49,2; 5,43,9; 5,
43,12; 5,43,23
[4].

ἐπάγειν : 5,4,35
[1].

ἐπαινεῖν : 2,11,7; 4,37,2; 8,2,1;
11,113,1; 15,54,3; 15,54,5; 15,
58,3; 15,74,2; 15,108,1; 21,
54,1
[10].

ἔπαινος : 7,23,3; 8,24,4; 15,54,6
[3].

ἐπαίρειν : 8,32,22; 10,41,1; 10,
52,5; 10,107,4; 11,26,1; 13,2,
15; 14,15,6; 15,115,4; 15,115,
5; 18,50,2; 20,22,22
[11].

ἐπακολουθεῖν : 11,27,11
[1].

ἐπακούειν : 11,32,2; 14,25,21
[2].

ἐπαλείφειν : 5,4,55
[1].

ἐπαναβαίνειν : 21,16,1
[1].

ἐπάναγκες : 6,22,3
[1].

ἐπαναιρεῖν : 4,49,2; 18,46,22
[2].

ἐπαναστρέφειν : 7,37,8
[1].

ἐπανέρχεσθαι : 3,44,4; 3,45,6;
7,37,6; 11,80,7; 18,13,15; 18,
13,45
[6].

ἐπανιστάναι : Pr.11,9; 5,tit.,2
[2].

ἐπάνω : 2,25,3; 4,85,4; 4,85,6;
4,100,5; 4,100,7; 4,100,11; 4,

100,12; 5,43,45; 5,52,10; 7,
15,9; 7,26,1; 7,52,25; 7,56,4;
8,30,2; 10,63,28; 10,95,6; 11,
7,2; 11,40,6; 14,5,7; 14,5,9;
14,27,18; 15,2,3; 15,58,2;
15,109,2; 15,111,50; 15,129,
50; 16,5,4; 16,10,5; 16,10,6;
16,30,2; 16,30,8; 16,30,19; 16,
30,29; 17,15,2; 17,25,8; 18,3,
25; 18,21,8; 18,48,43; 18,48,
47; 18,48,51; 18,48,54; 18,48,
55
[42].

ἐπαοιδός : 5,37,21
[1].

ἐπαρκεῖν : 18,45,19; 20,15,62
[2].

ἔπαρσις : 15,115,3; 20,10,1
[2].

ἐπάρχειν : 12,12,16
[1].

ἐπαύριον : 8,32,46
[1].

ἐπείγειν : 2,1,5; 4,62,3; 4,62,4
[3].

ἐπεισέρχεσθαι : 5,47,8; 10,63,
24; 10,63,25; 11,22,2
[4].

ἔπειτα : Pr.8,3; 3,34,2
[2].

ἐπεκτείνειν : 5,5,13; 10,101,4
[2].

ἐπεμπηδᾶν : 5,47,4
[1].

ἐπέρχεσθαι : 1,7,11; 1,7,13;
7,27,3; 7,28,2; 7,39,3; 8,32,42;
8,32,47; 10,83,1; 10,138,10;
11,50,9; 13,13,2; 15,24,10;
16,12,1; 16,23,9; 16,23,11;

ἐπίπονος : 7,16,2
[1].

ἐπιρρίπτειν : 5,23,13; 5,45,21;
6,26,14; 16,24,5
[4].

ἐπίσημος : 5,46,97; 20,22,34
[2].

ἐπισκέπτεσθαι : 2,29,4; 3,8,2;
3,27,2; 3,37,3; 4,74,1; 7,34,3;
7,50,4; 7,53,14; 11,47,14;
17,25,3
[10].

ἐπίσκεψις : 7,53,4; 18,26,3
[2].

ἐπισκηνοῦν : 7,59,9
[1].

ἐπισκοπεῖν : 7,23,14
[1].

ἐπισκοπή : 3,38,18; 11,78,21;
15,14,6; 20,16,1
[4].

ἐπίσκοπος : 4,15,1; 4,15,6; 4,
103,1; 4,103,5; 8,20,1; 8,
20,15; 9,23,1; 9,23,4; 9,23,6;
9,23,8; 9,23,9; 10,50,4; 12,6,1;
15,14,1; 15,14,3; 15,42,3; 15,
42,5; 15,42,11; 15,43,5; 15,
111,34; 15,111,44; 15,114,3;
18,41,5; 18,46,1; 18,46,4; 18,
46,6; 18,46,28; 18,46,29; 18,
46,38; 18,46,41; 18,46,80; 18,
49,49; 20,16,36; 20,24,2; 20,
24,4; 20,24,5; 20,24,7; 20,24,
13; 20,24,15; 20,24,28; 20,24,
32; 20,24,38; 20,24,40; 20,24,
44
[44].

ἐπισπᾶν : 14,25,25
[1].

ἐπίστασθαι : 7,30,1; 10,174,12;
11,29,13; 15,7,4; 15,7,6; 15,
122,11; 18,46,72; 18,49,54;
18,49,57; 20,24,8; 20,24,16
[11].

ἐπιστατεῖν : 7,58,7
[1].

ἐπιστάτης : 7,58,10
[1].

ἐπιστήμη : 10,170,14; 14,26,4;
18,1,2
[3].

ἐπιστολή : 15,11,4
[1].

ἐπιστρέφειν : 5,22,13; 7,17,16;
7,51,7; 10,62,2; 10,100,19; 10,
130,7; 17,16,3; 18,26,93; 18,
46,99; 18,46,103
[10].

ἐπιταγή : 15,129,13
[1].

ἐπιτάττειν : 7,60,6; 7,60,13; 8,1,
4; 10,190,3; 15,93,2; 20,15,43;
20,15,47; 20,15,49
[8].

ἐπιτείνειν : 5,17,2; 10,3,10; 10,
105,1; 10,170,6; 17,17,6
[5].

ἐπιτελεῖν : 5,44,4; 10,93,9; 10,170,
20; 10,186,1; 12,6,5; 12,22,2;
15,60,38; 18,14,2; 18,19,9; 18,
26,6; 18,48,28; 18,49,221; 20,
11,9; 20,11,16; 20,15,69
[15].

ἐπιτηδεύειν : Pr.2,6; Pr.8,2;
18,49,141
[3].

ἐπιτήδευμα : 18,49,105
[1].

12,30; 15,39,25; 15,39,26; 15, 100,4; 15,109,5; 15,120,6; 15, 122,8; 15,135,26; 16,27,4; 16, 27,6; 16,28,4; 18,9,2; 20,1,4; 20,3,21; 20,11,3; 20,14,4; 20, 14,4; 20,22,7; 21,20,1 [86].

ἐργαλεῖον : 1,20,2; 1,23,2; 15, 50,3 [3].

ἐργασία : 1,17,4; 1,18,6; 4,13,6; 4,39,2; 4,39,5; 5,22,12; 5, 40,22; 7,16,1; 8,4,12; 8,4,34; 8,6,8; 8,6,10; 8,11,2; 8,28,2; 10,76,4; 10,87,3; 10,87,5; 10, 121,3; 10,168,2; 10,168,2; 11, 4,3; 11,20,4; 11,41,21; 11,68, 11; 12,26,2; 13,10,2; 15,2,2; 16,2,27; 18,33,4; 18,33,8; 19, 15,6; 20,2,14; 20,3,29; 20,3, 34; 20,3,50; 20,21,10; 20,21, 13; 20,21,14; 20,22,7; 20,22, 30; 20,22,42; 20,24,55; 21,11, 2; 21,36,2 [44].

ἐργάτης : 5,45,3; 10,11,13; 10, 119,1; 10,119,2; 10,119,4; 10,188,2; 11,27,5; 11,69,3; 14, 3,15; 14,23,12; 15,117,3; 18, 46,88 [12].

ἔργον : Pr.3,3; Pr.10,3; 1,6,2; 1,14,5; 1,16,20; 1,16,23; 1, 18,5; 1,32,1; 2,10,17; 2,17,3; 2,27,3; 2,34,9; 4,42,3; 4,64,7; 4,66,6; 4,68,2; 5,16,11; 6, 25,13; 6,28,2; 7,1,7; 7,7,5; 7, 13,17; 7,13,20; 7,30,3; 7,41,4; 7,41,5; 7,41,8; 7,49,5; 7,49,24;

8,11,5; 8,19,2; 8,30,2; 10,3,9; 10,33,3; 10,33,4; 10,33,5; 10, 33,6; 10,66,3; 10,66,14; 10,66, 15; 10,66,19; 10,70,8; 10,70, 16; 10,73,4; 10,73,6; 10,74,3; 10,109,2; 10,110,30; 10,114,5; 10,120,1; 10,153,6; 10,153,8; 10,158,1; 10,167,1; 10,167,3; 10,177,1; 10,177,4; 10,177,5; 10,177,9; 10,177,14; 10,177, 14; 10,177,16; 10,186,5; 11,1,3; 11,2,10; 11,2,11; 11, 9,8; 11,9,9; 11,44,2; 11,47,2; 11,50,26; 11,50,26; 11,79,4; 11,86,2; 11,90,3; 11,96,1; 11, 96,4; 11,97,1; 11,121,7; 12, 27,2; 12,27,7; 13,1,12; 13, 14,28; 13,17,53; 15,26,4; 15, 45,2; 15,83,1; 15,93,8; 15, 103,2; 15,109,9; 15,129,15; 15,131,12; 15,135,5; 15,135,7; 15,136,33; 16,24,2; 16,26,7; 17,11,24; 17,20,7; 17,22,4; 17,24,8; 17,28,1; 17,28,3; 17, 28,3; 18,3,4; 18,3,27; 18,3,28; 18,3,29; 18,9,7; 18,9,8; 18, 26,41; 18,26,67; 18,26,79; 18, 30,5; 18,41,13; 18,45,58; 18, 45,101; 18,45,103; 20,15,37; 20,15,41; 20,15,42; 21,6,2; 21, 9,1; 21,32,1; 21,53,3; 21,61,1; 21,63,2

[127].

ἐργόχειρον : 1,13,16; 3,3,2; 4,1, 6; 5,22,14; 5,53,19; 6,15,2; 6, 15,4; 6,15,9; 6,15,10; 6,19,3; 6,21,2; 8,12,10; 10,14,2; 10, 33,4; 10,93,3; 10,93,8; 10, 94,4; 10,177,8; 10,177,12; 10,

ἐσθής : 3,49,5; 10,14,3; 15,6,2;
18,46,17; 18,46,32; 18,46,43;
18,49,26; 18,49,72

[8].

ἐσθίειν : 1,25,6; 1,28,2; 3,16,1;
3,16,5; 3,18,2; 3,18,5; 4,4,3;
4,10,2; 4,10,5; 4,10,12;
4,10,13; 4,15,5; 4,15,8; 4,17,2;
4,17,4; 4,22,2; 4,22,3; 4,26,8;
4,27,3; 4,28,3; 4,33,2; 4,42,1;
4,42,2; 4,42,5; 4,46,2; 4,46,2;
4,46,4; 4,46,4; 4,48,6; 4,48,7;
4,59,1; 4,59,2; 4,62,3; 4,62,4;
4,62,4; 4,67,5; 4,67,6; 4,71,2;
4,71,5; 4,72,4; 4,72,9; 4,72,9;
4,72,10; 4,72,11; 4,72,17;
4,73,1; 4,76,3; 4,76,4; 4,76,6;
4,76,8; 4,77,3; 4,77,5; 4,77,6;
4,77,7; 4,78,5; 4,79,4; 4,84,3;
4,84,4; 4,85,7; 4,85,7; 4,89,5;
4,89,7; 4,90,1; 4,91,1; 4,95,1;
4,96,7; 4,96,8; 4,96,9; 5,19,3;
5,27,14; 5,51,12; 5,53,2;
5,54,33; 6,22,6; 6,28,5; 6,28,6;
7,13,8; 7,13,9; 7,13,14; 7,34,5;
7,34,10; 7,34,12; 7,34,13;
7,41,3; 7,54,7; 8,4,4; 8,4,9;
8,4,10; 8,4,32; 8,10,2; 8,12,7;
8,14,5; 8,20,8; 8,20,11;
8,20,13; 8,23,7; 8,26,1; 8,26,2;
8,26,4; 8,26,6; 8,26,8; 8,27,1;
8,27,4; 8,27,5; 8,32,46;
8,32,46; 8,32,48; 9,18,5;
9,18,6; 9,18,14; 9,18,15;
9,24,1; 9,24,10; 10,19,2; 10,
20,8; 10,20,10; 10,37,1; 10,39,
4; 10,39,8; 10,39,10; 10,41,3;
10,61,2; 10,61,7; 10,94,3; 10,
94,18; 10,99,8; 10,99,9; 10,

99,13; 10,99,16; 10,110,20;
10,110,35; 10,110,37; 10,
150,17; 10,154,1; 10,154,2;
10,154,3; 10,154,4; 10,170,3;
10,170,11; 10,170,13; 10,170,
15; 10,170,16; 10,170,18;
10,189,3; 10,189,4; 10,189,5;
10,189,10; 12,8,2; 12,8,4; 12,
10,6; 12,10,7; 12,10,21; 12,
10,22; 13,3,7; 13,3,7; 13,9,3;
13,11,2; 13,11,4; 14,2,3; 14,
3,5; 14,4,9; 14,10,1; 14,10,4;
14,23,10; 14,27,4; 14,27,5; 14,
30,9; 14,30,15; 15,12,32;
15,12,34; 15,32,2; 15,39,24;
15,54,1; 15,60,28; 15,64,6; 15,
83,5; 15,85,9; 15,85,11; 15,
85,18; 15,91,2; 15,100,3;
15,120,13; 15,120,13; 15,129,
46; 15,135,7; 15,135,20; 16,
27,12; 17,11,22; 17,21,2; 17,
21,8; 17,21,10; 17,32,2; 17,34,
29; 18,4,50; 18,6,5; 18,6,5; 18,
8,6; 18,8,10; 18,26,63; 18,42,
7; 18,42,9; 18,42,13; 18,42,14;
18,42,16; 18,42,19; 18,42,20;
18,42,22; 18,42,26; 18,48,68;
18,53,7; 18,53,9; 18,53,9; 20,
3,42; 20,3,43; 20,10,3; 20,10,
4; 20,11,4; 20,22,21; 21,10,2;
21,66,2

[220].

ἔσοπτρον : 2,29,16; 2,35,10; 10,
117,3; 21,12,1

[4].

ἑσπέρα : 5,42,7; 5,46,50; 5,54,
34; 7,13,7; 7,13,14; 7,52,2; 7,
52,8; 8,32,44; 10,150,14;
11,14,1; 11,91,1; 13,12,5; 15,

εὐάρεστος : 11,1,3; 15,136,32
[2].

εὖγε : 11,55,12
[1].

εὐγένεια : 15,32,4
[1].

εὐδία : 20,24,53
[1].

εὔδιος : 2,35,22
[1].

εὐδοκεῖν : 5,44,38; 17,19,2
[2].

εὔελπις : 10,100,15; 10,137,13;
10,176,8
[3].

εὐεργεσία : 18,45,111
[1].

εὐεργετεῖν : 15,136,27
[1].

εὐεργέτης : 16,17,4; 16,19,2
[2].

εὐθαλής : 5,39,12; 10,121,1
[2].

εὐθέως : 4,2,4; 4,65,3; 4,85,6;
5,4,41; 5,15,5; 5,43,12; 5,
51,17; 6,8,36; 6,25,20; 7,29,
12; 7,52,41; 7,57,13; 8,23,9;
8,32,4; 9,1,11; 9,5,8; 10,18,15;
10,38,9; 10,38,19; 10,90,14;
10,172,1; 11,9,14; 11,11,4; 11,
48,5; 11,115,10; 12,17,9; 13,
10,12; 13,18,20; 14,11,11; 15,
15,17; 15,71,4; 15,85,14; 15,
87,5; 15,90,5; 15,111,54; 15,
118,15; 15,123,4; 15,124,2;
15,127,7; 15,130,18; 15,130,
19; 16,25,8; 16,27,14; 16,29,
24; 17,25,8; 18,4,47; 18,8,12;
18,32,13; 18,45,27; 18,45,64;

18,46,38; 18,47,2; 19,4,14; 19,
10,4; 19,11,7; 19,13,15; 19,
14,15; 19,18,5; 20,7,18; 20,
15,12; 20,16,56
[61].

εὐθηνία : 13,15,15; 20,4,22
[2].

εὔθυμος : 20,15,17
[1].

εὐθύς : 10,15,6; 10,18,9; 12,17,
11; 14,11,9; 15,132,10; 18,3,
19; 18,13,41; 20,16,15; 20,16,
52; 20,24,39; 20,24,42
[11].

εὐκαιρεῖν : 2,10,12; 4,29,1; 4,
78,2; 10,189,2; 10,189,5; 15,
32,1; 15,129,16; 16,24,12; 19,
14,6
[9].

εὐκαιρία : 5,52,12; 15,129,22;
18,51,2
[3].

εὔκαιρος : 2,12,5
[1].

εὔκαρπος : 18,6,4
[1].

εὔκολος : 18,49,14
[1].

εὐκόλως : 2,25,4
[1].

εὐκοσμία : 10,13,9
[1].

εὐλάβεια : 2,35,36; 5,46,1; 5,46,
6; 9,23,1; 11,54,1; 15,32,2; 15,
113,1; 16,29,5
[8].

εὐλαβεῖσθαι : 11,56,3; 15,47,12
[2].

εὐλαβής : 3,49,1; 5,51,10;

ζημιοῦν : 2,30,2; 4,102,12; 5,47,
7; 10,23,12; 10,90,6; 10,127,3;
10,132,3; 15,74,2; 16,17,2; 17,
28,2
[10].

ζῆν : 1,18,2; 3,1,5; 3,39,7; 3,52,
3; 4,64,7; 4,99,4; 5,5,12; 5,12,
1; 5,30,11; 5,46,64; 6,13,1; 7,
17,12; 7,54,4; 8,12,15; 10,19,
10; 10,19,15; 10,19,21; 10,21,
3; 10,110,37; 11,91,5; 11,112,
5; 11,112,5; 13,6,9; 15,88,3;
15,122,12; 16,11,6; 16,14,3;
16,27,22; 17,33,5; 18,26,91;
18,26,93; 18,45,48; 18,45,60;
18,45,129; 18,46,52; 18,46,86;
18,49,207; 20,22,35; 21,5,2
[39].

ζητεῖν : 1,17,4; 3,1,5; 3,9,6; 3,
34,4; 4,23,7; 4,67,4; 5,18,3; 5,
26,11; 5,54,37; 6,28,3; 6,28,4;
7,42,12; 10,40,6; 10,50,9; 10,
63,19; 10,101,5; 10,112,8; 10,
135,6; 10,138,20; 10,174,3;
10,177,15; 10,190,4; 11,5,1;
11,32,1; 11,47,8; 11,55,9; 11,
65,19; 11,78,8; 11,114,4;
11,125,5; 11,125,8; 13,15,19;
13,16,6; 13,18,13; 14,3,13; 14,
18,2; 14,18,6; 14,21,1; 14,24,
1; 15,10,7; 15,38,6; 15,49,4;
15,91,11; 15,105,2; 15,114,5;
16,2,8; 16,2,9; 16,2,14; 17,
17,3; 18,48,65; 18,51,10; 19,6,
2; 19,12,27; 20,12,3; 21,31,1;
21,41,1; 21,47,2
[57].

ζήτημα : 15,11,2
[1].

ζήτησις : 4,97,1; 18,40,7
[2].

ζοφερός : 18,45,92
[1].

ζοφώδης : 18,26,13; 18,26,31
[2].

ζυγόν : 14,3,11; 17,34,26;
18,3,20
[3].

ζυγός : 2,35,25
[1].

ζωγράφος : 5,5,9
[1].

ζωή : Pr.5,3; 1,28,1; 1,32,1;
1,35,1; 3,1,4; 3,3,2; 3,38,6;
5,20,5; 5,46,88; 9,14,10;
10,10,4; 10,182,2; 11,26,7; 11,
50,19; 11,51,10; 11,77,1; 11,
91,4; 11,126,12; 15,67,1; 15,
122,12; 15,136,8; 16,18,11;
16,27,2; 17,2,1; 17,34,35;
18,45,52; 18,45,59; 18,45,63;
18,48,72; 21,66,1
[30].

ζωμός : 4,10,12; 4,10,12
[2].

ζώνη : 8,22,2; 10,64,3; 10,64,4;
10,192,2; 20,3,47
[5].

ζωννύναι : 20,3,54
[1].

ζωογονεῖν : 5,4,68
[1].

ζῷον : 4,50,1; 10,3,1; 10,151,1;
11,108,2; 16,7,9; 18,11,5;
20,5,5
[7].

ζωοποιεῖν : 5,46,66; 5,46,83
[2].

ἡγεῖσθαι : 10,97,11; 10,101,3; 11,31,13; 15,107,3; 18,45,105; 20,11,12 [6].

ἡγεμών : 3,4,5 [1].

ἡγουμένη : 4,75,2 [1].

ἡγούμενος : 4,26,2; 7,62,2; 7, 62,10; 14,21,3; 14,27,8; 15,107,1 [6].

ἤδειν : 5,23,14 [1].

ἡδέως : 7,59,8; 10,73,3; 15,85, 18; 16,18,4; 17,27,4 [5].

ἤδη : 1,13,19; 4,17,6; 5,3,2; 8, 11,4; 10,92,4; 10,161,2; 16,11, 7; 20,15,41; 20,15,48 [9].

ἡδονή : 1,16,19; 4,14,1; 4,14,3; 4,42,5; 4,51,2; 4,55,2; 5,2,2; 5,46,77; 7,23,5; 7,24,5; 11, 118,2; 18,35,4; 18,45,105; 21, 1,4 [14].

ἡδύνειν : 10,105,8 [1].

ἡδυπάθεια : 4,53,2; 18,35,5; 18,45,57 [3].

ἥκειν : 3,40,10; 4,104,3; 8,1,8; 10,105,13; 16,21,3; 18,45,87 [6].

ἡλικία : 5,4,5; 5,4,26; 5,54,25; 10,70,14; 10,175,2; 10,175,9; 18,45,2; 18,45,45; 18,49,6 [9].

ἡλίκος : 3,2,9 [1].

ἥλιος : 4,26,8; 5,54,34; 7,17,13; 10,103,3; 11,29,10; 11,75,8; 12,1,2; 12,1,4; 14,30,15; 18,51,9; 19,3,2; 19,3,3; 19,5,7; 20,7,3; 20,7,15; 21,8,2 [16].

ἧλος : 11,100,4; 15,66,2; 21,45,2 [3].

ἡμέρα : 1,13,3; 1,13,20; 2,35,30; 3,1,6; 3,2,2; 3,2,12; 3,19,16; 3,35,1; 3,38,25; 3,49,7; 3,54,2; 4,17,7; 4,29,3; 4,40,4; 4,69,4; 4,72,2; 4,82,1; 4,96,7; 5,4,53; 5,15,2; 5,27,9; 5,27,11; 5,27,13; 5,27,26; 5,31,14; 5, 40,15; 5,41,3; 5,44,12; 5,44, 19; 5,44,21; 5,44,27; 5,45, 26; 5,46,47; 5,46,61; 5,46,92; 5,46,94; 5,46,99; 5,50,6; 5,54, 9; 5,54,27; 5,54,33; 5,54,44; 5,54,67; 6,8,30; 7,3,2; 7,9,12; 7,13,2; 7,13,13; 7,17,24; 7, 34,7; 7,40,5; 7,48,2; 7,49,16; 7,49,23; 7,53,4; 7,53,5; 7,53,7; 7,53,13; 7,53,14; 7,60,26; 8,1, 18; 8,1,20; 8,4,11; 8,9,2; 8,10, 2; 8,20,14; 9,18,4; 9,20,10; 9,23,13; 9,24,1; 9,24,11; 10, 11,5; 10,11,6; 10,20,10; 10,57, 6; 10,57,9; 10,61,2; 10,61,7; 10,66,7; 10,66,9; 10,82,3; 10, 88,2; 10,94,5; 10,94,8; 10,94, 19; 10,99,15; 10,103,2; 10, 103,5; 10,105,6; 10,114,1; 10, 137,9; 10,150,17; 10,150,26; 10,152,7; 11,9,2; 11,46,3; 11, 64,4; 11,69,2; 11,69,4; 11,

5,46,12; 5,51,11; 10,50,7; 11,
47,3; 11,47,12; 11,64,6; 11,
124,3; 12,9,3; 12,25,2; 12,25,
13; 12,25,15; 16,8,4
[62].

ἡσύχιος : 11,2,4; 12,25,15
[2].

ἡττᾶν : 3,21,1; 4,73,3; 5,34,4;
5,41,5; 5,52,10; 5,52,22; 7,
23,4; 7,40,11; 10,49,2; 11,114,
3; 14,23,22; 15,89,4
[12].

ἥττημα : 15,94,1
[1].

ἥττων : 10,112,12
[1].

θάλασσα : 2,1,5; 2,10,22; 2,21,
2; 5,44,16; 8,4,19; 10,146,2;
10,146,4; 11,51,3; 11,75,3;
11,75,4; 11,75,6; 13,17,25; 18,
10,3; 19,1,2; 19,1,4; 19,6,6
[16].

θαλάσσιος : 8,4,26
[1].

θάλλειν : 10,22,1; 10,22,3
[2].

θαλλίον : 4,4,2; 4,10,6; 5,27,9;
5,27,14; 7,14,9; 7,34,8;
7,34,10; 7,34,11; 9,22,7; 11,
111,1; 11,111,9; 11,111,11;
12,10,14; 14,2,2; 14,2,5;
14,2,9; 14,2,12; 15,40,2; 20,
14,6
[19].

θάλπειν : 5,1,5
[1].

θαμβεῖν : 19,5,9
[1].

θάνατος : 1,5,1; 1,13,20; 1,16,

16; 2,35,29; 2,35,40; 3,1,2;
3,2,2; 3,9,4; 3,9,5; 3,52,4;
3,53,2; 3,55,8; 3,56,5; 4,63,3;
4,79,8; 5,4,57; 5,6,7; 5,35,8;
5,53,1; 7,17,20; 7,23,16; 7,
44,1; 8,16,13; 10,31,2; 10,158,
2; 10,194,1; 11,51,7; 11,115,7;
11,118,6; 11,127,2; 14,19,5;
15,20,4; 15,26,7; 15,118,22;
15,122,13; 15,134,5; 16,29,4;
17,2,2; 17,33,18; 18,25,12; 18,
26,92; 18,45,41; 18,49,198;
20,15,54; 20,21,25; 21,40,1;
21,43,2
[47].

θανατοῦν : 5,4,68
[1].

θάπτειν : 5,30,11; 5,49,3; 11,
51,20; 15,129,48; 20,1,16; 20,
12,10; 20,12,12; 20,16,51; 20,
16,55
[9].

θαρρεῖν : 4,43,4; 4,47,1; 5,9,8;
5,16,16; 5,46,65; 5,46,68;
5,52,9; 5,54,12; 6,22,12;
7,15,10; 10,63,17; 11,2,3; 11,
2,9; 11,2,10; 11,9,10; 11,81,3;
15,46,9; 18,5,14; 18,5,23; 20,
16,9
[20].

θάρρος : 5,54,65; 7,1,12; 7,34,
15; 18,17,16; 18,46,2
[5].

θαρσαλέον : 7,15,5
[1].

θαρσεῖν : v. θαρρεῖν

θαῦμα : 9,12,15; 12,22,1; 15,60,
15; 15,118,9; 18,43,12
[5].

θαυμάζειν : 4,8,4; 4,12,5; 4,22, 4; 4,66,6; 5,25,5; 5,25,10; 5,30,17; 5,39,12; 5,45,8; 5,46,16; 5,46,86; 6,8,35; 7,14,16; 7,19,3; 7,52,31; 7, 53,17; 7,62,17; 8,32,49; 9,6,23; 9,6,24; 10,12,14; 10, 34,3; 10,34,5; 10,37,5; 10,37, 11; 10,51,20; 10,54,10; 10,90, 3; 11,109,11; 13,1,24; 13,12, 12; 13,14,21; 13,17,40; 14,2, 13; 14,5,14; 14,32,28; 15, 60, 22; 15,118,16; 15,130,4; 15, 130,14; 16,21,8; 16,29,11; 17, 21,6; 17,24,23; 18,15,5; 18,40, 11; 18,42,10; 18,45,31; 18,46, 53; 18,46,57; 19,2,3; 20,1,16; 20,2,28; 20,22,5; 20,22,42 [55].

θαυμάσιος : 11,51,35; 18,45,4 [2].

θαυμαστός : Pr.1,2; 6,8,37; 11, 51,11; 13,10,13 [4].

θαυμαστοῦν : 15,118,11 [1].

θέα : 18,49,68 [1].

θεᾶσθαι : 3,9,2; 3,19,13; 3,20,4; 3,39,7; 4,40,5; 7,17,7; 8,32,8; 10,26,7; 10,86,2; 18,26,20; 20,16,25 [11].

θεατρικός : 3,32,3 [1].

θέατρον : 5,52,16 [1].

θεάφιον : 4,27,29 [1].

θεικός : 11,14,2; 11,28,2; 12,27,9; 15,103,2 [4].

θεῖος : Pr.2,3; Pr.9,2; 1,1,5; 3,34,6; 4,93,1; 5,46,96; 6,12,2; 9,6,28; 10,100,18; 10,105,3; 10,142,2; 12,27,8; 14,21,2; 15, 11,15; 15,136,3; 18,26,39; 18, 26,81; 18,26,81; 18,46,10; 18, 46,47; 18,46,51; 18,48,24; 18, 48,83; 18,49,3; 21,44,1 [25].

θέλειν : 1,8,2; 1,8,4; 1,8,8; 1,13, 1; 1,18,10; 2,10,7; 2,10,15; 2, 10,23; 2,11,5; 2,12,3; 2,21,1; 2,30,1; 2,34,6; 3,29,2; 3,33,11; 3,36,4; 3,38,3; 3,38,13; 3,40,8; 3,45,7; 3,49,12; 3,50,3; 4,1,3; 4,1,14; 4,8,6; 4,10,12; 4,20,1; 4,22,3; 4,40,14; 4,40,18; 4,40, 22; 4,62,4; 4,64,2; 4,67,4; 4, 85,3; 4,103,5; 5,1,3; 5,18,2; 5, 19,3; 5,19,4; 5,22,7; 5,24,3; 5, 27,22; 5,31,7; 5,35,3; 5,35,6; 5,37,10; 5,42,5; 5,43,7; 5,46, 51; 5,47,7; 5,51,15; 5,51,17; 6, 1,4; 6,1,12; 6,4,13; 6,8,12; 6,8, 18; 6,15,6; 6,15,8; 6,19,8; 6, 22,16; 6,26,1; 6,26,3; 6,26,10; 7,1,3; 7,2,3; 7,9,13; 7,15,5; 7, 16,1; 7,30,3; 7,41,7; 7,49,2; 7, 54,2; 7,56,11; 7,62,7; 8,4,27; 8,9,7; 8,10,1; 8,10,4; 8,12,8; 8,12,17; 8,13,6; 8,13,11; 8,13, 16; 8,14,2; 8,14,3; 8,21,2; 8, 27,8; 8,32,51; 9,1,10; 9,8,2; 9, 10,22; 9,21,2; 9,23,13; 9,26,2; 10,3,3; 10,11,3; 10,12,3; 10, 12,13; 10,23,4; 10,23,5;

10,24,3; 10,36,2; 10,45,2; 10,
45,5; 10,45,10; 10,51,2; 10,
52,1; 10,54,23; 10,57,2; 10,61,
2; 10,63,2; 10,63,15; 10,67,5;
10,69,1; 10,69,2; 10,73,4; 10,
82,9; 10,86,2; 10,90,4; 10,91,
7; 10,94,15; 10,95,5; 10,99,13;
10,99,15; 10,101,5; 10,110,25;
10,110,43; 10,115,5; 10,138,8;
10,138,12; 10,138,15; 10,138,
23; 10,148,4; 10,148,6; 10,
148,7; 10,148,9; 10,152,3; 10,
153,3; 10,171,2; 10,171,4; 10,
171,6; 10,174,7; 10,183,1; 10,
183,4; 10,184,2; 10,189,3; 11,
14,1; 11,20,2; 11,41,19; 11,48,
11; 11,50,2; 11,56,10; 11,64,3;
11,65,10; 11,67,1; 11,78,10;
11,91,2; 11,91,3; 11,101,3; 11,
114,5; 11,126,2; 12,2,5; 12,
4,4; 12,9,7; 12,11,4; 12,17,7;
12,23,3; 12,24,1; 12,27,3; 13,
14,4; 13,15,6; 13,15,13; 13,
17,23; 13,17,23; 13,17,38; 14,
2,5; 14,5,14; 14,10,4; 14,15,1;
14,25,7; 14,25,8; 14,25,11; 14,
25,12; 14,27,11; 14,32,4; 14,
32,13; 15,4,2; 15,12,8; 15,12,
23; 15,12,25; 15,12,26; 15,12,
28; 15,12,34; 15,15,7; 15,21,4;
15,26,9; 15,33,14; 15,39,4; 15,
39,35; 15,43,5; 15,47,11; 15,
47,13; 15,60,27; 15,69,9; 15,
70,4; 15,77,2; 15,77,7; 15,89,
9; 15,90,1; 15,90,2; 15,93,4;
15,93,5; 15,94,1; 15,96,2; 15,
101,1; 15,109,6; 15,109,8; 15,
111,49; 15,118,6; 15,118,6;
15,119,28; 15,136,22; 15,136,

22; 16,1,4; 16,1,14; 16,2,4;
16,2,9; 16,2,10; 16,2,21; 16,
9,1; 16,13,3; 16,17,10; 16,17,
11; 16,22,2; 16,22,5; 16,23,8;
17,11,16; 17,15,8; 17,18,8; 17,
24,12; 17,24,22; 17,24,28; 17,
33,2; 17,33,3; 17,33,7; 17,34,
4; 17,34,26; 17,34,27; 17,34,
28; 18,12,6; 18,13,4; 18,14,20;
18,15,1; 18,20,3; 18,26,43; 18,
26,47; 18,26,62; 18,45,87; 18,
48,21; 18,49,173; 19,6,8; 19,
12,8; 19,14,9; 19,14,10; 19,
14,12; 19,18,4; 19,18,4; 19,19,
5; 20,1,5; 20,3,6; 20,3,9; 21,
33,1; 21,59,1
[275].

θέλημα : 1,14,8; 1,15,7; 1,26,2;
2,5,4; 2,5,5; 2,15,10; 3,19,23;
3,25,9; 4,33,2; 5,27,11; 5, 46,55;
7,8,4; 7,54,6; 7,62,14; 10,89,1;
10,89,5; 10,91,5; 10,91,5; 10,
115,2; 10,115,4; 10,116,4; 10,
129,5; 10,131,2; 10,131,8; 10,
131,8; 10,131,10; 10,173,1; 10,
174,2; 10,174,7; 10,174,9; 10,
174,10; 11,27,3; 11,27,8; 11,27,
9; 11,50,22; 11,52,3; 11,102,4;
11,116,7; 11,123,3; 13,9,6; 13,
11,5; 14,14,9; 14,14,10; 14,14,
11; 14,20,4; 14,29,15; 14,29,16;
14,29,17; 15,26,11; 15,33,7; 15,
50,2; 15,96,11; 15,136,25; 15,
136,31; 17,15,15; 17,33,4; 17,
33,16; 20,16,60
[58].

θεμέλιον : 5,22,8; 5,22,10; 5,22,
14; 15,69,2
[4].

θεμέλιος : 18,31,3
[1].
θεόθεν : 3,38,17
[1].
θεοσέβεια : 15,69,11
[1].
θεοσεβεῖν : 1,25,8
[1].
θεότης : 15,27,5; 15,30,9
[2].
θεοφόρος : 15,136,4
[1].
θεραπεία : 5,4,6; 5,46,28; 7,33,
4; 15,111,49; 18,52,18
[5].
θεραπεύειν : 1,19,3; 1,19,4; 2,
10,37; 2,29,7; 5,4,29; 5,6,5;
7,57,13; 7,61,5; 10,170,4; 13,
2,11; 13,17,5; 15,15,4; 15,
15,10; 15,46,12; 15,84,2; 16,
29,28; 16,29,30; 17,11,10;
17,11,13; 17,25,8; 18,48,
21; 18,52,21; 19,6,12; 19,6,
14; 19,7,8; 19,14,23; 19,18,5;
19,18,5
[28].
θερίζειν : 4,22,2; 8,30,5; 10,49,
2; 17,24,7; 17,24,10; 17,24,14;
17,24,16; 17,24,18; 18,49,191;
19,12,2
[10].
θερισμός : 7,29,7; 14,23,6; 14,
23,7; 17,24,1; 17,24,11
[5].
θερμαίνειν : 7,59,1
[1].
θέρμη : 2,12,2; 2,12,4; 5,1,5; 11,
29,13; 11,78,10; 11,78,15
[6].

θερμός : 17,21,6
[1].
θέρος : 5,54,47; 6,10,4; 7,11,5;
7,11,5; 7,29,9; 11,111,6; 14,
23,1; 14,23,3
[8].
θεσπέσιος : 7,59,5
[1].
θεωρεῖν : 1,18,10; 2,29,16; 3,19,
14; 3,25,2; 4,9,2; 5,20,5; 5,20,
6; 5,44,3; 5,52,8; 5,52,17; 7,1,
5; 7,38,5; 7,49,12; 7,58,9; 9,6,
4; 9,17,1; 10,90,3; 10,90,11;
10,149,8; 11,40,2; 11,40,5; 11,
109,2; 11,109,3; 11,122,4;
12,16,1; 14,30,16; 15,129,63;
15,132,3; 16,30,28; 17,15,4;
18,2,2; 18,3,14; 18,19,9; 18,
47,6; 18,49,125; 20,3,52;
20,3,55; 20,4,12; 20,15,
8; 20,15,13; 20,15,72; 20,
16,48
[42].
θεώρημα : 18,43,13
[1].
θεωρητικῶς : 12,16,4
[1].
θεωρία : 5,27,27; 11,36,2; 11,
38,4; 12,3,13; 15,18,2; 15,18,
10
[6].
θηλάζειν : 4,40,16; 5,25,2; 5,35,
5; 14,29,26
[4].
θήλεια : 5,54,16; 5,54,39
[2].
θηλυμανής : 4,54,2
[1].
θῆλυς : v. θήλεια

θρίξ : 8,1,10; 15,11,10; 20,15,23; 20,15,63; 20,16,23
[5].

θρόνος : 5,44,35; 7,52,25; 7,52, 25; 7,52,28; 7,61,2; 10,148,4; 18,49,33
[7].

θρύον : 7,49,9; 7,49,13; 7,49,20; 10,147,8; 11,111,8
[5].

θυγάτηρ : 4,23,10; 5,37,8; 5,42, 32; 5,43,2; 5,43,7; 5,43,17; 5,50,7; 6,22,9; 11,118,4; 14, 25,20; 15,15,1; 15,15,4; 16,30,5
[13].

θύειν : 7,17,22; 18,4,40; 18,48, 58
[3].

θῦμα : 4,15,8
[1].

θυμίαμα : 4,5,5; 18,42,18
[2].

θυμός : 1,21,3; 2,23,3; 4,14,2; 4,25,3; 5,11,3; 5,11,5; 10,25,3; 11,50,13; 15,24,10; 15,93,10; 15,119,13; 15,136,28; 15,136, 29; 21,53,2
[14].

θυμοῦν : 7,40,8
[1].

θύρα : 2,12,2; 4,1,14; 4,30,6; 4,40,6; 4,40,7; 4,40,10; 4, 40,11; 5,28,6; 5,42,12; 5,42, 15; 5,46,36; 5,46,40; 6,22,8; 6,23,5; 7,14,2; 7,14,4; 7,29,12; 7,53,12; 8,16,6; 9,5,4; 10,36,7; 10,99,7; 10,108,3; 10,152,5; 11,39,5; 11,65,6; 11,65,10; 11,

67,3; 11,101,4; 12,10,20; 13,5, 7; 13,15,3; 14,25,21; 14,30,19; 15,70,9; 15,85,4; 15,91,7; 15,111,2; 15,111,53; 16,24,6; 17,11,14; 17,34,10; 18,16,4; 18,18,15; 18,27,3; 19,9,3; 19, 11,3; 20,6,2; 20,21,6
[49].

θυρίδιν : 19,7,3; 19,7,7
[2].

θυρίς : 6,16,4; 7,14,13; 10,147, 7; 10,152,6; 10,191,4; 11,73,3; 18,2,2
[7].

θυρωρός : 13,17,18; 13,17,24
[2].

θυσία : 5,44,4; 15,55,1; 17,21,9
[3].

θυσιαστήριον : 11,60,3; 15,42, 14
[2].

ἰαματικός : 16,17,8
[1].

ἰᾶσθαι : 3,13,3; 5,4,68; 6,25,19; 12,14,9; 12,14,11; 16,18,1; 17,29,11; 19,4,14; 19,14,22
[9].

ἴασις : 4,99,6
[1].

ἰατρός : 5,4,24; 6,25,8; 6,25,9; 6,25,21; 6,25,24; 10,100,17; 15,136,28; 16,17,3; 16,18,3; 16,18,7; 16,19,2; 18,1,2; 20,16,14
[13].

ἰδέα : 3,5,16; 5,39,9
[2].

ἰδιάζειν : 18,13,30
[1].

ἴσος : 1,18,6; 7,49,23; 10,17,1; 10,19,18; 10,189,10; 15,83,11; 17,22,6; 21,62,2 [8].

ἱστάναι : 1,27,3; 1,27,4; 3,25,4; 3,38,14; 4,17,7; 4,40,7; 4,40,11; 4,65,1; 5,4,33; 5,18,9; 5,20,7; 5,27,15; 5,37,9; 5, 42,19; 5,43,36; 5,43,45; 5,45, 24; 5,45,26; 5,49,9; 6,19,3; 6,19,5; 6,25,15; 7,17,25; 7, 24,3; 7,56,12; 7,58,5; 9,5,3; 9, 6,22; 9,6,26; 10,25,1; 10,26,9; 10,53,4; 10,164,4; 11,9,5; 11, 40,4; 11,47,18; 11,57,2; 11,71, 2; 11,71,3; 11,101,6; 12,3,3; 12,13,2; 12,17,8; 12,20,4; 14, 27,19; 14,29,7; 15,5,3; 15,26, 9; 15,33,6; 15,33,8; 15,54,2; 15,73,6; 15,117,2; 15,118,18; 15,120,4; 15,129,23; 17,33,8; 17,34,2; 17,34,16; 18,3,10; 18, 4,35; 18,8,5; 18,10,2; 18,12,7; 18,14,30; 18,19,7; 18,27,11; 18,36,3; 18,38,3; 18,48,28; 18, 48,36; 18,48,46; 18,48,75; 18,49,98; 19,3,3; 19,4,9; 19, 4,12; 19,5,7; 20,3,42; 20,11, 16; 20,11,18; 20,14,3; 20,15, 19; 20,15,25; 20,15,69; 20,15, 72; 20,16,25; 20,16,27; 20,16, 46; 21,23,1 [90].

ἱστίον : 7,25,9; 7,25,14 [2].

ἰσχάδιον : 15,8,2; 15,8,8 [2].

ἰσχύειν : 3,11,6; 3,38,4; 5,15,4; 5,27,4; 5,27,7; 5,46,64; 5,

50,11; 5,50,12; 7,23,3; 7,49,4; 10,118,2; 10,118,3; 10,131,1; 11,40,6; 11,44,8; 11,107,5; 11, 116,1; 11,117,8; 15,14,4; 15, 40,4; 15,114,1; 15,127,8; 18, 17,2; 18,17,5; 18,38,4; 18, 49,188; 19,10,4 [27].

ἰσχυρός : 4,61,1; 5,52,13; 6,17, 6; 7,24,7; 11,119,1 [5].

ἰσχυρῶς : 12,21,2 [1].

ἰσχύς : 4,61,2; 4,67,3; 5,20,9; 10,9,6; 14,7,2; 15,37,7; 18, 46,73 [7].

ἴσως : 4,78,5; 10,19,13; 15,130, 7; 20,1,11 [4].

ἰχθύς : 2,1,1; 2,1,4; 13,14,20 [3].

ἴχνος : 11,68,5; 14,29,21; 15,69, 11; 18,45,86; 20,15,16; 20,15, 28; 20,24,23 [7].

ἰχώρ : 5,26,8; 20,15,78 [2].

καθαιρεῖν : 4,76,2; 12,3,14; 12, 3,15 [3].

καθαίρεσις : 7,24,4 [1].

καθάπερ : 7,42,4; 11,74,3; 18, 46,14; 18,49,216; 19,5,8; 20,16,14 [6].

καθαρεύειν : 3,18,5; 18,23,6 [2].

καθαριεύειν : 12,9,4; 12,16,3
[2].

καθαρίζειν : 4,85,1; 7,49,11; 7,
49,12; 7,49,14; 7,49,25; 8,22,
2; 9,6,28; 10,72,3; 10,136,12;
11,50,18; 11,85,2; 15,15,18;
18,22,11; 21,17,2
[14].

καθαρός : 1,14,5; 1,16,15; 1,35,
3; 3,14,5; 10,6,5; 10,27,3; 10,
27,7; 10,27,8; 10,76,3; 10,
110,13; 10,134,3; 10,136,10;
10,151,1; 11,84,3; 11,107,7;
15,118,9; 17,18,5; 17,29,10;
18,26,58; 18,26,71; 18,28,7;
18,41,17
[22].

καθαρότης : 8,21,5; 11,123,2;
19,15,8
[3].

καθάρσιος : 16,18,4
[1].

καθέζεσθαι : 1,1,6; 1,14,6; 2,7,
4; 2,35,3; 2,35,23; 3,2,1; 3,3,2;
3,5,1; 3,33,1; 5,23,10; 5,54,2;
7,1,1; 7,1,6; 7,1,7; 7,9,1;
7,13,6; 7,35,1; 7,52,12; 8,
12,11; 8,32,32; 8,32,41; 9,11,
2; 9,24,2; 11,16,2; 11,40,5; 11,
47,14; 11,48,2; 11,68,1; 11,
79,6; 11,110,1; 11,111,2; 12,1,
5; 12,10,13; 12,18,3; 12,18,8;
13,15,1; 13,15,14; 13,17,28;
15,10,1; 15,11,5; 15,20,5; 15,
46,2; 15,54,1; 15,70,10; 15,
89,1; 15,135,3; 16,5,6; 16,10,
2; 16,23,1; 16,25,14; 16,27,13;
16,27,14; 18,8,1; 18,12,1; 18,
22,7; 18,26,18; 18,26,26; 18,

42,8; 18,42,17; 18,49,36; 18,
51,2; 19,6,3; 19,7,3; 19,10,3;
20,1,3; 20,15,39; 20,21,7; 20,
21,8; 20,22,1; 20,22,10; 20,
22,11; 20,24,36; 21,35,1
[73].

καθέν : Pr.5,11
[1].

καθεύδειν : 4,2,3; 11,98,1; 13,
17,43; 15,124,5; 20,2,26; 20,
11,4; 20,11,20
[7].

καθημέραν : 1,16,17; 3,9,7
[2].

καθημερινός : 4,28,3
[1].

καθῆσθαι : 2,2,1; 2,8,5; 2,10,1;
2,19,3; 3,31,1; 3,38,18; 3,46,1;
3,49,8; 4,1,4; 4,2,4; 4,27,3; 4,
30,6; 4,38,3; 4,79,1; 4,99,1;
4,100,7; 5,28,1; 5,28,3; 5,28,9;
5,32,13; 5,42,2; 5,44,2; 5,44,5;
5,46,2; 5,50,1; 7,13,18; 7,
14,12; 7,37,2; 7,38,1; 7,41,6;
7,41,9; 7,45,3; 7,52,1; 7,52,23;
7,53,2; 7,54,6; 7,57,11; 7,62,1;
7,62,3; 8,1,15; 8,23,7; 8,27,8;
9,12,13; 10,20,10; 10,38,5; 10,
50,2; 10,53,5; 10,90,2; 10,90,
4; 10,90,8; 10,138,1; 10,148,4;
10,164,2; 10,190,1; 11,40,2;
11,44,11; 11,46,2; 11,58,2; 11,
66,2; 11,118,2; 11,125,7;
12,7,3; 13,9,1; 13,16,4; 14,3,1;
14,4,2; 14,5,13; 14,29,1; 14,
29,9; 15,15,11; 15,18,1; 15,39,
2; 15,47,12; 15,52,2; 15,57,1;
15,116,6; 15,117,8; 15,118,33;
15,118,37; 15,119,1; 15,119,

19; 15,122,1; 15,126,5; 15,129,
3; 15,130,1; 15,131,4; 16,4,1;
16,5,4; 16,11,6; 16,26,3; 17,7,1;
17,10,9; 17,14,2; 17,26,1; 18,
3,2; 18,3,14; 18,5,2; 18,18,4;
18,18,13; 18,29,1; 18,50,1; 18,
51,3; 19,14,5; 20,3,2; 20,3,35;
20,4,5; 20,4,27; 20,5,1; 20,6,1;
20,7,2; 20,11,4; 20,15,8
[112].

καθίζειν : 2,30,1; 2,32,2; 2,34,8;
3,24,2; 3,27,5; 3,49,5; 4,17,2;
4,71,5; 5,43,27; 5,44,34;
5,54,65; 5,54,73; 6,4,3; 7,17,
33; 7,49,29; 7,52,8; 7,57,12;
7,61,2; 8,27,4; 9,10,27; 10,
54,17; 10,90,4; 10,90,5; 10,90,
10; 10,93,2; 10,93,3; 10,110,
11; 10,144,1; 10,170,11;
10,189,2; 11,43,1; 12,3,12; 12,
21,4; 13,1,8; 13,1,11; 14,23,
13; 15,83,4; 15,85,7; 16,25,9;
17,10,10; 18,17,2; 19,4,9; 20,
3,10; 20,3,11; 20,3,19; 20,3,
37; 20,3,38; 20,22,24
[48].

κάθισμα : 5,23,7; 8,32,32; 8,32,
35; 9,11,5; 20,11,3
[5].

καθιστάναι : 2,29,15; 3,56,3;
10, 38,17; 15,12,31; 15,120,
28; 18,45,35; 18,45,63
[7].

καθολικός : 15,27,4; 18,4,14
[2].

καθόλον : 7,24,17
[1].

καθοπλίζειν : 7,28,2; 11,74,2
[2].

καθορᾶν : 18,49,129; 18,49,203
[2].

καθοσίωσις : 18,48,39; 18,48,49
[2].

καθότι : 5,16,8; 15,77,4
[2].

καθώς : 2,34,4; 5,20,7; 5,51,4;
8,6,11; 9,6,19; 9,20,8; 10,26,7;
10,100,12; 11,125,3; 12,4,1;
12,10,4; 12,10,11; 12,25,13;
14,3,13; 14,22,10; 15,46,20;
16,2,17; 17,19,3; 18,11,9; 18,
48,68; 20,24,47
[21].

καίειν : Pr.5,6; 3,18,4; 4,27,30;
5,15,2; 5,42,23; 5,42,25;
5,46,85; 11,53,1; 11,111,19;
12,19,4; 13,14,29; 14,28,21;
14,28,22; 15,18,6; 15,98,2; 15,
109,11; 18,22,7; 19,20,10; 20,
4,30; 20,4,32; 20,11,12; 21,
32,1; 21,63,1; 21,63,2
[24].

καινός : 5,46,48; 5,46,49; 5,
46,89; 10,134,3; 10,134,3; 11,
62,1; 11,62,2; 16,2,3
[8].

καίπερ : 15,11,3; 16,2,7
[2].

καιρός : Pr.3,6; 1,16,22;
2,34,10; 4,28,2; 4,57,2; 5,4,72;
5,39,10; 5,45,20; 7,44,3; 9,
24,8; 10,93,8; 10,152,8; 10,
190,3; 11,22,1; 11,47,6; 11,47,
6; 11,88,1; 11,92,2; 11,93,4;
11,110,2; 11,111,7; 11,111,8;
11,113,9; 12,27,4; 13,2,3; 14,
28,23; 15,30,2; 15,39,27; 15,
63,3; 15,102,1; 15,114,10;

καμηλάριος : 5,28,4
[1].

καμηλίτης : 4,21,2; 11,39,1; 11,
39,4; 11,39,6
[4].

κάμηλος : 7,29,13; 11,39,7
[2].

κάμινος : 7,46,1; 18,45,94; 18,
45,96; 18,45,97; 18,49,80
[5].

κάμνειν : 3,8,3; 5,18,2; 5,40,3;
6,25,1; 7,19,3; 8,1,3; 10,89,5;
11,65,19; 15,96,7; 15,129,38;
17,25,7
[11].

κάμπτειν : 10,45,7
[1].

κάμπτρα : 10,59,2
[1].

κανονικός : 4,75,1
[1].

κανών : 6,14,5; 7,49,2; 10,105,5;
10,150,22; 12,6,3; 13,2,4;
13,2,13; 13,8,2; 13,8,3; 15,
118,15; 15,129,23; 18,48,34;
20,14,2
[13].

καπηλεῖον : 5,19,2
[1].

καπνίζειν : 3,34,4; 5,4,60
[2].

καπνός : 4,39,1; 4,65,3; 4,71,7;
11,73,3; 11,111,20; 13,4,5
[6].

καρδία : 1,7,10; 1,8,7; 1,8,10;
1,13,7; 1,16,3; 1,16,8; 1,16,15;
1,18,11; 1,28,3; 1,32,7; 1,34,2;
1,35,3; 2,2,3; 2,8,6; 2,10,26;
2,10,33; 2,17,4; 2,21,4; 2,

35,27; 2,35,33; 2,35,34; 3,1,7;
3,7,4; 3,9,3; 3,16,4; 3,17,3;
3,35,3; 3,40,2; 3,40,4; 4,27,26;
4,90,6; 5,1,10; 5,2,6; 5,8,4;
5,15,2; 5,15,6; 5,27,18; 5,
37,18; 5,46,86; 7,8,4; 7,17,35;
7,19,2; 7,57,13; 8,6,5; 8,6,9;
8,18,1; 10,20,11; 10,29,2; 10,
30,2; 10,51,17; 10,57,7; 10,58,
2; 10,75,2; 10,92,4; 10,108,4;
10,134,3; 10,153,9; 10,164,1;
11,13,2; 11,19,2; 11,24,2; 11,
25,2; 11,26,2; 11,26,5; 11,27,
11; 11,29,7; 11,32,1; 11,32,3;
11,37,8; 11,50,3; 11,67,2; 11,
67,3; 11,70,4; 11,78,2; 11,101,
2; 11,108,4; 11,108,6; 11,109,
8; 11,119,3; 12,5,1; 12,6,9; 12,
20,3; 12,24,8; 12,25,4; 15,21,
3; 15,22,3; 15,68,3; 15,73,1;
15,83,9; 15,83,10; 15,93,6; 15,
111,5; 15,111,8; 15,114,19;
15,119,15; 15,119,30; 15,119,
35; 15,120,18; 15,120,20; 15,
120,26; 15,120,26; 15,134,3;
15,136,21; 16,11,7; 17,12,3;
17,16,4; 17,33,16; 18,21,4; 18,
21,10; 18,21,11; 18,23,4; 18,
23,6; 18,26,69; 18,33,4; 18,33,
6; 18,33,8; 18,44,9; 18,45,69;
18,48,75; 18,48,76; 20,22,39;
21,22,2; 21,66,3
[123].

καρδιογνώστης : 15,111,43
[1].

καρκῖνον : 19,6,1
[1].

καρπός : 2,35,39; 3,55,2; 5,24,5;
8,25,3; 10,11,10; 10,13,4; 10,

κατάνυξις : Pr.8,3; Pr.11,4;
1,35,4; 2,35,9; 3,tit.,1; 3,38,21;
3,42,2; 3,49,16; 5,37,17;
10,186,5; 11,49,2; 11,50,11;
14,6,3; 14,7,4; 15,118,33; 15,
120,16; 15,134,2; 18,14,23;
18,14,36; 18,48,85
[20].

κατανύσσειν : 4,27,16; 4,96,10;
9,10,31; 9,20,9; 10,3,12; 10,
24,4; 10,54,34; 10,100,2; 10,
110,48; 10,110,61; 13,18,18;
14,31,3; 15,10,22; 15,114,19;
15,131,2; 16,2,21; 16,28,11;
17,11,21; 17,34,20; 18,26,64
[20].

κατάξιος : 20,22,31
[1].

καταξιοῦν : 9,6,30; 9,18,2; 10,
54,41; 12,25,21
[4].

καταπαίζειν : 15,44,2
[1].

καταπαλαίειν : 20,1,17
[1].

καταπατεῖν : 15,115,6
[1].

καταπαύειν : 10,25,4
[1].

καταπέτασμα : 18,49,32; 18,49,
45
[2].

καταπίνειν : 4,23,7; 10,18,16;
18,22,4
[3].

καταπίπτειν : 4,32,4; 5,34,11
[2].

καταπλάττειν : 10,100,17
[1].

καταπλέειν : 15,10,8
[1].

καταπλήττειν : 3,38,10
[1].

καταπονεῖν : 15,23,3
[1].

καταποντίζειν : 9,1,10; 11,74,4;
18,10,9
[3].

κατάρα : 15,124,7
[1].

καταράκτης : 20,24,42
[1].

καταρᾶσθαι : 15,120,5; 15,136,
15; 20,8,2
[3].

καταργεῖν : 7,25,8; 10,177,13;
12,21,10; 13,8,2; 15,112,
15
[5].

καταρράπτειν : 3,53,1
[1].

καταρρεῖν : 9,7,8
[1].

καταρτίδιον : 5,34,7
[1].

καταρτίζειν : 15,136,33
[1].

κατασβεννύναι : 18,31,11
[1].

κατασείειν : 18,29,3; 18,45,31
[2].

κατασκευάζειν : 15,66,2
[1].

κατάσκοπος : 2,35,18
[1].

κατασπείρειν : Pr.4,4
[1].

κατάστασις : 2,35,15; 3,2,7; 12,
25,2; 15,136,19
[4].
καταστρέφειν : 10,55,2; 11,30,2
[2].
καταστροφή : 3,56,1
[1].
κατασύρειν : 10,165,4
[1].
κατατέμνειν : 6,1,8; 7,23,9
[2].
κατατοξεύειν : 5,42,16
[1].
κατατρέχειν : 7,17,33
[1].
κατατρίβειν : 10,1,1
[1].
κατατρώγειν : 5,42,13
[1].
καταυγάζειν : 18,49,45
[1].
καταφέρειν : 1,8,5; 3,48,3; 7,
52,9; 10,88,4; 11,48,5; 12,
13, 1; 12,13,4; 15,80,2; 18,45,
36
[9].
καταφεύγειν : 5,46,52; 11,40,7;
18,26,83
[3].
καταφιλεῖν : 5,44,33; 14,28,17;
16,28,9; 18,45,84
[4].
καταφλέγειν : 7,23,10; 11,77,2;
18,45,122
[3].
καταφρονεῖν : 1,28,3; 2,28,2;
3,1,9; 4,100,13; 5,4,50; 5,53,9;
6,4,13; 6,12,2; 7,17,31; 9,23,5;
10,74,4; 10,110,51; 11,33,1;

11,42,2; 11,42,3; 11,52,3; 15,
28,3; 15,95,1; 18,49,196
[19].
καταφρόνησις : 5,53,5; 5,54,68;
18,45,108
[3].
καταχέειν : 17,25,7
[1].
καταψύχειν : 18,22,6
[1].
κατέναντι : 4,82,3; 5,43,36;
15,11,17; 18,3,15
[4].
κατεργάζεσθαι : 12,23,7
[1].
κατέρχεσθαι : 3,32,2; 3,32,2;
3,49,2; 4,76,1; 4,100,10;
5,26,4; 5,40,15; 9,6,20;
10,170,1; 12,12,1; 14,12,1; 15,
10,11; 15,19,5; 15,130,1; 18,4,
40; 18,18,17; 18,32,6; 18,32,
12; 18,32,13; 18,32,19; 18,48,
24; 18,48,42; 18,53,4
[23].
κατεσθίειν : 3,18,7; 8,30,3; 11,
78,8; 11,78,15; 13,15,11; 13,
17,20; 21,37,2
[7].
κατέχειν : 2,16,2; 4,49,3; 5,4,46;
5,43,46; 6,25,3; 6,26,12;
7,19,7; 7,58,9; 8,12,19; 8,16,3;
8,32,41; 10,136,3; 10,136,12;
11,5,2; 11,27,9; 11,31,9; 11,
47,17; 11,48,10; 11,79,3; 11,
79,5; 11,117,4; 13,2,7; 13,5,4;
15,33,14; 15,60,38; 15,83,5;
15,104,1; 15,123,6; 15,135,10;
18,45,11; 18,48,40; 18,48,52;
18,49,28; 18,49,38; 18,49,127;

κομίζειν : 18,45,10
[1].
κονδῖτον : 4,43,4
[1].
κόνις : 20,15,13
[1].
κοντός : 7,17,6
[1].
κοπάδιν : 4,76,5; 4,76,6
[2].
κοπάζειν : 20,24,43
[1].
κοπιᾶν : 2,29,6; 4,17,2; 4,82,5;
5,22,3; 5,24,2; 5,24,4; 5,27,13;
5,50,5; 5,50,12; 6,22,6; 6,27,2;
7,13,6; 7,13,16; 7,44,6; 7,
53,13; 7,62,3; 8,20,14; 10,88,
2; 10,114,5; 10,130,2; 10,132,
2; 10,161,1; 11,2,7; 11,2,9; 11,
3,4; 11,44,3; 11,126,11; 15,
120,16; 16,5,5; 16,28,5; 17,
23,2; 17,24,17; 17,29,8; 18,
3,29; 18,8,4; 19,10,2
[36].
κόπος : 1,9,1; 2,32,6; 3,8,4;
3,34,1; 3,34,7; 4,45,3; 4,88,1;
5,11,6; 5,24,5; 5,27,19; 5,31,
14; 5,32,4; 5,32,12; 5,32,18;
5,32,20; 5,46,33; 5,50,10; 5,
50,11; 5,50,13; 6,4,7; 6,19,2;
6,25,2; 7,7,1; 7,14,8; 7,20,3;
7,20,4; 7,20,5; 7,38,3; 7,60,11;
8,20,6; 10,13,2; 10,13,3; 10,
13,9; 10,25,3; 10,110,39; 10,
115,6; 10,129,2; 10,130,3; 10,
130,4; 10,132,1; 10,135,2; 10,
150,4; 10,150,16; 10,162,2;
10,167,2; 11,1,2; 11,2,11; 11,
22,4; 11,23,2; 11,25,1; 11,

109,6; 11,115,9; 12,2,3; 13,
14,30; 14,26,5; 15,13,5; 15,17,
1; 15,22,6; 15,23,9; 15,23,10;
15,30,5; 15,30,5; 15,37,6; 15,
65,5; 15,73,5; 15,92,5; 15,96,
8; 15,100,2; 15,100,10; 15,
103,3; 15,120,24; 15,121,10;
15,124,7; 15,132,15; 16,12,1;
17,3,2; 17,13,4; 17,15,5;
17,24,19; 17,29,9; 18,4,32; 18,
4,54; 18,12,9; 19,20,2; 20,3,
13; 20,3,20; 20,15,46; 20,16,
11; 20,22,43; 21,56,2
[90].
κοποῦν : 10,130,2
[1].
κοπρία : 9,12,11; 11,125,7
[2].
κόπρος : 18,42,10; 18,42,15; 18,
42,22
[3].
κόπτειν : 1,34,5; 2,14,1; 2,32,2;
3,25,3; 4,10,6; 5,38,4; 5,38,6;
6,25,10; 8,4,30; 10,18,15; 10,
58,4; 10,88,4; 10,90,14; 10,
116,4; 10,131,4; 10,131,6; 10,
131,8; 10,163,5; 10,179,2; 11,
111,8; 14,14,10; 15,26,11; 15,
60,18; 15,60,21; 15,60,23; 15,
121,8; 15,136,25; 18,3,6; 18,3,
8; 18,3,23; 18,4,43; 18,23,8;
20,24,48; 20,24,54
[34].
κορεννύναι : 4,51,6; 9,24,5; 13,
3,2; 13,3,7
[4].
κόρη : 3,49,8; 5,54,46; 15,15,18;
15,39,33
[4].

κόρος : 10,96,4
[1].

κορώνη : 17,33,9; 17,33,10
[2].

κοσμεῖν : 13,17,26; 18,41,15;
20,10,5
[3].

κόσμησις : 21,47,2
[1].

κοσμητής : 11,64,1; v. Index
personnes (Κοσμίτης)
[1].

κοσμικός : 2,1,3; 3,33,7; 3,36,2;
4,49,3; 5,49,1; 5,49,11; 6,9,4;
7,52,5; 8,25,2; 10,66,13;
10,117,2; 10,124,1; 10,189,2;
10,189,3; 10,189,8; 11,29,3;
11,29,8; 11,75,6; 11,75,10; 13,
14,1; 13,14,11; 14,13,1; 14,
13,4; 14,13,4; 14,18,5; 15,39,
5; 15,111,12; 17,14,2; 18,41,2;
18,46,5; 18,53,9; 19,14,2; 19,
17,1; 20,2,4; 20,5,10; 20,21,
26; 20,21,27
[37].

κόσμος : Pr.10,2; 1,10,1; 1,24,2;
1,26,3; 1,35,4; 2,9,4; 2,15,6;
2,15,7; 2,15,8; 2,15,8; 2,15,10;
2,15,11; 2,15,15; 2,15,15;
2,34,2; 2,34,4; 3,1,3; 3,2,4;
3,24,3; 3,39,3; 4,5,6; 4,40,18;
4,51,1; 5,4,14; 5,4,23; 5,4,43;
5,14,3; 5,18,4; 5,22,3; 5,27,4;
5,28,25; 5,32,11; 5,32,15; 5,
39,20; 5,45,1; 5,45,13; 5,46,89;
5,47,6; 6,1,1; 6,1,12; 6,20, 5;
7,25,1; 7,42,3; 7,51,5; 7,52, 29;
7,58,12; 8,31,2; 10,7,4; 10,
34,2; 10,50,9; 10,70,10; 10,

100,7; 10,100,22; 10,110,45;
10,110,70; 10,146,4; 10,146,6;
10,161,3; 11,13,3; 11,20,3; 11,
29,6; 11,29,11; 11,32,3; 11,51,
17; 11,81,2; 14,15,3; 15,10,52;
15,14,4; 15,14,8; 15,21,4; 15,
121,4; 15,129,9; 16,8,5; 18,26,
66; 18,46,63; 18,49,78; 18,49,
206; 20,4,21; 20,4,22; 20,4,25;
20,13,13; 20,16,29; 20,21,15
[83].

κόσσος : 5,54,50
[1].

κουκούλιον : 3,33,11; 10,192,1;
11,68,5; 11,68,9; 15,19,7; 19,
9,2
[6].

κουσσούλιον : 6,9,2
[1].

κουφίζειν : 5,24,3; 7,48,7; 7,51,
7; 10,63,31; 15,119,12; 15,
133,3; 18,14,13
[7].

κουφισμός : 15,133,6
[1].

κοῦφον : 15,39,11
[1].

κοῦφος : 10,136,5
[1].

κράββατος : 10,110,53; 16,14,1;
18,25,4
[3].

κράζειν : 4,40,13; 5,42,12;
6,19,10; 7,53,10; 7,53,12;
8,22,3; 11,110,4; 11,111,13;
15,15,16; 15,52,5; 18,4,45; 18,
10,7; 18,52,17; 18,53,7; 19,
9,3; 19,20,10; 20,13,8
[17].

11,84,2; 18,28,4; 18,49,113;
18,49,135
[10].

λαός : 1,19,3; 3,20,3; 3,20,6;
7,20,2; 8,26,9; 9,7,4; 10,170,5;
11,33,6; 11,33,9; 11,112,7; 13,
4,10; 16,29,18; 16,29,23; 16,
30,22; 18,49,50; 20,15,3
[16].

λάρυγξ : 4,24,5
[1].

λατομεῖν : 20,3,18
[1].

λατρεύειν : 10,36,4
[1].

λαύρα : 4,97,2; 7,62,2; 7,62,9
[3].

λαχανᾶς : 20,22,5; 20,22,33
[2].

λάχανον : 4,13,5; 4,76,7; 4,89,1;
4,89,4; 4,89,6; 4,99,3; 10,9,3;
10,110,19; 10,110,59; 10,150,
12; 13,14,17; 16,22,3; 20,22,
11
[13].

λεβίτων : 5,26,7; 5,26,9; 6,8,7;
6,20,2; 20,13,2; 20,13,11;
20,16,53
[7].

λείπειν : 15,131,7
[1].

λειτουργεία : 14,23,21
[1].

λειτουργία : 1,7,12; 1,22,4; 5,
53,9; 10,30,2; 10,110,67; 11,
24,2; 11,109,5; 11,109,7; 15,
22,1; 15,33,8; 15,118,4; 15,
120,27; 18,46,10
[13].

λειτουργός : 9,6,28
[1].

λείχειν : 14,27,14
[1].

λείψανον : 15,10,40; 20,12,10
[2].

λεκάνη : 2,29,12; 10,175,3
[2].

λεκτέος : 14,21,2
[1].

λεληθότως : 5,54,8
[1].

λέντιον : 6,8,9
[1].

λεπτολάχανον : 7,13,9; 13,14,
14
[2].

λεπτότης : 9,26,6
[1].

λεπτύνειν : 5,46,38; 10,22,2; 10,
22,2
[3].

λευκαίνειν : 6,17,5; 18,26,62;
18,26,90
[3].

λευκάς : 11,37,5; 11,37,9
[2].

λευκός : 18,26,33; 18,33,4; 18,
33,7; 18,46,16; 18,46,26; 18,
46,31; 18,46,43; 18,49,26
[8].

λέων : 4,23,6; 4,53,1; 4,61,1; 5,
11,4; 19,19,2; 19,19,5
[6].

ληθαργεῖν : 4,79,5; 11,55,3; 11,
55,5
[3].

λήθη : 2,23,7; 11,41,3; 11,41,9;

35; 18,13,40; 18,14,14; 18,28,
3; 18,30,4; 18,45,65; 18,45,73;
18,48,6; 18,48,19; 18,48,22;
18,52,2; 20,3,12; 20,3,28;
20,3,30; 20,4,6; 20,4,8; 20,4,9;
20,11,13; 20,11,14; 20,11,19;
20,15,38; 20,15,41; 20,21,21;
21,14,2; 21,16,2; 21,24,1
[281].

λόγος : Pr.3,3; Pr.3,8; Pr.4,7;
Pr.4,9; Pr.6,2; 1,8,1; 1,8,3;
1,11,1; 1,15,4; 1,25,6; 1,31,6;
2,4,2; 2,6,3; 2,11,2; 2,19,2;
2,23,5; 3,11,4; 3,20,7; 3,36,3;
3,36,4; 3,36,6; 3,38,12; 3,39,8;
4,1,5; 4,9,4; 4,9,6; 4,27,31;
4,36,2; 4,36,3; 4,93,1; 4,102,1;
5,4,22; 5,4,73; 5,6,3; 5,23,5;
5,36,8; 5,37,18; 5,37,20;
5,37,23; 5,46,3; 5,46,42; 6,1,3;
6,6,4; 6,14,6; 6,16,2; 6,26,2;
7,24,7; 7,58,15; 8,9,3; 8,9,5;
8,9,6; 8,9,7; 8,12,6; 8,16,11;
8,21,3; 8,27,9; 8,32,18; 9,6,8;
9,6,13; 9,10,31; 9,18,13; 9,
23,3; 9,25,2; 9,26,7; 10,12,10;
10,19,6; 10,20,11; 10,24,2;
10,24,4; 10,27,6; 10,51,4; 10,
51,19; 10,51,21; 10,59,1; 10,
60,1; 10,66,5; 10,71,1; 10,73,
3; 10,73,5; 10,86,3; 10,92,5;
10,96,4; 10,97,2; 10,104,6; 10,
109,2; 10,110,48; 10,112,9;
10,120,1; 10,121,2; 10,136,3;
10,142,2; 10,147,4; 10,148,2;
10,149,5; 10,149,12; 10,150,
13; 10,155,2; 10,155,2; 10,
160,1; 10,163,3; 10,176,3; 10,
177,4; 10,181,1; 11,4,2; 11,9,

13; 11,12,4; 11,29,4; 11,29,6;
11,34,3; 11,41,2; 11,41,3; 11,
41,6; 11,41,8; 11,47,5; 11,48,
12; 11,48,15; 11,51,15; 11,55,
9; 11,56,11; 11,56,12; 11,65,3;
11,91,2; 11,113,4; 12,25,15;
12,27,7; 13,18,18; 14,2,6; 14,
2,12; 14,3,15; 14,3,17; 14,5,9;
14,12,13; 14,13,2; 14,13,4; 14,
30,12; 14,30,21; 15,4,7; 15,10,
10; 15,10,22; 15,10,48; 15,12,
30; 15,26,9; 15,29,2; 15,49,4;
15,58,2; 15,59,3; 15,59,5; 15,
60,3; 15,60,7; 15,60,37; 15,64,
2; 15,69,4; 15,91,11; 15,91,12;
15,93,2; 15,111,52; 15,119,17;
15,129,50; 15,136,10; 15,136,
11; 17,13,3; 18,4,6; 18,4,9;
18,4,26; 18,5,8; 18,14,17; 18,
18,9; 18,21,9; 18,21,11; 18,26,
69; 18,33,2; 18,43,2; 18,43,8;
18,45,14; 18,48,37; 18,49,18;
18,49,24; 18,49,72; 18,49,110;
18,49,143; 19,6,14; 20,1,5; 20,
2,19; 20,3,63; 20,9,2; 20,11,
10; 20,11,15; 20,21,25; 20,22,
29; 21,41,2; 21,55,1
[191].

λοιδορεῖν : 8,16,7; 16,18,10; 18,
49,108; 19,20,5
[4].

λοίδορος : 11,50,25
[1].

λοιπός : Pr.8,4; Pr.11,6; 1,21,4;
2,23,8; 2,29,17; 2,32,5; 3,8,6;
3,11,3; 3,48,5; 4,tit.,2; 4,63,3;
4,68,3; 5,4,49; 5,42,14; 5,42,
36; 5,43,49; 5,46,32; 5,47,6;
5,51,13; 5,51,18; 5,54,68; 6,

11,19,2; 14,4,5; 15,11,11; 18,8,11; 18,26,34; 19,11,3 [13].

μαλάκιον : 8,32,32; 8,32,43; 8, 32,45; 9,13,5; 9,13,10 [5].

μαλάττειν : 7,59,1 [1].

μάλη : 15,117,8 [1].

μάλιστα : Pr.2,5; 2,29,19; 2,30, 2; 4,67,3; 4,67,5; 7,7,4; 7,8,2; 7,44,3; 10,102,9; 10,132,1; 12, 4,3; 18,46,2; 18,46,28; 18,49, 57; 18,49,128 [15].

μαλλάττειν : 15,136,18 [1].

μανθάνειν : 2,10,29; 3,49,9; 4, 29,8; 4,64,8; 4,72,14; 5,4,37; 5,22,15; 5,28,22; 5,43,5; 6,1,4; 7,52,44; 7,60,9; 8,4,21; 8,4,27; 8,4,32; 8,12,18; 9,23,8; 9, 23,10; 10,2,2; 10,56,2; 10,96, 2; 10,110,4; 10,110,42; 10, 135,5; 10,136,12; 10,138,17; 10,147,2; 10,170,4; 11,111,21; 13,13,11; 15,1,7; 15,7,7; 15, 131,5; 16,30,8; 18,16,3; 18, 26, 60; 18,46,9; 18,46,36; 18,46, 83; 18,46,94; 18,49,21; 18,49, 120; 19,6,15; 19,13,4; 19,14, 11; 20,3,72; 20,7,14; 20,21,5 [48].

μανία : 5,54,50; 10,96,3 [2].

μανιχαῖος : 13,12,2; 13,12,7; 13, 12,11 [3].

μαννάδιν : 6,5,2 [1].

μαραίνειν : 10,25,3 [1].

μαργαρίτης : 13,17,26 [1].

μαρσίπιον : 16,21,5 [1].

μαρτυρεῖν : 5,54,15; 9,22,2; 9, 22,3; 10,114,4; 15,39,19; 15, 129,5; 15,129,8 [7].

μαρτυρία : 1,1,5 [1].

μαρτύριον : 20,3,77 [1].

μάρτυς : 10,114,1; 15,114,11 [2].

μασθός : 5,35,4; 19,6,2 [2].

μαστιγοῦν : 5,44,13; 5,44,20; 5, 44,28 [3].

μαστίζειν : 15,126,3 [1].

μάστιξ : 5,4,66 [1].

ματαιολογία : 11,20,3 [1].

μάταιος : 1,9,4; 1,16,13; 5,14,3; 7,24,14; 10,30,2; 10,58,3; 11, 24,2; 11,29,4; 15,23,10 [9].

ματαιότης : 3,2,4; 12,24,10 [2].

μάτην : 7,44,6; 10,54,22; 11,89,2 [3].

μάτιν : 4,41,2 [1].

18,9,6; 18,9,9; 18,13,26; 18,
19,3; 18,49,70; 18,51,3; 18,52,
17; 20,3,20; 20,7,1; 20,15,11;
20,15,45; 20,22,32; 21,22,2
[60].

μέλος : 3,14,5; 20,15,23
[2].

μέμφειν : 6,27,15; 7,6,3; 10,
64,8; 11,28,1; 15,30,7; 15,31,
5; 15,79,1; 15,100,9; 15,111,5;
15,113,4; 15,124,3
[11].

μεμψίμοιρος : 10,78,1
[1].

μέμψις : 10,93,5; 10,133,6; 11,
27,2; 15,28,2
[4].

μένειν : 2,23,8; 3,2,5; 3,19,6;
3,49,7; 3,49,14; 3,49,14; 3,
52,2; 4,4,1; 4,12,5; 4,27,5; 4,
62,2; 4,69,3; 4,71,5; 4,97,8;
4,101,6; 5,13,1; 5,27,10; 5,
27,13; 5,27,25; 5,28,8; 5,41,3;
6,4,1; 6,8,3; 7,4,1; 7,9,5; 7,9,5;
7,26,2; 7,38,4; 7,48,1; 7,52,15;
7,53,3; 7,53,7; 7,60,13; 7,62,7;
7,62,7; 7,62,15; 7,62,17; 8,
14,2; 8,32,3; 9,1,3; 9,6,1; 9,20,
2; 9,26,2; 10,54,9; 10,73,5;
10,113,1; 10,119,1; 10,119,4;
10,150,24; 10,168,4; 10,174,7;
11,9,1; 11,107,7; 12,3,4; 12,
10,18; 12,12,5; 13,10,2; 13,12,
16; 13,17,4; 13,18,4; 13,18,7;
13,18,11; 14,2,6; 14,5,11; 14,
25,9; 14,28,2; 14,31,2; 14,32,
13; 14,32,27; 15,10,35; 15,12,
4; 15,12,4; 15,12,23; 15,12,29;
15,39,28; 15,85,1; 15,114,9;

15,118,2; 15,119,37; 15,129,1;
15,129,4; 15,129,17; 15,129,
54; 15,129,58; 16,2,26; 16,10,
3; 16,27,6; 16,29,5; 16,30,25;
16,30,25; 17,10,8; 17,18,2; 17,
18,14; 17,33,18; 17,34,11; 18,
3,19; 18,3,23; 18,10,6; 18,13,
14; 18,20,4; 18,48,73; 19,6,7;
20,3,9; 20,3,28; 20,4,8; 20,
13,9; 20,15,52; 20,16,11; 20,
22,35; 20,24,53; 21,24,1
[111].

μέντοι : 5,37,6; 18,10,7;
18,10,11
[3].

μερικός : Pr.8,1
[1].

μέριμνα : 4,90,7; 5,36,14; 5,45,
22; 6,26,15; 11,32,2; 11,80,12;
11,80,13; 15,96,12; 15,120,12;
15,128,6
[10].

μεριμνᾶν : 2,35,28; 11,27,7; 11,
93,1; 11,93,3; 21,26,2
[5].

μερίς : 7,23,22; 10,99,4; 10,99,
14
[3].

μέρος : 3,19,14; 3,25,1; 5,28,9;
5,42,1; 5,46,2; 6,19,9; 9,20,1;
10,54,1; 10,107,2; 10,161,2;
11,75,5; 13,15,5; 13,15,6; 13,
15,8; 14,29,20; 15,10,2;
15,10,11; 15,42,1; 15,119,12;
17,14,2; 18,4,42; 18,4,43; 18,
5,2; 18,12,5; 18,19,4; 18,26,
14; 18,49,58; 18,51,11; 19,15,
2; 20,2,22; 20,2,22; 20,2,22;

μέχρι : 3,49,14; 4,27,23; 4,99,3;
5,49,6; 5,54,25; 7,44,1; 8,12,
14; 11,48,13; 11,80,4; 14,19,4;
15,129,23; 17,33,12; 17,33,18;
18,5,22; 18,26,55; 18,45,24;
18,45,97; 18,48,29; 18,49,198
[19].

μέχρις : 18,49,13
[1].

μηκόθεν : 13,12,2
[1].

μῆκος : 11,55,11
[1].

μήλη : 20,16,14
[1].

μηλωτάριον : 7,48,2; 10,171,9;
11,111,11; 12,3,8; 18,16,5
[5].

μηλωτή : 6,5,1; 7,20,4; 7,57,8;
15,10,19; 17,21,3
[5].

μηνύειν : 1,5,1; 10,194,1;
13,17,18
[3].

μήτηρ : 2,12,6; 2,35,10; 2,35,36;
3,38,2; 3,38,6; 3,38,9; 3,38,24;
3,49,2; 3,49,6; 4,40,3; 4,40,15;
4,80,1; 4,83,1; 4,83,5; 4,83,6;
4,87,3; 5,35,3; 6,22,9; 6,22,12;
6,22,14; 7,17,29; 7,37,5; 8,6,7;
10,137,2; 10,137,4; 10,137,5;
10,137,9; 11,49,5; 11,54,4; 11,
118,3; 13,18,5; 13,18,7; 13,
18,12; 14,12,1; 14,12,5; 14,12,
9; 14,12,13; 18,15,3; 18,15,3;
18,45,13; 18,45,37; 18,45,55;
18,45,60; 18,45,78; 18,45,89;
18,45,97; 18,45,118
[47].

μητρόπολις : 20,24,3
[1].

μηχανή : 11,108,2
[1].

μιαίνειν : 5,46,63; 10,30,4; 10,
112,1; 10,112,3; 10,112,14;
10,112,16; 11,74,7; 20,2,24
[8].

μιγνύναι : 8,4,19; 8,4,25
[2].

μικρός : Pr.4,8; Pr.8,4; 2,6,3;
2,26,2; 2,29,12; 2,29,14;
3,25,4; 3,38,21; 4,6,3; 4,8,2;
4,10,10; 4,12,4; 4,43,3; 4,44,3;
4,48,3; 4,69,2; 4,69,5; 4,70,2;
4,72,3; 4,72,5; 4,78,9; 4,79,4;
4,84,3; 4,89,3; 4,89,4; 4,97,3;
4,99,2; 4,100,3; 4,100,3;
4,100,10; 5,44,2; 5,45,20; 5,
45,21; 5,54,45; 5,54,55; 6,9,2;
6,15,6; 6,22,6; 6,27,7; 7,1,5;
7,13,6; 7,13,15; 7,14,9; 7,19,2;
7,19,4; 7,21,2; 7,23,19;
7,25,11; 7,29,15; 7,34,8; 7,34,
10; 7,34,11; 7,34,13; 7,34,14;
7,37,7; 7,41,7; 7,52,44; 7,57,
11; 8,4,28; 8,10,2; 8,20,6; 8,
27,3; 9,13,5; 9,13,10; 9,20,5;
10,2,5; 10,9,3; 10,20,10; 10,
37,6; 10,51,13; 10,51,18; 10,
61,3; 10,61,7; 10,64,2; 10,70,
3; 10,70,13; 10,94,5; 10,110,
13; 10,110,19; 10,110,25;
10,110,38; 10,110,52; 10,110,
58; 10,110,59; 10,110,62; 10,
110,67; 10,114,5; 10,131,4;
10,137,11; 10,137,12; 10,150,
18; 10,150,22; 10,156,5;
10,169,2; 10,169,3; 10,175,2;

3,28,3; 3,50,6; 10,134,2; 10, 134,3; 14,5,3; 16,11,8
[8].

μνήμη : Pr.4,3; 1,16,16; 2,17,5; 2,22,3; 2,22,4; 2,23,8; 3,5,15; 3, 5,22; 3,46,2; 3,55,8; 5,5,9; 5,26, 2; 5,35,8; 6,6,3; 10,48,3; 10,114, 1; 11,20,1; 11,51,22; 11,78,19; 12,24,10; 14,28,3; 15,11,13; 15, 65,2; 15,136,4; 16,17,1
[25].

μνημονεύειν : 2,10,24; 2,10,31; 2,35,39; 3,1,2; 3,15,2; 3,27,5; 5,39,22; 7,44,8; 10,48,1; 10,48,3; 11,33,3; 11,43,2; 15, 37,8; 15,129,11; 15,136,12; 15,136,17
[16].

μνημόσυνον : 2,10,26; 2,10,32; 10,18,5; 14,25,20
[4].

μνησικακεῖν : 15,120,11; 15,132,10
[2].

μνησικακία : 2,35,4; 10,187,4; 15,123,1; 15,124,4
[4].

μνήσκεσθαι : 10,130,2; 10,130,6
[2].

μνηστεύειν : 2,11,5
[1].

μοιχεία : 18,45,103
[1].

μόλις : 3,9,3; 15,69,15; 15,136,17; 18,10,11; 18,45,8; 18,45,41; 18,49,23
[7].

μολύνειν : 13,6,2; 15,131,2
[2].

μολυσμός : 11,57,3
[1].

μονάζειν : 2,27,4; 2,35,8; 3,38, 5; 4,26,7; 12,12,4; 16,16,1
[6].

μοναστήριον : 4,48,2; 4,74,2; 5, 46,15; 5,46,35; 7,13,14; 7,45,2; 7,60,27; 10,39,2; 10, 53,1; 13,18,21; 14,25,30; 14, 27,2; 14,27,24; 14,28,2; 14,28, 3; 14,28,11; 16,21,1; 16,23,2; 17,34,24; 17,34,30; 18,26,3; 19,13,12; 19,14,5; 20,15,42
[24].

μοναχικός : 5,4,12; 5,22,12; 7, 41,2; 7,49,2; 7,49,5; 8,12,4; 15,132,1
[7].

μοναχός : Pr.2,2; Pr.8,2; Pr.10,3; 1,4,3; 1,5,1; 1,6,2; 1,6,6; 1,24,2; 1,32,1; 1,32,4; 1,32,9; 1,36,3; 2,1,2; 2,9,5; 2,28,1; 2,29,2; 2,35,6; 3,4,6; 3,24,5; 3,25,11; 3,35,2; 3,51,1; 3,52,1; 3,55,3; 3,56,1; 3,56,3; 3,56,6; 3,56,8; 4,3,1; 4,11,7; 4,19,2; 4,24,4; 4,26,2; 4,27,12; 4,34,1; 4,34,3; 4,53,2; 4,54,1; 4,55,1; 4,55,3; 4,56,1; 4,57,1; 4,67,1; 4,68,1; 4,68,2; 4,68,3; 4,68,4; 4,75,1; 4,75,3; 4,98,1; 5,22,2; 5,22,5; 5,22,15; 5,25,8; 5,27,1; 5,34,9; 5,36,13; 5,43,7; 5,43,10; 5,43,12; 5,43,23; 5,44,31; 5,44,37; 5,44,39; 5, 46,3; 5,46,45; 6,1,4; 6,9,4; 6, 11,2; 6,14,7; 6,18,1; 6,20,4; 7, 9,9; 7,18,1; 7,21,1; 7,22,4; 7, 34,7; 7,42,1; 7,43,2; 7,44,1; 7,

ξύλον : 3,18,4; 7,56,9; 10,131,3; 10,131,5; 10,131,6; 14,4,3; 15,129,3; 15,129,6; 18,3,6; 18, 3,9; 18,3,15; 18,3,17; 18,3,18; 18,3,24; 19,6,5; 20,3,19; 20,24,37; 20,24,39; 20,24,48; 21,32,2; 21,63,1 [21].

ὄγδοος : 15,133,4; 20,12,7 [2].

ὁδεύειν : Pr.1,5; 4,8,1; 4,48,3; 4,83,1; 6,4,16; 6,27,2; 8,1,3; 9,14,1; 11,16,1; 12,3,10; 14,27,16; 17,10,7; 17,14,1; 17, 15,2; 19,1,2; 20,1,8; 20,12,1; 20,15,7; 20,16,10; 20,16,16 [20].

ὁδηγεῖν : 2,3,2; 8,32,15; 10,183, 4; 11,75,8; 14,13,15; 14,29,12; 16,27,2; 17,10,2; 17,34,23; 17, 34,23; 18,40,5 [11].

ὁδηγός : 15,65,5; 17,10,4 [2].

ὁδοιπορία : 7,27,4; 10,130,7; 18,53,2 [3].

ὁδοιπόρος : 7,27,4 [1].

ὁδός : Pr.1,5; Pr.2,8; 2,10,22; 2,35,9; 3,19,25; 3,30,1; 3,30,3; 4,8,2; 4,21,1; 4,48,4; 4,75,1; 4,75,2; 4,89,5; 5,4,42; 5,28,3; 5,28,14; 6,8,27; 6,8,35; 7,5,1; 7,51,6; 8,1,2; 8,1,3; 8,4,14; 9,13,16; 9,14,1; 9,14,2; 9, 20,14; 10,2,4; 10,2,6; 10,19, 11; 10,54,39; 10,61,8; 10,89,4; 10,115,3; 10,115,6; 10,116,2;

10,116,2; 11,51,17; 11,55,11; 11,126,12; 12,17,2; 13,10,2; 13,17,46; 14,13,10; 14,13,16; 14,27,16; 15,4,9; 15,23,10; 15, 31,4; 15,31,6; 15,40,3; 15,61, 1; 15,61,3; 15,85,3; 15,103,2; 15,116,6; 17,10,3; 17,10,4; 18, 3,22; 18,13,3; 18,13,14; 18,25, 2; 19,17,3; 20,16,11; 20,21,4; 21,19,2 [66].

ὀδούς : 3,5,9; 14,30,17; 18,39,6; 18,45,98; 18,49,73; 18,49,89; 18,49,204; 19,19,3 [8].

ὀδυνᾶν : 7,56,6; 7,60,10 [2].

ὀδύνη : 3,2,11; 5,46,29; 7,60,13 [3].

ὀδύρεσθαι : 3,49,15; 8,1,10 [2].

ὀδυρμός : 18,45,118 [1].

ὄζειν : 4,5,5; 10,135,4 [2].

ὄζος : 4,72,6 [1].

ὁθενδήποτε : 6,15,8 [1].

οἴεσθαι : 4,102,3 [1].

οἰκεῖν : 1,23,6; 1,25,5; 1,27,2; 3,49,1; 4,40,2; 5,20,3; 5,20,4; 5,51,13; 5,51,15; 5,53,8; 6,19,1; 7,17,1; 7,39,2; 7,40,5; 8,14,3; 9,20,2; 10,11,3; 10, 11,4; 10,65,1; 10,69,2; 10,110, 2; 10,127,1; 11,2,6; 11,117,1; 12,12,5; 13,6,6; 13,12,1; 14,

5,3; 14,25,1; 14,25,18; 14,27,
1; 14,30,1; 15,60,2; 15,96,1;
15,118,1; 16,22,1; 17,33,2; 18,
13,1; 18,45,8; 19,15,2; 20,14,
1; 20,21,17
[42].

οἰκεῖος : 2,23,7; 10,102,2; 11,72,
2; 14,18,3; 18,45,60; 18,45,101;
18,45,118; 18,46,60; 18,46,65;
18,46,93; 18,46,100; 18,46,104;
18,49,51; 18,49,192
[14].

οἰκειοῦν : 18,44,2
[1].

οἰκέτης : 14,31,1
[1].

οἴκημα : 10,104,4
[1].

οἰκία : 5,22,6; 5,22,7; 10,70,5;
10,70,10; 10,104,3; 11,116,2;
18,45,35; 18,45,124; 18,49,
107; 18,49,107; 20,21,17
[11].

οἰκοδεσπότης : 11,78,12
[1].

οἰκοδομεῖν : 1,25,4; 3,55,4; 3,
55,5; 4,64,8; 5,22,7; 6,4,2; 6,4,
8; 6,4,11; 7,44,6; 7,44,6; 9,20,
12; 10,12,15; 10,55,1; 10,104,
5; 10,170,20; 12,25,16; 12,25,
17; 12,25,18; 12,25,19; 12,25,
21; 13,4,11; 13,17,17; 15,64,8;
15,132,5; 15,132,13; 18,16,2;
18,31,2; 20,15,42
[28].

οἰκοδομή : 18,31,4
[1].

οἰκονομεῖν : 10,110,5; 13,13,2
[2].

οἰκονομία : 2,10,12; 3,38,15; 4,27,
9; 5,4,15; 5,4,64; 5,26,3; 5,28,11;
5,45,6; 8,4,13; 15,100,4; 20,4,31
[11].

οἰκονόμος : 6,22,2; 9,23,3; 9,23,
5; 9,23,7; 15,12,31; 15,46,5;
15,46,11
[7].

οἶκος : 2,11,4; 3,43,3; 4,27,28; 5,
30,6; 7,44,6; 10,55,2; 10,110,50;
11,49,6; 11,73,3; 11,107,2; 11,
107,5; 11,107,7; 12,28,2; 13,14,
16; 13,14,25; 13,17,3; 13,17,40;
15,15,14; 18,45,10; 18,45,39;
18,45,92; 19,11,8; 19,12,17; 19,
12,21; 20,2,10; 20,21,7
[26].

οἰκουμένη : 2,26,2; 4,64,9; 5,32,
19; 17,4,5; 20,16,61
[5].

οἰκτείρειν : 5,46,57; 5,46,82; 11,
118,3; 14,30,23; 15,120,6; 18,
45,114
[6].

οἰκτιρμός : 12,10,16; 15,119,9;
18,26,39; 18,49,170
[4].

οἰκτίρμων : 5,46,50; 11,78,18
[2].

οἶκτος : 4,40,8; 4,40,12
[2].

οἰκτρός : 10,149,12
[1].

οἴμοι : 7,61,6; 16,27,21; 18,45,
101; 18,45,101
[4].

οἰμωγή : 18,45,125; 18,49,20; 18,
49,69; 18,49,100; 18,49,118
[5].

ὀρφανός : 6,16,3; 13,17,2; 19,
12,25
[3].

ὀρχεῖν : 18,14,6
[1].

ὅσιος : 11,47,21; 15,11,13
[2].

ὁσίως : 18,49,50
[1].

ὀσμή : 4,5,7; 5,27,17; 17,29,3;
17,29,4; 20,13,6
[5].

ὀστοῦν : 3,18,7; 5,39,17
[2].

ὀστράκινος : 10,70,6; 10,70,13;
11,78,11
[3].

ὄστρακον : 10,19,12
[1].

ὀσφραίνειν : 5,19,2; 5,19,4;
5,54,39
[3].

ὀσφύς : 6,20,3
[1].

οὐράνιος : Pr.1,4; 2,35,8; 8,25,
3; 9,6,29; 10,27,5; 11,48,14
[6].

οὐρανόθεν : 3,35,3
[1].

οὐρανός : Pr.1,5; 1,16,11; 2,35,
9; 3,19,10; 3,39,4; 3,41,2; 4,
56,2; 4,74,7; 4,88,3; 5,9,6; 5,
43,36; 6,18,2; 7,10,3; 7,52,47;
7,58,4; 8,30,3; 9,6,20; 9,10,33;
10,27,3; 10,27,7; 10,165,3;
10,173,2; 10,187,2; 11,50,23;
11,51,3; 11,51,14; 11,62,2;
11,76,2; 11,99,3; 11,113,7; 12,
1,3; 12,3,4; 12,9,6; 12,17,9;

12,23,4; 12,24,9; 12,25,22;
13,17,47; 14,13,17; 14,29,5;
14,29,24; 15,20,5; 15,20,7; 15,
33,10; 15,36,5; 15,69,14;
15,111,15; 15,111,19; 16,28,
11; 17,32,7; 18,4,40; 18,6,3;
18,6,4; 18,7,2; 18,27,3; 18,
27,10; 18,35,3; 18,40,6;
18,46,105; 18,48,37; 18,48,38;
18,48,41; 18,48,75; 18,48,84;
18,49,29; 18,50,3; 19,5,8; 19,
18,3; 20,3,55; 20,3,67; 20,3,
69; 20,16,19; 20,24,43
[73].

οὔριος : 7,22,3
[1].

οὖς : 10,97,9; 15,23,4; 18,48,63;
18,49,207
[4].

ὀφείλειν : 1,7,2; 1,8,5; 1,8,6;
1,10,4; 1,22,1; 2,10,19; 2,28,1;
3,4,6; 3,7,1; 3,16,4; 3,24,5;
3,39,7; 3,42,2; 3,44,2; 3,44,7;
3,50,4; 4,31,3; 4,38,2; 4,38,3;
4,86,4; 5,8,1; 5,9,4; 5,20,6;
5,35,7; 5,46,6; 6,7,5; 6,11,2;
6,20,4; 7,42,3; 7,44,1; 7,58,2;
10,21,6; 10,26,10; 10,51,10;
10,97,3; 10,97,10; 10,114,5;
10,117,2; 10,119,2; 10,127,2;
10,151,5; 11,2,2; 11,3,3; 11,
15,1; 11,26,5; 11,31,11; 11,31,
15; 11,49,1; 11,49,7; 11,62,2;
11,79,6; 11,91,1; 12,11,2; 12,
24,7; 12,25,1; 13,1,18; 15,
12,3; 15,15,12; 15,36,1;
15,49,1; 15,108,1; 16,17,3; 16,
17,4; 16,17,6; 16,18,2; 18,7,4;

5,51,2; 5,51,9; 5,53,13; 5,54,7;
5,54,20; 5,54,30; 7,9,3; 7,12,2;
7,40,4; 7,60,13; 8,6,3; 9,25,6;
9,26,6; 9,26,9; 10,11,12;
10,11,13; 10,19,11; 10,19,15;
10,19,21; 10,38,2; 10,38,7; 10,
38,9; 10,38,16; 10,38,19; 10,
49,1; 10,49,4; 10,49,4; 10,54,
30; 10,54,33; 10,54,35; 10,79,2;
10,84,1; 10,98,2; 10,103,3; 11,
4,4; 11,30,1; 11,31,2; 11,31,3;
11,31,6; 11,31,14; 11,36,3; 11,
50,13; 11,95,6; 11,119,3; 12,25,
5; 14,22,6; 15,8,3; 16,20,2; 18,
23,3; 18,46,73; 18,52,18; 19,
6,1; 19,6,10; 19,7,1; 21,63,2
[69].

παιδάριον : 18,8,5
[1].

παιδεία : Pr.1,3; 5,4,72; 10,24,6;
15,115,2
[4].

παιδεύειν : 5,46,83; 7,23,16; 7,
23,16; 7,23,23; 10,46,4; 10,46,
5; 10,109,2; 11,47,2; 11,49,6;
15,119,10; 15,119,11; 15,119,
13
[12].

παίδευσις : 10,7,2; 10,7,5; 14,
26,3; 15,7,3; 15,7,6
[5].

παιδίον : 1,34,5; 5,3,2; 5,35,3;
5,35,5; 5,40,13; 5,40,16;
5,40,17; 10,44,2; 10,44,3; 10,
124,3; 14,26,4; 14,28,1; 14,
28,4; 14,28,7; 14,28,16; 14,28,
21; 16,23,2; 16,23,6; 16,24,1;
18,4,38; 18,4,40; 18,4,43;
18,6,1; 18,15,2; 18,15,5; 18,

16,5; 18,48,46; 18,48,48; 18,
48,52; 18,48,53; 18,48,81; 19,
11,4; 19,11,5; 19,14,2; 19,14,
5; 19,14,8; 19,14,13; 19,14,17;
19,17,7; 19,17,9
[40].

παιδίσκη : 11,116,6; 12,28,6;
15,10,19; 15,10,20; 18,45,44
[5].

παίειν : 5,4,67
[1].

παίζειν : 13,17,34; 18,49,213
[2].

παῖς : 4,102,8; 7,46,2; 10,110,
60; 13,10,7; 13,17,22; 18,45,5
[6].

παλαίειν : 5,41,3; 7,58,5; 7,58,7;
15,118,22; 18,45,27
[5].

παλαιός : 1,8,4; 5,5,9; 6,10,2; 7,
15,3; 8,13,15; 9,12,11; 10,147,
3; 10,147,5; 10,157,1; 13,1,9;
13,13,5; 13,13,5; 13,13,14; 15,
12,4; 15,80,4; 16,2,3
[16].

παλαιότης : 1,21,4
[1].

πάλαισμα : 6,20,5; 7,58,1
[2].

παλαιστής : 7,58,11
[1].

παλαίωμα : 14,27,17
[1].

παλάμη : 15,119,30
[1].

παλάτιον : 2,3,1; 10,110,2;
10,110,46; 14,13,12; 15,6,1;
15,6,2; 15,11,12
[7].

πάλη : 5,4,51; 5,4,52; 7,61,8
[3].

παμβασιλεύς : 1,16,20
[1].

παμμαχάριος : 5,18,4
[1].

πάμπολυς : 15,131,1
[1].

πάμφιλος : 18,49,126
[1].

πανέρημος : 5,54,54; 18,13,1;
18,13,42
[3].

πανήγυρις : 9,12,6; 15,114,11
[2].

πανοπλία : 15,24,8
[1].

πανουργεύεσθαι : 9,6,5
[1].

πανουργία : 5,46,17; 7,7,3; 10,
29,2; 11,111,21; 18,15,6
[5].

πανοῦργος : 18,28,2
[1].

πανταχόθεν : 5,46,13; 10,130,3
[2].

πανταχοῦ : 3,42,1; 7,13,19; 7,
40,12; 10,105,8; 11,125,5; 15,
113,2; 18,49,101; 21,43,1
[8].

παντελῶς : 2,23,7; 5,47,8; 18,
45,93; 18,49,176
[4].

πάντη : Pr.9,5
[1].

παντοδαπός : 18,45,81
[1].

παντοδύναμος : 18,49,97
[1].

πάντοθεν : 7,29,1; 11,49,8
[2].

παντοῖος : 8,1,7; 15,131,1;
18,49,68
[3].

πάντως : 5,54,42; 6,8,19; 8,17,1;
10,60,3; 10,99,18; 10,100,14;
10,115,3; 10,168,1; 11,109,7;
12,17,7; 15,4,8; 16,27,20; 16,
28,4; 18,13,12; 18,14,8; 18,14,
13; 18,32,19; 18,49,211; 21,
16,2
[19].

παξαμάδιν : 11,47,10
[1].

παξαμάδιον : 4,77,6; 20,16,6
[2].

παξαμᾶς : 4,27,4; 4,27,17; 9,
24,2; 9,24,3; 9,24,10; 20,3,41
[6].

παξαμάτιον : v. παξαμάδιον

πάπας : 15,43,4; 15,59,3; 20,
24,47
[3].

παραβαίνειν : 9,15,2; 10,138,22;
11,125,6; 15,80,1; 19,15,10
[5].

παραβάλλειν : 2,6,1; 2,7,1; 2,8,1;
2,19,1; 3,23,6; 3,31,1; 3,36,1;
4,1,1; 4,4,3; 4,9,1; 4,12,2;
4,26,2; 4,48,1; 4,69,1; 4,70,1;
4,70,5; 4,79,2; 4,103,1; 5,23,1;
5,45,7; 5,46,39; 5,49,1;
5,51,16; 5,54,9; 6,1,3; 6,7,2;
6,27,5; 7,14,1; 7,52,6; 8,2,2;
8,4,5; 8,9,1; 8,12,1; 8,20,1;
8,27,1; 8,27,7; 8,32,6; 8,32,49;
9,5,1; 9,16,1; 9,24,2; 10,2,1;
10,18,1; 10,20,2; 10,24,1;

10,24,3; 10,33,1; 10,39,1; 10,
46,1; 10,54,9; 10,99,1; 10,100,
20; 10,110,74; 10,138,4; 10,
147,1; 10,149,3; 10,149,6; 10,
150,1; 10,168,3; 10,168,5; 10,
170,2; 10,170,7; 10,171,2; 10,
171,9; 10,175,3; 10,189,1; 11,
56,1; 11,56,3; 11,65,3; 11,65,7;
11,68,5; 11,81,1; 11,111,3; 12,
9,1; 12,10,1; 12,14,1; 12,18,1;
13,2,1; 13,3,1; 13,4,3; 13,5,1;
13,8,1; 13,9,2; 13,11,1; 13,12,4;
14,3,1; 14,14,1; 14,23,1;
14,27,9; 15,4,1; 15,5,2; 15,31,1;
15,59,1; 15,60,5; 15,62,1;
15,64,1; 15,120,1; 15,133,1;
15,135,12; 16,1,1; 16,2,5; 16,
22,2; 16,23,1; 16,30,16; 17,3,1;
17,4,1; 17,25,1; 18,12,2; 18,
12,6; 18,21,2; 18,34,6; 19,9,1;
19,14,1; 19,17,1; 20,1,8; 20,
3,27; 20,3,75
[117].

παραβολή : 4,100,6; 5,4,58;
9,12,3; 13,6,5; 14,13,6;
14,13,14
[6].

παραγγελία : 10,138,9;
13,14,12
[2].

παραγγέλλειν : 4,90,5; 5,43,41;
8,32,9; 8,32,12; 10,10,2;
10,138,12; 16,23,6; 16,23,8;
19,17,14
[9].

παράγγελμα : 5,4,56
[1].

παράγειν : 5,4,66
[1].

παραγίγνεσθαι : 3,20,4; 3,20,5;
4,15,4; 5,42,9; 13,3,4; 13,5,4;
14,25,3; 14,27,1; 16,24,12; 18,
26,3; 18,32,8; 18,46,27; 20,15,
31; 20,15,35; 20,16,28; 20,16,
34
[16].

παράδεισος : Pr.tit.,2; 4,23,4; 4,
60,1; 11,125,6; 18,45,81; 19,
15,9
[6].

παραδέχεσθαι : 15,88,2; 18,45,
33; 18,45,53
[3].

παραδιδόναι : Pr.3,4; 3,30,2;
5,46,99; 7,23,17; 8,7,4; 10,61,
7; 10,180,1; 11,115,10; 11,
121,5; 14,18,4; 15,10,43; 16,5,
8; 17,34,24; 18,4,13; 18,45,37;
18,49,19; 21,54,1
[17].

παράδοξος : 18,26,20
[1].

παράδοσις : 10,151,8
[1].

παραθήκη : 19,12,7; 19,12,8; 19,
12,13; 19,12,20; 19,12,29
[5].

παραινεῖν : 5,4,71; 7,52,3; 12,
14,10; 18,14,49
[4].

παραίνεσις : Pr.8,1; Pr.11,2; 1,
tit.,1; 7,52,4; 18,49,159
[5].

παραιτεῖν : 18,45,115; 18,49,151
[2].

παρακαθῆσθαι : 7,52,18; 15,
132,2; 18,49,8; 18,49,25
[4].

παρακαλεῖν : 1,7,9; 1,7,13; 1,
34,1; 2,10,4; 2,10,6; 2,10,29;
2,11,2; 2,29,11; 3,20,2; 3,31,2;
3,32,1; 3,33,3; 3,36,2; 3,36,3;
3,38,21; 3,38,23; 3,48,3;
3,48,5; 4,5,3; 4,15,2; 4,43,3;
4,72,2; 4,78,4; 5,4,19; 5,4,24;
5,16,3; 5,23,2; 5,23,6; 5,23,8;
5,24,3; 5,24,6; 5,27,5; 5,28,26;
5,30,10; 5,31,5; 5,32,3;
5,36,11; 5,39,6; 5,43,28; 5,
43,30; 5,43,38; 5,46,75; 6,8,8;
6,8,15; 6,21,1; 6,21,3; 6,22,14;
6,23,2; 6,27,15; 7,12,2; 7,12,6;
7,17,16; 7,36,1; 7,54,5; 7,56,7;
7,57,10; 8,1,18; 8,4,21; 8,4,26;
8,9,2; 8,16,5; 9,5,5; 9,10,10;
9,10,13; 9,10,17; 9,12,7;
9,13,14; 9,18,16; 9,18,19;
10,12,9; 10,18,10; 10,36,10;
10,39,6; 10,94,7; 10,94,9;
10,110,67; 10,112,8; 10,126,2;
10,136,1; 10,136,4; 10,137,7;
10,150,24; 10,153,8; 10,175,6;
11,2,5; 11,31,11; 11,48,2; 11,
48,17; 11,66,1; 11,115,5; 11,
126,4; 12,14,1; 12,17,5; 13,14,
9; 13,14,15; 14,12,14; 14,12,
17; 14,13,7; 14,30,22; 14,32,2;
15,15,5; 15,46,6; 15,60,3; 15,
60,36; 15,84,3; 15,92,6; 15,
111,46; 15,118,4; 15,119,6;
15,119,19; 15,129,61; 15,133,
2; 15,133,3; 15,136,30; 16,2,
22; 16,13,4; 16,24,10; 16,27,
16; 16,30,14; 16,30,17; 17,18,
2; 17,18,4; 17,21,7; 17,21,10;
17,34,30; 18,4,12; 18,4,30;
18,5,9; 18,12,8; 18,14,16; 18,

14,41; 18,17,4; 18,25,4;
18,26,22; 18,26,24; 18,39,3;
18,40,16; 18,40,18; 18,45,85;
18,48,23; 18,49,13; 18,49,120;
18,49,174; 18,49,175; 18,49,
188; 18,49,206; 18,49,219;
18,52,18; 19,4,6; 19,13,12;
19,14,20; 20,2,1; 20,2,17; 20,
7,11; 20,13,14; 20,15,30; 20,
15,82; 20,15,85; 20,16,41; 20,
16,45; 20,16,64; 20,21,14; 20,
21,22; 20,22,2; 20,22,20; 20,
24,31; 20,24,40; 20,24,44
[168].

παρακατέχειν : 6,1,2; 6,14,2
[2].

παρακάτω : 18,13,2; 18,13,23
[2].

παρακελεύειν : 5,54,73
[1].

παράκλησις : 5,32,8; 7,52,7;
8,4,8; 10,9,2; 10,144,2; 10,
171,5; 10,171,11; 12,21,14;
15,93,10; 15,128,4; 18,45,75;
18,46,8; 18,46,95; 18,49,23;
18,49,128; 18,49,160; 18,49,
169; 18,49,209; 18,51,11; 20,
16,44; 21,55,1
[21].

παρακοή : 5,40,18
[1].

παρακολουθεῖν : 18,25,11
[1].

παρακούειν : 4,33,3; 14,12,15;
14,25,14; 15,10,15; 15,10,31
[5].

παρακύπτειν : 7,26,2; 19,11,3
[2].

παραλαμβάνειν : Pr.11,6; 4,

παριέναι : 7,19,2; 18,45,72
[2].
παριστάναι : 1,25,2; 3,4,8; 5,7,
2; 5,23,12; 5,44,6; 9,6,18; 10,
175,7; 11,32,4; 14,19,3; 15,95,
1; 15,95,3; 15,136,8; 16,8,3;
18,46,37; 18,49,77; 18,52,13
[16].
παρό : 7,51,4
[1].
παροικεῖν : 15,49,3
[1].
πάροικος : 12,28,1; 15,49,3
[2].
παρόλκιν : 10,64,4
[1].
παροξύνειν : 9,23,7; 15,26,12;
16,16,2
[3].
παροξυσμός : 11,27,10
[1].
πάροπτος : 5,19,3
[1].
παρορᾶν : 18,45,117; 18,45,119
[2].
παροργίζειν : Pr.5,5; 11,70,4;
21,34,1
[3].
παρορμᾶν : 11,51,29
[1].
παρουσία : 3,39,1; 8,32,52; 11,
122,10; 13,1,21; 19,14,12
[5].
παρρησία : 1,34,5; 2,35,37; 3,5,
11; 3,55,1; 3,55,1; 3,56,2; 3,56,
5; 3,56,7; 4,26,5; 4,47,1; 5,51,7;
5,51,11; 7,60,24; 9, 12,12; 10,
11,7; 10,11,11; 10, 11,12; 10,
124,2; 10,149,9; 11,29,7; 11,

31,15; 11,53,1; 11,54,3; 14,13,
13; 14,13,17; 14,19,3; 15,107,2;
15,117,25; 18,5,14; 18,49,150;
20,15,50; 21,37,1; 21,57,2
[33].
παρρησιάζεσθαι : 5,51,16; 10,
11,6; 10,11,14; 11,29,4; 13,1,4
[5].
πάσσαλος : 10,64,7; 10,64,8
[2].
πάσχα : 4,84,2; 4,91,2; 5,46,47;
13,4,2; 18,48,57
[5].
πάσχειν : 5,20,2; 5,54,14; 7,6,5;
7,21,4; 7,24,15; 11,51,19;
15,136,22; 16,17,6; 18,41,11;
18,45,120; 18,46,7; 18,46,22;
18,49,94; 18,49,153; 19,4,8;
19,9,2; 19,9,3; 20,15,73; 20,
15,74; 20,15,75
[20].
πασχικός : 9,6,7
[1].
πατάσσειν : 3,43,2; 5,11,4; 10,
145,1; 10,145,4
[4].
πατεῖν : 2,33,3; 6,17,4; 10,95,6;
15,19,8; 18,13,51
[5].
πατριάρχης : 14,28,24;
15,111,26; 18,5,21
[3].
πατρίς : 18,45,14
[1].
παύειν : 1,5,2; 2,23,6; 3,38,2;
3,56,4; 4,44,6; 4,65,5; 4,71,8;
4,77,3; 4,85,5; 5,16,19; 5,17,6;
5,26,13; 5,48,8; 7,36,1; 7,40,4;
7,42,11; 9,22,7; 10,23,9; 10,

10; 11,2,2; 11,33,9; 11,37,5;
14,30,9; 15,85,11; 15,124,5;
15,133,12; 16,27,5; 16,27,8;
17,15,1; 17,15,3; 17,15,4;
17,15,7; 17,15,9; 17,29,6;
17,29,7; 17,29,8; 18,22,5; 18,
42,26; 19,1,4; 19,1,5; 19,20,9;
19,20,10; 20,3,43; 20,4,12
[56].

πιότης : 8,29,1; 12,14,6; 21,46,1
[3].

πιπράσκειν : 12,12,17; 13,16,10
[2].

πίπτειν : 3,3,3; 3,20,11; 3,33,2;
4,47,5; 4,64,3; 4,64,9; 4,72,14;
5,22,5; 5,22,6; 5,22,7; 5,28,21;
5,30,7; 5,31,2; 5,31,7; 5,32,18;
5,37,10; 5,40,9; 5,46,20;
5,46,74; 5,47,2; 5,47,12;
5,47,15; 5,52,6; 5,54,41; 6,2,5;
8,1,12; 11,1,2; 11,75,2;
11,104,3; 11,104,6; 11,113,8;
11,114,5; 12,17,10; 12,26,1;
13,12,14; 15,11,10; 15,15,21;
15,73,6; 15,114,16; 15,118,2;
15,118,13; 15,118,13; 15,118,
14; 15,118,31; 15,119,23;
15,130,13; 15,130,18; 16,13,
10; 16,30,5; 17,18,11; 17,34,
17; 18,8,4; 18,40,11; 18,41,8;
18,46,74; 18,47,2; 19,12,23;
19,18,2; 20,16,56; 21,29,1;
21,29,2
[61].

πίσσα : 18,45,94
[1].

πιστεύειν : 1,7,3; 2,10,9; 5,40,
12; 5,54,51; 7,41,9; 7,57,4;
9,3,4; 10,38,12; 10,51,9; 10,

51,10; 10,63,29; 10,63,31;
10,151,3; 10,160,2; 10,162,3;
11,22,3; 11,51,12; 14,23,21;
14,25,15; 15,15,9; 15,19,4; 15,
42,16; 15,90,3; 15,90,5;
15,116,8; 15,120,30; 15,129,
20; 15,129,33; 15,129,37;
15,129,48; 15,129,57; 15,132,
5; 15,132,8; 15,133,8; 15,136,
21; 15,136,23; 17,15,11;
17,15,13; 17,24,6; 18,4,14; 18,
4,20; 18,4,24; 18,4,32; 18,4,
46; 18,11,15; 18,11,20; 18,13,
34; 18,44,9; 18,45,61; 18,45,
104; 18,48,76; 18,48,77; 19,6,
13; 19,20,8; 20,21,11; 21,1,2;
21,18,1
[57].

πίστις : 1,3,3; 4,102,14; 5,40,8;
6,22,17; 7,8,3; 7,22,5; 10,
146,6; 11,49,10; 13,7,4; 13,
7,5; 13,7,5; 13,15,22; 13,18,5;
14,18,3; 14,20,1; 15,11,21;
15,27,3; 15,69,8; 18,4,3; 18,
4,52; 18,14,12; 18,33,7;
19,17,4
[23].

πιστός : 4,11,7; 4,74,2; 5,46,53;
8,6,7; 10,51,7; 10,51,7; 10,
51,8; 10,85,3; 11,27,9; 11,50,
28; 14,29,22; 15,12,16; 18,41,
3; 18,46,6
[14].

πιστοῦν : 18,4,22
[1].

πιστῶς : 10,96,2
[1].

πλαγίως : 18,3,15; 18,3,17
[2].

5,17,1; 5,18,10; 5,24,1; 5,26,6;
5,26,11; 5,36,3; 5,36,12;
5,39,1; 5,43,1; 5,44,31; 5,45,2;
5,45,13; 5,49,7; 5,52,2; 5,52,7;
5,54,69; 6,1,14; 7,48,1; 9,22,5;
10,19,9; 10,19,14; 10,19,19;
10,31,2; 10,38,4; 10,63,10;
10,63,14; 10,87,3; 10,91,2;
10,91,3; 10,91,4; 10,91,7; 10,
125,2; 10,125,2; 10,125,3;
10,125,6; 11,33,6; 11,41,22;
11,101,7; 11,114,2; 14,30,1;
14,30,4; 15,76,1; 15,86,1; 15,
118,25; 15,118,27; 15,133,1;
15,133,12; 16,4,4; 18,17,1;
18,17,9; 18,17,14; 20,3,28;
20,3,73; 20,4,8; 21,24,2
[65].

πολεμικός : 14,6,5
[1].

πολέμιος : 11,48,7; 12,5,2;
12,5,3
[3].

πόλεμος : Pr.11,9; 1,13,15;
2,2,2; 2,25,2; 3,12,5; 3,45,6;
4,32,4; 5,tit.,3; 5,4,35; 5,4,70;
5,13,3; 5,15,1; 5,15,4; 5,16,4;
5,16,19; 5,17,6; 5,24,4; 5,
26,13; 5,27,5; 5,32,20;
5,36,15; 5,42,17; 5,44,9; 5,
44,24; 5,45,16; 5,45,26;
5,48,8; 5,51,9; 5,52,13; 5,
54,19; 5,54,66; 5,54,71; 7,2,2;
7,2,4; 7,2,5; 7,12,5; 7,12,6;
7,12,7; 7,12,8; 7,12,8; 7,12,9;
7,24,17; 7,29,11; 10,5,2;
10,63,22; 10,105,10; 11,44,9;
11,90,1; 11,101,1; 11,111,16;
11,112,3; 12,11,5; 12,21,9;

15,118,31; 15,133,3; 15,133,5;
15,133,10; 15,133,11; 17,33,
17
[59].

πολιά : 5,4,27
[1].

πολιός : 4,40,16; 18,49,25
[2].

πολιοῦν : 5,4,4; 20,16,24
[2].

πόλις : 2,10,10; 2,10,27; 2,27,2;
3,49,1; 4,20,2; 4,66,3; 5,44,24;
5,46,9; 5,46,24; 6,19,11;
8,11,4; 10,110,28; 10,110,46;
13,6,6; 14,28,2; 14,28,7;
14,28,9; 15,34,3; 15,111,36;
15,111,37; 15,114,16; 15,130,
2; 16,2,8; 18,1,2; 18,11,15;
18,11,18; 18,41,3; 18,41,5;
18,49,59; 18,49,86; 18,51,1;
20,1,18; 20,16,2; 20,21,3; 20,
21,5; 20,22,6; 20,22,25; 20,
24,33; 20,24,38
[39].

πολιτεία : Pr.1,4; Pr.11,26; 1,21,
1; 4,12,6; 4,13,3; 4,15,11;
5,28,29; 5,39,21; 5,45,4;
5,45,15; 5,45,18; 8,27,7;
8,27,8; 8,30,4; 10,110,9; 10,
170,6; 10,178,2; 11,47,21;
11,70,2; 12,2,2; 12,2,8; 13,4,9;
13,9,1; 15,9,2; 15,135,5; 17,
23,2; 18,5,14; 20,tit.,1; 20,
22,18
[29].

πολιτεύειν : 1,22,2; 4,20,5; 4,
49,4; 5,30,5; 7,62,1; 10,192,
3
[6].

13,17,49; 15,10,25; 15,10,34; 15,10,42; 15,19,3; 15,19,8; 15,47,5; 15,114,16; 15,114,20; 15,130,9; 16,13,10; 18,27,8; 18,47,2; 18,48,52; 18,49,179; 19,2,4; 19,12,21; 19,12,23; 19,17,7; 20,2,13; 20,16,52 [41].

πρᾶγμα : 1,2,3; 1,14,1; 1,16,5; 1,16,22; 1,18,1; 1,24,1; 1,34,8; 2,15,8; 2,23,8; 2,33,4; 3,6,1; 3,40,6; 4,29,6; 4,45,3; 5,6,4; 5,17,4; 5,30,9; 5,36,3; 5,43,26; 5,44,36; 5,45,23; 5,48,3; 5,52,16; 5,53,14; 5,54,8; 5,54,14; 6,3,2; 6,4,4; 7,33,2; 7,57,6; 7,58,12; 7,58,14; 8,11,2; 8,13,3; 9,5,6; 9,6,25; 9,8,4; 9,16,14; 9,20,8; 9,23,4; 9,25,3; 10,15,1; 10,15,3; 10,51,3; 10,53,8; 10,69,4; 10,82,9; 10,86,2; 10,115,1; 10,133,7; 10,179,1; 10,179,3; 11,8,3; 11,29,9; 11,37,3; 11, 44,4; 11,47,7; 11,48,14; 11,65, 19; 13,2,8; 13,14,4; 13,16,3; 14,16,6; 14,23,11; 15,12,17; 15,23,5; 15,26,11; 15,37,4; 15, 37,6; 15,39,31; 15,39,34; 15,42,6; 15,60,40; 15,93,2; 15,96,2; 15,105,2; 15,111,3; 15,111,42; 15,116,3; 15,129, 49; 15,133,11; 16,7,4; 16,24,3; 17,13,5; 17,19,1; 17,19,5; 18,4,22; 18,11,19; 18,18,13; 18,26,3; 18,32,8; 18,32,17; 18, 42,1; 18,45,41; 18,49,80; 19,6,15; 19,12,26; 19,17,12 [98].

πραγματευτής : 8,9,7 [1].

πρακτικός : 10,104,1; 11,57,2; 11,74,6; 15,18,3; 18,4,3 [5].

πρᾶξις : 1,23,6; 4,23,11; 4, 102,14; 5,5,4; 5,5,6; 5,9,5; 5, 46,4; 5,52, 11; 6,7,6; 9,18, 11; 10,74,2; 10, 94,16; 10, 94,21; 10,100,3; 10,100,11; 10,100, 16; 10,100,17; 10,100,25; 10,126,2; 11, 50,15; 11,97,3; 15,29,1; 15,29,2; 15,109,4; 15,109,6; 15,136,10; 16, 28,12; 18,28,7; 18,33,2; 18,45, 102; 18,45,131; 18,49,135; 18,49,137; 18,49,147; 18,49, 190; 21,41,2 [36].

πρᾶος : 2,23,4; 11,50,29; 15,68, 2; 18,45,6 [4].

πραότης : 1,7,7; 1,36,1; 2,35,14; 11,20,4; 11,54,2; 18,45,49 [6].

πράττειν : 1,1,4; 1,32,9; 2,27,2; 3,38,20; 5,5,5; 5,39,7; 5,42,21; 5,52,21; 6,25,12; 7,23,26; 7,52,37; 9,3,4; 9,18,9; 10,43,1; 10,59, 4; 10,112,5; 10,153,10; 11,26,6; 11,84,1; 11,97,2; 12,22,4; 14,21,3; 15,122,11; 15,131,1; 15,131,13; 15,136,7; 18,26,70; 18,26,76; 18,46,45; 18,49,90; 18,49,106; 18,49,134; 18,49,191; 18,49,205; 18,49, 218; 20,16,9 [36].

πρέπειν : Pr.9,7; 4,94,3; 5,51,4;

προσλαμβάνειν : 2,21,7; 4,64,6;
7,47,6; 11,65,9
[4].

προσομιλεῖν : 20,7,9; 20,21,16
[2].

προσπάθεια : 15,23,8
[1].

προσπαρασκευάζειν : 11,51,29
[1].

προσπίπτειν : 2,10,13; 7,25,14;
8,4,20; 17,34,21; 18,26,44;
18,26,73; 18,46,61; 18,49,37;
18,49,179; 19,17,4
[10].

προσποιεῖν : 8,32,3
[1].

προσρήσσειν : 10,3,10
[1].

πρόσταξις : 18,7,2; 18,14,19
[2].

προστάττειν : 5,46,67; 18,49,38
[2].

προστιθέναι : 1,14,3; 4,5,2; 4,
76,9; 7,38,10; 9,22,1; 10,57,8;
10,66,4; 13,18,8; 13,18,9;
18,3,9; 18,3,25; 18,14,33;
18,14,37; 18,14,42; 18,14,42;
18,46,91; 20,3,70
[17].

προστρέχειν : 5,54,63; 10,143,3
[2].

προσφέρειν : Pr.4,10; 4,11,4; 4,28,
3; 5,40,7; 5,54,56; 6,24,1; 7,49,
7; 11,29,9; 11,80,6; 16,18,7;
18,11,3; 18,32,1; 19,14,10;
19,14,15; 19,14,18; 20,16,37
[16].

προσφορά : 4,44,1; 9,6,4; 9,6,
22; 9,16,2; 9,16,5; 9,16,18;

10,189,6; 11,47,3; 11,47,20;
15,42,15; 15,42,17; 18,32,3;
18,32,6; 18,48,59; 18,48,79;
20,3,32; 20,4,2
[17].

προσφωνεῖν : 9,6,8
[1].

προσχρονεῖν : 15,123,5
[1].

προσχωννύναι : 21,17,2
[1].

πρόσωπον : Pr.4,9; 1,23,4; 2,10,
15; 2,10,16; 2,29,16; 3,8,6;
3,19,13; 3,19,13; 3,19,15;
3,20,11; 3,33,2; 3,33,10;
4,40,6; 4,66,4; 4,72,14; 5,
46,74; 5,52,5; 8,24,3; 10,11,9;
10,54,19; 10,137,7; 10,148,3;
11,31,13; 11,68,8; 12,1,4;
12,16,2; 13,17,29; 13,17,50;
14,23,15; 15,11,6; 15,12,11;
15,12,15; 15,12,18; 15,38,4;
15,75,3; 15,111,35; 15,119,22;
18,26,10; 18,26,12; 18,26,33;
18,34,3; 18,34,4; 18,40,11;
18,41,8; 18,44,6; 18,45,67; 18,
46,15; 18,46,26; 18,46,31;
18,46,81; 18,48,43; 18,48,46;
18,48,47; 18,48,50; 18,48,81;
18,49,131; 18,49,140; 19,14,3;
20,7,2; 20,7,5; 20,7,7; 20,7,15;
20,16,48
[63].

προτείχισμα : 4,99,4
[1].

πρότερον : 1,15,8; 2,11,8; 3,38,
20; 5,46,71; 5,54,45; 10,45,11;
10,104,4; 11,85,2; 18,26,84;

15,111,54; 15,129,3; 15,133,8;
16,2,11; 17,24,3; 17,24,24;
17,33,14; 17,34,12; 18,23,4;
18,49,167; 20,24,34; 21,55,2;
21,56,2
[50].

πρώτως : Pr.8,2
[1].

πταίειν : 7,25,1; 11,2,3; 15,122,
4; 15,132,10; 18,26,84
[5].

πταῖσμα : 1,13,11; 9,9,2; 9,9,4;
9,23,2; 10,139,3; 11,124,6; 17,
27,2; 18,43,11
[8].

πτερόν : 18,10,7; 18,10,11
[2].

πτέρυξ : 18,10,4
[1].

πτοεῖν : 7,15,5; 7,15,10; 11,122,
3
[3].

πτύειν : 4,9,7; 4,85,3; 4,85,6
[3].

πτύσμα : 4,85,4; 4,85,7
[2].

πτῶμα : 18,49,192; 20,15,52
[2].

πτῶσις : 5,46,21; 7,10,2
[2].

πτωχεία : 1,9,1; 1,13,13; 7,8,7;
10,50,8; 10,110,73; 11,120,2;
15,73,4
[7].

πτωχεύειν : 13,13,12; 13,14,1;
13,14,3
[3].

πτωχός : 4,92,1; 6,1,2; 6,6,5;
6,23,9; 7,23,27; 7,47,1; 7,56,2;

9,12,4; 10,82,8; 10,137,2;
10,144,3; 10,156,2; 10,156,3;
12,12,17; 13,14,8; 13,14,21;
13,15,17; 13,15,22; 13,17,20;
14,32,5; 15,36,4; 15,117,2;
15,117,4; 15,117,7; 15,117,16;
15,117,23; 15,118,12; 20,2,22;
20,15,44; 20,24,50
[30].

πυγμάζειν : 7,58,1
[1].

πυκνάζειν : 15,107,2
[1].

πυκνός : 10,110,74; 10,168,6;
12,11,3
[3].

πύλη : 2,12,5; 15,12,26; 15,20,7;
15,34,1; 18,3,16; 18,3,19
[6].

πυλών : 8,23,6; 16,8,3; 18,51,2;
18,51,6
[4].

πυνθάνεσθαι : 3,32,4; 4,42,2;
6,1,10; 18,48,13
[4].

πῦρ : 3,5,7; 3,18,5; 3,19,11;
3,19,12; 3,34,3; 3,34,5; 3,34,6;
4,27,27; 4,32,2; 4,83,8; 5,15,2;
5,39,4; 5,42,22; 5,46,67;
5,46,94; 7,17,13; 7,23,13;
7,23,17; 7,23,20; 7,23,24; 8,
24,3; 9,6,23; 10,13,6; 11,45,2;
11,47,7; 11,52,2; 11,78,10;
11,111,19; 11,117,6; 11,117,7;
12,8,5; 12,9,7; 12,9,8; 13,
14,24; 13,14,28; 15,33,9; 15,
62,6; 15,109,10; 15,121,7; 15,
129,64; 15,136,15; 18,2,3; 18,
10,4; 18,10,8; 18,10,11;

18,19,10; 18,19,10; 18,31,7;
18,45,90; 18,45,94; 18,45,98;
18,45,112; 18,45,119; 18,45,
121; 18,45,124; 18,48,38;
18,48,42; 18,48,42; 18,49,99;
18,49,126; 20,3,59; 20,3,66;
20,3,69; 20,11,12; 20,16,49;
21,37,1; 21,63,1
[67].

πυρέσσειν : 2,10,28
[1].

πυρετός : 7,23,10; 7,23,23
[2].

πύρινος : 18,51,5
[1].

πυροῦν : Pr.2,3; 2,35,6; 5,4,28;
5,48,2; 7,61,3; 15,69,4
[6].

πυρώδης : 18,46,16; 18,46,26;
18,46,89
[3].

πύρωσις : 5,41,6; 5,42,24;
15,71,4
[3].

πώγων : 15,11,9
[1].

πωλεῖν : 5,31,1; 5,46,8; 6,6,2;
6,6,4; 6,6,4; 6,7,7; 6,15,2;
6,15,4; 6,15,5; 6,19,3; 14,32,4;
15,15,11; 15,39,23; 15,117,14;
15,117,23; 15,117,24; 16,2,8;
16,2,14; 16,2,16; 16,2,21; 16,
27,4; 16,27,7; 18,51,2; 20,22,
10; 20,24,38; 20,24,49
[26].

πῶλος : 7,37,4
[1].

πωμάζειν : 5,46,49
[1].

πώποτε : 2,10,20
[1].

πωροῦν : 5,46,27; 15,119,5
[2].

ῥαβδίον : 7,60,15
[1].

ῥάβδος : 3,19,4; 4,100,8; 4,100,11;
4,100,12; 4,100,14; 7,13,5; 11,
117,5; 16,22,3; 18,49,28; 20,21,4
[10].

ῥαδίως : 5,54,71
[1].

ῥαθυμεῖν : 5,34,9
[1].

ῥαθυμία : 5,54,15
[1].

ῥάθυμος : 12,27,2; 21,8,1
[2].

ῥάκος : 3,3,2; 9,12,12; 20,15,78
[3].

ῥάμνος : 7,4,2
[1].

ῥαπίζειν : 16,1,6
[1].

ῥάπισμα : 15,15,14; 16,25,6
[2].

ῥάπτειν :   4,5,3;   10,176,5;
11,38,2; 20,3,23
[4].

ῥάττειν : 5,20,8
[1].

ῥεῖν : 11,48,16
[1].

ῥέμβειν : 1,35,3; 4,100,7; 7,37,2;
7,37,8; 10,64,7; 11,37,3; 11,
49,8
[7].

ῥεῦμα : 5,46,28
[1].

σάκκος : 9,13,3; 9,13,7; 20,2,26
[3].
σαλεύειν : 3,19,3; 5,20,10;
10,185,1; 11,51,32
[4].
σαλός : 8,4,25; 8,13,6; 8,13,11;
8,32,13; 8,32,17; 8,32,27;
14,5,15; 14,5,15; 15,13,4
[9].
σαλότης : 15,13,6
[1].
σαμβυκίζειν : 10,84,3
[1].
σανδάλιον : 10,110,14; 10,110,
63
[2].
σαπρός : 18,42,23
[1].
σαρκικός : 1,24,4; 3,1,4; 5,41,7;
7,17,3; 10,63,22; 10,99,13; 10,
99,16; 11,36,3; 15,69,3
[9].
σαρκίον : 9,24,7
[1].
σαρκοῦν : 11,51,16
[1].
σάρξ : 1,13,13; 1,16,19; 2,15,10;
3,1,10; 3,9,5; 3,25,10; 4,20,4;
4,59,2; 5,18,8; 5,39,17;
5,42,25; 5,46,77; 5,50,10;
5,54,20; 6,17,3; 7,23,21; 10,
135,3; 10,175,1; 11,52,4; 11,
118,1; 14,27,1; 15,112,1; 15,
120,22; 18,48,71; 18,48,72;
18,48,74; 18,48,74; 20,15,28;
20,21,17
[29].
σατανᾶς : 11,12,4
[1].

σαφηνίζειν : 10,177,6
[1].
σαφής : 7,27,3
[1].
σαφῶς : 10,96,2
[1].
σβεννύναι : 5,4,60; 5,4,62; 5,46,
95; 11,47,19; 11,78,6; 11,78,8;
15,121,7; 15,121,9; 15,129,64;
18,31,8; 18,31,10
[11].
σέβειν : 7,17,14
[1].
σεβένινος : 6,10,3
[1].
σειρά : 2,32,3; 4,5,3; 4,10,5; 4,21,
2; 4,85,1; 7,1,8; 7,14,13; 7,14,
15; 11,38,1; 11,39,3; 11,39,7;
12,10,14; 18,18,16; 20,1,4; 20,
3,21; 20,3,23; 20,3,38; 21,6,2
[18].
σεισμός : 2,8,3; 2,8,7; 5,44,16
[3].
σεμνός : 4,102,14; 11,83,1
[2].
σεμνότης : 11,54,1
[1].
σεμνύνειν : 4,102,10
[1].
σεμνῶς : 4,62,2
[1].
σέρις : 7,13,15
[1].
σευτλίον : 4,84,4
[1].
σημαίνειν : 5,1,3; 18,33,2
[2].
σημεῖον : Pr.9,3; 4,27,32; 5,28,7;
5,46,90; 7,18,1; 8,1,2; 9,6,17;

4,27,23; 10,75,3; 10,93,4; 11,
105,1; 11,120,2; 15,17,4; 15,
26,5; 15,59,4; 15,99,1; 18,
45,12
[17].

σκανδαλίζειν : 5,30,3; 5,30,19;
5,36,3; 5,36,5; 5,46,44; 6,4,9;
6,4,11; 7,42,2; 8,32,13; 9,16,5;
10,3,3; 10,110,14; 10,110,17;
10,110,68; 10,153,9; 10,159,2;
10,170,3; 10,170,19; 12,21,5;
12,25,11; 17,2,3; 20,3,13;
20,22,38; 21,64,2
[24].

σκάνδαλον : 5,46,81; 7,42,14;
14,25,13
[3].

σκάπτειν : 6,25,25
[1].

σκάφος : 5,34,8; 9,12,9;
11,75,11
[3].

σκελίζειν : 5,46,19
[1].

σκεπάζειν : 4,47,4; 5,48,7; 5,
53,18; 9,9,2; 9,9,3; 11,68,4;
11,68,8; 11,108,1; 11,108,3;
11,108,4; 14,25,16; 18,39,4
[12].

σκέπασμα : 15,100,1; 15,100,3;
15,100,8
[3].

σκέπειν : 3,33,10; 9,9,4; 9,12,
16; 11,29,12; 15,86,3; 20,15,
23; 20,15,65
[7].

σκέπη : 5,53,18; 10,13,9; 15,
86,4
[3].

σκευάζειν : 5,46,49; 5,46,95;
7,20,4; 11,78,5; 11,78,13
[5].

σκεῦος : 4,21,3; 5,20,3; 5,31,1;
6,15,5; 8,11,3; 10,23,2; 10,
70,5; 10,70,7; 10,70,11; 10,70,
11; 10,70,15; 10,98,2; 10,112,
11; 10,112,13; 11,39,1; 15,15,
8; 15,15,11; 18,51,2; 20,7,17
[19].

σκηνή : 16,30,4
[1].

σκήνωμα : 7,15,3; 7,15,10;
18,25,1; 18,25,11
[4].

σκητιώτης : v. Index Noms de
lieux

σκιά : 3,42,1
[1].

σκίλλα : 5,35,4; 5,35,6; 5,35,7
[3].

σκιρτᾶν : 7,37,4
[1].

σκληραγωγία : 8,4,6; 10,50,5;
10,110,16; 15,14,2; 15,14,4
[5].

σκληρός : 3,40,2; 5,6,3; 7,8,7;
10,181,1; 15,136,18; 18,21,7;
18,21,10; 19,4,3
[8].

σκληρότης : 5,32,5; 18,21,3
[2].

σκληρύνειν : 8,6,4
[1].

σκόλοψ : 7,23,21; 18,33,9
[2].

σκοπεῖν : 7,42,3; 11,3,2;
15,12,3; 18,45,47
[4].

συμφορά : 3,2,3
[1].

συμφωνεῖν : 2,29,9; 15,111,12
[2].

συμφωνία : 20,4,18
[1].

σύμφωνος : 20,24,12
[1].

συναββᾶ : 5,53,4
[1].

συνάγειν : 1,27,4; 3,2,1; 3,5,2; 3,
20,6; 4,84,3; 6,25,4; 6,25,6; 6,25,
16; 7,60,7; 9,12,11; 10,101,2;
10,165,1; 10,165,4; 10,177,5; 11,
26,4; 11,49,5; 11,49,7; 11,49,10;
15,38,1; 15,59,2; 15,111,33;
15,135,10; 17,24,24; 18,43,2;
18,43,7; 20,15,43; 20,24,13
[27].

συναθροίζειν : 15,114,16; 20,
24,11
[2].

συναίρειν : 20,1,5
[1].

συναλγεῖν : 18,49,152
[1].

συναλισμός : 20,15,51
[1].

συναλλάττειν : 5,37,5
[1].

συναναμιγνύναι : 2,23,2
[1].

συναντᾶν : 3,25,5; 12,17,2;
15,117,1
[3].

συναντεῖν : 7,42,13
[1].

συνάντημα : 5,28,28
[1].

σύναξις : 4,70,3; 5,45,21; 7,44,3;
7,52,8; 7,52,22; 7,60,26;
8,14,4; 9,18,6; 10,93,6; 10,
93,8; 10,138,3; 10,138,6; 10,
149,2; 10,149,13; 10,149,14;
10,150,15; 10,150,21; 10,152,
3; 10,152,3; 10,152,6; 10,186,
2; 11,46,3; 11,46,4; 11,47,7;
11,47,9; 11,47,12; 11,47,15;
11,58,2; 11,121,7; 14,2,15;
15,8,4; 15,8,9; 16,29,7; 16,
29,22; 17,34,12; 17,34,19;
18,14,2; 18,14,10; 18,19,3;
18,19,7; 18,19,9; 18,26,6;
18,26,24; 18,32,14; 18,48,1;
18,48,9; 18,48,28; 18,48,30;
18,48,31; 18,48,80; 20,11,9;
20,11,11; 20,11,12; 20,11,14;
20,11,17; 20,14,3; 20,15,69
[57].

συναποθνήσκειν : 10,174,2
[1].

συνάπτειν : 10,106,2; 11,122,5;
18,45,16
[3].

συναριθμεῖν : Pr.9,7; 11,113,5
[2].

συνάφεια : 10,102,6
[1].

σύνδακρυς : 3,32,3
[1].

συνέδριον : 9,7,2; 9,13,1; 10,15,
1; 16,9,1
[4].

συνεθίζειν : 15,126,1; 15,126,2
[2].

συνειδέναι : 7,52,37; 9,18,12;
18,32,15
[3].

σύνοικος : 14,29,25; 18,49,212
[2].
σύνολον : 5,8,2; 5,8,4; 15,54,3;
17,12,2
[4].
συνόμιλος : 2,35,16
[1].
συνταγή : 1,16,20
[1].
συντάττειν : 9,20,8; 18,26,69
[2].
συντελεῖν : 4,27,26
[1].
συντιθέναι : 2,6,5; 5,42,6; 5,43,
12; 5,43,15; 14,22,7; 14,32,8;
18,52,6; 20,15,41
[8].
σύντομος : 1,15,4; 2,21,7
[2].
συντόμως : 11,55,10; 20,10,4
[2].
συντρέχειν : 13,15,8; 15,24,2;
18,26,46
[3].
συντρίβειν : 5,4,59; 5,46,67; 5,47,
17; 6,26,5; 10,97,4; 11,78,12;
15,19,8; 16,22,3; 18,49,63
[9].
συντριμμός : 15,119,15
[1].
συντυγχάνειν : 3,49,9; 4,86,3;
5,46,19; 5,54,10; 8,13,17; 9,
10,21; 13,18,6; 13,18,16; 13,
18,17; 14,10,2; 19,6,3
[11].
συντυχία : 5,54,16; 10,69,3; 11,
47,5; 15,135,12; 15,135,27;
18,45,8
[6].

σύρειν : 18,11,14
[1].
σύσκηνος : 2,35,14
[1].
συσσπᾶν : 13,13,6
[1].
συστατικός : Pr.8,6
[1].
συστέλλειν : 15,37,5; 18,48,82;
20,1,14; 20,1,15
[4].
συχνός : 9,20,13
[1].
σφαδᾶν : 15,118,22
[1].
σφάζειν : 4,27,23
[1].
σφάλλειν : 9,5,2; 9,5,8; 9,7,1;
9,10,1; 9,10,4; 9,13,2; 15,28,
3; 15,111,39; 18,4,3; 18,49,
65
[10].
σφάλμα : 10,151,10; 15,2,2;
15,111,50; 18,41,16
[4].
σφάττειν : 12,12,15; 18,48,53;
19,13,11
[3].
σφενδονίζειν : 12,23,4
[1].
σφόδρα : 11,33,6; 11,55,11; 11,
126,1; 14,28,4; 15,60,30; 15,
111,42; 15,135,14; 18,10,6;
18,26,19; 18,26,36; 18,26,64;
18,45,19
[12].
σφοδρός : 5,14,1; 5,54,45;
7,23,10
[3].

σωφροσύνη : 1,3,4; 4,49,2; 4,49,3;
18,45,49; 18,45,103; 18,46,85
[6].

σώφρων : 1,16,9; 4,56,1; 9,15,1;
11,50,28
[4].

τάγμα : 5,44,37; 11,116,5; 12,
28,5; 14,29,4; 14,29,5; 14,29,
6; 14,29,7; 14,29,9; 18,7,1
[9].

ταλαιπωρία : 18,49,63
[1].

ταλαίπωρος : 5,43,22; 5,46,62;
11,44,3; 11,95,5; 14,13,5;
18,14,36
[6].

ταλανίζειν : 18,49,20
[1].

τάλας : 15,41,3
[1].

τανύειν : 7,25,14
[1].

ταξεώτης : 15,85,6; 15,131,1
[2].

τάξις : Pr.4,6; Pr.5,10; 1,15,5;
5,22,16; 5,28,30; 5,39,3;
7,34,7; 7,34,15; 7,49,28;
8,23,7; 10,117,1; 10,148,3; 10,
187,3; 15,56,1; 15,80,1; 15,
125,3; 15,125,4; 18,49,66
[18].

ταπεινολογεῖν : 15,45,1
[1].

ταπεινός : 1,18,9; 4,87,2; 7,44,
9; 8,12,17; 10,110,45; 12,25,
14; 15,29,2; 15,93,9; 15,114,
5; 15,114,6; 15,129,22; 18,
3,22
[12].

ταπεινοῦν : 1,8,8; 4,35,1; 4,61,
2; 5,4,68; 5,53,13; 7,9,4; 9,14,
8; 10,52,3; 10,52,4; 10,107,3;
10,125,6; 11,108,5; 14,5,15;
14,23,25; 15,44,1; 15,70,4;
15,86,2; 15,88,2; 15,91,9; 15,
97,4; 15,115,6; 15,136,24; 18,
3,17; 18,3,21; 21,29,2
[25].

ταπεινοφρονεῖν : 2,21,2; 5,46,
97; 7,52,34; 15,45,1; 15,96,8;
19,20,6
[6].

ταπεινοφροσύνη : Pr.2,7;
Pr.5,1; Pr.5,4; Pr.5,6; Pr.5,9;
Pr.8,7; Pr.8,9; Pr.11,21; 1,7,5;
1,9,2; 1,9,3; 6,14,4; 8,7,3;
10,74,2; 11,51,18; 11,119,4;
12,25,13; 13,7,6; 14,17,3;
15,tit.,1; 15,3,4; 15,15,6;
15,22,2; 15,23,1; 15,24,1;
15,24,2; 15,24,7; 15,25,2; 15,
28,1; 15,35,1; 15,36,2;
15,37,2; 15,45,3; 15,48,1; 15,
55,2; 15,60,13; 15,65,6;
15,66,3; 15,67,2; 15,81,1; 15,
96,13; 15,98,2; 15,113,1;
15,113,5; 15,115,1; 17,32,3;
20,2,15; 21,15,2
[48].

ταπεινόφρων : 11,50,29;
15,114,6; 15,114,22
[3].

ταπείνωσις : Pr.5,4; 1,13,6;
1,16,3; 1,16,5; 1,29,3; 1,30,1;
1,34,2; 2,35,14; 4,68,6; 5,16,19;
5,45,19; 5,46,57; 10,110,73;
10,129,3; 10,135,7; 11,122,8;
12,21,11; 12,24,5; 14,6,2;

14,7,2; 14,8,2; 14,23,24; 15,8,7;
15,15,21; 15,17,3; 15,21,3;
15,26,1; 15,26,2; 15,26,5; 15,
29,3; 15,34,2; 15,40,9; 15,42,8;
15,44,1; 15,44,2; 15,61,2; 15,
61,3; 15,64,8; 15,70,18; 15,71,
4; 15,76,3; 15,78,1; 15,80,2;
15,84,9; 15,93,2; 15,94,1;
15,97,3; 15,103,1; 15,103,2;
15,103,3; 15,109,7; 15,112,12;
15,112,12; 15,114,1; 15,119,
16; 15,119,38; 15,120,23; 15,
129,60; 16,26,4; 17,11,21; 21,
26,1; 21,34,1
[62].

ταράττειν : 2,10,27; 2,14,2;
2,29,13; 3,23,1; 4,40,17; 5,4,16;
5,42,8; 5,42,13; 5,51,17; 5,52,5;
6,4,6; 7,9,1; 10,23,13; 10,51,2;
10,190,5; 11,65,4; 15,10,9;
15,10,37; 15,12,21; 15,12,25;
15,56,2; 15,63,4; 15,80,2; 15,
96,6; 15,112,14; 15,123,3;
15,123,5; 16,9,5; 16,9,6; 16,
16,4; 18,17,8; 19,17,3; 20,22,
36; 20,22,38; 21,53,3
[35].

ταραχή : 2,29,18; 5,4,46; 5,44,
10; 7,41,4; 7,41,7; 12,25,6;
12,25,10; 15,93,10; 18,34,6;
18,45,93; 18,49,100
[11].

ταρίχιν : 10,110,38
[1].

τάσις : 20,16,12
[1].

τάττειν : Pr.6,4; 11,39,3; 15,
135,25; 18,48,69
[4].

ταφή : 18,45,34; 18,45,37; 18,
45,53
[3].

τάφος : 1,13,19; 3,28,3; 3,28,4;
5,26,8
[4].

ταχέως : 1,1,6; 2,9,2; 4,26,6;
5,22,9; 7,16,2; 8,3,4; 10,3,10;
10,32,5; 10,54,32; 10,112,14;
10,159,2; 10,160,2; 10,163,5;
11,76,2; 12,13,1; 12,13,4; 14,
2,16; 14,30,20; 15,11,4; 17,
15,1; 17,24,21
[21].

ταχύνειν : 11,55,7
[1].

ταχύς : 1,4,2; 2,12,2; 5,6,5; 7,
33,1; 10,19,2; 10,94,11; 10,
193,2; 12,15,1; 14,2,14; 15,
121,12; 17,35,2; 18,23,8; 18,
28,6
[13].

τείνειν : 10,3,5; 10,3,6; 10,3,6;
10,3,7; 10,3,8; 12,1,3
[6].

τεῖχος : 10,89,1; 10,89,4;
16,24,10
[3].

τέκνον : 1,6,4; 3,23,9; 3,38,11;
4,23,6; 4,27,20; 4,40,15;
4,40,19; 4,46,3; 4,48,8; 4,69,6;
4,72,12; 4,72,17; 4,83,7;
4,96,8; 4,104,4; 4,104,6; 5,
4,17; 5,4,25; 5,16,16; 5,25,9;
5,27,8; 5,44,2; 5,50,9; 5,52,9;
6,22,8; 7,36,3; 7,49,22; 8,12,8;
8,15,4; 8,16,9; 9,6,10; 10,
138,7; 11,49,6; 11,49,8; 11,68,
10; 11,72,1; 11,126,3; 14,10,4;

14,22,6; 14,28,5; 14,29,19;
14,29,20; 15,19,4; 15,20,4; 15,
20,6; 15,111,47; 15,114,9; 15,
114,23; 15,117,20; 15,117,22;
15,120,30; 15,122,5; 15,127,1;
15,132,14; 16,13,4; 16,21,3;
16,21,7; 16,27,19; 16,27,22;
18,27,7; 18,31,7; 18,45,84;
18,45,100; 18,45,101; 18,45,
101; 18,45,110; 18,45,114;
18,45,117; 18,45,117; 19,12,9;
19,12,30; 19,13,13
[72].

τελεῖν : 4,6,1; 4,70,3; 5,4,39;
5,52,11; 10,135,5; 10,150,22;
11,60,3; 11,111,8; 14,2,9;
15,11,19; 17,24,7; 17,34,17;
18,32,13; 18,49,18; 19,20,8;
19,20,11; 20,11,10; 20,15,29;
20,16,47; 20,16,51
[20].

τέλειος : Pr.8,8; 1,11,3; 1,16,23;
1,17,5; 1,33,2; 4,75,3; 4,90,4;
5,46,29; 5,46,32; 6,14,3;
6,17,1; 7,8,3; 7,23,28; 8,19,1;
10,70,12; 10,102,4; 10,112,13;
15,136,32; 17,33,13; 20,3,72;
20,7,14; 21,62,2
[22].

τελειότης : Pr.11,2; 1,tit.,2; 1,
15,6; 1,16,2; 1,17,4; 1,17,6
[6].

τελειοῦν : 2,29,9; 4,13,6; 5,22,
11; 5,49,10; 6,4,3; 10,177,9;
11,9,14; 14,29,27; 17,24,20;
18,31,3; 20,1,13
[11].

τελειοῦσθαι : 7,59,7
[1].

τελειωτικός : Pr.8,6
[1].

τέλεος : 7,24,15; 11,78,14
[2].

τέλεσις : 15,124,2
[1].

τελευταῖος : 18,52,15
[1].

τελευτᾶν : Pr.10,1; 1,13,19; 1,
15,2; 1,25,1; 1,27,1; 2,1,2;
3,15,1; 8,1,20; 10,10,1; 11,9,1;
12,12,19; 13,17,1; 15,10,36;
15,11,11; 15,20,2; 16,5,6; 16,
28,7; 18,51,3; 20,7,1; 20,24,2;
20,24,4
[21].

τελευτή : 3,49,15; 5,46,99;
15,10,36; 15,130,12; 16,2,26;
17,18,15; 18,45,24; 18,45,44;
19,17,15
[9].

τέλος : Pr.10,2; 5,27,26;
5,54,54; 7,19,6; 7,19,7; 8,6,5;
10,93,9; 10,129,4; 11,51,10;
11, 60,1; 14,14,12; 15,30,7;
15,122,13; 18,49,197; 18,49,
218; 20,15,50; 20,16,52
[17].

τελώνης : 10,20,12; 15,68,1
[2].

τέμνειν : 16,18,4
[1].

τερπνός : 3,24,3
[1].

τεσσαρακοστή : 4,41,1; 4,104,1;
4,104,5; 13,5,2; 13,5,6
[5].

τεσσαρακοστός : 5,54,23
[1].

τρακτεύειν : 11,91,3
[1].

τράπεζα : 3,16,2; 4,77,2; 4,94,1;
8,20,4; 9,6,19; 10,150,4;
13,3,5; 15,83,5; 18,4,37; 18,
42,4; 18,42,9; 18,42,13; 18,
42,17; 18,48,47; 18,48,51; 18,
48,55; 20,2,12; 20,3,40
[18].

τραπεζίτης : 4,102,4
[1].

τραῦμα : 9,12,2; 15,104,1; 15,104,
2; 16,17,11; 16,18,2; 20, 15,78
[6].

τράχηλος : 7,35,5; 10,45,7; 15,
39,11; 15,52,4; 15,130,9; 18,
45,97
[6].

τραχύς : 18,45,67
[1].

τρέμειν : 12,25,15; 17,34,16; 18,
49,88
[3].

τρέπειν : 18,45,76; 18,46,35
[2].

τρέφειν : Pr.9,6; 4,92,1; 5,1,4;
5,50,5; 5,50,9; 6,24,6; 6,28,2;
6,28,4; 10,36,14; 10,137,12;
11,99,2; 15,24,5; 15,39,21; 15,
39,26; 20,15,36
[15].

τρέχειν : 7,42,6; 8,14,7; 11,40,4;
11,111,13; 14,23,24; 16,16,3;
18,26,40; 18,53,4
[8].

τριακοστός : 15,135,17; 20,12,7
[2].

τριάς : 7,23,29
[1].

τρίζειν : 14,30,17; 18,45,98; 18,
49,204
[3].

τρικυμία : 5,34,5; 11,74,4
[2].

τριπλοῦς : 5,54,18
[1].

τρισάγιον : 18,1,4
[1].

τριταῖος : 18,45,29
[1].

τρίτος : 1,14,6; 2,29,4; 4,44,5;
4,71,2; 4,71,3; 4,72,10; 5,1,14;
5,43,43; 5,44,22; 7,40,8; 10,
45,9; 10,83,4; 10,90,8; 10,137,9;
10,147,7; 11,39,6; 11,104,3;
11,115,4; 11,115,8; 12,6,4;
13,14,19; 14,13,17; 14,14,4;
14,29,7; 14,30,13; 15,129,55;
18,8,9; 18,20,5; 18,23,4; 18,
31,10; 20,2,23; 20,3,74
[32].

τρίχα : 18,49,25
[1].

τριχώδης : 7,17,8
[1].

τρόμος : 12,4,2; 18,42,3;
18,42,16
[3].

τροπή : 7,23,6
[1].

τρόπος : Pr.9,8; 2,14,3; 7,8,6;
7,59,1; 10,9,6; 10,92,2;
10,104,7; 10,117,3; 11,9,15;
12,23,6; 15,37,1; 15,77,8; 15,
131,2; 18,22,1; 18,23,3; 18,
45,3; 18,45,6; 18,46,25; 18,
46,36
[19].

τροφεῖον : 18,45,110
[1].

τροφεύς : 6,24,4
[1].

τροφή : 1,30,1; 4,20,3; 4,27,4;
4,28,3; 4,51,4; 4,70,6; 4,72,2;
5,1,14; 5,39,12; 5,45,20;
5,46,93; 6,6,2; 6,22,14;
10,14,2; 10,94,6; 10,99,16; 10,
105,7; 10,151,2; 10,151,6; 10,
151,7; 10,151,9; 13,3,3; 14,
18,7; 14,25,6; 15,131,12; 15,
135,26; 20,14,7; 20,16,9; 20,
16,43; 20,22,21
[30].

τροφός : 14,29,26
[1].

τρυμαλιά : 18,13,6
[1].

τρυπᾶν : 18,21,8
[1].

τρυφᾶν : 4,93,1; 4,93,2
[2].

τρυφερός : 10,110,12; 20,3,9
[2].

τρυφή : 4,51,2; 18,45,40; 18,
45,107; 18,46,88; 18,49,108;
18,49,186
[6].

τρώγειν : 4,13,4; 4,13,5; 4,17,10;
4,27,5; 4,72,13; 4,76,8; 4,
100,2; 12,24,5; 14,10,2; 15,40,
7; 15,124,5; 15,133,12
[12].

τρωγλωτός : 18,13,6
[1].

τυγχάνειν : Pr.7,2; Pr.7,2; 3,5,21;
3,34,5; 5,46,18; 7,22,2; 7,23,17;
7,23,25; 7,25,9; 7,58,11;

10,105,9; 10,157,1; 11,75,10;
11,122,11; 13,5,3; 18,40,14;
18,45,5; 18,45,5; 18,45,24;
18,45,32; 18,45,42; 18,45,50;
18,45,111; 18,46,10; 18,46,24;
18,46,47; 18,46,50; 18,46,50;
18,46,58; 18,46,93; 18,49,24;
18,49,187; 18,49,200; 20,16,36
[34].

τύπος : 10,15,2
[1].

τυποῦν : 10,15,3; 14,30,27;
15,135,9
[3].

τύπτειν : 4,100,8; 4,100,9; 4,
100,14; 5,18,5; 5,18,7; 5,18,7;
7,15,10; 11,3,1; 14,5,15;
15,38,4; 15,39,13; 15,39,
14; 15,39,16; 15,71,2; 15,
112,4; 18,31,8; 18,31,10; 20,
5,9
[18].

τυραννεῖν : 5,54,21
[1].

τυραννικός : 4,102,8; 10,105,4
[2].

τυρός : 8,23,6
[1].

τυφλός : 7,60,22; 7,60,24;
11,29,9
[3].

τυφλότης : 10,180,2; 10,180,2
[2].

τυφοῦν : 10,41,4
[1].

ὕαινα : 5,54,32; 14,5,3; 14,5,6;
14,5,8; 14,5,10; 14,5,13;
18,41,8
[7].

ὑπόδειγμα : 7,27,3; 7,49,8; 10,2,
11; 11,48,9; 15,111,11; 18,42,5
[6].
ὑποδεικνύναι : 2,10,4; 9,6,16;
11,51,19; 13,11,3; 18,13,29;
18,49,48; 19,6,10; 20,22,15
[8].
ὑποδέχεσθαι : 8,4,7; 10,104,3;
15,29,4; 20,22,13; 20,22,23
[5].
ὑποδοχή : 13,2,4
[1].
ὑπόθεσις : 10,177,6
[1].
ὑποκάτω : 1,13,12; 1,16,6; 1,34,
4; 3,19,11; 3,19,19; 3,19,23;
4,97,7; 7,56,5; 10,97,3;
10,97,5; 10,97,6; 10,110,12;
10,110,32; 10,110,33; 11,40,2;
11,111,19; 15,30,8; 15,53,2;
15,61,5; 15,65,4; 15,103,4;
15,103,5; 20,11,12; 20,13,3
[24].
ὑποκάτωθεν : 7,15,8
[1].
ὑποκεῖσθαι : 2,16,4; 11,31,14;
18,46,13
[3].
ὑποκρίνεσθαι : 8,32,30
[1].
ὑπολαμβάνειν : 10,174,4;
13,5,5; 13,17,2; 18,49,189
[4].
ὑπολείπειν : 20,24,19
[1].
ὑπόληψις : 13,13,12
[1].
ὑπόλοιπος : 5,46,69; 5,54,67
[2].

ὑπομειδιᾶν : 13,17,22
[1].
ὑπομένειν : 3,38,22; 5,18,5; 5,
18,9; 5,27,5; 6,4,7; 6,17,3; 7,
19,5; 7,35,6; 7,39,4; 10,185,3;
11,122,2; 13,1,6; 15,69,2;
15,118,21; 16,1,9; 16,18,3;
16,26,2; 17,11,18; 18,12,9; 20,
21,10
[20].
ὑπομιμνήσκειν : 7,23,12; 8,12,
16; 11,55,9; 15,96,7; 18,13,8;
18,13,44
[6].
ὑπομονή : Pr.11,12; 1,7,8;
1,13,4; 1,13,6; 2,17,4; 5,15,5;
5,24,7; 5,32,5; 7,tit.,1; 7,12,9;
7,13,18; 7,14,5; 7,25,7; 7,
29,11; 7,30,2; 7,34,6; 7,40,12;
7,49,29; 7,55,3; 7,55,3; 9,6,5;
10,60,5; 11,41,20; 14,6,3;
14,7,3; 15,76,4; 15,118,28;
15,118,30; 15,130,16; 16,27,
23; 17,11,20; 20,3,26; 20,16,
65
[33].
ὑπομονητικῶς : 12,25,6
[1].
ὑπονοεῖν : 5,54,28
[1].
ὑποπίπτειν : 16,29,22
[1].
ὑποστρέφειν : 4,40,6; 4,66,2;
5,4,30; 5,4,48; 5,25,12; 5,26,9;
5,32,14; 5,32,23; 5,45,9;
5,52,4; 5,54,43; 6,8,17; 6,8,21;
7,9,6; 7,40,13; 7,60,4; 7,60,6;
7,61,5; 8,4,14; 8,32,18;
10,34,2; 10,63,3; 10,63,6;

18,46,19; 18,46,33; 18,46,44;
18,49,36; 20,3,51; 20,3,52
[15].

φωταγωγεῖν : 9,20,14
[1].

φωταγωγός : 2,35,16
[1].

φωτεινός : 13,17,46
[1].

φωτίζειν : 3,17,2; 3,17,3; 11,29,
11; 11,47,19; 11,85,1; 11,108,
5; 18,38,1
[7].

φώτισμα : 18,36,3
[1].

φωτισμός : 18,33,7
[1].

χαίρειν : 3,5,18; 4,15,4; 4,40,21;
7,23,14; 7,62,6; 8,4,17;
10,37,8; 10,54,10; 10,54,36;
11,48,13; 13,11,3; 15,34,3; 15,
39,32; 16,17,6; 17,9,3; 18,5,
25; 18,13,29; 18,26,12; 18,26,
36
[19].

χαλᾶν : 3,52,2; 13,13,6; 13,13,9
[3].

χαλεπαίνειν : 11,122,5; 18,14,
46
[2].

χαλεπός : 4,94,3; 10,11,11; 10,
11,12; 18,49,75; 18,49,153;
18,49,154
[6].

χαλινός : 2,35,19; 2,35,30; 4,54,
1; 15,136,30
[4].

χαλινοῦν : 11,50,13
[1].

χαλκεῖον : 15,118,20
[1].

χαλκόσπλαγχνος : 8,16,8
[1].

χαλκοῦς : 1,19,2; 7,61,2; 10,
89,1; 11,78,12
[4].

χαμαί : 6,8,16; 6,8,20; 7,40,6;
10,110,34; 15,12,27; 15,19,2;
15,26,7; 15,119,19; 17,34,
17; 20,15,68; 20,15,69; 20,16,
13
[12].

χαμευνία : 7,24,5
[1].

χαρά : 2,10,38; 3,5,14; 3,34,2;
4,29,5; 5,46,29; 5,46,32;
5,46,54; 5,46,86; 5,49,2; 6,8,7;
6,8,11; 7,1,12; 8,4,7; 8,32,51;
9,6,16; 9,10,27; 10,51,21;
10,54,17; 10,94,24; 10,110,26;
10,150,3; 10,170,21; 10,176,8;
11,9,14; 13,12,10; 14,7,3;
15,8,9; 15,64,7; 15,119,36;
15,132,4; 17,33,13; 18,4,25;
18,4,55; 18,26,37; 18,31,2;
18,42,3; 18,42,17; 20,24,29
[38].

χάραγμα : 4,102,5; 4,102,7
[2].

χαράδριον : 10,110,12;
10,110,55; 16,5,4
[3].

χάραξ : 2,32,1; 9,10,7
[2].

χαριεντίζεσθαι : 7,14,6;
9,10,17; 10,3,2; 10,189,8;
14,5,6; 15,113,3
[6].

13,2,14; 13,17,4; 13,17,5;
14,31,3; 14,32,23; 15,11,5;
15,12,30; 15,12,34; 15,102,2;
15,120,4; 15,135,5; 15,135,19;
16,27,23; 17,5,5; 17,5,5;
17,34,36; 18,13,51; 18,26,55;
18,45,11; 18,45,51; 18,49,2;
18,49,5; 18,49,7; 18,49,185;
20,5,6; 20,15,35; 20,15,63;
20,16,59
[68].

χρύσινος : 6,8,4; 6,8,11
[2].

χρυσίον : 6,23,1; 10,19,12; 10,
23,6; 10,110,57; 11,80,6; 15,
116,11; 18,11,2; 18,11,7;
18,11,12; 18,11,17
[10].

χρυσός : 4,102,6; 4,102,7; 7,23,
19; 11,92,1; 18,49,44
[5].

χρυσοῦς : 9,16,9; 9,16,9; 9,16,
10; 10,70,5; 10,70,11; 14,29,
11
[6].

χύτρα : 5,46,49; 15,39,11
[2].

χυτρόπους : 10,147,8
[1].

χῶμα : 5,22,8
[1].

χωννύναι : 3,19,24
[1].

χώρα : 7,49,8; 7,49,10; 7,49,11;
8,16,1; 10,8,2; 10,53,1; 10,
54,2; 10,54,15; 10,54,40; 10,
110,27; 15,69,10; 20,24,1;
20,24,30
[13].

χωρεῖν : 5,4,43; 7,59,4; 10,49,5;
10,67,5; 15,111,40; 18,49,59;
19,19,4
[7].

χωρίζειν : 4,96,2; 9,2,1; 10,12,14;
11,27,8; 11,109,9; 11,109,11;
15,10,10; 15,10,14; 15,10,31;
15,42,9; 15,111,19; 15,111,22;
15,111,24; 15,111,30; 15,111,
31; 15,112,2; 16,30,15; 17,33,7;
17,33,13; 18,48,72
[20].

χωρίον : 2,35,38; 7,49,26; 18,
45,7; 18,45,21; 18,45,31; 18,
49,53; 19,12,5
[7].

χωρίς : 4,84,4; 4,88,1; 7,41,6;
7,52,40; 8,32,37; 15,45,3; 15,
66,2; 15,66,3; 16,18,6; 17,16,2
[10].

χωρισμός : 7,39,7; 10,12,13;
15,10,29
[3].

ψάλλειν : 2,35,33; 5,20,9; 7,
24,3; 8,4,11; 8,4,15; 8,4,23;
11,17,2; 11,33,4; 11,33,7;
11,33,8; 11,50,10; 11,87,2;
12,19,4; 14,30,14; 15,118,18;
15,120,14; 15,120,23; 15,120,
31; 15,129,24; 18,1,4; 20,3,65;
20,3,68
[22].

ψαλμός : 5,53,11; 7,34,13;
10,110,22; 10,110,65; 10,
146, 1; 10,150,6; 11,33,1; 14,
30,15; 17,34,13; 17,34,17; 20,
3,64; 20,3,65; 20,11,10; 20,11,
15
[14].

ERRATA
des volumes 1 et 2 des Apophtegmes

Vol. 1 (SC 387) :

p. 8, dernière ligne : p. 89-90.

p. 116, n° 23, l. 6 : αὗται au lieu de αὖται.

p. 116, n° 25, l. 3 : οὗ au lieu de οὖ.

p. 126, n° 5, l. 1 : ἀϐϐᾶ.

p. 130, n° 10, l. 33 : ἀποθνήσκω.

p. 135, n° 18, dernière ligne : *des* frères.

p. 137, n° 21, l. 2 : en dehors.

p. 139, l. 2 : *son* au lieu de *sans*.

p. 141, n. 1, ligne 1 : *confréries*.

p. 142, n° 34, l. 9 : εὐχῇ.

p. 150, app. crit., n° 3, 3 : *post* et *add.* en italiques.

p. 151, l. 2 : *com*parution.

p. 154, n° 11, l. 5 : οὖν.

p. 180, n° 55, l. 6 : τὸ Πνεῦμα τὸ Ἅγιον.

p. 198, n° 27, l. 18 : συγγνώμην.

p. 212, n° 51, l. 5 : ὑπερϐαλοῦ.

p. 213, app. script., g : Cf. *Sir.* 13, 19.

p. 242, app. crit., l. 1 : enlever le *6* devant ἕκαστος.

p. 243, l. 3 : son propre *cœur*.

p. 244, n° 4, l. 29 : ἀνθρωπίνη.

p. 247, app. script., g : I Sam 2, *6* au lieu de *6-7*.

p. 251, app. script., i : ajouter *Cf.* devant I Sam. 17, 35.

p. 255, app. script., j : Cf. Lc 11, *9* (au lieu de *9-10*).

p. 257, app. script., l : Ps *124*, 1 (au lieu de *125*, 1).

p. 262, n° 27, l. 8 : λαϐὲ.

p. 271, app. script., n : Cf. Matth. 12, *26* (au lieu de *36*).

p. 300, n° 46, l. 96 : Πνεῦμα.

p. 308, n° 54, l. 12 : οὖν.

p. 310, n° 54, l. 39 : θήλεια.

p. 312, n° 54, l. 62-63 : περιγενέσθαι.

p. 323, n° 12 marg. : 236 A (au lieu de 228 A)

p. 326, n° 19, l. 11 : λάθρᾳ.

p. 338, n° 6, l. 4 : προσεδοκᾶτο.

p. 343, n° 11, réf. marg. : ThE 2
p. 346, n° 17, l. 6 : κοντοῖς.
p. 348, n° 17, l. 26 : ὁ εἷς (deuxième fois).
p. 355, app. script., d : ajouter Cf. devant Ps. 68, 30.
p. 376, n° 44, l. 8 : μνημονευέτω.
p. 377, app. script., i : après Jac. 4, 6, ajouter : (Pr 3, 34).
p. 378, n° 46, l. 2 : Υἱὸν.
p. 384, n° 52, l. 19 : εἶπεν.
p. 395, n° 62, l. 1-2 : où il avait une bonne conduite au lieu de : où il menait une belle vie.
p. 422, n° 32, l. 45 : δεξιοῦ.
p. 424, n° 32, l. 52 : αὐτῶν.
p. 432, n° 10, l. 11 : ἀποθνήσκω.
p. 439, app. script., d : ajouter Cf. devant Matth. 7, 1.
p. 442, n° 20, l. 6 : Λαβὲ.
p. 445, app. script., e : Prov. 25, 7 (au lieu de 8).
p. 448, n° 25, l. 7 : καταλαλιά.
p. 451 (table des matières), IV. A (Macaire) : p. 47 (au lieu de 46).
p. 452, Prologue : p. 92 (au lieu de 93).

Vol. 2 (SC 474) :

p. 9, col. 4, l. 13 : Héraclide (au lieu de Héraclios)
p. 9, col. 4, l. 18 : Isidore (au lieu de Isodore).
p. 10, l. 28 et 30 : Nisthérôos.
p. 12, l. 13 : Apophtegmes.
p. 16, n° 6, l. 2 : ἀποθνήσκειν.
p. 30, n° 25, l. 3 : θυμὸν.
p. 32, n° 31, l. 1 : τιμή.
p. 34, n° 33, l. 2 : εὐνοῦχον.
p. 54, n° 63, l. 4 : σφοδρῶς.
p. 54, n° 63, l. 14 : Αἰσθάνομαι.
p. 56, n° 63, l. 20 : σχεδόν.
p. 60, n° 68, l. 4 : ἀπελπίσῃς ἑαυτοῦ.
p. 64, n° 74, l. 1 : Χρῄζει.
p. 64, n° 75, l. 1 : σιωπᾶν.
p. 74, n° 95, l. 5 : Προλαβών.
p. 78, n° 99, l. 1 : ἀββᾶ.

p. 78, n° 99, l. 7 : ἄρα.

p. 80, n° 100, l. 22 : ὑπάγειν.

p. 82, n° 102, l. 9 : ψαλμῳδίᾳ.

p. 82, n° 103, l. 3 : ἐπιδῦναι.

p. 84, n° 105, l. 5 : κανών.

p. 84, n° 105, l. 7 : τροφῶν.

p. 84, n° 105, l. 12 : ὤν.

p. 86, n° 110, l. 7 : Ἀκούσασ.

p. 86, n° 110, l. 17 : αὐτῷ.

p. 88, n° 110, l. 32 et 33 : στρωμνὴν.

p. 88, n° 110, l. 41 : ποταμὸν.

p. 90, n° 110, l. 54 : στρωμνάς.

p. 90, n° 110, l. 57 : χρυσίον.

p. 90, n° 110, l. 64 : κιθάρας.

p. 94, n° 116, l. 1 et 2 : στενὴ.

p. 95, n° 116, réf. marg. : Amm *11* (au lieu de 1)

p. 96, n° 121, l. 1 : πλήρη.

p. 98, n° 129, l. 7 : σχεδὸν.

p. 98, n° 130, l. 2 : κοπωθῆναι.

p. 100, n° 131, l. 8 : οὖν.

p. 106, n° 138, l. 11 : ἐλθόντες.

p. 108, n° 144, l. 2 : πρόσχῃς.

p. 108, n° 144, l. 3 : πτωχὸς.

p. 108, n° 146, l. 5 : δεξιὰν.

p. 115, app. script., e : Lv 11, *3* (au lieu de *3-4*).

p. 116, n° 156, l. 2 : δῶ.

p. 122, n° 168, l. 5 : Πνεῦμα.

p. 122, n° 170, l. 10 : ἑβδομάδα.

p. 122, n° 170, l. 16 : ἀποθνήσκω.

p. 122, n° 170, l. 16 : φαγὼν.

p. 122, n° 170, l. 17 : ἑβδομάδα.

p. 124, n° 171, l. 9 : μηλωτάριον.

p. 124, n° 173, l. 3 : ῥίψον.

p. 126, n° 176, l. 5 : ἀλλὰ.

p. 128, n° 178, l. 6 : Ἠλία.

p. 134, n° 190, l. 3 : ἐπέτασσεν.

p. 134, n° 190, l. 3 : σαγηνῶν.

p. 134, n° 190, l. 4 : στιππύον.

p. 134, n° 192, l. 1 : τῆς.

p. 134, n° 192, l. 2 : σταυροῦ.
p. 134, n° 193, l. 2 : ἀνωμαλῇ.
p. 135, n° 190, l. 4 : l'étoupe au lieu de la paille.
p. 136, tit. : νήφειν.
p. 138, n° 4, l. 2 : δὲ.
p. 142, n° 15, l. 1 : ἀποθνήσκων.
p. 146, n° 27, l. 1 : Ἡσαίου.
p. 150, n° 32, l. 1 : ζητεῖ.
p. 150, n° 34, l. 1 : Ἡσαίας.
p. 152, n° 35, l. 3 : ψαλμῳδίαις.
p. 152, n° 37, l. 7 : τὸ Πνεῦμα τὸ Ἅγιον.
p. 154, n° 41, l. 20 : ἦρεν.
p. 156, n° 44, l. 4 : ἐντολήν.
p. 158, n° 47, l. 11 : ἀπωθούμενος.
p. 162, n° 50, l. 15 : πράξεις.
p. 164, n° 50, l. 27 : ποιῇ. .
p. 164, n° 51, l. 12 : Υἱὸν.
p. 164, n° 51, l. 13 : Πατέρα... Υἱὸν... Ἅγιον Πνεῦμα.
p. 164, n° 51, l. 23-24 : Πατὴρ... Υἱὸς... Πνεῦμα... Ἅγιον.
p. 166, n° 51, l. 34 : πλανώμεθα.
p. 166, n° 51, l. 37 : προσᾴδομεν.
p. 166, n° 52, l. 3 : τιμῆς.
p. 167, app. script., r : Ps 15, 8 (au lieu de 16, 8).
p. 168, n° 55, l. 4 : ἀπῄει.
p. 172, n° 64, l. 3 : Τί.
p. 174, n° 68, l. 4 : ἐξελθών.
p. 176, n° 70, l. 3 : ἀφῆκα.
p. 176, n° 73, l. 2 : κλέπται.
p. 178, n° 75, l. 6 : πλεῖν.
p. 178, n° 75, l. 10 : χειμῶνι.
p. 182, n° 80, l. 5 : Συντυχὼν.
p. 182, n° 80, l. 8 : ἑτέραν.
p. 188, n° 97, l. 2 : σκοπὸν.
p. 188, n° 98, l. 2 : οὐδενί.
p. 190, n° 103, l. 2 : δυνατόν.
p. 192, n° 108, l. 2 : ζῴου.
p. 196, n° 111, l. 11 : ἀπῄει.
p. 196, n° 113, l. 3 : λῃστὴς.
p. 197, app. script., w : 2 Co (au lieu de 1 Co).

p. 198, n° 114, l. 4 : κλαῖε.
p. 198, n° 115, l. 5 : παρεκάλουν.
p. 198, n° 116, l. 3 : ἐχθρὸς ἐάν.
p. 202, n° 121, l. 4 : φοβῇ.
p. 206, n° 126, l. 11 : κενὸν.
p. 212, n° 6, l. 8 : ψαλμωδίαν.
p. 212, n° 7, l. 3 : Πνεῦμα.
p. 216, n° 12, l. 8 : Εἶπεν.
p. 216, n° 12, l. 19 : μέγας.
p. 218, n° 14, l. 2 : ἀσθενής.
p. 218, n° 15, l. 1 : συνεχῶς.
p. 220, n° 19, l. 2 : διυπνίσαι.
p. 223, n. 1, l. 2 : 33, 1957 (au lieu de 130, 1957).
p. 228, n° 1, l. 12 : ἐξέστησαν.
p. 230, n° 2, l. 10 : Ἕνα.
p. 230, n° 2, l. 15 : νυμφίος.
p. 232, n° 4, l. 7 : ἔλθῃ.
p. 234, n° 6, l. 1 : δῶ.
p. 234, n° 7, l. 2 : ἐργόχειρον.
p. 236, n° 10, l. 10 : γόνυ.
p. 240, n° 14, l. 6 : Ἄδελφε.
p. 240, n° 14, l. 13 : τῇ.
p. 242, n° 14, l. 23 : Οὐχί.
p. 242, n° 15, l. 5 : γέροντι.
p. 242, n° 15, l. 12 : λαβέ.
p. 244, n° 16, l. 9 : κατήσχυνε.
p. 246, n° 17, l. 8 : σκοποῦ.
p. 246, n° 17, l. 23 : συντυχεῖν.
p. 248, n° 17, l. 37 : Λαβέ.
p. 248, n° 17, l. 47 : οὐρανοῦ.
p. 254, n° 3, l. 15 : ἐργάτης.
p. 260, n° 11, l. 14 : τετράδιον.
p. 260, n° 11, l. 18 : ὅτι.
p. 262, n° 13, l. 15 : ἥμισυ.
p. 264, n° 15, l. 8 : καταλιπὼν
p. 264, n° 16, l. 3 : γυνὴ.
p. 266, n° 18, l. 1 : κυβερνᾶν.
p. 266, n° 19, l. 4 : μέχρι.
p. 276, n° 28, l. 15 : ἀρτοκοπεῖον.

p. 279, l. 2 : *médaillon* au lieu de *collier*.
p. 280, n° 30, l. 14 : ποιεῖν au lieu de ποεῖν.
p. 280, n° 30, l. 15 : πλείονας.
p. 280, n° 32, l. 2 : ἐγκλείστω.
p. 282, n° 32, l. 15 : ἤ (au lieu de η).
p. 284, n° 1, l. 3 : (ἀπο)θνήσκουσίν.
p. 284, n° 1, l. 4 et 5 : πεινῶνται.
p. 290, n° 10, l. 36 : τελευτᾶν.
p. 294, n° 11, l. 20-21 : Πνεύματος Ἁγίου.
p. 300, n° 18, l. 3 : ᾔδει.
p. 300, n° 19, l. 7 : ὑπὸ (au lieu de ὑπὸ).
p. 306, n° 29, l. 1 : λαλείτω.
p. 310, n° 38, l. 3 : ἠρώτων.
p. 318, n° 46, l. 1 : Νησθερώου.
p. 318, n° 46, l. 6 : ἀϐϐᾶ.
p. 318, n° 46, l. 8 : Λαϐὲ.
p. 318, n° 46, l. 9 : θαρρῶν.
p. 318, n° 47, l. 4 : ὑπήντων.
p. 324, n° 59, l. 4 : ὠφελεῖται.
p. 324, n° 60, l. 11 : μεταξὺ.
p. 326, n° 60, l. 26 : ἔψησε.
p. 328, n° 65, l. 4 : ὁρᾶν.
p. 332, n° 70, l. 13 : Λαϐὲ.
p. 334, n° 72, l. 5 : ἀχρεῖον.
p. 334, n° 75, l. 3 : Ναυὴ.
p. 336, n° 80, l. 3 : φροντίς.
p. 338, n° 84, l. 4 : τῷ (au lieu de τῶ).
p. 346, n° 95, l. 2 : Πνεῦμα.
p. 346, n° 96, l. 5 : ἐλάττονα.
p. 348, n° 98, l. 2 : ταπεινοφροσύνης.
p. 348, n° 100, l. 2 : ὀφθαλμοῖς.
p. 350, n° 103, l. 5 : ὑποκάτω.
p. 350, n° 109, l. 5 : ἀϐϐᾶ.
p. 354, n° 111, l. 40 : ἐχώρισαν.
p. 358, n° 113, l. 3 : πολὺ.
p. 358, n° 114, l. 4 : πλούσιος.
p. 358, n° 114, l. 12 : κλῆρον.
p. 358, n° 114, l. 15 : λιτῆς.
p. 362, n° 117, l. 11 : ἐξενέγκας.

p. 362, n° 117, l. 20 : χρήζομεν.
p. 364, n° 118, l. 16 : ἐλπίδα.
p. 364, n° 118, l. 21 : δίδεις.
p. 364, n° 118, l. 36 : χρήζει.
p. 366, n° 119, l. 29 : φανεὶς.
p. 372, n° 122, l. 17 : Ὑἱὸς.
p. 372, n° 124, l. 4 : μνησικακίαν.
p. 372, n° 124, l. 7 : εὐχή.
p. 374, n° 124, l. 8 : τῷ (au lieu de τῶ).
p. 374, n° 127, l. 4 : γέρων.
p. 376, n° 129, l. 2 : ὄρει.
p. 376, n° 129, l. 7 : ἠρώτα.
p. 376, n° 129, l. 7 : παρόντα.
p. 376, n° 129, l. 23 : μέχρι.
p. 376, n° 129, l. 26 : χοιρογρύλια.
p. 376, n° 129, l. 27 : κῆπον.
p. 376, n° 129, l. 31 : καρπὸν.
p. 378, n° 129, l. 35 : κηπίον.
p. 378, n° 129, l. 41 : ἀποθνήσκειν.
p. 378, n° 129, l. 55 : μιλίων.
p. 380, n° 131, l. 9 : καταλιπὼν.
p. 382, n° 132, l. 2 : ἀποθνήσκειν.
p. 386, n° 136, l. 14 : Ἀπόστητε.
p. 390, n° 1, l. 6 : δεξιὰν.
p. 392, n° 2, l. 3 : Ἔκειτο.
p. 392, n° 2, l. 13 : δοκιμάσαι.
p. 395, réf. marg., en bas : Isi 1 au lieu de IsiS 1.
p. 396, n° 9, l. 2 : δοκιμάσαι.
p. 396, app. crit., 8, 2-3, l. 1 : συνεγέμου au lieu de συεγέμου.
p. 402, n° 19, l. 2 : ἀπωθοῦμαι.
p. 404, n° 22, l. 6 : ἐψήσω.
p. 404, n° 22, l. 8 : Πνεῦμα.
p. 406, n° 24, l. 2 : συμφέρον.
p. 406, n° 25, l. 4 : Λιβυκός.
p. 407, n° 25, l. 5 : Libyen.
p. 407, app. crit., 25, 4 : λιβυκός.
p. 410, n° 28, l. 1 : γειτνιῶντος.
p. 412, n° 29, l. 10 : Τίς (coller les lettres).
p. 412, n° 29, l. 26 : ἐξομολογεῖσθαι.

TABLE DES MATIÈRES

SOURCES CHRÉTIENNES

Fondateurs : † *H. de Lubac, s.j.*
† *J. Daniélou, s.j.*
† *C. Mondésert, s.j.*
Directeur : J.-N. Guinot
Directeur-adjoint : B. Meunier

Dans la liste qui suit, dite «liste alphabétique», tous les ouvrages sont rangés par nom d'auteur ancien, les numéros précisant pour chacun l'ordre de parution depuis le début de la collection. Pour une information plus complète, on peut se procurer deux autres listes au secrétariat de «Sources Chrétiennes» – 29, rue du Plat, 69002 Lyon (France) – Tél. : 04 72 77 73 50 :

1. la «liste numérique», qui présente les volumes et leurs auteurs actuels d'après les dates de publication; elle indique les réimpressions et les ouvrages momentanément épuisés ou dont la réédition est préparée.

2. la «liste thématique», qui présente les volumes d'après les centres d'intérêt et les genres littéraires : exégèse, dogme, histoire, correspondance, apologétique, etc.

LISTE ALPHABÉTIQUE (1-498)

TYCONIUS
Livre des Règles : *488*
VICTORIN DE POETOVIO
Sur l'Apocalypse et autres écrits : *423*

VIE D'OLYMPIAS : *13 bis*

VIE DE SAINTE MÉLANIE : *90*

VIE DES PÈRES DU JURA : *14*

SOUS PRESSE

BERNARD DE CLAIRVAUX, **Sermons sur le Cantique**. Tome V. R. Fassetta, P. Verdeyen.

CYPRIEN DE CARTHAGE, **L'Unité de l'Église**. P. Siniscalco, M. Poirier, P. Mattei.

FACUNDUS D'HERMIANE, **Défense des Trois Chapitres**. Tome V. A. Fraïsse.

GRÉGOIRE LE GRAND, **Homélies sur les Évangiles**. Tome I. R. Étaix (†), B. Judic, C. Morel (†).

SULPICE SÉVÈRE, **Dialogues**. J. Fontaine.

THÉODORET DE CYR, **Histoire ecclésiastique**. Tome I. P. Canivet, L. Pietri, A. Martin, F. Thélamon.

PROCHAINES PUBLICATIONS

AMBROISE DE MILAN, **Caïn et Abel**. M. Ferrari, L. Pizzolato, M. Poirier.

AMBROISE DE MILAN, **Seconde Apologie de David**. M. Roques.

CLÉMENT D'ALEXANDRIE, **Le Salut du riche**. P. Descourtieux, C. Nardi.

CLÉMENT D'ALEXANDRIE, **Stromate III**. A. Le Boulluec.

FAUSTUS et MARCELLINUS, **Libellus precum**. A. Canellis.

JEAN CHRYSOSTOME, **Lettres d'exil**. R. Delmaire, A.-M. Malingrey (†).

JÉRÔME, **Trois vies de moines**. P. Leclerc, E. Morales, A. de Vogüé.

NIL D'ANCYRE, **Commentaire sur le Cantique**. Tome II. M.-G. Guérard.

ORIGÈNE, **Exhortation au martyre**. C. Morel (†), C. Noce.

THÉODORET DE CYR, **Sur la Trinité et Sur l'Incarnation**. J.-N. Guinot.

RÉIMPRESSIONS PRÉVUES EN 2005

19 bis. HILAIRE DE POITIERS, **Traité des mystères**. P. Brisson.

33 bis. **A Diognète**. H.-I. Marrou.

37 bis. ORIGÈNE, **Homélies sur le Cantique**. O. Rousseau.

42. JEAN CASSIEN, **Conférences**. Tome I. E. Pichery.

50. JEAN CHRYSOSTOME, **Huit catéchèses baptismales inédites**. A. Wenger.

54. JEAN CASSIEN, **Conférences**. Tome II. E. Pichery.

60. AELRED DE RIEVAULX, **Quand Jésus eut douze ans**. A. Hoste, J. Dubois.

61. GUILLAUME DE SAINT-THIERRY, **Traité de la contemplation de Dieu**. J. Hourlier.

91. ANSELME DE CANTORBÉRY, **Pourquoi Dieu s'est fait homme**. R. Roques.

96. SYMÉON LE NOUVEAU THÉOLOGIEN, **Catéchèses**. Tome I. B. Krivochéine, J. Paramelle.

200. LÉON LE GRAND, **Sermons 65-98**. Tome IV. R. Dolle.

201. **Évangile de Pierre**. M.G. Mara

222. ORIGÈNE, **Commentaire sur S. Jean**, Livre XIII. Tome III. C. Blanc.

Également aux Éditions du Cerf:

LES ŒUVRES DE PHILON D'ALEXANDRIE
publiées sous la direction de
R. ARNALDEZ, C. MONDÉSERT, J. POUILLOUX.
Texte original et traduction française

1. **Introduction générale, De opificio mundi.** R. Arnaldez.
2. **Legum allegoriae.** C. Mondésert.
3. **De cherubim.** J. Gorez.
4. **De sacrificiis Abelis et Caini.** A. Méasson.
5. **Quod deterius potiori insidiari soleat.** I. Feuer.
6. **De posteritate Caini.** R. Arnaldez.
7-8. **De gigantibus. Quod Deus sit immutabilis.** A. Mosès.
9. **De agricultura.** J. Pouilloux.
10. **De plantatione.** J. Pouilloux.
11-12. **De ebrietate. De sobrietate.** J. Gorez.
13. **De confusione linguarum.** J.-G. Kahn.
14. **De migratione Abrahami.** J. Cazeaux.
15. **Quis rerum divinarum heres sit.** M. Harl.
16. **De congressu eruditionis gratia.** M. Alexandre.
17. **De fuga et inventione.** E. Starobinski-Safran.
18. **De mutatione nominum.** R. Arnaldez.
19. **De somniis.** P. Savinel.
20. **De Abrahamo.** J. Gorez.
21. **De Iosepho.** J. Laporte.
22. **De vita Mosis.** R. Arnaldez, C. Mondésert, J. Pouilloux, P. Savinel.
23. **De Decalogo.** V. Nikiprowetzky.
24. **De specialibus legibus.** Livres I-II. S. Daniel.
25. **De specialibus legibus.** Livres III-IV. A. Mosès.
26. **De virtutibus.** R. Arnaldez, A.-M. Vérilhac, M.-R. Servel, P. Delobre.
27. **De praemiis et poenis. De exsecrationibus.** A. Beckaert.
28. **Quod omnis probus liber sit.** M. Petit.
29. **De vita contemplativa.** F. Daumas et P. Miquel.
30. **De aeternitate mundi.** R. Arnaldez et J. Pouilloux.
31. **In Flaccum.** A. Pelletier.
32. **Legatio ad Caium.** A. Pelletier.
33. **Quaestiones in Genesim et in Exodum. Fragmenta graeca.** F. Petit.
34 A. **Quaestiones in Genesim,** I-II (e vers. armen.). Ch. Mercier.
34 B. **Quaestiones in Genesim,** III-IV (e vers. armen.). Ch. Mercier et F. Petit.
34 C. **Quaestiones in Exodum,** I-II (e vers. armen.). A. Terian.
35. **De Providentia,** I-II. M. Hadas-Lebel.
36. **Alexander** *vel* **De animalibus** (e vers. armen.). A. Terian.

*Cet ouvrage
a été achevé d'imprimer
en septembre 2005
par l'Imprimerie Floch
53100 – Mayenne.*

*Dépôt légal : octobre 2005.
N° d'imprimeur : 63961.
N° d'éditeur : 13702.*

Imprimé en France